JN151668

腫瘍病理鑑別診断アトラス

乳癌

第3版

編集

森谷卓也
［川崎医科大学教授］

津田　均
［防衛医科大学校教授］

監修：腫瘍病理鑑別診断アトラス刊行委員会
小田義直・坂元亨宇・都築豊徳・深山正久・松野吉宏・森谷卓也

編集協力：日本病理学会

文光堂

執筆者一覧（五十音順）

有廣光司　広島大学病院病理診断科教授
石田和之　獨協医科大学病理診断学教授
大井恭代　博愛会相良病院病理診断科部長
大迫　智　がん研究会がん研究所病理部主任研究員
大森昌子　倉敷成人病センター病理診断科主任部長
大和田温子　獨協医科大学病理診断学
岡澤佳未　広島大学病院病理診断科
小山徹也　群馬大学大学院医学系研究科病理診断学教授
片山彩香　群馬大学大学院医学系研究科病理診断学講師
桂田由佳　防衛医科大学校臨床検査医学講座
鹿股直樹　聖路加国際病院病理診断科部長
北薗育美　鹿児島大学病院病理部・病理診断科特例講師
木脇圭一　虎の門病院病理診断科
國吉真平　東北大学病院病理部/市立気仙沼病院病理診断科
熊木伸枝　東海大学医学部基盤診療学系病理診断学准教授
紅林淳一　川崎医療福祉大学臨床工学科特任教授
黒田　一　東京女子医科大学附属足立医療センター病理診断科准教授
小塚祐司　三重大学医学部附属病院病理診断科講師
坂谷貴司　日本医科大学付属病院病理診断科教授
笹野公伸　東北大学名誉教授／東北大学医学系研究科客員教授／石巻赤十字病院学術顧問
佐貫史明　川崎医科大学病理学
塩見達志　公益財団法人鳥取県保健事業団副医務局長
清水亜衣　北海道大学病院病理診断科／病理部
津田　均　防衛医科大学校医学教育部医学科病態病理学教授
唐　小燕　日本大学医学部病態病理学系腫瘍病理学分野准教授
南條　博　秋田大学医学部附属病院病理診断科・病理部部長
西村広健　川崎医科大学病理学講師
西村理恵子　名古屋医療センター病理診断科医長
野嵜　史　日本大学医学部病態病理学系腫瘍病理学分野診療准教授
長谷部孝裕　埼玉医科大学国際医療センター乳腺腫瘍科・病理診断科兼担教授
原田　大　亀田総合病院臨床病理科
飛田　陽　永頼会松山市民病院病理診断科部長
廣嶋優子　秋田大学医学部附属病院病理診断科・病理部
広田由子　さいたま赤十字病院病理診断科副部長
藤本有香　広島大学病院病理診断科
堀井理絵　埼玉県立がんセンター病理診断科副部長
本間尚子　東邦大学医学部病理学講座准教授
前田一郎　北里大学医学部病理学教授/北里大学北里研究所病院病理診断科部長
増田しのぶ　日本大学医学部病態病理学系腫瘍病理学分野教授
松本裕文　中頭病院病理診断科部長
三上友香　川崎医科大学病理学
三上芳喜　熊本大学病院病理部・病理診断科部長・教授
三原勇太郎　久留米大学医学部病理学講座
村田有也　独立行政法人国立病院機構東京医療センター臨床検査科/病理診断科医長
森　馨一　広島大学病院病理診断科
森谷鈴子　滋賀医科大学医学部附属病院病理部・准教授
森谷卓也　川崎医科大学病理学教授
山口　倫　久留米大学医学部附属医療センター病理診断科・臨床検査室准教授
山田　倫　熊本大学病院病理部・病理診断科
吉田正行　国立がん研究センター中央病院病理診断科
渡邉秀隆　久留米大学医学部外科学講座
渡辺みか　東北公済病院病理診断科部長

第３版の序

乳腺病理を取り巻く環境の変化を受けて「腫瘍病理鑑別診断アトラス 乳癌」の第２版改訂版が刊行されたのは2016年である．しかしその環境は，この５年間でさらに大きく変化した．その一つに2019年のWHO乳腺腫瘍分類 改訂第５版の出版がある．この第５版分類では，WHO乳腺腫瘍分類 第４版（2012年）の内容を継承しつつ疾患の配列をより系統的にし，組織型にも一部変更が加えられた．最新の乳癌取扱い規約 第18版（2018年）の組織分類では，WHO分類との対応，互換性を重視し，徐々にWHO分類に近づけようとする傾向が見受けられ，両者の互換性についても配慮し記載された．また，新たにICCR（International Collaboration on Cancer Reporting）による病理診断の報告様式も提唱された．

二つめは，分子標的治療適応決定のための分子診断やコンパニオン診断がますます重要性を増してきたことが挙げられる．すでに広く用いられていたホルモン受容体，HER2検査に加え，Ki67などの測定依頼件数も増加した．新規分子標的薬剤が導入され，コンパニオン診断として遺伝子変異検査や癌組織におけるPD-L1評価も行われている．三つめは，固定，切出し法などの病理標本の取扱いから病理診断報告書記載に至るまでの標準化の流れである．個々の腫瘍を共通の基準下で正確に記載し，施設間での治療成績比較を意味あるものにする，という乳癌取扱い規約発刊の原点でもある．将来の分子・遺伝子検査のために良質の病理試料（ホルマリン固定パラフィン包埋組織ブロック）を作製，保管することも病理部門の重要な役割となった．

以上のような時代の流れに鑑み，このたび，本書第３版を刊行することとなった．第２版の章立てを踏襲した４部構成からなっている．第１部「検鏡前の確認事項」では，病理標本の取扱い方について詳しく記載した．第２部「組織型と診断の実際」は，構成を第２版から大幅に変更し，WHO分類 第５版に合わせた項目立てと記載内容とした．ただし，わが国独自で親しまれている分類については，WHO分類との整合性を考慮した上で維持した．第３部「鑑別ポイント」では，免疫組織化学の適切な利用法など，現状における最適な鑑別診断方法の実際について記載した．第４部「臨床との連携」では，遺伝性乳癌，悪性度評価，バイオマーカー検索，病理診断の臨床的取扱い，術中・術後の広がり診断，病理学的治療効果判定と，病理診断報告様式について解説を行った．

執筆は，現在，乳腺の病理診断に積極的に取り組んでおられる方々にお願いした．本書が日常診断における必須のアトラスとして，これまで以上に多くの方々に利用していただけることを切に願っている．

令和４年10月

森谷　卓也
津田　　均

この「腫瘍病理鑑別診断アトラスシリーズ」は日本病理学会の編集協力のもと，刊行委員会を設置し，本シリーズが日本の病理学の標準的なガイドラインとなるよう，各巻ごとの編集者選定をはじめ取りまとめを行っています．

腫瘍病理鑑別診断アトラス刊行委員会
小田義直，坂元亨宇，都築豊徳，深山正久，松野吉宏，森谷卓也

第２版の序

「腫瘍病理鑑別診断アトラス　乳癌」は2010年６月に初版が発刊された．この書籍は，日本乳癌学会が編集する「臨床・病理　乳癌取扱い規約（第16版）」に準拠した組織型分類と，国内外で編纂された乳癌診療に関するガイドラインなどに記載されている臨床病理学的な取扱いに基づいて編纂された．豊富なカラー写真と，最先端の知識も含めたきめ細かな解説がなされており，乳腺疾患の病理診断にとって欠かせない，極めて実用的かつ有用であり，今もその価値に変わりはない．

しかし，乳腺病理を取り巻く環境はこの６年間で更に大きく変化した．その一つはWHOの腫瘍分類第４版である「WHO Classification of Tumours of the Breast」が2012年６月に改訂されたことが挙げられる．腫瘍分類の考え方が日本の取扱い規約とは異なる部分や，取扱い規約には記載がない組織型もあり，それらの差の部分について整理し，２つの分類に互換性を持たせる必要がある．二つ目には，コンパニオン診断がますます重要性を増してきた点である．薬物療法の選択や予後推定にバイオマーカーの検索が必須となっており，取扱い規約の記載にも導入された．また，最近ではKi-67ラベリングインデックスの判定が必要とされるようになった．第三に，多重遺伝子診断が注目を浴び，遺伝性乳癌の研究も進捗が見られた．今後は遺伝子レベルから乳癌の発生や進展を捉える動きがますます加速すると期待されている．

以上のような時代の流れも鑑み，本書第２版では，第２部「組織型と診断の実際」の構成を前版から変更し，WHO分類も意識した項目立てとした．組織型分類にはそれぞれコンセプトがあり，方針に従って組み立てられているので，異なる分類法の善し悪しを述べることが目的ではなく，ダブルスタンダードになって混乱することがないよう，両者を適切に置き換えて利用できるような解説を心がけた．第３部「鑑別ポイント」では，免疫組織化学の適切な利用法など，現状における最適な診断方法の実際を提供した．さらに，第４部「臨床との連携」では，内因性サブタイプ分類とその病理判定，細胞診・針生検の報告様式，治療効果判定やセンチネルリンパ節生検法が定着してきたので，それらを含めて乳腺疾患に対する日常診断全体を俯瞰できるように工夫した．

執筆は，現在，乳腺の病理診断に積極的に取り組んでおられる方々に分担をお願いした．本書がこれまでにない新たな切り口の解説書として，多くの方々に利用していただけることを願ってやまない．

平成28年５月

森谷　卓也
津田　　均

乳癌 目次

第 1 部
検鏡前の確認事項

Ⅰ．乳腺腫瘍の組織型分類：乳癌取扱い規約 第18版(2018年)とWHO分類 第5版(2019年)の概要

はじめに

現在(2022年)，各臓器のWHO分類 第5版(以下，WHO分類)が順次出版されている．従来の形態学的分類に遺伝子変異情報を付与あるいは組み合わせて，または遺伝子変異を主軸に分類する傾向が顕著となってきている．腫瘍の発生は，発生母地となる細胞の増殖機序を基礎に，各臓器の役割に応じた変異原性物質への曝露，あるいはその他の原因により，各臓器に特徴的な遺伝子変異，発現異常が惹起され，細胞が増殖自律性を獲得した結果である．腫瘍の組織型分類は，我々の腫瘍に対する理解を反映したものであり，各臓器の腫瘍発生機序に対する理解が深化すれば腫瘍分類自体も当然変化していく．

乳癌の組織型分類について考えてみたい．他臓器の取扱い規約の組織型分類が，WHO分類改訂に従い，その和訳，解釈，説明という役割を果たしているのに比して，乳癌取扱い規約の分類(規約分類)は旧来の骨格を維持しており，頻度の高い組織型を中心に，過剰診断，過小診断されやすい留意が必要な特殊型が追加される，という小修整が加えられ続けている．一見，WHO分類と乖離しているような印象を与え，またときにダブルスタンダードとなるゆえの弊害も看過できない．にもかかわらず，WHO分類改訂に伴って逐次的に組織型分類を変更しない理由の一つは，数年ごとの大幅な組織型分類変更に付随する懸念，すなわち診断・治療に関わる医療者が頻繁に変更される組織型分類への理解が及ばず，組織型分類が臨床的取扱いに反映されず臨床現場から遊離していくであろうという懸念や，また，毎年の全国の乳癌症例情報のNCD(National Clinical Database)登録システムの変更と運用に混乱を生じさせるであろうという懸念が大きいように思う．さらには乳癌の組織型分類が臨床診療と連携して発展してきた，という背景によるところが大きいと思われる．

乳腺上皮細胞の分化増殖は，ホルモン調節(卵巣，下垂体，副腎，甲状腺)によっており，乳癌はエストロゲン刺激による症例が多く，遺伝子変異を主原因とする症例の割合が少ない．よって，現在のところ，遺伝子変異を主軸に再構築する必要性が低い臓器であり，またWHO分類 第5版においても，遺伝子変異を主軸に再構築されていないのは，進取の精神を欠いているわけではなく，乳腺の臓器特異性を反映した分類であるからと理解している．現時点においては，規約分類もWHO分類も形態学的特徴に基づく分類であり，両者の互換性対比は可能である．

WHO分類が病因と形態を反映したある程度の完成度の分類となり，診断・治療を含む臨床診療において有意義な運用が可能な分類となったときに，WHO分類に添う規約分類に変更可能になると期待している．

1．WHO分類 第5版[1]の主な変更点(表1, 2, 表6参照)

1）分類骨格の変更

全体の枠組みが以下のように変更され，規約分類第18版[2](以下，規約分類)との整合性がとりやすくなった．

表1 | WHO Classification of Tumours, Breast Tumours (5th ed. 2019)の骨格

Epithelial tumours of the breast
Benign epithelial proliferations and precursors
Adenosis and benign sclerosing lesions
Adenomas
Epithelial-myoepithelial tumours
Papillary neoplasms
Non-invasive lobular neoplasia
Ductal carcinoma *in situ*
Invasive breast carcinoma
Fibroepithelial tumours and hamartomas of the breast（以下，中項目略）
Tumours of the nipple
Mesenchymal tumours of the breast
Haematolymphoid tumours of the breast
Tumours of the male breast
Metastases to the breast
Genetic tumour syndromes of the breast

表2 | WHO分類 第5版の主な変更点

POINT 1：全体の枠組みが変更された
- 規約分類との整合性がとりやすくなった

POINT 2：各組織型に "Pathogenesis" が記載された

POINT 3：新規組織型
- Papillary ductal carcinoma *in situ*
- Mucinous cystadenocarcinoma
- Tall cell carcinoma with reversed polarity
- Breast implant-associated anaplastic large cell lymphoma

POINT 4：整理されたカテゴリー
- Neuroendocrine neoplasms (NENs)：独立したカテゴリーにまとめられた
- Medullary carcinoma：stromal TIL の記載に吸収*
- Genetic tumour syndromes

POINT 5：検討中のカテゴリー
- Papillary neoplasms
- Epithelial-myoepithelial tumours

* invasive carcinoma NST の special morphological patterns に記載.
TIL：tumour infiltrating lymphocyte.

a）分類全体の骨格

上皮性腫瘍，結合織性および上皮性混合腫瘍，非上皮性腫瘍の順に分類されている．

b）上皮性腫瘍

①良性病変，非浸潤癌，浸潤癌の順に分類されている．

②まれな腫瘍については，個々の独立した組織型項目とせず，その他にまとめて記載している．

以上の変更により，病理総論的理解がより容易な分類体系となった．WHO分類 第4版（2012年）[3]では頻度の高い浸潤癌から分類されていたが，良性病変と悪性病変が混在し，一つの組織型が複数のカテゴリーに分類されるなどの混乱が指摘されていた．これらの課題が解決されたといえる．

2）pathogenesis

各組織型において，"pathogenesis" の項目が新たに記載されており，現時点において明らかになっている腫瘍発生に関連する遺伝子変異の有無や仮説が紹介されている．

3）新規組織型

新たに以下の組織型が追加された．各組織型の詳細については第2部（各論）の項を参照していただきたいが，特に留意が必要な点について記載した．

a）papillary ductal carcinoma *in situ*

papillary pattern を示す ductal carcinoma *in situ*（DCIS）を一つの項目として独立させている．規約分類では DCIS の項目に分類されている．

b）mucinous cystadenocarcinoma

卵巣の mucinous cystadenocarcinoma に類似する組織所見を示し，ER 陰性であることから他臓器からの転移との鑑別に留意を要する．

c）tall cell carcinoma with reversed polarity（TCCRP）

核が細胞頂部に位置するという特徴的な細胞所見を有する腫瘍で，浸潤癌特殊型の一つである．高頻度に *IDH2* 遺伝子変異（p.R172G/S/T）を有することが特徴である[4〜6]（**表3**）．神経膠腫や急性骨髄性白血病に高頻度に指摘される IDH1 は細胞質に局在するが，IDH2 はミトコンドリアに局在する．また，鑑別診断上，TCCRP は CK5/6 陽性である点に留意が必要である[5]（**表4**）．

d）breast implant-associated anaplastic large cell lymphoma（BIA-ALCL）

わが国においても事例が報告されており，臨床病理学的に留意を要する組織型である．異物に対する炎症反応との連想から他臓器における diffuse large B-cell lymphoma associated with chronic inflammation, fibrin-associated diffuse large B-cell lymphoma などが頭に浮かぶかもしれないが，本疾患は Epstein Barr virus（EBV）感染との関連がない T 細胞リンパ腫であり，組織型としては ALK 陰性未分化大細胞リンパ腫 anaplastic large cell lymphoma（ALCL）が最も多い．また，本組織型固有の進行期分類の T 因子が規定されている点に留意が必要である（**表5**）．

4）整理されたカテゴリー

以下のカテゴリーが特に整理されたと考える．

表3 | 腫瘍における *IDH1*/*IDH2* 遺伝子変異の頻度（文献4～6より作成）

遺伝子変異＼疾患		glioma	AML	cartilaginous tumor	thyroid carcinoma	CCC	TCCRP	
IDH1	p.R132H	91.32	40.00	17.28		50.00		
	p.R132C	4.07	27.06	77.78		62.50		
	p.R132S	1.66	13.53	1.23				
	p.R132G	1.87	8.82	2.47		12.50		
	p.R132L	0.96	2.35	1.23		25.00		
	p.R132V	0.05						
	p.R132P	0.05						
	p.V71I		8.24		5.26			
	p.G70D				31.58			
	p.I130M				5.26			
	p.H133Q				5.26			
	p.A134D				10.53			
	p.V178I				42.11			
IDH2	p.R172K	60.00	18.10					
	p.R172M	22.50						
	p.R172W	12.50				100		
	p.R172G	5.00	0.86				33.33	23.07
	p.R172S			100			33.33	23.07
	p.R172T						11.11	30.76
	p.R140Q		76.72					
	p.R140W		1.72					
	p.R140L		2.59					
	文献	4)	4)	4)	4)	4)	5)	6)

▇：最も頻度の高い遺伝子変異.
AML：acute myelomonocytic leukemia, CCC：cholangiocellular carcinoma, TCCRP：tall cell carcinoma with reversed polarity.

表4 | tall cell carcinoma with reversed polarity の鑑別診断（文献5より作成）

	TCCRP (n=9)	IMPC (n=6)	SPC (n=6)	IDP with UDH (n=6)
核の極性の逆転	あり (9/9)	なし (0/6)	なし (0/6)	なし (0/6)
筋上皮細胞マーカー (p63, calponin)	なし (0/9)	なし (0/6)	なし (0/6)	あり (6/6)
CK5/6	陽性 (8/9)	陰性 (0/6)	陰性 (0/6)	陽性 (6/6)
CK7	陽性 (9/9)	陽性 (6/6)	陽性または一部陽性 (6/6)	陽性 (6/6)
calretinin	陽性 (9/9)	陰性 (0/6)	陰性 (0/6)	一部陽性 (2/6)
ER*	low (7/9)	high (6/6)	high (6/6)	high (5/6)
Ki67	≦5% (7/9)	≧20% (4/6)	≧5% (5/6)	≦5% (5/6)
神経内分泌分化	陰性 (0/9)	陰性 (0/6)	陽性 (4/6)	陰性 (0/6)
IDH2 変異	あり (8/9)	ND	ND	ND

▇：鑑別に有用な陽性所見，▇：鑑別に参考になる陽性所見，▇：鑑別に有用な陰性所見.
*ER：low<10%，high ≧ 80%.
IDP：intraductal papilloma，IMPC：invasive micropapillary carcinoma，ND：not detected，SPC：solid papillary carcinoma，TCCRP：tall cell carcinoma with reversed polarity，UDH：usual ducal hyperplasia.

表5 | breast implant-associated anaplastic large cell lymphoma の進行期分類（T因子）

TNM 分類の改変	割合 (%)
・T1（被膜の管腔側に限局した腫瘍）	35.6%
・T2（被膜表面浸潤）	12.6%
・T3（深い被膜浸潤，ときに慢性炎症性細胞浸潤を伴う）	16.1%
・T4（被膜通過）	34.5%
・リンパ節転移（N1）および遠隔疾患（M1）が生じうる	

a) neuroendocrine neoplasms (NENs)

消化管，肺における NEN に比べて，乳腺において NEN が独立した一つの項目として取り上げられるのが遅れた理由を，筆者は次のように理解している．正常乳腺における神経内分泌細胞の存在が不明確であること，通常の浸潤癌においても神経内分泌的形質発現を有する症例が少なからず指摘されること，ペプチドホルモンによる症状出現を伴う症例は少ないことなどである．WHO分類においては第3版（2003年）[7]にneuroendocrine carcinoma（NEC），neuroendocrine tumour（NET）という診断名が掲載され，第4版（2012年）において，carcinomas with neuroendocrine featuresとして，NET, well differentiated, NEC, poorly differentiated / small cell carcinoma[not include large cell NEC（LCNEC）], invasive carcinoma of no special type（NST), solid papillary carcinoma, mucinous carcinomaが記載された．第5版（2019年）の詳細は第2部（各論）の項を参照していただきたいが，ポイントは，① solid papillary carcinoma，mucinous carcinomaはNENに分類しない，② invasive carcinoma NSTのなかで，十分均一な細胞所見，免疫染色所見がある場合にはNENに分類するが，日常診療ですべての症例に免疫組織化学を行うことは推奨されない．③ conventional carcinomaと混在することが多く，NEN＞90％であればNETあるいはNECと診断し，NEN 10〜90％であればmixed invasive NST or other types and NET or NECと診断する．これらが明示されたことにより，診断上の課題が明確になったと考える．

b）medullary carcinoma

独立した組織型とせず，invasive carcinoma NSTのspecial morphological patternsの項に説明されているstromal TILの記載に吸収された．

c）genetic tumour syndromes of the breast

WHO分類 第4版から記載されてきたカテゴリーであるが，第5版においては記載がより充実した内容となっている．

5）検討中のカテゴリー

以下の組織型については，WHO分類 第3〜5版の間に記載内容，分類基準ともに変化してきており，現在進行形で疾患概念が変化しているカテゴリーと考えている．

a）papillary neoplasms

WHO分類 第3〜5版において，一定の整理がついた概念としては，intraductal papilloma, intraductal papilloma with atypical ductal hyperplasia（ADH）and DCISであろう．病理診断において最も悩まされる病変ではあるが，疾患カテゴリーが示されたことで，免疫組織化学的特徴を合わせて判断することが可能な状態になってきたといえる．一方，solid papillary carcinomaは，特徴的な細胞組織構築と免疫組織化学的所見から病理診断は可能である．ただし，*in situ*とinvasiveの両方が含まれており，施設によってはDCISあるいはinvasive NSTに重複して分類される可能性もあり，統計学的齟齬が生じる懸念が残る．

b）epithelial-myoepithelial tumours

WHO分類 第3〜5版において分類カテゴリーが変化しており，疾患概念が十分整理されていない病変である．基本的には，背景にadenomyoepithelioma（AME）が観察されるか否か，導管上皮，筋上皮のいずれの悪性病変か，により分類される．課題は，背景にAMEが指摘されない筋上皮細胞の悪性病変の場合の，筋上皮細胞への分化マーカーや診断名に関するコンセンサス形成であろう．今後の議論が待たれる．

2．WHO分類 第5版と規約分類 第18版の互換性

参考のためにWHO分類 第5版との対比表を作成した（**表6**）．この対比表は，乳癌学会規約委員会の公式見解ではなく，規約分類 第18版に掲載したWHO分類第4版との対比表に準じて筆者が作成したものである．また，後述するように，同じ組織分類名であっても定義にずれがある項目がある点に留意が必要である．

3．規約分類の課題

規約分類の基本理念を，「疾患概念として十分確立され，臨床的重要性が認められた組織型を掲載する」としてきたために，WHO分類にはあっても規約分類には掲載されていない組織型がある．しかし，以下の項目については，国内外で一定のコンセンサスが得られてきており，次回改訂時には検討されるべきカテゴリーであろう．

1）乳管内低異型度病変について

乳管内増殖性病変の病理診断は，我々が最も悩む領域である．しかしながら，現在，usual ductal hyperplasia（UDH），ADH，flat epithelial atypia（FEA），low-grade DCISに関する分子病理学的解析結果が蓄積してきており，国際的には一定のコンセンサスが形成されてきている．ADHとlow-grade DCISには共通する遺伝子変異が指摘される一方，

表6 | WHO分類（第5版）と乳癌取扱い規約（第18版）との対比表

[EPITHELIAL TUMOURS]			
Benign epithelial proliferations and precursors			
Usual ductal hyperplasia	Ⅳ	A	
Columnar cell lesions, including flat epithelial atypia	Ⅰ	A	付記（良性腫瘍・悪性腫瘍の間）
Atypical ductal hyperplasia	Ⅰ	A	付記（良性腫瘍・悪性腫瘍の間）
Adenosis and benign sclerosing lesions			
Sclerosing adenosis	Ⅳ	A	
Apocrine adenosis and adenoma	Ⅳ	A/Ⅰ　A4	
Microglandular adenosis	Ⅳ	H	
Radial scar/complex sclerosing lesion	Ⅳ	A	
Adenomas			
Tubular adenoma	Ⅰ	A4a	
Lactating adenoma	Ⅰ	A4b	
Ductal adenoma	Ⅰ	A2	
Epithelial-myoepithelial tumours			
Pleomorphic adenoma	Ⅰ	A6	付記（ⅠA6）
Adenomyoepithelioma	Ⅰ	A5	
Malignant adenomyoepithelioma	Ⅰ	B3b（11）	付記（ⅠA5）
Papillary neoplasms			
Intraductal papilloma	Ⅰ	A1	
Papillary ductal carcinoma *in situ*	Ⅰ	B1a	付記（ⅠB1a注2）
Encapsulated papillary carcinoma	Ⅰ	B1/B3	付記（ⅠB1a注3）
Solid paillary carcinoma（*in situ* and invasive）	Ⅰ	B1/B3	付記（ⅠB1a）
Invasive papillary carcinoma	Ⅰ	B3b（11）	
Non-invasive lobular neoplasia			
Atypical lobular hyperplasia	Ⅰ	A	付記（良性腫瘍・悪性腫瘍の間）
Lobular carcinoma *in situ*	Ⅰ	B1b	
Ductal carcinoma *in situ*	Ⅰ	B1a	
Invasive breast carcinoma			
Invasive breast caricnoma of no special type（NST）	Ⅰ	B3a	
Microinvasive carcinoma	Ⅰ	B2	
Invasive lobular carcinoma	Ⅰ	B3b（1）	
Tubular carcinoma	Ⅰ	B3b（2）	
Cribriform carcinoma	Ⅰ	B3b（3）	
Mucinous carcinoma	Ⅰ	B3b（4）	
Mucinous cystadenocarcinoma			
Invasive micropapillary caricnoma	Ⅰ	B3b（8）	
Carcinoma with apocrine differentiation	Ⅰ	B3b（6）	
Metaplastic carcinoma	Ⅰ	B3b（7）	
Rare and salivary gland -type tumours			
Acinic cell carcinoma	Ⅰ	B3b（11）	付記（ⅠB3b（11））
Adenoid cystic carcinoma	Ⅰ	B3b（10）	
Secretory carcinoma	Ⅰ	B3b（9）	
Mucoepidermoid caricnoma	Ⅰ	B3b（11）	付記（ⅠB3b（11））
Polymorphous adenocarcinoma	Ⅰ	B3b（11）	付記（ⅠB3b（11））
Tall cell carcinoma with reversed polarity			
Neuroendocrine neoplasms	Ⅰ	B3b（11）	付記（ⅠB3b（11））
Neuroendocrine tumour			
Neuroendocrine carcinoma			
[FIBROEPITHELIAL TUMOURS AND HAMARTOMAS]			
Hamartoma	Ⅳ	B	
Fibroadenoma	Ⅱ	A	
Phyllodes tumour	Ⅱ	B	
[TUMOURS OF THE NIPPLE]			
Epithelial tumours			
Syringomatous tumour	Ⅰ	A6	付記（ⅠA6）
Nipple adenoma	Ⅰ	A3	
Paget disease of the breast	Ⅰ	B4	
[MESENCHYMAL TUMOURS OF THE BREAST]			
Vascular tumours			
Haemangioma	Ⅲ	B1d	
Angiomatosis	Ⅲ	B1	

表6｜続き

Atypical vascular lesions	Ⅲ	B	
Postradiation angiosarcoma of the breast	Ⅲ	B2a	
Primary angiosarcoma of the breast	Ⅲ	B2a	
Fibroblastic and myofibroblastic tumours			
Nodular fasciitis	Ⅲ	B1g	
Myofibroblastoma	Ⅲ	B1i	
Desmoid fibromatosis	Ⅲ	B1h	
Inflammatory myofibroblastic tumor	Ⅲ	B1i	
Peripheral nerve sheath tumours			
Schwannoma	Ⅲ	B1e	
Neurofibroma	Ⅲ	B1e	
Granular cell tumor	Ⅲ	B1f	
Smooth muscle tumours			
Leiomyoma	Ⅲ	B1c	
Leiomyosarcoma	Ⅲ	B2c	
Adipocytic tumours			
Lipoma	Ⅲ	B1b	
Angiolipoma	Ⅲ	B1b	
Liposarcoma	Ⅲ	B2c	
Other mesenchymal tumours and tumour-like conditions			
Pseudoangiomatous stromal hyperplasia	Ⅲ	B1l	
[HAEMATOLYMPHOID TUMOURS OF THE BREAST]			
Lymphoma			
Extranodal marginal zone lymphoma of mucosa-associated lymphoid tissue (MALT lymphoma)	Ⅲ	C	付記（ⅢC）
Follicular lymphoma	Ⅲ	C	付記（ⅢC）
Diffuse large B-cell lymphoma	Ⅲ	C	付記（ⅢC）
Burkitt lymphoma	Ⅲ	C	付記（ⅢC）
Breast implant-associated anaplastic large cell lymphoma	Ⅲ	C	付記（ⅢC）
T-cell lymphoma	Ⅲ	C	付記（ⅢC）
[TUMOURS OF THE MALE BREAST]			
Epithelial tumours			
Gynaecomastia	Ⅳ	E	
Carcinoma *in situ*	Ⅰ	B1	
Invasive carcinoma	Ⅰ	B3	
[METASTASIS TO THE BREAST]	Ⅳ	G	
[GENETIC TUMOUR SYNDROMES OF THE BREAST]			

UDHには共通する遺伝子変異は乏しい[8,9]．また，浸潤癌に対する相対危険率は，ADHでは3～5倍，DCISでは8～10倍である[10]．FEAに関しては，現在のところ乳癌の危険因子か否か証明されていないものの[10]，low-grade DCISと共通する16p増加，16q欠失が指摘されている[10,11]．以上のように，UDHとADH，FEAとは区別されるべき分子病理学的差異があることから，ADH，FEAなどの異型上皮増殖性病変については，独立した項目として掲載する意義があろう．

また，現在，乳癌発生について，細胞増殖促進因子，遺伝子変異の有無と種類などの差異により，low grade lesionとhigh grade lesionとに大別して考えるモデルが提示されている[10]．さらに，異型上皮増殖性病変とlow-grade DCISの区別が臨床的意義を有するか否か，low-grade DCISに対する積極的治療が有効か否かについて，臨床での議論の動向を注視する必要がある．いずれにしても，DCISのグレード分類に関するコンセンサス形成と規約への提示が必要な状況となってきている．

2）乳頭状病変について

規約分類においては，良性の乳頭腫の項目はあるものの，異型上皮増殖性～悪性病変としての乳頭状病変のカテゴリーを提示していない．良性～異型～悪性病変が混在する乳頭状病変のカテゴリーを示さないことで，良性病変，非浸潤癌，浸潤癌という区分を優先させているともいえる．しかしながら，乳頭状構造は臨床画像・病理学的に一つの特徴的な構築の特徴であること，WHO分類においてもintraductal papilloma with ADH and DCISとして概念カテゴリーが示されていることから，規約分類においても組織型としての提示が必要であると考える．

3）筋上皮系腫瘍について

規約分類においては，良性の腺筋上皮腫の項目はあるものの，筋上皮細胞由来の悪性病変の独立したカテゴリーを提示していない．筋上皮細胞の分化増殖ならびに腫瘍化機序の解明が進んでおらず，今後もWHO分類も変遷していく可能性があり，規約分類にすぐに適切な分類体系を提示できないものと思われる．病態理解のための研究推進の必要性が高い課題である．

4）その他の留意すべきWHO分類との相違点について

a）特殊型，混合型の定義

規約分類 第18版は，作成された当時のWHO分類 第4版に準じ，特殊型成分50％以上を特殊型と定義し，さらに50〜90％を混合型，90％以上を純型と定義した．しかし，WHO分類 第5版では，特殊型成分が10％未満の場合は浸潤性乳癌NSTと診断し，10％以上の場合には特殊型と定義する．さらに特殊型成分の比率が10〜90％の場合には混合型，90％以上の場合は，純型としている．特殊型の定義の割合に乖離がある点，留意が必要である．

b）浸潤性乳管癌 invasive ductal carcinoma と浸潤性乳癌 invasive breast carcinoma

現在，乳癌の発生部位は主として終末乳管小葉単位 terminal duct-lobular unit（TDLU）であると考えられている．invasive "ductal" carcinomaの診断名があたかも乳管の導管上皮から発生する癌，を意味しているかのような誤解を与えるという懸念から，WHO分類では"ductal"という文言を使用せず"breast"に置き換えられている．ただし，非浸潤癌については，ductal carcinoma *in situ*，lobular carcinoma *in situ* という診断名が使用されている．規約分類においては，必ずしも診断名が腫瘍発生部位を意味しない，というコンセンサスのもと，浸潤癌，非浸潤癌ともに，"ductal"および"lobular"という文言を用いた分類が保持されている．

c）Paget病の定義

Paget病 Paget's diseaseの乳頭部表皮内に癌細胞が進展する病態について，前癌細胞（Toker cell）からの発生が想定される場合[12]と乳癌細胞の乳頭部皮膚進展である場合がある．WHO分類では，前者とともに，後者の乳癌の皮膚進展については，乳癌が浸潤癌（53〜64％），非浸潤癌（24〜43％）のいずれもPaget病としている．一方，規約分類では，前者とともに，乳癌の皮膚進展としては基本的に非浸潤癌とし，浸潤はあっても1 mm以下の微小浸潤の場合と規定している．規約分類のPaget病のほうが，より狭義である点に留意が必要である．

おわりに

病理医は組織型分類に関心を寄せずにいられない．腫瘍の形態の違いを体系的に分類する，という分類学的興味から発生した組織型分類は，日々更新される腫瘍発生原因や発育進展の特徴，臨床的特徴に関する情報をもとに，どう整合性をとっていくべきかという尽きない興味を引き起こす．

疾患カテゴリーの純度を上げようとすると，腫瘍発生原因，発育進展の特徴，臨床的特徴などという異なる要素を組み込まず，遺伝子変異の種類のみに着目して分類するということになり，数多くの，あるいは無数のカテゴリーが生まれる．

20世紀は科学，特に分析的手法に基づく自然科学が大きく発展した時代であったといえる．しかし一方で，分析するだけでよいのか，統合する英知もまた必要なのではないかという問いも生まれている．今後組織型分類が医療のなかで有効な一つの方策として進化していくことを願っている．

（増田しのぶ，野嵜　史）

文　献

1）WHO Classification of Tumours Editorial Board（ed）：WHO Classification of Tumours, Breast Tumours（5th ed.）, IARC, Lyon, 2019
2）日本乳癌学会（編）：臨床・病理 乳癌取扱い規約，第18版，金原出版，2018
3）Lakhani SR, Ellis IO, Schnitt SJ, et al（eds）：WHO Classification of Tumours of the Breast（4th ed.）, IARC, Lyon, 2012
4）Yang H, Ye D, Guan KL, et al：IDH1 and IDH2 mutations in tumorigenesis：mechanistic insights and clinical perspectives. Clin Cancer Res 18：5562-5571, 2012
5）Alsadoun N, MacGrogan G, Truntzer C, et al：Solid papillary carcinoma with reverse polarity of the breast harbors specific morphologic, immunohistochemical and molecular profile in comparison with other benign or malignant papillary lesions of the breast：a comparative study of 9 additional cases. Mod Pathol 31：1367-1380, 2018
6）Chiang S, Weigelt B, Wen HC, et al：IDH2 mutations define a unique subtype of breast cancer with altered nuclear polarity. Cancer Res 76：7118-7129, 2016
7）Tavassoli FA, Devilee P（eds）：WHO Classification of Tumours, Pathology and Genetics, Tumours of the Breast and Female Genital Organs（3rd ed.）, IARC, Lyon, 2003

8）Reis-Filho JS, Lakhani SR：The diagnosis and management of pre-invasive breast disease：genetic alterations in pre-invasive lesions. Breast Cancer Res 5：313-319, 2003
9）Boecker W, Moll R, Dervan P, et al：Usual ductal hyperplasia of the breast is a committed stem（progenitor）cell lesion distinct from atypical ductal hyperplasia and ductal carcinoma in situ. J Pathol 198：458-467, 2002
10）Lopez-Garcia MA, Geyer FC, Lacroix-Triki M, et al：Breast cancer precursors revisited：molecular features and progression pathways. Histopathology 57：171-192, 2010
11）Abdel-Fatah TMA, Powe DG, Hodi Z, et al：High frequency of coexistence of columnar cell lesions, lobular neoplasia, and low grade ductal carcinoma in situ with invasive tubular carcinoma and invasive lobular carcinoma. Am J Surg Pathol 31：417-426, 2007
12）Marucci G, Betts CM, Golouh R, et al：Toker cells are probably precursors of Paget cell carcinoma：a morphological and ultrastructural description. Virchows Arch 441：117-123, 2002

Ⅱ．病理検体の取扱い方

はじめに

乳癌は，ホルモン療法，分子標的治療薬を含めた化学療法など術前，術後の薬物療法の発達により，手術の術式も乳房全切除術 total mastectomy（Bt），乳房部分切除術 partial mastectomy/lumpectomy（Bp）へと変遷してきた．近年では，同時再建技術の進歩に伴い，皮膚温存乳房全切除術 skin sparing mastectomy（SSM），乳頭温存乳房全切除術 nipple sparing mastectomy（NSM）など術式は様々である．画像診断をはじめとした診断技術の進歩も目覚ましく，病理診断はより詳細で治療に直結した報告が求められるようになった．生検あるいは摘出された検体を適切に取り扱うことは，臨床と病理をつなぎ正確な病理診断を行うための第一歩である，という担当医と病理医との共通認識が必要である．本項では，病理検体の固定と切り出し，術中迅速診断におけるセンチネルリンパ節の標本作製方法について記載する．なお，組織型は乳癌取扱い規約 第18版（2018年）に従った[1]．

1．組織検体の固定

摘出された生検検体や手術材料は，速やかに十分量の10％中性緩衝ホルマリン液を用いて固定する[2]．

1）摘出から固定までの時間

可能な限り速やかに行う．ただちに固定が行えない場合は冷蔵庫など4℃以下で保存し，遅くとも3時間以内には固定することが望ましい．30分以上常温のまま放置することは極力回避する．固定までに時間を要すると，乳癌の *in situ* hybridization（ISH）法（*HER2*），免疫組織化学（ホルモン受容体，HER2，Ki67など）の結果や，DNAの品質に影響を与えることが示されている[2〜4]．

2）固定液と固定時間

免疫組織化学による蛋白抗原性の維持，遺伝子保持の観点から，10％中性緩衝ホルマリン液が推奨される[2]．日本臨床衛生検査技師会が行ったアンケート調査では2015年から2019年にかけて，固定液に10％中性緩衝ホルマリン液を使用している施設は，生検検体が38.5％（416/1,081施設）から80.0％（902/1,127施設），手術検体が31.6％（342/1,081施設）から72.1％（805/1,116施設）とそれぞれ増加していた[5]．

固定液の量の目安は検体容積の約10倍で，大きい検体でも等容積以上が十分量とされる．固定時間は6〜48時間が推奨されるが，生検検体は小さく浸透が速いため，可能な範囲で固定時間の短縮に努めることが望まれる．一般的にホルマリンの浸透速度は1 mm/時である．固定の際は固定液の浸透を妨げないよう，冷蔵庫には入れず常温で保管する．

3）固定の実際

a）生検検体

生検検体は，特に乾燥と過固定に注意する．当施設では検体を採取後，10％中性緩衝ホルマリン液の入った密閉容器に速やかに入れ，約18〜24時間固定している．切除生検など脂肪が多い検体は，数時間脱脂を行う．パラフィン浸透を一晩かけて行い，十分に浸透させるのがポイントである．

b）手術検体

大きい容器で十分量の10％中性緩衝ホルマリン液を使用し，いかに固定液を浸透させるかが重要である．検体採取後は身体に対する方向がわかるよう糸でマーキングし，速やかにピンでゴム板に貼りつける．ゴム板に検体を貼りつけた状態でホルマリンに逆さまに浮かせて固定する．その際に，検体とゴム板に少し間が空いていると固定液が浸透しやすい．病変がわかりやすい場合は，裏側からあらかじめ割を入れることも推奨される[6]．割の入れ方は後の切り出しに影響しないよう留意する．

病変部位にかかわらず，検体全体に注射器で固定液を注入する方法もある．当施設では，ゴム板に貼りつけ固定液を注射器で注入して一晩固定し，ピンを抜いて固定具合を確認しながら，さらにもう1日固定した後に切り出しを行う（計40〜46時間）．固定開始時間は検体ごとに容器に記載し，固定時間の管理を行っている．乳腺部分切除検体と乳房全切除検体で，基本的な固定方法に相違はないが，乳腺部分切除検体は固定が十分と判断されれば，28時間程度で切り出すことがある．部分切除検体では断端評価によって追加治療が行われる場合があるため，検体の方向が明瞭にわかるよう固定することが重要である．

2．切り出し

術前に指摘された病変の部位を把握しておく．また，手術方法により切り出し方が異なることに留意する．担当医は，どの方向に割を入れて標本を作製するかを十分理解していなくてはならない．固定前に病変に割を入れる場合や検体をあらかじめ採取する場合は，予想する切り出しの割の方向に対して垂直方向へ割を入れるとよい．病理診断による断端陰性の保証や正確な腫瘍径（浸潤径）の計測が可能となる．

1）乳房部分切除術（Bp）検体（図1）

乳頭と病変を結ぶ線に直角に割を入れ，全てを病理標本として断端の検索を行うことが推奨されている[1]．割を入れる間隔は5 mm幅とされているが，薄さを意識しすぎて斜（はすぎ）切りになると，病変の広がりや断端などに言及できなくなるので十分注意する．断端陽性だった場合の術後の対応で難しいのは乳頭側である．病変の広がりが推測できない場合や術中迅速診断が行われていない場合は，乳頭側から末梢側へ検体を倒し，乳頭側からみた方向の割面で標本を作製するのが肝要である．**図1**の症例は手術時の検体マンモグラフィによって，内側へ石灰化病変が広がっていることが示唆されたため，ただちに追加切除された．担当医が元の形に数ヵ所縫い合わせ，切り出し時に方向がわかりやすいよう工夫されている．

2）乳房全切除術（Bt）検体（図2）

a）基本の切り出し方

乳頭と病変の中心を結ぶ線に平行に割を入れる[1]．最初に乳頭と病変の中心を通る線に割を入れ，それに平行に両方向へ広げていくのがよい．取扱い規約に割を入れる間隔（幅）の記載はないが，pT1とpT2の境界は20 mmであるので，少なくともこれを超えることはないようにしたい．当施設では，10 mm前後の間隔で割を入れている．割面は全て肉眼観察し，局在，腫瘍径など術前診断との対比を行い，必要があればさらに薄く割を入れる，鏡面を標本とする，など適宜追加する．全体の写真を撮影した後，乳頭と腫瘍を含む割面を中心に標本を作製する．

b）乳房全切除術（Bt）検体の切り出しの工夫（図3）

診断技術や治療の進歩に伴って，Bt検体においても，乳管内癌の広範な分布の確認，複数病変の同定，術前化学療法後の効果判定など，より詳細な病理診断が求められるようになった．そのためには，Bp検体以上に割面の肉眼観察を十分行い，適切な部位を標本としなくてはならない．しかし，上記のような症例によっては割面をみても判然とせず，見当違いの部位を切り出してしまうことがある．当施設では，病変の中心を結ぶ線を入れられない場合，常に乳頭と腋窩を結ぶ線で平行に切るように統一して標本を作製している．常に同じ方向へ切り出しを行うことで，病変の広がりが理解しやすく，画像診断との対比が行いやすい．切り出し方法は病理医の習熟度や医師，技師のマンパワーなども考慮されるが，担当医と病理医がコミュニケーションを密にとりながら行うべきである．

3．肉眼観察

前述のように，特に乳房全切除検体をどのように

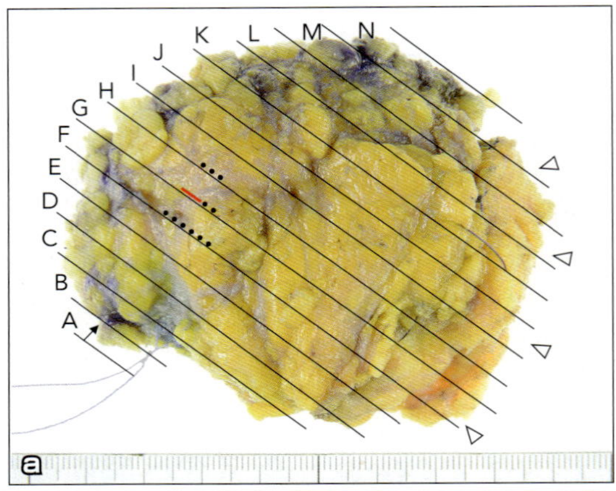

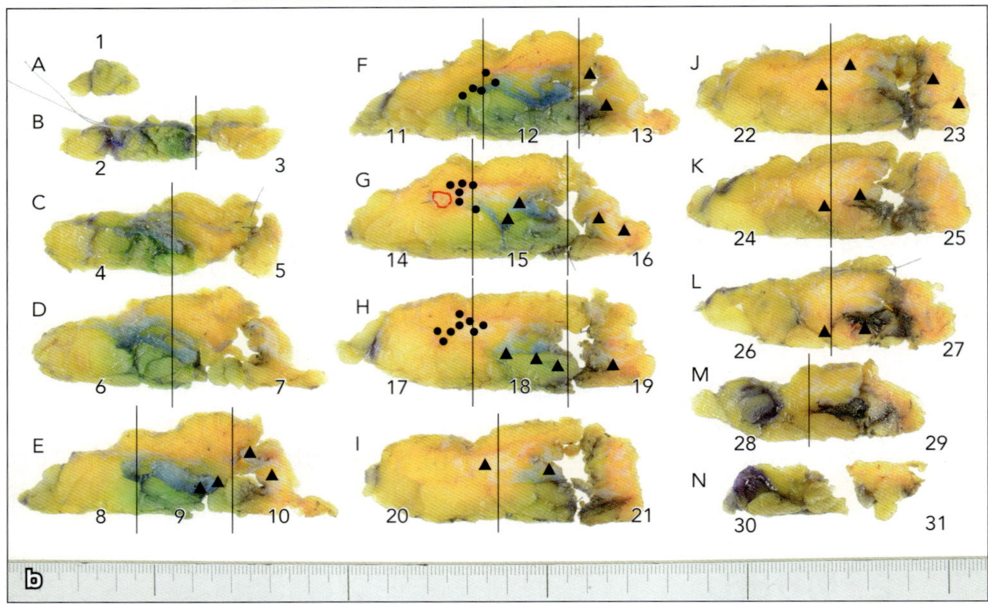

図 1 ｜乳房部分切除術（Bp）検体の切り出し

矢印は観察する方向，赤線は浸潤癌，点は乳管内癌を示す．a：右 A 領域の病変で，乳頭側に長さが同じ 2 本の糸がつけられている．手術時の検体マンモグラフィで内側へ石灰化が広がっており，追加切除された検体（白矢頭）は，元の形に数ヵ所縫い合わされた後にホルマリン固定されている．乳頭側と病変を結んだ線に直角に割を入れ，幅は 5 mm を目標とする．b：乳頭側から観察するように標本を作製する．推測される病変の広がりによっては，切片 N は反対側を標本とすることもある．本症例はマッピングのように乳管内癌（点）および長径 4 mm の浸潤癌（赤線）が観察され，内側には良性の石灰化（黒矢頭）が散見された．

切り出すかは，担当医の要求に応えるうえで重要度が増している．肉眼所見は，腫瘍細胞の多寡と分布，線維性間質増生の程度，血管の増加や出血の有無に影響を受ける．さらに，壊死，石灰化，粘液，嚢胞（嚢胞状変性）の所見も判別できることがある．これらがどのように組み合わされているかを想像し，病変の範囲を見極め，ときには組織型を推測することが可能である．基本に立ち戻り，病変の成り立ちを考えることが重要である．ここでは癌に関連する 3 つの病変について，肉眼観察で組織所見を推測し，効率的で，かつ効果的な標本作製を行うためのポイントを述べる．

1）硬性型浸潤性乳管癌（図 4）

腫瘍細胞の多寡と分布，線維性間質増生の程度，血管の増加などを想像しやすく，肉眼所見から組織型を推測するうえで基本を学びやすい．一般的に既存の乳腺組織では，白色調の間質結合織と黄色の脂

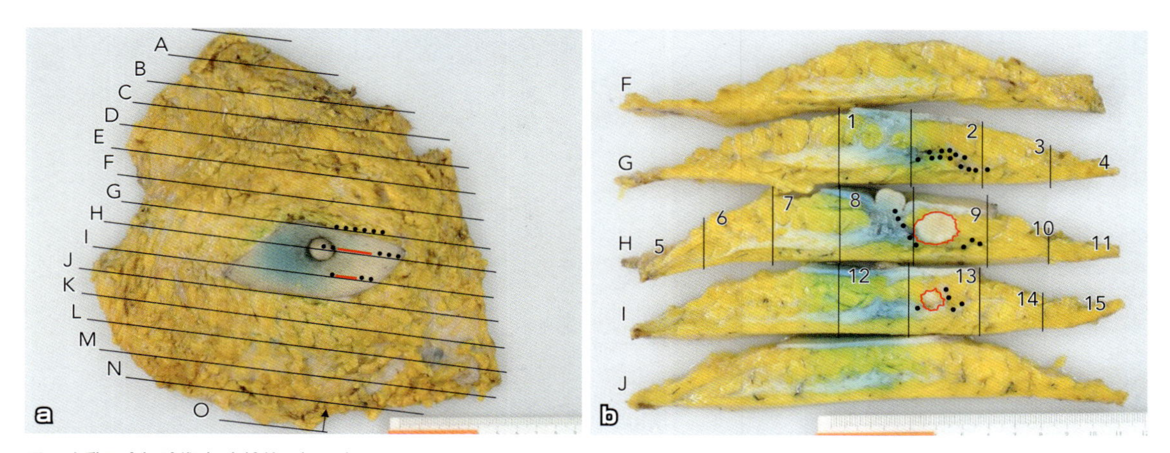

図 2 | 乳房全切除術（Bt）検体の切り出し

矢印は観察する方向，赤線は浸潤癌，点は乳管内癌を示す．a：右 AB 領域の病変．乳頭と病変を結ぶ線に平行に割を入れて，全ての割面を肉眼観察し写真を撮影する．b：乳頭と病変を含む割面を中心に標本を作製する．標本作製範囲は病変の広がりに応じて決定するが，浸潤が疑われる領域は基本的に標本としている．

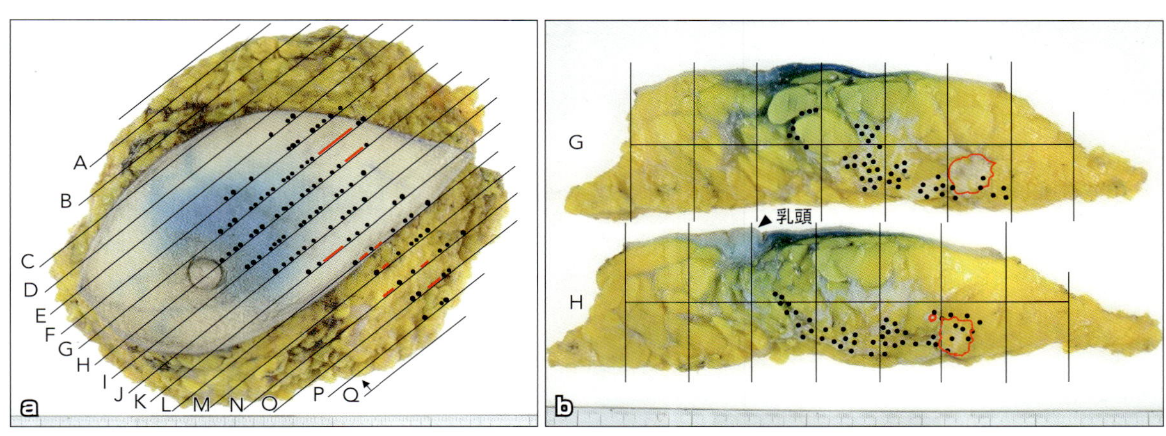

図 3 | 乳房全切除術（Bt）検体の切り出し

矢印は観察する方向，赤線は浸潤癌，点は乳管内癌を示す．a：左 CD 領域に広範な病変が示唆され手術が行われた．複数箇所に腫瘤が触知されたことから，乳頭と腋窩を結ぶ線に平行に割を入れた．b：最も浸潤巣（赤線）が大きかった G と H の割面を示す．組織学的に，乳頭近傍から乳管内癌（点）が広がっており，末梢側で浸潤していた．マッピングでは，CD 領域に広範な乳管内癌を認め，複数箇所に浸潤巣を認めた．皮膚への浸潤はみられず，皮膚の断端は陰性であった．

肪組織の色調は異なっており，それらが種々の程度に混じり合っている（**図 4a, 4b** の＊領域）．腫瘍部では腫瘍細胞が線維性間質を伴って増殖することから乳白色～灰白色調となり，周囲とも色調が異なった腫瘤として認識される（**図 4b** の赤線囲み）．腫瘍細胞が多ければ黄色みを帯び，線維性間質が多ければより白色調となる．腫瘍細胞が多い場合は血管も増加していることが多く，暗調になることがある．線維性間質増生が旺盛になると周囲組織を引き込み，また先進部においても腫瘍細胞が線維性間質を伴って増殖することにより，肉眼的に腫瘤の形状は不整形にみえる（**図 4c, d**）．

2）浸潤性小葉癌（図 5）

浸潤性小葉癌の古典型は，一般に線維性間質増生の程度が弱い，細胞密度が低い，既存の間質結合織に沿って進展するなどの理由で，腫瘍の広がりや多発病変を把握しづらいことが多い（**図 5a**）．肉眼観察のポイントは，周囲との色調変化を丹念にみていくことである．**図 5b** の赤線の範囲は，周囲の黄色の脂肪組織と比較すると，わずかに暗調で白色調の部位が混在している．やや疎な線維性間質増生を伴って腫瘍が増殖し，細胞密度が低いことも影響しているものと推測する（**図 5c, d**）．このような領域を含めたうえで，やや広めに標本を作製するのがよい．

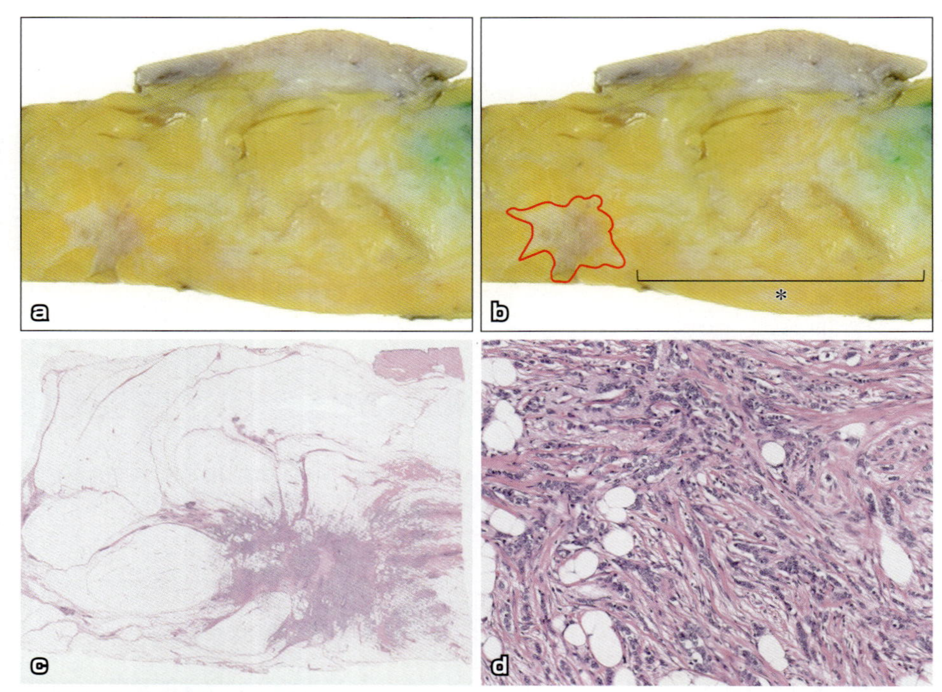

図４ | 硬性型浸潤性乳管癌の肉眼・組織所見

a：腫瘍を含む割面．正常乳腺の間質結合織は白色調，脂肪組織は黄色調である．上部には皮膚を認める．b：不整形充実性腫瘤の範囲（赤線囲み）．乳白色調の領域は腫瘍細胞と線維性間質が混在した領域で，やや暗調な領域は腫瘍細胞が多く血管増生を反映したと考えられる．背景の乳腺組織（＊）は，間質結合織と脂肪組織が種々の程度に混在している．c：ルーペ像．脂肪組織にまで腫瘍が広がる．d：腫瘍細胞が小塊状，索状に線維性間質増生を伴い浸潤している．

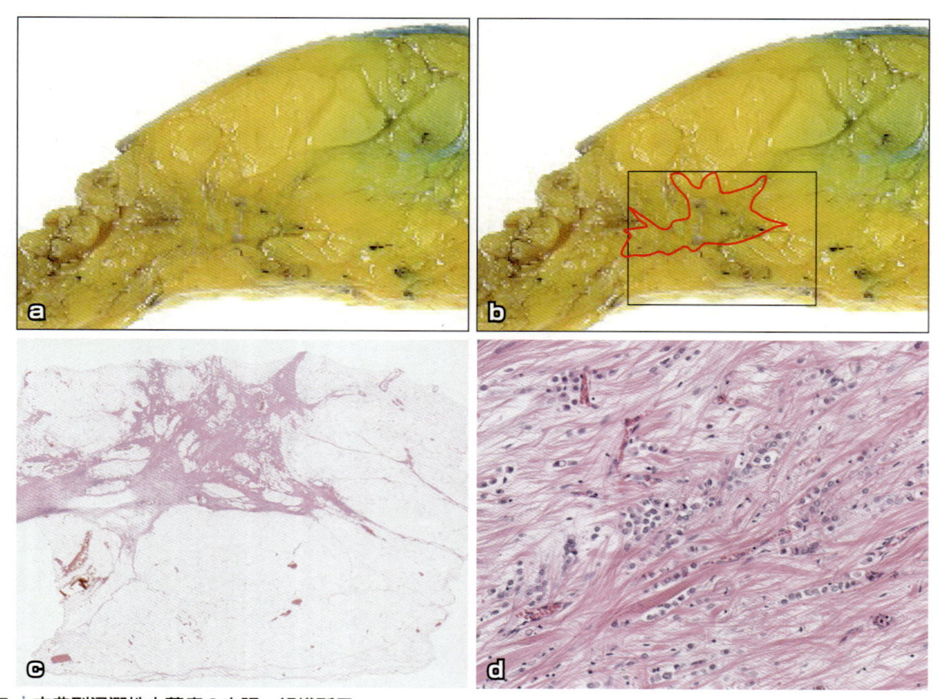

図５ | 古典型浸潤性小葉癌の肉眼・組織所見

a：腫瘍を含む割面．周囲よりもやや暗調で白色調の箇所も見出される．病変の範囲を正確に指摘するのは難しい．b：組織学的に腫瘍が存在した範囲（赤線囲み）．色調の変化が腫瘍の範囲と一致している．c：ルーペ像（b の枠内）．腫瘍は線維性間質増生を伴っている．d：小型円形，均一の腫瘍細胞が散在性に浸潤する．細胞間の結合性は乏しく，線維性間質もやや疎である．

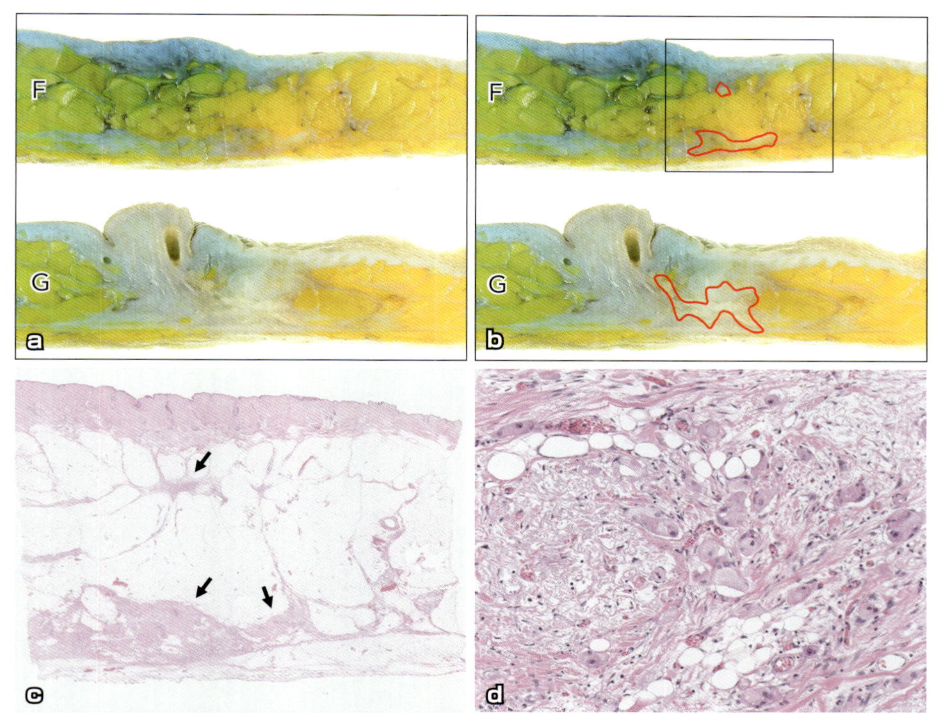

図 6 | 術前化学療法後の浸潤性乳管癌の肉眼・組織所見

a：F と G は腫瘍を含む割面．G は周囲よりも乳白色～黄色調の領域がみられ，不整形充実性腫瘤がうかがわれる．F は間質結合織に沿ってところどころで乳白色調の領域が見出される．b：組織学的に腫瘍が存在した範囲（赤線囲み）．G において腫瘍は肉眼所見と一致している．F では乳白色調の領域が腫瘍で，皮膚に近い部位にも離れて腫瘍が残存している．c：ルーペ像（b の枠内）．間質結合織が太くなった領域（矢印）が腫瘍の残存領域である．d：少数残存した腫瘍細胞と組織球が観察され，間質結合織の変性像を認める．

3）術前化学療法後乳癌（図 6）

術前化学療法後の病理組織学的判定の結果は，予後に強く関連している．しかし，術前化学療法後の摘出検体において，病変の範囲やときには病変そのものを認識することが困難な場合がある（**図 6a**）．全ての症例で全割標本を作製すべきとの意見もあるが，術前化学療法後は Bt が行われることが多く，標本作製と診断にかける労力はかなりのものとなる．肉眼観察の精度を上げて，適切で，かつ十分量の標本を作製し判定する必要がある．術前化学療法に効果があった場合は，腫瘍細胞の変性，組織球の出現により，薄い黄色調の領域として観察される（**図 6b**）．組織学的にヘモジデリンを貪食した組織球が散見されることがあるが，高度でなければそれほど暗調な変化が目立つことはない．既存の間質結合織と比較して色調が異なる場合や領域性の線維化がみられる場合は，標本作製部位に含めるべきである（**図 6c, d**）．また，病変と思われる領域は連続性に標本作製することが望まれる．

4．術中迅速診断におけるセンチネルリンパ節の取扱い（図 7）

乳癌の術中迅速診断におけるセンチネルリンパ節生検 sentinel lymph node biopsy（SLNB）は，臨床的腋窩リンパ節転移陰性早期乳癌の腋窩リンパ節転移の有無を正確に診断できることが示されている[7]．術中凍結切片による病理組織学的検索は最も多く行われており，提出されたすべてのセンチネルリンパ節を長軸方向に 2 mm 間隔で細切して標本を作製し，転移の有無を検討する[7]（**図 7a, b**）．2 mm を超える大きさの転移巣（macrometastasis）を確実に発見するには，リンパ節を少なくとも 2 mm の厚さに細切してすべてのスライスの標本を作製し観察しなくてはならない．癌細胞の転移は特にリンパ節被膜直下の辺縁洞に生じることから，リンパ節の被膜が十分に

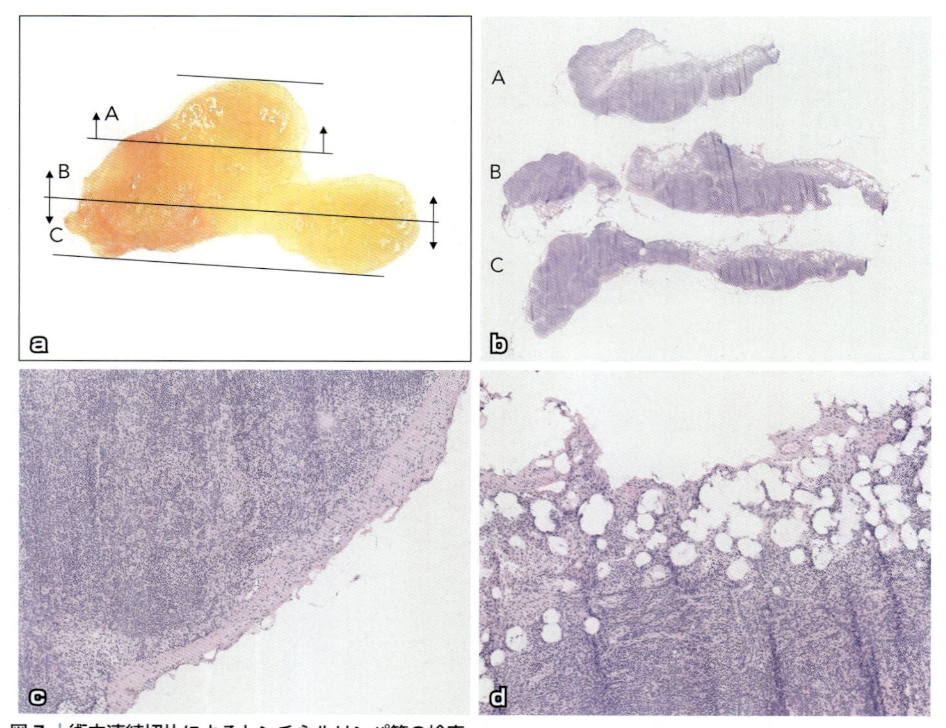

図7｜術中凍結切片によるセンチネルリンパ節の検索
a：センチネルリンパ節周囲の脂肪組織を軽く除去した後に，2 mm 間隔で細切する．矢印は観察する方向を示す．b：全ての割面を標本として観察する．c：リンパ節の被膜が十分に観察されることを確認する．d：被膜が不明瞭で脂肪細胞がリンパ節内に入り込むこともあることから，凍結前の脂肪組織の除去は慎重に行う．

観察される標本を作製することが肝要である(**図7c**)．ただし，組織学的に被膜が不明瞭となりリンパ節内に脂肪組織が入り込む所見もときおり認められるので，検体凍結前のリンパ節周囲の脂肪組織の除去は慎重に行う(**図7d**)．術中凍結切片による迅速診断の精度を高めるためには，病理医と病理検査技師が標本をみながら観察のポイントを共有し，標本作製および診断技術を磨くのがよいと思われる．

おわりに

基本的な病理検体の取扱い方法について，実際の症例を用いながら説明した．検体の固定，切り出し，標本作製は，臨床と病理をつなぐ重要な過程である．各施設の実状を踏まえつつ，それぞれの目的，意義について十分理解したうえで病理検体を取り扱いたい．本項が日常診療の一助となれば幸いである．

（石田和之，大和田温子）

文　献

1）日本乳癌学会(編)：臨床・病理 乳癌取扱い規約，第18版，金原出版，2018
2）日本病理学会(編)：ゲノム研究用・診療用病理組織検体取扱い規程，羊土社，2019，pp129-157
3）Khoury T, Sait S, Hwang H, et al：Delay to formalin fixation effect on breast biomarkers. Mod Pathol 22：1457-1467, 2009
4）Arima N, Nishimura R, Osako T, et al：The importance of tissue handling of surgically removed breast cancer for an accurate assessment of the Ki-67 index. J Clin Pathol 69：255-259, 2016
5）東　学，山下和也，石田克成ほか：本邦における病理組織検体固定手技の実態調査―日臨技精度管理調査アンケートによる報告―．医学検査 69：660-670, 2020
6）唐　小燕，小林博子，増田しのぶ：切り出しのキモ―私はここをこう切っている―乳腺．病理と臨床 38：745-750, 2020
7）日本乳癌学会(編)：乳癌診療ガイドライン 2疫学・診断編 2018年版，金原出版，2018

第2部

組織型と診断の実際

I．上皮性腫瘍

1　良性上皮増殖性病変および境界病変

1．乳管過形成

1）定義・概念

乳腺における良性（癌を除く）の上皮性病変は，非増殖性病変（嚢胞，アポクリン化生など），異型を伴わない増殖性病変，および異型過形成に分類することができる．異型を伴わない増殖性病変には，乳管過形成 ductal hyperplasia，乳管内乳頭腫，硬化性腺症，放射状硬化性病変，腺腫，線維腺腫などが含まれる．乳管や小葉の上皮は内側の腺上皮（乳管上皮）と外側の筋上皮の2種類があるが，これらの病変では両者がともに増殖するか，腺上皮優位の増殖を示す．筋上皮優勢の増殖性病変には腺筋上皮腫などがある．

異型のない上皮増殖性病変の代表である乳管過形成は，通常型乳管過形成 usual ductal hyperplasia とも呼ばれる．乳管内（または小葉内）における腺上皮細胞の過剰な増殖からなる病変である．乳管内乳頭腫，硬化性腺症，放射状硬化性病変，線維腺腫，乳頭部腺腫など，他の良性疾患に付随して生じることもある．

乳癌取扱い規約 第18版（2018年）では，乳管過形成はいわゆる乳腺症の部分像として記載され，同義語として乳管乳頭腫症 duct papillomatosis，上皮増殖症 epitheliosis が紹介されている[1]．WHO分類 第5版（2019年）においては，benign epithelial proliferation and precursors として，columnar cell lesion［平坦型上皮異型を含む］，異型乳管過形成と同じグループに含められている[2]．第3版で提唱された，ductal intraepithelial neoplasia（DIN）の概念の一部を踏襲しているものと思われる．定義は，終末乳管小葉単位 terminal duct lobular unit（TDLU）に生じる，構築・細胞像・および分子生物学的に不均一な良性の上皮増殖，としている[2]．

2）臨床的事項

乳管過形成は病理組織学的な診断名である．乳腺腫瘤やマンモグラフィの異常に対する生検時に偶発的に発見される．あるいは，他の疾患に対する手術標本内に付随して発見されることもある．この病変自体に特異的な臨床像や画像所見はない．

程度の強い乳管過形成が存在する女性は，病変のない女性に比して1.5～2倍，乳癌発生のリスクが高まると考えられている[3]．針生検で発見された際にも，追加切除や薬物療法など，さらなる治療の対象とはならない．

3）組織学的所見

主にTDLUに発生し，乳管内～小葉内を広がる上皮増殖性病変である（**図1**）．増殖する上皮は，原則的には腺上皮（乳管上皮）である．筋上皮は乳管の辺縁に残存するが，内腔に増殖する上皮には，通常筋上皮を含まない（内腔に線維血管性間質が出現する乳頭状病変を合併する場合を除く）．増殖の程度や形態は様々で，低乳頭状，篩状（複数の二次腺腔を形成する），充実性などのパターンを示す．増殖の程度が強く，上皮が内腔を埋めつくすような場合には“florid”ともいわれる．

増殖細胞の結合性は良好であるが，細胞境界は不明瞭である．細胞同士の位置関係は一定ではなく，

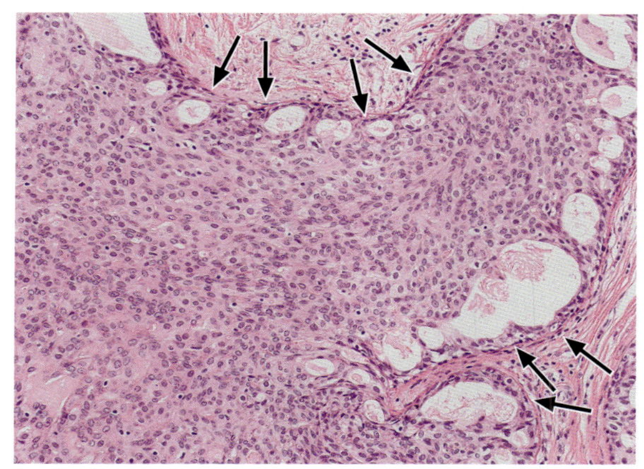

図 1 ｜乳管過形成
末梢乳管内に，上皮細胞が重積して増殖している．最外側には濃縮核からなる筋上皮（矢印）が認められる．

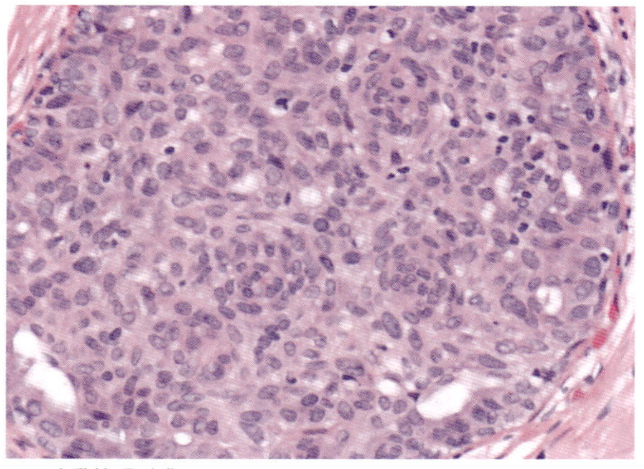

図 2 ｜乳管過形成
増殖細胞の核形，核の大きさ，染色性，核間距離は多彩で，細胞境界は不明瞭である．

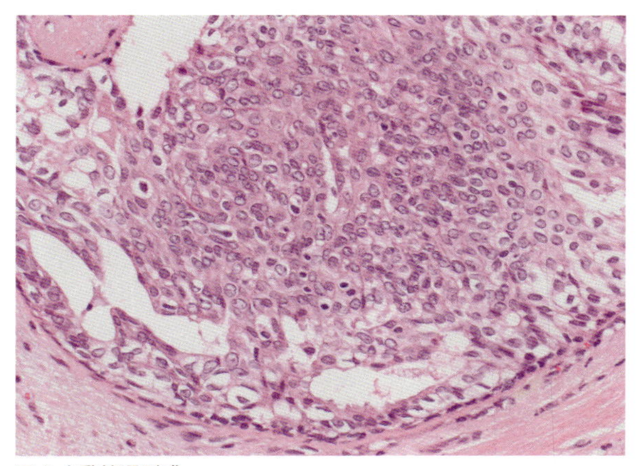

図 3 ｜乳管過形成
形成される管腔は乳管辺縁部に近く，スリット状で，隣接する核の配列にも規則性（極性）がない．

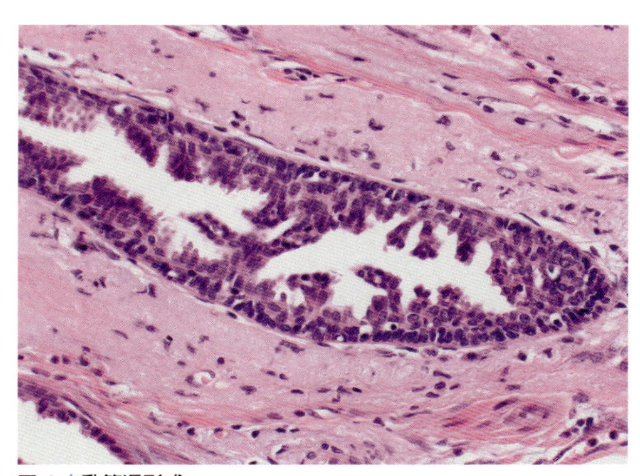

図 4 ｜乳管過形成
低乳頭状の核配列を示す例．先端部の核が潰れて小型化している．

隣り合う核同士の距離は様々である（**図 2**）．管腔形成を伴う病巣では，乳管辺縁付近にスリット状の形態で現れることが多く，管腔は緊満感を欠く（**図 3**）．管腔に対する核の位置も不定である．橋状の配列を示す場合は，きれいなアーチではなく細長く引き伸ばされ，不均等な，かつ橋構造に平行な核配列を示す．低乳頭状構造を示す場合は，基部が太く先端が細くなり，女性化乳房症にも類似する（**図 4**）．乳管の中心部では，流れるような細胞配列，あるいは合胞体様のパターンを示すこともある．さらに，アポクリン化生上皮が混在することがある．良性病変だが，まれに中心部に壊死を伴う．

増殖細胞の核は，隣り合う細胞ごとに核の大きさ，形状，染色性（核クロマチン）が異なり，多彩な印象を受ける．ときに核溝や核内細胞質封入体様の構造が散見される（**図 5**）．後者は細胞質の弯入による場合と，helioid body といわれる核内の構造物による場合がある[4]．

診断の要 *Essential diagnostic criteria*

◆構築の特徴
- 篩状，充実性，または低乳頭状のパターン
- 様々な大きさや形の不整な管腔形成
- 管腔は乳管辺縁部にスリット状の形で存在
- 管腔を取り巻く細胞に極性なし
- 橋渡し構造は引き伸ばされ，中央部がしぼむ

◆細胞の特徴
- 境界が不明瞭な，不均質な細胞の増殖
- 細胞の大きさ，形，配列が多彩
- 核の大きさ，形，位置は様々で，核の重なりを伴う
- 核溝や核内細胞質封入体がみられる

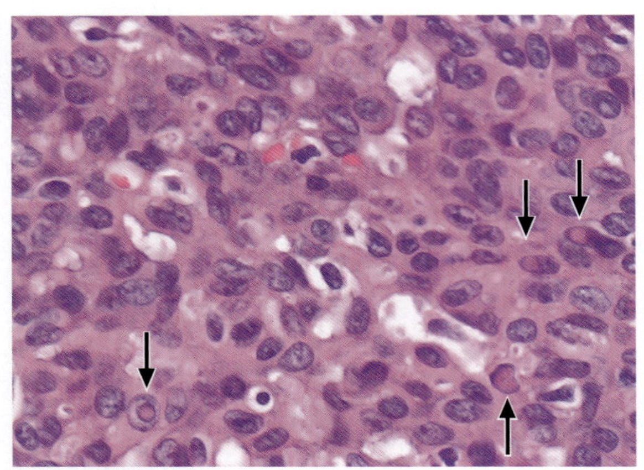

図5 | **乳管過形成**
核内に封入体様構造が散見される（矢印）．

4）免疫組織化学的特徴

免疫組織化学的には，cytokeratin（CK）およびERが，増殖上皮にモザイク状の陽性像を示す．CKは低分子（luminal型）としてのCK7，CK8，CK18と，高分子（basal型）としてのCK5/6，CK14（および34βE12）がそれぞれモザイク状陽性を示す[5]が，CK5/6あるいはCK14が最もよく使われている．正常の乳管では，腺上皮にはER陽性細胞と陰性細胞が，高分子量CKも陽性細胞と陰性細胞が混在しており，多彩な形質を有する上皮細胞が増殖することによって，免疫組織化学的にも，細胞形態も，多彩であると理解できる（**図6**）．高分子量CKは筋上皮細胞も陽性を示す．なお，アポクリン化生上皮はER，高分子量CKいずれも陰性である．筋上皮マーカー（CD10，calponin，p63など）は，乳管の辺縁部に陽性を示すが，内腔の増殖細胞は陰性である．

5）分子病理学的特徴

一般的には乳管過形成に生じる遺伝子異常は少なく，内容も症例により様々であり，現在では異型乳管過形成や非浸潤性乳管癌の直接的な前駆病変とは考えられていない．一部の症例でヘテロ接合性消失やPI3K/AKT/mTOR経路の遺伝子異常が指摘されている[6]．

6）鑑別診断

単独で出現する際にも，他の良性病変内に付随する場合にも，鑑別対象は異型乳管過形成，および非浸潤性乳管癌である．乳管過形成が構築，細胞像，および免疫組織化学的に多彩な細胞の集団であることはすでに述べたとおりである．それに対し，異型乳管過形成，および非浸潤性乳管癌（低異型度）の増殖の特徴は「均質性」である．細胞境界は比較的明瞭で，核は均等の間隔で配列する．管腔形成を伴う場合は，円形の緊満した腔を形成し，管腔面とその周囲に配列する核の距離は一定している．低乳頭状構造を形成する際は，先端が膨らんで球状をなす．増殖細胞の核は，大きさ，形，染色性が一定している．免疫組織化学的には，通常ERがびまん性に強陽性で，CK5/6，CK14は乳管辺縁部の筋上皮を除いて内腔の増殖細胞に陰性である．

なお，乳管過形成の「多彩」さと，中等度の核異型を有する非浸潤性乳管癌に出現する「多形性」との鑑別を要する例がある．特に針生検では，病変が量的に少なく，また針穿刺に伴い乳管が分断される場合もあり，慎重な診断が望まれる．

7）発生メカニズム

乳管過形成→異型乳管過形成→非浸潤性乳管癌→浸潤癌と，病変が段階的に進展するとの考え方が提唱されたこともあるが，乳管過形成とそれ以上の病変には形態的，分子生物学的な共通点が乏しく，また疫学的にも乳癌発生のリスクは低く，乳管過形成の前癌病変としての意義は低いものと考えられる．

2．異型乳管過形成

1）定義・概念

異型過形成には，異型乳管過形成，平坦型上皮異型，異型小葉過形成の3種類がある．乳癌取扱い規約 第18版では，それらを異型上皮内病変として紹介している[1]．

異型乳管過形成 atypical ductal hyperplasia は，細胞像や構築の特徴が低異型度の非浸潤性乳管癌に類似するが，構築が完成していない，TDLU内での広がりが不十分，あるいは病変の大きさが小さなものをいう．本病変は，乳管内乳頭腫，放射状硬化性病変，線維腺腫など，他の良性疾患に付随して生じることがある．

2）臨床的事項

本病変は病理組織学的な診断名である．マンモグラフィの微細石灰化に対する生検時に偶発的に発見される，あるいは，他の疾患に対する手術標本内に付随して発見されることもある．原則的に微小な病

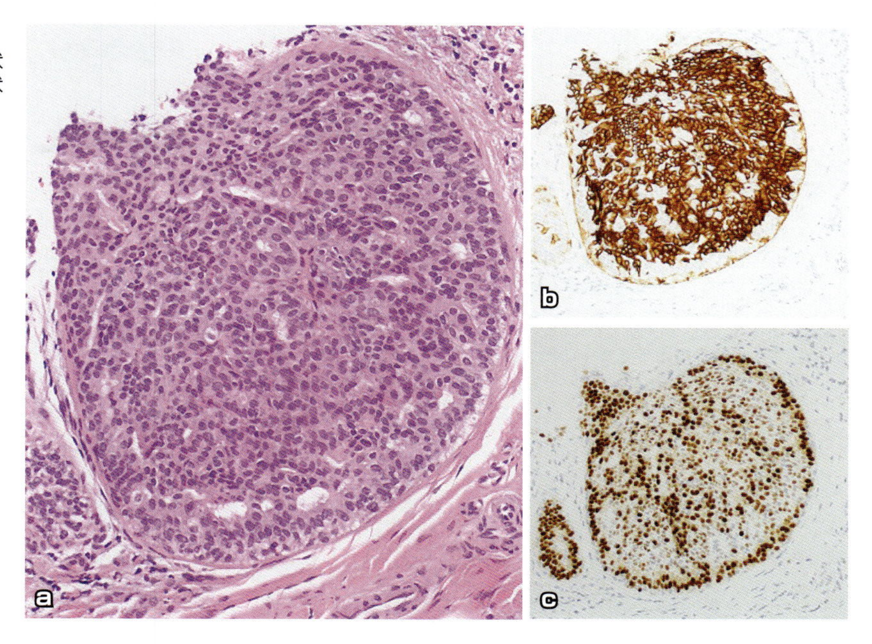

図 6 ｜乳管過形成
a：HE 染色．b：CK5/6 はモザイク状の陽性像を示す．c：ER もモザイク状で，染色性に濃淡がみられる．

変でもあり，画像での描出は困難で，特異的な症状もみられない．

針生検で発見された場合，周囲にさらなる病変が内在している可能性を考慮し，追加切除が推奨される．特に，生検の複数ヵ所あるいは複数のコアに異型乳管過形成が存在する場合，壊死を伴う病変，病巣は小さいが 1 つの乳管内を異型上皮が埋めつくしている病変，針生検後も微細石灰化病変が多く残っている症例などは，摘出生検によって非浸潤性乳管癌や浸潤性乳管癌に診断がアップグレードされる可能性（10～20％）があるが，それらの因子がなければアップグレードが生じる危険は少ない（3～5％）ことも指摘されている[7,8]．摘出生検や手術の際に発見される異型乳管過形成は追加治療の対象とはならない．また，乳房温存手術の切除断端に，主病巣と連続性のない異型乳管過形成が存在する際には，断端陽性として取り扱わない．異型乳管過形成の存在は，両側乳房の乳癌発生のリスク因子（4～5 倍のリスク）となる．30 年間に乳癌が発生する確率は 35％と報告されている[9]．また，異型乳管過形成の出現後に発生する浸潤癌は，同側が対側の 2 倍生じやすいこと，5 年以内の発生が多いことも報告されている[10]．

3）組織学的所見

異型乳管過形成の，診断者間の診断一致や，同じ病理医による診断の再現性が必ずしも高くはないことが以前から指摘されている．日本の乳癌取扱い規約でも，長い間明確な立ち位置が示されておらず，第 18 版で初めて写真が提示された．本病変を診断するためには一定の手順を経ることが望ましいと思われるため，WHO 分類 第 5 版で示された診断樹を紹介する[11]（**表 1**）．

すなわち，まずステップ 1 として細胞像の評価，次にステップ 2 として構築の評価，最後にステップ 3 として広がりの評価，の順に診断を進めていく方法である．細胞は低異型度で，均質・単調な円形核からなる（**図 7**）．構築は張りのある橋渡し構造，均等な厚さの棒状あるいはアーチ状構造，球状の低（微小）乳頭状構造（基部が狭く先端が太い），などである．充実性や Paget 様進展の場合は，小葉性腫瘍との鑑別を要すため，表の中では E-cadherin に対する免疫染色が推奨されている．病変の広がりについては，低異型度非浸潤性乳管癌との鑑別という観点から，2 腺管未満（Page らによる）[12]と 2 mm 以下（Tavassoli と Norris による）[13]の 2 つの基準が紹介されている（**図 8**）．また，低異型度上皮の広がりが 1 つの乳管全体に及んでいない病変も，異型乳管過形成との診断対象となる（**図 9**）．また，異型乳管過形成の診断再現性は必ずしも高くはないため，特に針生検では控えめな診断を心がけるよう推奨した．

表1 | **上皮増殖性病変における異型乳管過形成の診断プロセス**（文献11より改訳）

ステップ1　細胞像の評価
低異型度の均質な細胞により構成されているか？

ステップ2　構築の評価
腫瘍性の特徴的な構築が存在するか？
・緊満した橋状，アーチ状構造
・球状の微小乳頭状構造
・極性を伴う腺腔，あるいは小腺房
・充実性（ただしE-cadherinは陽性）

ステップ3　広がりの評価
下記のいずれかに当てはまること
・広がりが乳管全体に及んでいない
・乳管全体が侵されているが2 mm以下である

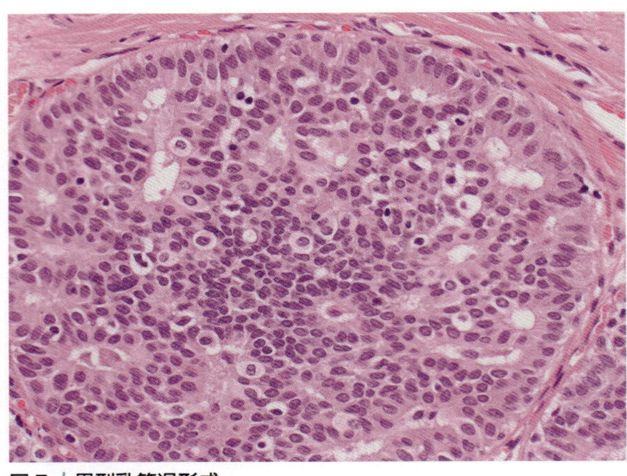

図7 | **異型乳管過形成**
増殖細胞は均質・単調な円形核を有する．管腔にも張りがあり，各配列に極性が認められる．

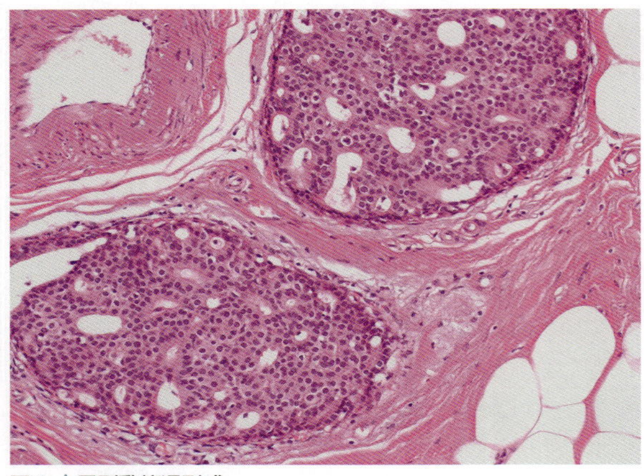

図8 | **異型乳管過形成**
低異型度非浸潤性乳管癌に類似する病変だが，広がりが2腺管のみである．

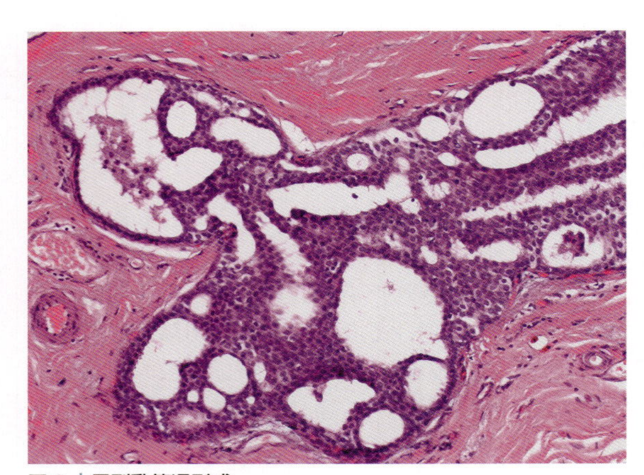

図9 | **異型乳管過形成**
異型上皮の増殖がみられるが，乳管全体には広がっていない．

診断の要 *Essential diagnostic criteria*
◆細胞像の特徴
－低異型度非浸潤性乳管癌に類似した均質な上皮の増殖
－均質な円形核が乳管内に均等に分布し，細胞境界が明瞭
◆構築の特徴
－同じ太さの上皮塊からなる橋状・棒状・アーチ状構造
－基底部が細く先端が膨らんだ低乳頭状構造
－篩状構造

4）免疫組織化学的特徴

免疫組織化学的に，増殖細胞はERがびまん性に強陽性を示し，CK5/6，CK14は乳管辺縁部の筋上皮を除いて内腔の増殖細胞に完全に陰性である．その染色態度は，他のlow-grade breast neoplasia pathway（平坦型上皮異型，低異型度非浸潤性乳管癌）と同じである（**図10**）．

5）分子病理学的特徴

検討に用いる病理診断の再現性，純粋な（癌に併存していない）病変の抽出，病変の大きさの問題などから，異型乳管過形成に対する分子病理学的研究の評価は必ずしも容易ではない．しかし，16qの欠失，次いで1qの増加が，ほぼ共通した研究成果のように思われる[14]．また，異数性，ヘテロ接合性消失，DNAメチル化などの存在も指摘されている[15]．

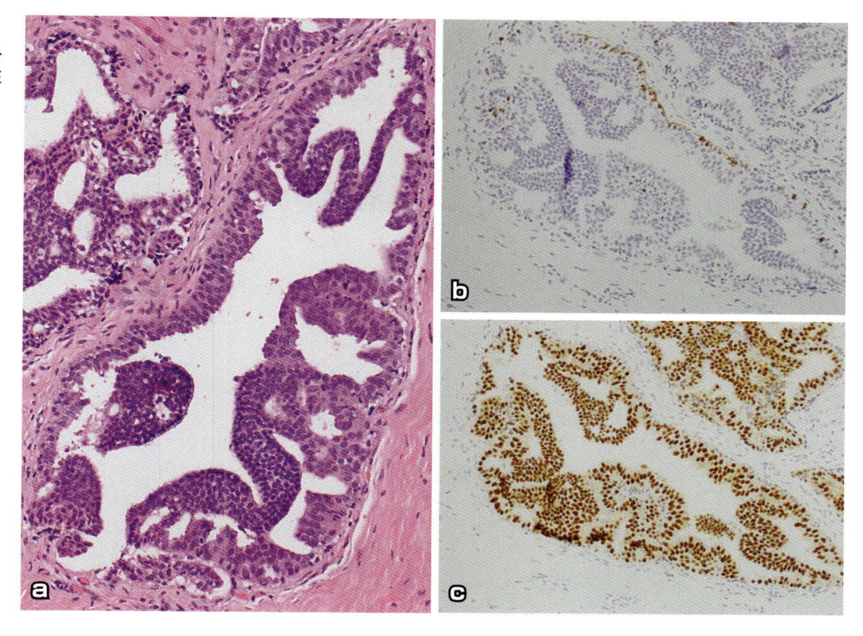

図 10 ｜異型乳管過形成
a：HE 染色．b：CK5/6 は筋上皮以外は陰性である．c：ER はびまん性陽性を示す．

6）鑑別診断

乳管過形成との鑑別点はすでに述べた．非浸潤性乳管癌（低異型度）との鑑別は，質的なものよりも，1つの乳管内における広がりや病巣の大きさに重きを置いて行われる．また，collagenous spherulosis が一見篩状構造を示す異型病変に類似することがある．

7）発生メカニズム

異型乳管過形成は，リスク病変としての意義があるが，自然史が明らかにされていないため，前癌病変としてどのような意義があるのかが十分に解明されていない．摘出生検で良性病変と診断された後，近傍に浸潤癌が発生した症例の生検標本見直しを行った多施設共同研究では，異型乳管過形成後から癌発生までに平均 74ヵ月を要していた[16]．しかし，元来小さな病変である異型乳管過形成は摘出されてしまった可能性が高く，真の自然史をみているとはいい難い．針生検後に経過観察を行う前向き研究が実施されているので[17]，その成果に期待したい．

3．平坦型上皮異型

1）定義・概念

WHO 分類 第 5 版では，TDLU において，種々の程度に拡張を示す腺房があり，円柱状の上皮により被覆されたクローナルな細胞増生からなる病変を columnar cell lesion（円柱状細胞病変）と定義した[18]．その中で，構成細胞が低異型度の細胞異型（均質な細胞）からなるものが平坦型上皮異型 flat epithelial atypia（FEA）に相当する．columnar cell change with atypia や columnar cell hyperplasia with atypia も概ね同義である．

2）臨床的事項

臨床的には，分泌型の石灰化で発見されるか，偶発的に見出される病変である．乳癌発生のリスクは，本病変単独では乳管過形成等と差がなく，異型過形成を合併している場合にリスクが増加する[19]．針生検で発見された場合，追加切除を推奨する立場と，異型乳管過形成が併存していない場合には経過観察でよいとする立場がある[20]．摘出生検の適応は，周囲に残存する微細石灰化の量も参考になるものと思われる．摘出生検や手術で発見された病変に対しては，追加治療（切除，薬物療法）は不要である．また，乳癌手術の切除断端に存在する場合も，断端陽性として取り扱う必要はない．

3）組織学的所見

FEA に大きさの定義は設けられていないが，通常は顕微鏡サイズでの病変である．TDLU に発生し，拡張した細乳管（腺房）の集簇からなり（**図 11**），し

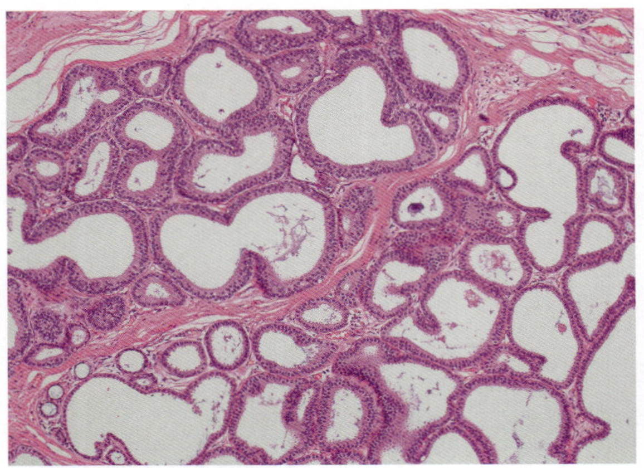

図 11 | 平坦型上皮異型
拡張した細乳管の集簇からなり，内腔に分泌型石灰化を伴う．

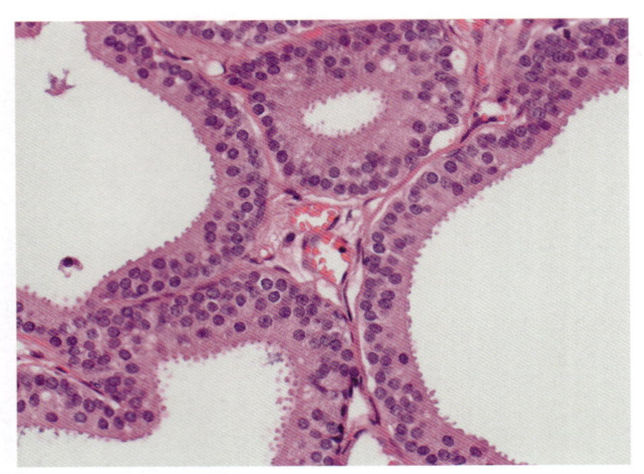

図 12 | 平坦型上皮異型
均質な円形核の重積がみられる．管腔面には snout が存在する．

ばしば内腔に分泌物を有し，石灰化が散見される．上皮は軽度の核異型を有する立方状あるいは円柱状で，核は1〜数層まで重積する．管腔面にはしばしば apical snouts を伴う（**図 12**）．重積した上皮がマウンド状・房状構造をとることがあるが，明らかなアーチ状，Roman bridge 状や低乳頭状構造を示すことはない．上皮の核は低異型度の非浸潤性乳管癌や異型乳管過形成に類似した円形の均質な核からなる．通常は，核小体は目立たない．間質にはリンパ球浸潤を認めることがある．

診断の要 *Essential diagnostic criteria*

- 内腔が拡張した，円形の腺房が集合
- 低異型度非浸潤性乳管癌に類似した，軽度異型を示す均質な核
- 立方状ないし円柱状の上皮が，1〜数層配列

4）免疫組織化学的特徴

上皮細胞は ER がびまん性に強陽性を示し，高分子量 CK（CK5/6 など）は陰性である．ただし，本病変に特異的なマーカーは知られていない．

5）分子病理学的特徴

FEA は，low-grade breast neoplasia pathway の一つとして，異型乳管過形成や低異型度非浸潤性乳管癌，小葉性腫瘍，浸潤性小葉癌，および管状癌と共通の遺伝子異常（16q 欠失など）をもつ病変と考えられている[21]．また，FEA を含む columnar cell lesion に *CCND1*，*ESR1*，*CDH1* などの乳癌関連遺伝子のプロモーターメチル化およびコピー数変化が確認されている．

6）鑑別診断

columnar cell lesion（columnar cell change，columnar cell hyperplasia）とは核所見で鑑別する．異型のない病変では，均質な，やや細長い核が，乳管の基底膜ないし管腔面に直交する向きに配列する．核クロマチンの増量や核小体の出現はみられない．腺管のシルエットは閉塞性腺症とも類似するが，同様に核所見を重視して診断する．

平坦な構築（clinging/flat）の非浸潤性乳管癌については，通常は高異型度の病変であるため，鑑別は容易である．そのような病変は FEA に含めない．しかし，低異型度の核を有する平坦なタイプの非浸潤性乳管癌が存在するとすれば，厳密な鑑別は容易ではない．

7）発生メカニズム

Rosen triad（管状癌，非浸潤性小葉癌，columnar cell lesion）として紹介された病変群は，分子生物学的にも共通の遺伝子異常を有する一連の疾患と目されている[22]．FEA は，低異型度乳癌や異型乳管過形成の前駆病変，ないし低異型度乳癌の初期病変として注目されているが，生検後に経過観察を行った研究においても癌に進展した症例が少なく[23]，その自然史は十分に明らかにされていない．

（森谷卓也，佐貫史明）

文　献

1）日本乳癌学会（編）：臨床・病理 乳癌取扱い規約，第 18

版．金原出版．2018
2）Schnitt SJ, Purdie CA, Weaver DL：Usual ductal hyperplasia. in WHO Classification of Tumours Editorial Board (ed)："WHO Classification of Tumours, Breast Tumours" (5th ed.), IARC, Lyon, 2019, pp13-14
3）London SJ, Connolly JL, Schnitt SJ, et al：A prospective study of benign breast disease and the risk of breast cancer. JAMA 267：941-944, 1992 (Erratum in：JAMA 267：1780, 1992)
4）Harada O, Hoe R, Lin J, et al：Intranuclear inclusions in epithelial cells of benign proliferative breast lesions. J Clin Pathol 64：776-780, 2011
5）Moriya T, Kozuka Y, Kanomata N, et al：The role of immunohistochemistry in the differential diagnosis of breast lesions. Pathology 41：68-76, 2009
6）Jahn SW, Kashofer K, Thüringer A, et al：Mutation profiling of usual ductal hyperplasia of the breast reveals activating mutations predominantly at different levels of the PI3K/AKT/mTOR pathway. Am J Pathol 186：15-23, 2016
7）Peña A, Shah SS, Fazzio RT, et al：Multivariate model to identify women at low risk of cancer upgrade after a core needle biopsy diagnosis of atypical ductal hyperplasia. Breast Cancer Res Treat 164：295-304, 2017
8）Zhang C, Wang EY, Liu F, et al：Type of architecture, presence of punctate necrosis, and extent of involvement in atypical ductal hyperplasia can predict the diagnosis of breast carcinoma on excision：a clinicopathologic study of 143 cases. Int J Surg Pathol 29：716-721, 2021
9）Hartmann LC, Sellers TA, Frost MH, et al：Benign breast disease and the risk of breast cancer. N Engl J Med 353：229-237, 2005
10）Hartmann LC, Radisky DC, Frost MH, et al：Understanding the premalignant potential of atypical hyperplasia through its natural history. A longitudinal cohort study. Cancer Prev res (Phila) 7：211-217, 2014
11）Allison KH, Collins LC, Moriya T, et al：Atypical ductal hyperplasia. in WHO Classification of Tumours Editorial Board (ed)："WHO Classification of Tumours, Breast Tumours" (5th ed.), IARC, Lyon, 2019, pp18-21
12）Page DL, Dupont WD, Rogers LW, et al：Atypical hyperplastic lesions of the female breast. A long-term follow-up study. Cancer. 55：2698-2708, 1985
13）Tavassoli FA, Norris HJ：A comparison of the results of long-term follow-up for atypical intraductal hyperplasia and intraductal hyperplasia of the breast. Cancer 65：518-529, 1990
14）Kader T, Hill P, Rakha EA, et al：Atypical ductal hyperplasia：update on diagnosis, management, and molecular landscape. Breast Cancer Res 20：39, 2018
15）Danforth DN：Molecular profile of atypical hyperplasia of the breast. Breast Cancer Res Treat 167：9-29, 2018
16）Moriya T, Kasami M, Akiyama F, et al：A proposal for the histopathological diagnosis of ductal carcinoma in situ of the breast. Breast Cancer 7：321-325, 2000
17）Makretsov N：Now, later of never：multicenter randomized controlled trial call--is surgery necessary after atypical breast core biopsy results in mammographic screening settings? Int J Surg Oncol 2015：192579, 2015
18）Schnitt SJ, Morris EA, Vincent-Salomon A：Columnar cell lesions, including flat epithelial atypia. in WHO Classification of Tumours Editorial Board (ed)："WHO Classification of Tumours, Breast Tumours" (5th ed.), IARC, Lyon, 2019, pp15-17
19）Said SM, Visscher DW, Nassar A, et al：Flat epithelial atypia and risk of breast cancer：a Mayo cohort study. Cancer 121：1548-1555, 2015
20）American Society of Breast Surgeons：Official statement. Consensus guideline on concordance assessment of image-guided breast biopsies and management of borderline or high-risk lesions, 2016. https://www.breastsurgeons.org/docs/statements/Consensus-Guideline-on-Concordance-Assessment-of-Image-Guided-Breast-Biopsies.pdf (2022年9月閲覧)
21）Collins LC：Precursor lesions of the low-grade breast neoplasia pathway. Surg Pathol Clin 11：177-197, 2018
22）Brandt SM, Young GQ, Hoda SA：The "Rosen triad"：tubular carcinoma, lobular carcinoma in situ, and columnar cell lesions. Adv Anat Pathol 15：140-146, 2008
23）Hennessy G, Boland MR, Bambrick M, et al：Value of long-term follow-up in surgically excised lesions of uncertain malignant potential in the breast - Is 5 years necessary? Clin Breast Cancer, 2022, doi：10.1016/j.clbc.2022.05.009.online ahead of print

I．上皮性腫瘍

2 腺症およびその関連病変

1．腺症

1）定義・概念

腺症 adenosis とは小葉内細乳管が増生した病変で，多くはいわゆる乳腺症の部分像として認められる．腺症には，開花期腺症 florid adenosis, 閉塞性腺症 blunt duct adenosis, 硬化性腺症 sclerosing adenosis, アポクリン腺症 apocrine adenosis が含まれる．また，特殊な腺症として微小腺管腺症 microglandular adenosis がある．

2）臨床的事項

腺症はいわゆる乳腺症の部分像として，乳腺実質に散在性にみられる微小病変であることが多い．マンモグラフィで乳管内分泌物に伴う淡く不明瞭な微細石灰化として見出されることがある．硬化性腺症にみられる微細石灰化は，ときに低異型度非浸潤性乳管癌 ductal carcinoma *in situ*（DCIS）との区別が難しいものもあり，針生検の対象となる．まれに，いくつかの隣接する腺症が癒合して触知可能，もしくはマンモグラフィで認識可能な腫瘤として捉えられることがあり，結節性腺症 nodular adenosis や腺症腫瘍 adenosis tumor と呼ばれる[1]．硬化性腺症は乳癌の軽いリスク因子で，他の増殖性変化と同様，乳癌が発生する相対リスクが 1.5～2 倍であるとされている[2~4]．異型のないアポクリン腺症も同程度の乳癌のリスク因子である[1,5]．微小腺管腺症は良性の範疇であるが，前癌病変の可能性が示唆されている[1,6]．

3）肉眼所見

通常は視認困難である．腫瘤を形成する場合は，2 cm 以下の境界明瞭な腫瘤を形成する．

4）組織学的所見

腺症の診断で重要なのは弱拡大での観察である．細乳管の増生に加え，延長や変形があっても小葉中心性の配列（lobulocentric pattern）が認められることがほとんどである．

a）開花期腺症

上皮成分が優勢な腺症で間質の介在は少なく，内腔の保持された腺管が密に増生する．

b）閉塞性腺症

拡張し嚢胞化した乳管が蜂巣状の集簇を示す（**図 1**）．腺上皮細胞は立方状もしくは円柱状であるが，時間の経過とともに扁平化する．

c）硬化性腺症

膠原線維の介在により圧排され虚脱，変形した細乳管が増生するが，小葉中心性の配列が認められる（**図 2**）．時間の経過とともに膠原線維が増量し，硬化が強くなる．硬化が強くなると腺上皮成分が萎縮し，紡錘形の筋上皮細胞が優勢になり上皮の二相性が失われたようにみえることがあるが，細乳管周囲を硝子化した膠原線維の束で取り囲む像（fibrous band）の存在に注目すると診断が容易になる（**図 3a**）．p63，CK5/6，CK14，calponin などの筋上皮マーカーなどを用いて筋上皮細胞を確認することも有用である（**図 3b**）．小葉中心性の配列が不明瞭になりびまん性に増殖すると，間質，脂肪組織へ浸潤性に増殖しているようにみえる（**図 4, 5**）．特に針生検など

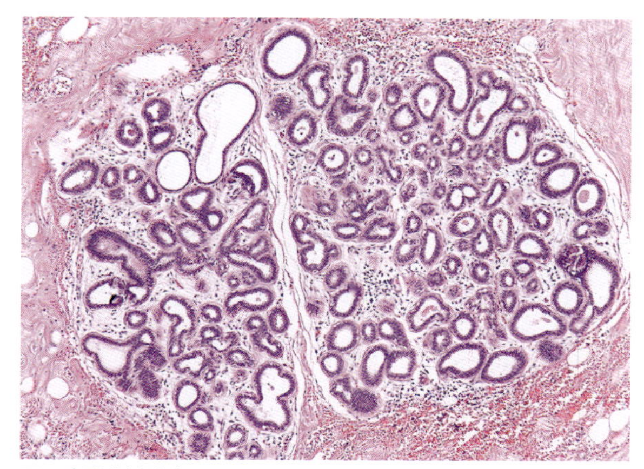

図 1 | 閉塞性腺症
拡張した嚢胞状の腺管が増生する．腺上皮細胞は立方状〜平坦で，腺腔内には分泌型石灰化を認める．

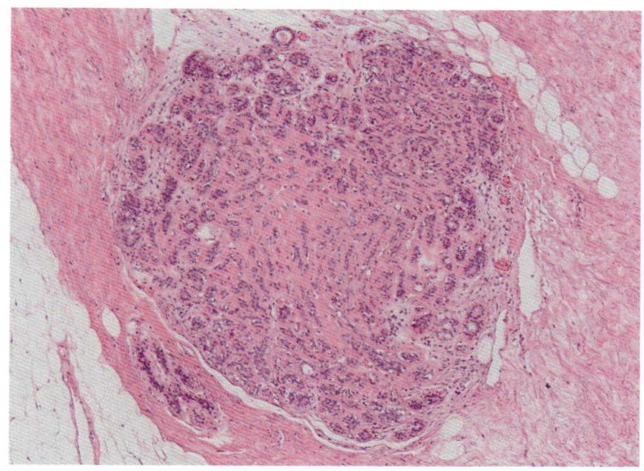

図 2 | 硬化性腺症
終末乳管から細乳管にかけて分岐を繰り返し，周囲に向かい増生する．小葉中心性に流れるような配列を認める．

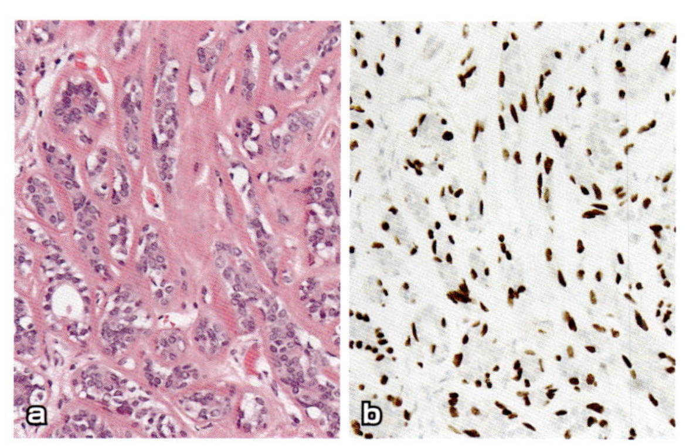

図 3 | 硬化性腺症
a：虚脱した細乳管周囲には fibrous band を認める．b：p63 免疫染色．筋上皮細胞の核に陽性を示す．

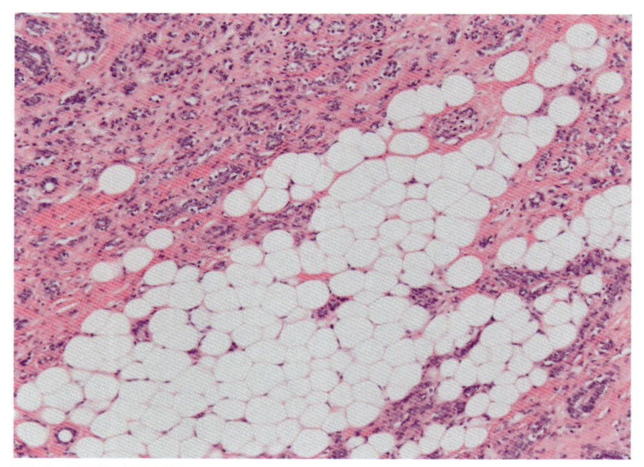

図 4 | 硬化性腺症
細乳管の増生が著しく，びまん性の広がりを示す．

小さな検体や凍結標本では，小葉中心性の配列や二相性が認識しにくくなるので診断が困難になる．また硬化性腺症は良性病変であるにもかかわらず，神経周囲に進展し神経束を巻き込むことがあるので，癌胞巣の神経周囲侵襲と誤認しないことが重要である[7]（**図 6**）．複数の腺症が癒合して結節状になると，腺症腫瘍と呼ばれる腫瘤を形成する（**図 7**）．ときに，腺症を構成する細乳管内に DCIS や非浸潤性小葉癌 lobular carcinoma *in situ*（LCIS）などの腫瘍性病変が発生もしくは進展することがある[8]（**図 8**）．その際にも腺症としての構築や二相性を確認するとよい．

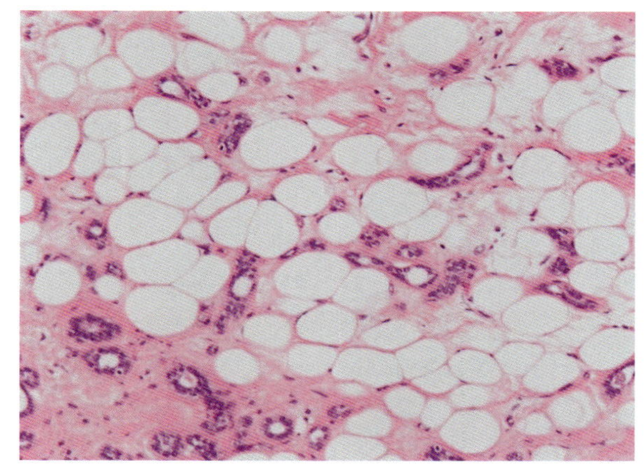

図 5 | 硬化性腺症
脂肪組織内へ進展するが，二相性は保たれる．

診断の要 *Essential diagnostic criteria*

- 小葉中心性の配列
- 間質の膠原線維により圧排された小型腺管の増生
- 腺管周囲の基底膜，筋上皮細胞の存在

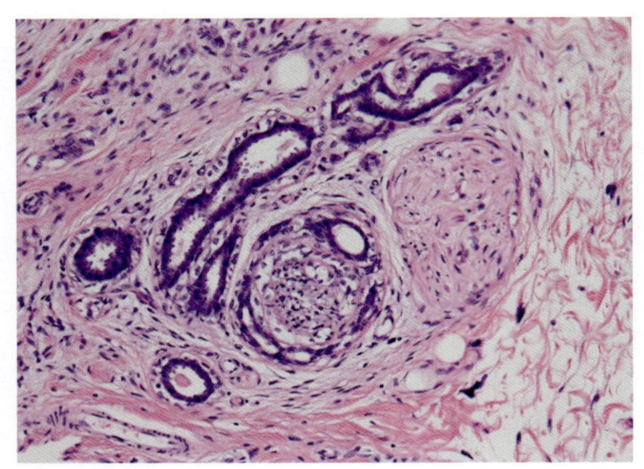
図 6 | 硬化性腺症
神経周囲への進展を認める．

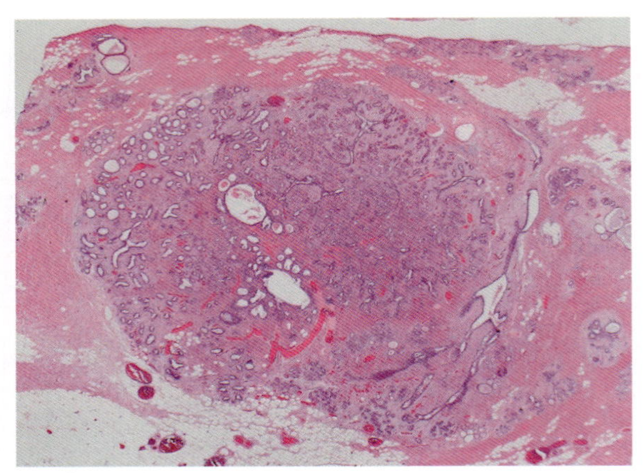
図 7 | 腺症腫瘍
複数の腺症が癒合し結節を形成する．

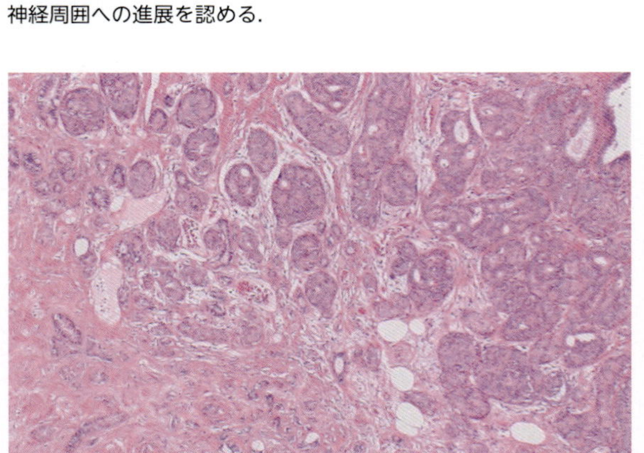
図 8 | 硬化性腺症内の非浸潤性乳管癌（DCIS）
左下に癌を含まない硬化性腺症を認め，右上に DCIS によって内腔の拡張した腺症がみられる．

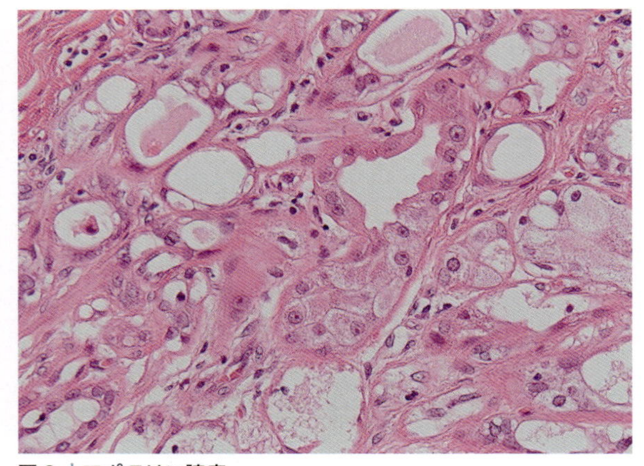
図 9 | アポクリン腺症
腺症内にアポクリン化生を示す上皮の増殖がみられる．好酸性もしくは空胞状の豊かな細胞質と核・核小体腫大が目立つ．

d）アポクリン腺症

腺症を構成する上皮がアポクリン上皮の形態を示す．上皮細胞は好酸性もしくは空胞状の豊かな細胞質，核・核小体腫大を示す．構造異型，核分裂像，壊死は認めない[9]（**図 9**）．

診断の要 *Essential diagnostic criteria*
- 小葉中心性の配列
- 線維化により圧排された細乳管
- 細乳管内のアポクリン化生細胞による被覆

e）微小腺管腺症

1 層の立方上皮からなる小型類円形の腺管が小葉中心性の配列を示さず，線維性間質あるいは脂肪組織内にランダムに増生する．筋上皮細胞を欠如した単層の上皮からなるが，基底膜は存在する（**図 10**）．PAS 染色および mucicarmine 染色陽性の腺腔内分泌物を有し，上皮細胞は ER と PgR は陰性であるが，S100 陽性を示す（**図 10 inset**）．微小腺管腺症を背景に発生する癌は，腺房細房癌など triple negative phenotype を示すものが多い[6]．

診断の要 *Essential diagnostic criteria*
- 小型，円形，均一な腺管のランダムな増生
- 非破壊性の乳腺実質，脂肪組織への浸潤
- 1 層の異型のない立方状細胞

5）鑑別診断

閉塞性腺症は平坦型上皮異型 flat epithelial atypia（FEA）と類似した構築を示すが，FEA では低異型度

DCIS 様の核異型や核重積を示すことが異なる．

硬化性腺症は管状癌など浸潤性乳管癌との鑑別が必要となることがある．管状癌では細胞成分に富む線維形成性間質 desmoplastic stroma の介在を認めるのに対し，硬化性腺症では腺管周囲の間質反応は乏しい．また硬化性腺症は小葉中心性の配列を示し，fibrous band の存在が参考になる．腺上皮細胞が萎縮すると硬性型浸潤性乳管癌や浸潤性小葉癌が鑑別に挙がるが，その際は免疫染色などを用いて筋上皮細胞の存在を確認するとよい．

DCIS もしくは LCIS が硬化性腺症内に存在すると浸潤癌が鑑別に挙がるが，この際も二相性の有無により鑑別できる．アポクリン腺症では核・核小体腫大が目立ち，アポクリン DCIS との鑑別が必要である．アポクリン腺症では，高度の細胞異型，核分裂像，DCIS としての構造異型や壊死はみられない．また上皮胞巣が密集して存在するため，アポクリン癌（浸潤癌）と誤認しないことも重要である．微小腺管腺症は上皮が S100 陽性，ER，PgR 陰性であることから，低異型度の浸潤癌と鑑別される．

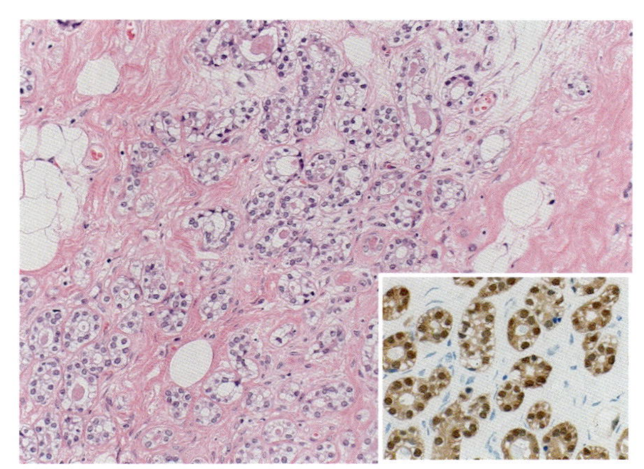

図 10　微小腺管腺症
1 層の小型細胞からなる腺管が不規則に増生している．腺腔内部には好酸性分泌物がみられる．inset：S100 免疫染色．核および細胞質に陽性を示す．

2．放射状硬化性病変

1）定義・概念

放射状硬化性病変 radial sclerosing lesion（RSL）は，病巣の中心部に弾性線維や膠原線維が存在し，それに向かって乳管や小葉が引き込まれて放射状の形態を示す良性増殖性病変である．WHO 分類 第 5 版（2019 年）では，サイズが小さく星形の病変を形成するものを放射状瘢痕 radial scar と定義し，サイズが大きく構造が複雑なものを複雑型硬化性病変 complex sclerosing lesion としている[1]．

2）臨床的事項

手術材料などでの偶発病変のこともあるが，画像にてスピキュラを有する腫瘤影や構築の乱れを呈し，浸潤癌に酷似した所見を呈する．RSL は軽度の乳癌のリスク病変である．病巣内部に癌を合併することがあるが，病変サイズが大きい場合，50 歳以上の患者にその頻度が高くなる[1]．針生検などで病巣の一部に異型上皮増殖性病変が認められる場合には，完全摘出するべきと考えられている．

3）肉眼所見

顕微鏡的サイズのものから肉眼的に明らかなものまで様々で，後者は浸潤癌に似た肉眼像を示すものもある．

4）組織学的所見

線維性結合織・弾性線維を芯 core とする病変で，乳管や小葉が引き込まれて放射状の形態を示す．ある程度の大きさの病変になると辺縁部の組織は多彩な組織像を示し，硬化性腺症，末梢性乳頭腫，乳管過形成などの増殖性病変や，嚢胞，アポクリン化生が種々の割合で認められる（**図 11**）．中心部の硬化した芯の部分には，小型腺管が不規則な分布を示すが，二相性が保たれていることが浸潤癌との鑑別になる（**図 12**）．まれに神経周囲侵襲を認めることがあるので注意が必要である．

診断の要　*Essential diagnostic criteria*

- 特徴的な放射状形態を示す小葉中心性の配列
- 腺管周囲の基底膜，筋上皮細胞の存在
- 硝子化した間質，弾性線維の増生

5）鑑別診断

中心部の弾性線維や膠原線維に富む部分に取り込まれた小腺管が針生検などで採取されてくると，管状癌と酷似することがあるので注意が必要である．

臨床診断が浸潤癌であることが多いので，増殖性病変が線維化巣とともに採取されてきた際には，鑑別として RSL を挙げることが重要である．

（大森昌子）

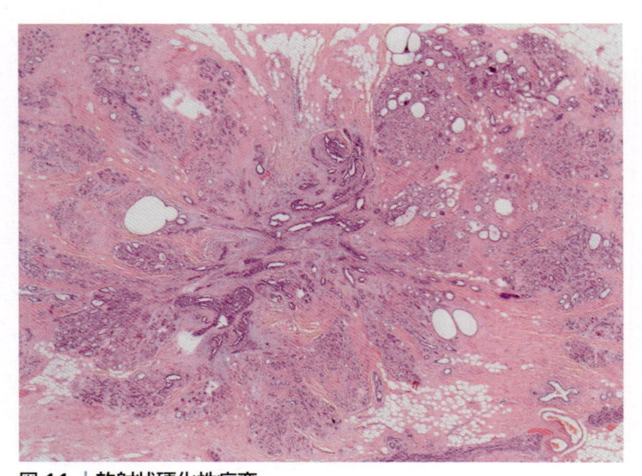

図 11 | 放射状硬化性病変
中心に瘢痕様組織が存在し，辺縁に嚢胞，乳管過形成，腺症を伴って放射状の形態を示す．

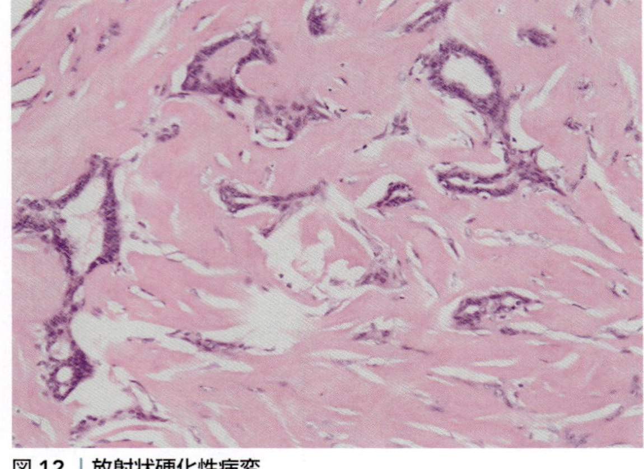

図 12 | 放射状硬化性病変
瘢痕様の中心部に小型腺管が不規則な分布を示し，引き込まれる．

文　献

1）WHO Classification of Tumours Editorial Board（ed）：WHO Classification of Tumours, Breast Tumours（5th ed.），IARC, Lyon, 2019
2）Oiwa M, Endo T, Ichihara S, et al：Sclerosing adenosis as a predictor of breast cancer bilaterality and multicentricity. Virchows Arch 467：71-78, 2015
3）Visscher DW, Nassar A, Degnim AC, et al：Sclerosing adenosis and risk of breast cancer. Breast Cancer Res Treat 144：205-212, 2014
4）Winham SJ, Mehner C, Heinzen EP, et al：NanoString-based breast cancer risk prediction for women with sclerosing adenosis. Breast Cancer Res Treat 166：641-650, 2017
5）Wells CA, McGregor IL, Makunura CN, et al：Apocrine adenosis：a precursor of aggressive breast cancer? J Clin Pathol 48：737-742, 1995
6）Geyer FC, Lacroix-Triki M, Colombo PE, et al：Molecular evidence in support of the neoplastic and precursor nature of microglandular adenosis. Histopathology 60：E115-130, 2012
7）Taylor HB, Norris HJ：Epithelial invasion of nerves in benign diseases of the breast. Cancer 20：2245-2249, 1967
8）Moritani S, Ichihara S, Hasegawa M, et al：Topographical, morphological and immunohistochemical characteristics of carcinoma in situ of the breast involving sclerosing adenosis. Two distinct topographical patterns and histological types of carcinoma in situ. Histopathology 58：835-846, 2011
9）O'Malley FP, Bane AL：The spectrum of apocrine lesions of the breast. Adv Anat Pathol 11：1-9, 2004

I．上皮性腫瘍

3　腺腫

1．定義・概念

腺腫 adenoma は，WHO 分類 第 5 版（2019 年）では乳腺上皮性腫瘍 epithelial tumours of the breast の中の一項目に位置づけられ，管状腺腫 tubular adenoma，授乳性腺腫 lactating adenoma, 乳管腺腫 ductal adenoma の 3 疾患が含まれている．その共通の特徴として，周囲乳腺組織と明瞭に境界される「腫瘤」を形成すること，および上皮・筋上皮の二相性を有する上皮成分から構成される腺管構造が密に増殖することが挙げられる．

管状腺腫は，線維腺腫，特に管周囲型線維腺腫 pericanalicular subset of fibroademoma との類似性があり，線維腺腫の中の腺管増殖の著明なタイプとして紹介している教科書もある[1]（**図 1**）．また，線維腺腫と管状腺腫が混在する症例も報告されており，共通の組織発生が示唆される場合がある[2]．授乳性腺腫は，授乳性変化を示す腺組織が増殖して腫瘤を形成するものである．乳管腺腫は，小型ないしは中型の乳管に好発する病変で，線維性被膜に囲まれ，種々の程度に硬化した間質を背景に歪んだ腺管が増殖する[3]．乳管内乳頭腫の亜型とも考えられており，硬化性乳頭腫 sclerosing intraductal papilloma と呼ばれることもある[4]（**図 2**）．

いずれの病変も増殖する腺成分において上皮と筋上皮の二相性が保たれており，浸潤癌との鑑別に苦慮する場合には，種々の筋上皮細胞のマーカーで筋上皮を確認することによって良悪鑑別が可能である．

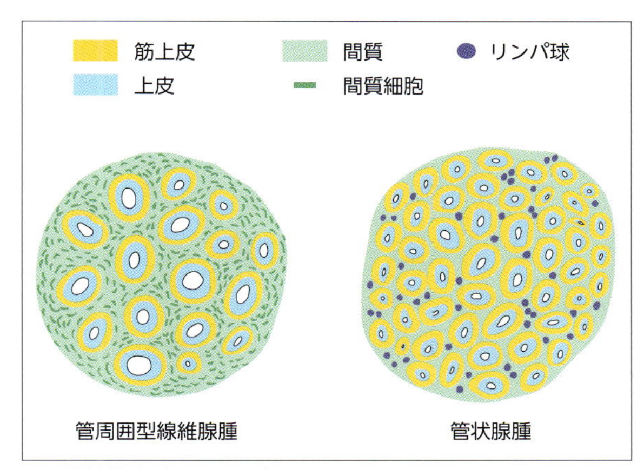

図 1 ｜管状腺腫のイメージ
病変の基本構築は管周囲型線維腺腫に類似するが，間質の増殖を伴わず，腺が密に増殖する．間質にはリンパ球浸潤が種々の程度に認められる．

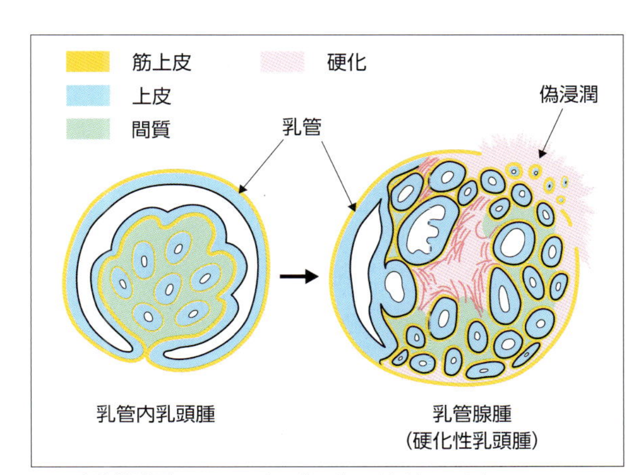

図 2 ｜乳管腺腫のイメージと成り立ち（文献 4 より）
乳頭腫に硬化と腺の増殖が生じ，硬化の中に取り残された腺管が偽浸潤像を示す．

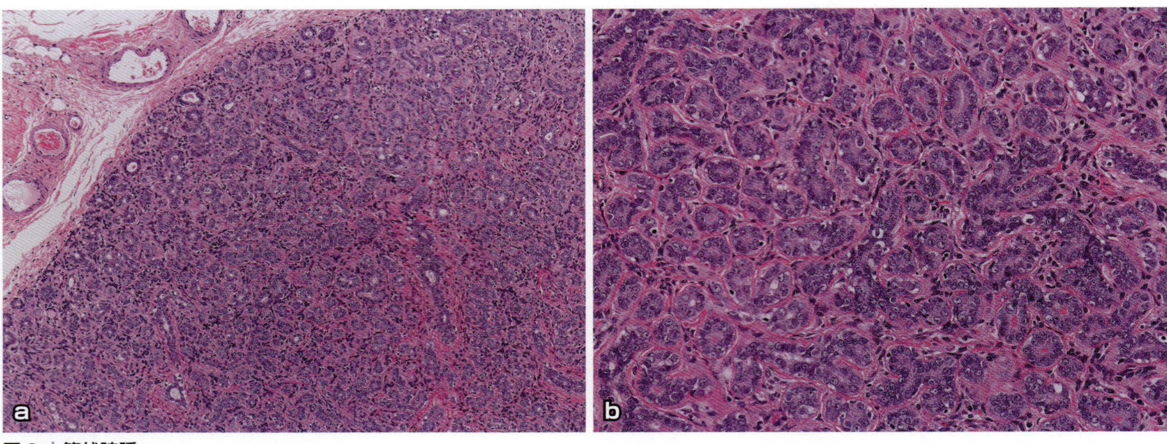

図3 | 管状腺腫
a：被膜構造に被包されない境界明瞭な腺管増殖性の病変である．b：小型腺管が密に増殖し，線維腺腫のような間質成分の増殖は伴わない．腺管の間の狭い間質には毛細血管と疎なリンパ球浸潤がみられる．

診断の要 *Essential diagnostic criteria*
- 境界明瞭な腫瘤形成性病変
- 上皮・筋上皮の二相性の保たれた腺管の密な増殖

2．管状腺腫

1）臨床的事項

管状腺腫は，臨床所見も線維腺腫と類似しており，可動性の良好な境界明瞭な腫瘤を形成する．通常はゆっくりと増大する．ほとんどの症例は40歳未満に発生する．まれに，より高齢での発症や急激なサイズの増大，境界不明瞭な病変形成，可動性不良な腫瘤，皮膚の潰瘍形成といった悪性を疑わせる臨床所見を呈することがある[5]．また，15 cmにも達する巨大な腫瘤を形成した症例の報告もある[6]．良性病変であり，後の癌化のリスクはなく，完全切除症例で再発した報告はない．

2）肉眼・画像所見

管状腺腫は，肉眼的には被膜を有さない表面平滑な腫瘤で，サイズは平均3.0 cm（1～7.5 cm）である．割面は均一な充実性で，線維腺腫よりやや軟らかく，線維腺腫に比べると黄色調～茶色を帯びた，やや濃い色調を呈する傾向がある．画像所見では，境界明瞭な腫瘤影を呈し，超音波検査では軽度の後方エコー増強を伴う低エコー腫瘤として描出される．画像診断で悪性を疑うカテゴリー（BI-RADS 4）に分類されることもまれではない[7]．

3）組織学的所見

管状腺腫は，明らかな被膜構造を欠き，周囲と明瞭な境界をもって小型の均一な腺管が密に増殖する（**図3a**）．線維腺腫と異なり，間質の線維成分の増殖はなく，腺管の間に介在する狭い間質は繊細な毛細血管や疎な結合織からなり，しばしばリンパ球が疎に浸潤している（**図3b**）．増殖する小型腺管においては，上皮・筋上皮の二相性がよく保たれている．腺内腔に粘液やPAS染色陽性を示す好酸性の蛋白様物質を含むことがある．

診断の要 *Essential diagnostic criteria*
腺腫共通の「診断の要」に加えて
- 被膜なし

4）分子病理学的特徴と発生メカニズム

管状腺腫における分子病理学的検討はまだ少ない．線維腺腫の管内型 intracanalicular subset で認められる *MED12* exon 2 の変異は，管状腺腫では認められない．管状腺腫は線維腺腫との類似性があるが，管内型ではなく管周囲型 pericanalicular subset に類似しているため，この変異が検出されないと考えられている．

5）鑑別診断

管状腺腫と管周囲型線維腺腫の違いは，後者では線維腺腫に特徴的な間質成分の増殖を伴うことである（**図1**）．また腺管の増殖は，管状腺腫ではるかに密である．

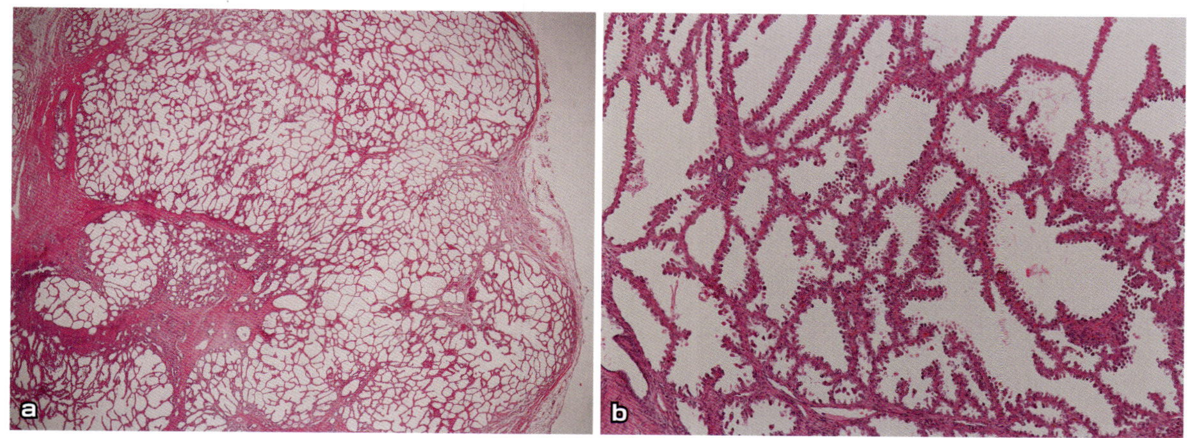

図 4 | 授乳性腺腫
a：被膜の不明瞭な境界明瞭な腺管増殖性病変である．内腔の開いた腺管が密に増殖している．b：腺管はホブネイル状の上皮からなり，上皮の一部は泡沫状の細胞質を有している．

3．授乳性腺腫

1）臨床的事項

授乳性腺腫は，妊娠中（特に後期）から授乳期にかけて認められる良性病変である．通常は乳腺に発生し，両側性，多発性のこともあるが，まれに副乳にも発生する．可動性良好で軟らかい境界明瞭な腫瘤を形成する．ときに腫瘤の増大速度に血管の供給が追いつかず，梗塞を起こすことがあり，その場合には疼痛をきたしたり，悪性を疑う画像，臨床所見を呈したりする[8]．多くは授乳終了後半年以内に自然退縮する．まれに出産前，あるいは出産後に急速に増大する症例が報告されている[9]．授乳性腺腫は良性で，授乳終了後に自然消退することから，診断が確定すれば通常は切除せず，経過観察される．

2）肉眼・画像所見

授乳性腺腫は，5 cm 未満の被膜を伴わない境界明瞭な充実性腫瘤である．線維腺腫や管状腺腫よりは軟らかい．

3）組織学的所見

授乳性腺腫も明瞭な被膜を有さない境界明瞭な病変で，分泌性変化を示す腺管が密に増殖している（**図 4a**）．腺上皮は立方形ないしはホブネイル状で，種々の程度に顆粒状ないしは泡沫状の細胞質を有する（**図 4b**）．内腔に向かって好酸性の乳汁を分泌する．構成する細胞は通常の授乳期乳腺組織と同様の所見である．妊娠初期の授乳性腺腫は管状腺腫に類似しているといわれており，授乳性腺腫と管状腺腫が同一スペクトラムの疾患の両極，すなわち静止期と授乳期の所見を呈する病変とする考え方もある．穿刺吸引細胞診では，分泌物を背景に結合性の低下した裸核の上皮が多数出現し，核小体が明瞭で異型もみられる．妊娠中あるいは授乳期であるという情報がない場合，悪性と過剰診断される危険性があるので，注意が必要である[10]．しかし，まれに授乳性腺腫と浸潤性乳癌が共存するような症例も報告されており[11]，癌の細胞所見が授乳期変化と混在してマスクされてしまう，あるいは癌の細胞所見を授乳期変化と過小診断してしまう可能性もある．この時期の穿刺吸引細胞診の診断には過剰診断，過小診断双方の危険性があることを十分認識しておくことが重要である．

診断の要 *Essential diagnostic criteria*

腺腫共通の「診断の要」に加えて
- 授乳期乳腺と同様の細胞から構成

4）分子病理学的特徴と発生メカニズム

授乳性腺腫の発生メカニズムとしては *de novo* に発生する可能性のほか，もともと存在した線維腺腫などの良性増殖性病変に授乳性変化が加わったものである可能性もあり，その本質として多彩な病変が含まれているのかもしれない．特徴的な遺伝子の異常は知られていない．

4．乳管腺腫

1）臨床的事項

乳管腺腫は広い年齢層に発生するが，好発年齢は60歳代である．単発性の触知可能な腫瘤を呈するが，ときに多発性のこともある．末梢の小型〜中型乳管に好発するが，乳頭腫と同様に中枢側の太い乳管に生じることもあり，その場合は症状として乳頭異常分泌をきたしうる．

2）肉眼・画像所見

乳管腺腫は，0.5〜5 cmの腫瘤である．割面は白色充実性で，中心部には灰色調の軟らかい部分がある．辺縁が分葉状のことや同一乳管系で進展して多結節状を呈することもある．周囲乳腺との境界が不明瞭となって，浸潤癌を思わせる所見を呈することもある．マンモグラフィでは，境界明瞭な腫瘤影のほか，硬化の程度により境界不明瞭な腫瘤やスピキュラを有する腫瘤，多結節・分葉状腫瘤など，多彩な腫瘤影を呈しうる．また，乳管壁に異栄養性石灰化を伴うことがあり，不整形の石灰化として描出される．

3）組織学的所見

乳管腺腫は，もともとの乳管に由来する厚い線維性の壁を有し，線維が同心円状に取り巻いている（**図5a**）．内部では円形ないしは楕円形の腺管，細長く伸びた腺管，分岐を示す腺管，嚢胞状拡張腺管など，多彩な形態の腺管が混在して増殖している（**図5b**）．これらの腺管を構成する細胞には，上皮と筋上皮の二相性が保たれている．間質には種々の程度に硬化がみられる．同一腫瘤内でも，腺の増殖が目立ち硬化が乏しい領域と，硬化が目立ち腺が圧排されて目立たなくなった領域が混在する（**図5b**）．上皮のアポクリン化生や通常型上皮過形成はしばしば認められ，ときにアポクリン化生上皮に核異型が目立つことがある（**図5c**）．乳管壁の硬化が強くなり，取り残された腺管があたかも浸潤している小型腺管のようにみえる像を呈することがあり，偽浸潤という（**図5d**）．腺管形成性の浸潤癌との鑑別は，偽浸潤では腺の周囲に筋上皮が保たれていることを免疫染色で確認することによって可能である．硬化した乳管壁には，石灰化や慢性炎症細胞浸潤，出血や粘液腫状変性を伴うことがある．広い硬化や構築の歪みが目立つと，放射状瘢痕/複雑型硬化性病変 radial scar/complex sclerosing lesion（RS/CSL）とも呼べる病変になり，乳管腺腫とRS/CSLは形態的に一部オーバーラップする（**図5e**）．乳管腺腫は，画像所見で悪性の可能性を疑われることがあるが，組織でも偽浸潤や異型アポクリン化生など，悪性と過剰診断されやすい所見が出現しうるので，特に病変の全体像を把握しにくい針生検では注意が必要である．

診断の要 *Essential diagnostic criteria*

腺腫共通の「診断の要」に加えて
- ◆厚い線維性被膜あり

4）分子病理学的特徴と発生メカニズム

乳管腺腫は，発生メカニズム上，乳管内乳頭腫との関連が強く，乳管内乳頭腫の間質が硬化するために特徴的な樹枝状の乳頭状構築が失われ，乳管内腔は閉塞する．硬化によって歪められた上皮成分は，偽浸潤を呈する．一方，硬化性腺症のような腺の増殖性変化が乳管内あるいは既存の乳頭腫に波及することにより，腺の増殖を示す乳管腺腫の病変が形成されるとも考えられている[12]．いずれにしても乳頭腫と関連が深い，あるいは近縁の病変であると考えらえる．少数例で次世代シークエンサーを用いた遺伝子解析が行われており，*AKT1*，*PIK3CA*，*GNAS*の変異が報告されている[13]．このうち*AKT1*の変異は，乳頭腫でも報告されており，乳管腺腫と乳頭腫の関連が遺伝子異常の面からも裏づけられる．

5）鑑別診断

乳管腺腫は腺管の密な増殖とともに硬化による腺の歪みや偽浸潤を伴うため，特に全体像の把握が困難な針生検では浸潤性乳管癌（非特殊型浸潤性乳癌と同義）と過剰診断される危険性が高い．乳管腺腫では増殖する腺管の周囲に筋上皮が存在するので，その可能性を念頭に置くことさえできれば，筋上皮マーカーの免疫染色により浸潤性乳管癌との鑑別は容易である．しかし，この際，アポクリン化生部分では筋上皮マーカーが陰性になりやすいので，このことを気に留めておく必要がある（**図6**）．

（森谷鈴子）

文　献

1）Esposito NN：Fibroepithelial lesions. in Dabbs DJ（ed）："Breast Pathology"（2nd ed.），Elsevier, Philadelphia, 2017, pp263-287
2）Bezić J, Karaman I, Šundov D：Combined fibroadenoma

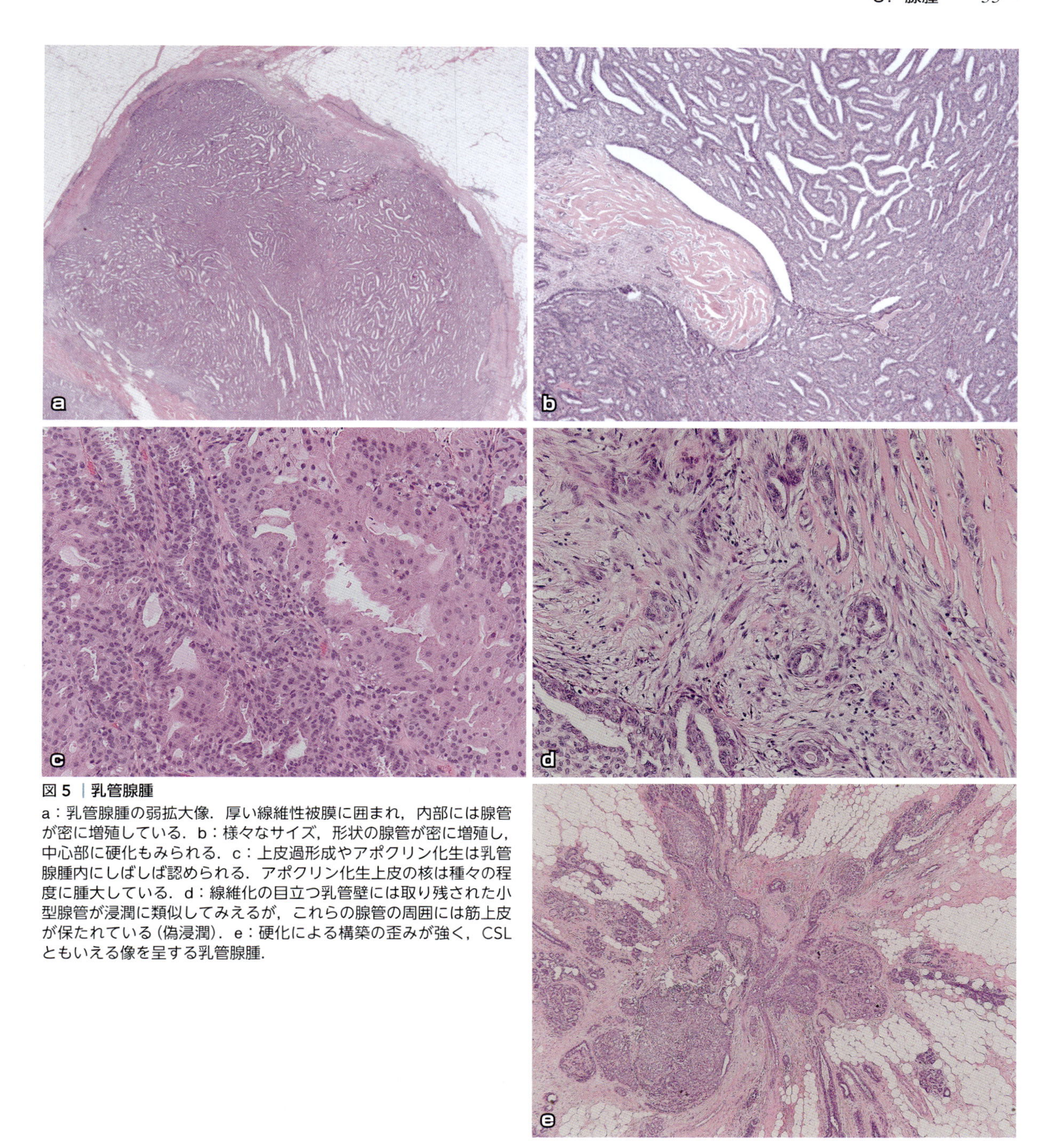

図 5 ｜乳管腺腫

a：乳管腺腫の弱拡大像．厚い線維性被膜に囲まれ，内部には腺管が密に増殖している．b：様々なサイズ，形状の腺管が密に増殖し，中心部に硬化もみられる．c：上皮過形成やアポクリン化生は乳管腺腫内にしばしば認められる．アポクリン化生上皮の核は種々の程度に腫大している．d：線維化の目立つ乳管壁には取り残された小型腺管が浸潤に類似してみえるが，これらの腺管の周囲には筋上皮が保たれている（偽浸潤）．e：硬化による構築の歪みが強く，CSLともいえる像を呈する乳管腺腫．

and tubular adenoma of the breast：Rare presentation that confirms common histogenesis. Breast J 21：309-311, 2015

3）Azzopardi JG, Salm R：Ductal adenoma of the breast：A lesion which can mimic carcinoma. J Pathol 144：15-23, 1984

4）森谷鈴子：adenomas. 病理と臨床 39：340-344, 2021

5）Sengupta S, Pal S, Biswas BK, et al：Preoperative diagnosis of tubular adenoma of breast – 10 years of experience. N Am J Med Sci 6：219-223, 2014

6）Zhu D, Qian HS, Han HX, et al：An unusual magnetic resonance imaging of a giant cystic volume of tubular adenoma of the breast. Breast J 23：225-226, 2017

7）Efared B, Sidibé IS, Abdoulaziz S, et al：Tubular adenoma of the breast：A clinicopathologic study of a series of 9 cases. Clin Med Insights Pathol 11：1-5, 2018

8）Szabo J, Garcia D, Ciomek N, et al：Spuriously aggressive features of a lactating adenoma prompting repeated biopsies. Radiol Case Rep 12：215-218, 2017

9）Teng CY, Diego EJ：Case report of a large lactating adeno-

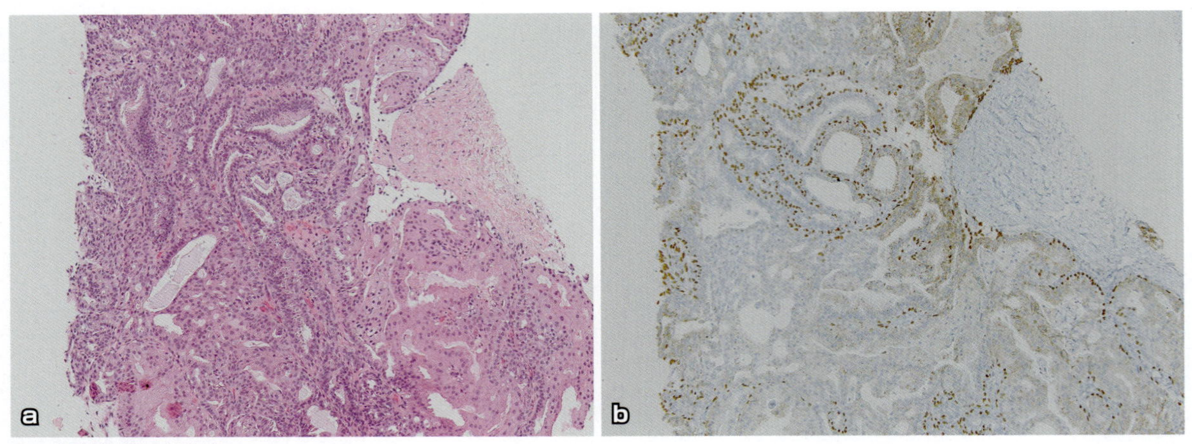

図６｜乳管腺腫の針生検

a：アポクリン化生を一部に伴う密な腺の増殖がみられる．b：p63 免疫染色．上皮と間質の間に筋上皮が確認できる．アポクリン化生部分では陽性細胞が減少している．

ma with rapid antepartum enlargement. Int J Surg Case Rep 20：127-129, 2016

10）Heymann JJ, Halligan AM, Hoda SA, et al：Fine needle aspiration of breast masses in pregnant and lactating women：experience with 28 cases emphasizing Thinprep findings. Diagn Cytopathol 43：188-194, 2015

11）Saglam A, Can B：Coexistence of lactating adenoma and invasive ductal adenocarcinoma of the breast in a pregnant woman. J Clin Pathol 58：87-89, 2005

12）Lammie GA, Millis RR：Ductal adenoma of the breast --a review of fifteen cases. Hum Pathol 20：903-908, 1989

13）Volckmar AL, Leichsenring J, Flechtenmacher C, et al：Tubular, lactating, and ductal adenomas are devoid of MED12 exon2 mutations, and ductal adenomas show recurrent mutations in GNAS and the PI3K-AKT pathway. Genes Chromosomes Cancer 56：11-17, 2017

4　上皮・筋上皮性腫瘍

1．定義・概念

乳腺には乳管上皮周囲に筋上皮があるため，皮膚付属器や唾液腺と同様に，上皮と筋上皮が二相性を保ちながら増生する腫瘍が発生する．上皮・筋上皮性腫瘍 epithelial-myoepithelial tumor で知っておくべき腫瘍として，腺筋上皮腫 adenomyoepithelioma（AME），腺様嚢胞癌 adenoid cystic carcinoma（AdCC），多形腺腫 pleomorphic adenoma（PA）があるが，本項では AME とそれが悪性化した腫瘍について解説する．AdCC については，第 2 部-Ⅰ-10-(9)「腺様嚢胞癌および他の唾液腺型乳癌」を参照されたい．

2019 年発行 WHO 分類 第 5 版では，AME と悪性腺筋上皮腫 malignant AME（AME-M）に分類して解説されている．しかし，異型のない腫瘍と明らかに悪性の腫瘍の間には，“悪性とは判断できない異型が上皮あるいは筋上皮にみられる腫瘍”，“異型は AME の範囲内であるが核分裂像が目立つ腫瘍”があり[1]，良性 benign，異型 atypical，悪性 malignant に分類したほうがよいとの考えもある[2,3]．WHO 分類 第 5 版では，atypical AME は AME に含まれる[2]．

悪性化を示す AME の総称は，WHO 分類 第 5 版では AME-M である．両成分が悪性である場合は epithelial-myoepithelial carcinoma が使われるが，この場合は良性にみえる AME 成分の有無は問わない．一方，AME with carcinoma の名称は，異型のない AME に浸潤癌を伴った病変に用いる．AME-M には，非浸潤性病変もある[1,2]．

2．臨床的事項

閉経後女性に多い．触知可能な腫瘤のことが多く，好発部位はないが，乳頭直下にも発生しうる．

AME は，通常は良性の経過をとるが，残存病変がある場合は局所再発や悪性転化がありうる[2]．AME の転移については，atypical AME に限られるとの記載がある[2]．

AME-M の臨床経過は悪性成分の組織学的悪性度により異なる．Rakha らは，非浸潤性にみえる AME-M で，辺縁に筋上皮が確認できず異型が軽度から中等度にとどまる場合は，非浸潤癌として対応するのが望ましいとしている[2]．

3．肉眼所見

AME は周囲圧排性の境界明瞭な腫瘤のことが多く，嚢胞形成や乳頭状構造があることがある．AME-M の場合は，悪性成分の割合や浸潤癌成分の性状により種々の像をとりうる．

4．組織学的所見

内側の腺管と外側の筋上皮の二相性増生からなる腫瘍である（**図 1a**）．組織構築としては，分葉状，乳頭状，あるいは管状を呈する．AME の典型例は，弱拡大では分葉状で，中心硬化巣がある（**図 1a**）．

多彩な像をとるため注意が必要である．上皮成分は，アポクリン化生（**図 2a**），扁平上皮化生（**図 2b**），脂腺化生を示すことがある．筋上皮成分は淡明ある

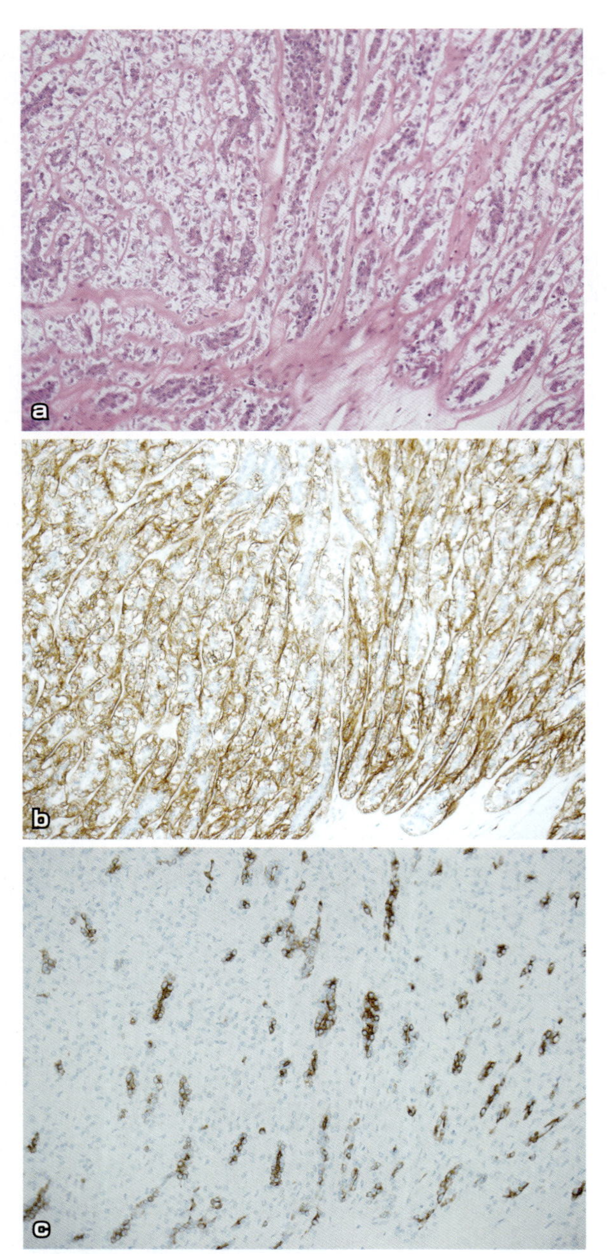

図1｜腺筋上皮腫（AME）典型例
a：内側の腺管と外側の筋上皮の二相性増生からなる．図下部に硬化巣が確認される．筋上皮成分は上皮様で細胞質は淡明である．b：calponin 免疫染色．筋上皮が染色されている．c：CK 5/6 免疫染色．腺が陽性で，筋上皮は陰性である．AME では，高分子量 CK の発現が非腫瘍腺管とは逆になることがある．

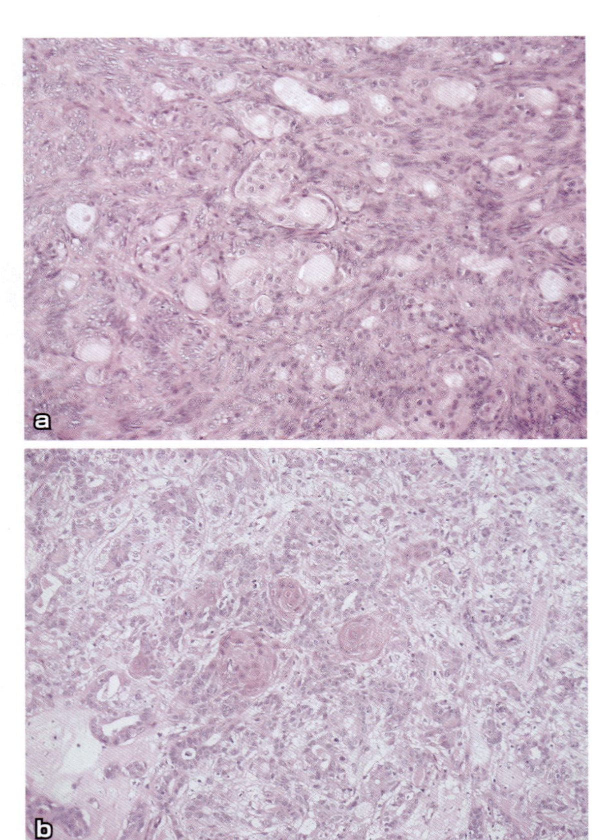

図2｜腺筋上皮腫（AME）にみられる化生
a：上皮成分にアポクリン化生がみられる．本例の筋上皮成分は紡錘形である．b：上皮成分に扁平上皮化生がみられる．

いは好酸性で上皮様（**図1a**）のことが多いが，紡錘形（**図2a**）を呈することもある．間質に基底膜様物質や粘液様間質がある場合もある．

上皮成分，筋上皮成分いずれも悪性化しうる．筋上皮成分が悪性化した場合は，筋上皮の形質をもつ紡錘細胞癌の形態をとることが多い[3]（**図3a**）．紡錘細胞癌は化生癌に分類される．上皮成分が悪性化した場合は（**図3b**），乳管癌だけではなく他の特殊型も発生しうる．両者が悪性化することもある．

発育形態，核異型，核分裂数の点で悪性を思わせる形態を一部にもつ腫瘍があり，atypical AME と分類する考えがあるが，その定義は著者により異なる[2]．

診断の要 *Essential diagnostic criteria*

◆腺管と筋上皮からなり，筋上皮の増生が目立つ腫瘍

5．免疫組織化学的特徴

AME は腺上皮と筋上皮の増生からなる腫瘍であるため，筋上皮に対する免疫染色が有用である（**図1b**）．ただし，筋上皮マーカーとして知られている抗体の染色性は，腫瘍化すると変化することがあるため，複数の抗体を用いる必要がある[3]．

非腫瘍部では筋上皮に発現する cytokeratin（CK）5/6 や CK14 等の高分子量 CK が，AME では腺に陽

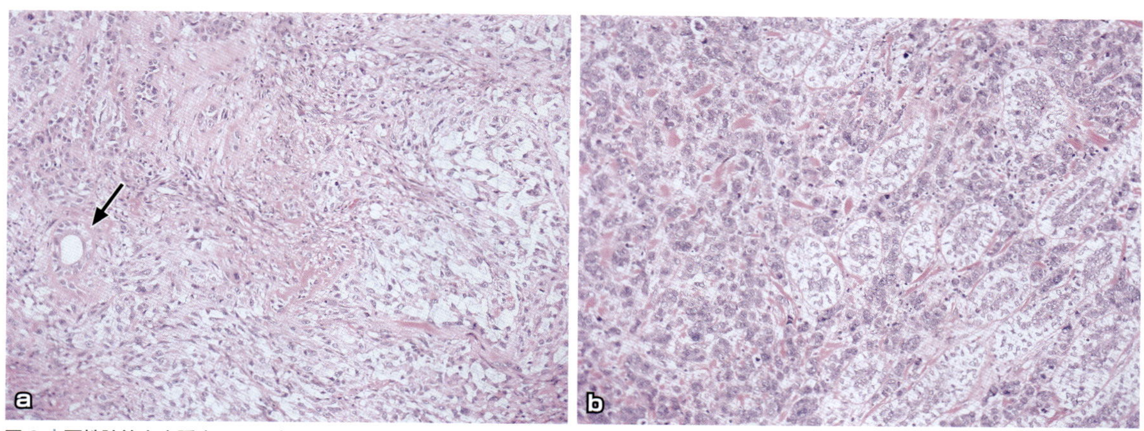

図 3 ｜悪性腺筋上皮腫（AME-M）
a：筋上皮成分が悪性化し，紡錘細胞癌の形態をとっている．図左中央付近に，既存 AME の筋上皮成分からの移行が確認される（矢印）．
b：上皮成分が悪性化し，浸潤性乳管癌の形態をとっている．図中央部で，AME の上皮成分から浸潤性乳管癌への移行が確認される．

性となり筋上皮に陰性となることがあることは，AME の診断に役に立つ[4)]（**図 1c**）．

estrogen receptor（ER）は陰性のことが多いが，小範囲に弱陽性となることがある．

6．分子病理学的特徴

AME では PI3K/AKT シグナル伝達経路関連遺伝子の変異が多く認められるとの報告がある[5)]．ER 陽性例では，唾液腺の上皮筋上皮癌 epithelial-myoepithelial carcinoma に高頻度で認められる *HRAS* 遺伝子に Q61 hot spot 変異がみられたとの報告があり，この遺伝子変異が，ER 陰性 AME の発生に関わっているのではないかと推定されている[5)]．

7．鑑別診断

1）乳管内乳頭腫と乳管腺腫

AME との移行がありうる病変である．腺上皮と筋上皮の増生の程度と全体の組織構築で鑑別する．

2）多形腺腫（PA）と腺様囊胞癌（AdCC）

針生検で，粘液様間質が目立つ場合は PA，基底膜様物質が目立つ場合は AdCC との鑑別が難しいことがある．

3）浸潤性乳管癌

針生検検体で腺上皮と筋上皮の二相性が確認できず，異型が弱い細胞のびまん性増生があり ER の染色性が弱い場合は，AME を鑑別に挙げる必要がある．

4）化生癌

特に AME-M では，AME と関連しない化生癌との鑑別が難しいことがある．その場合は，全体の組織構築により鑑別する．

5）肉腫

筋上皮成分の増生が強い場合，特に悪性化して紡錘細胞癌の形態を示した場合に鑑別が必要となる．免疫染色で腫瘍細胞が pancytokeratin に陽性となることと，AME の筋上皮成分からの移行像（**図 3a**）を確認できると診断可能である．

（西村理恵子）

文　献

1）Cima L, Kaya H, Marchiò C, et al：Triple-negative breast carcinomas of low malignant potential：review on diagnostic criteria and differential diagnoses. Virchows Arch 480：109-126, 2022
2）Rakha E, Tan PH, Ellis I, et al：Adenomyoepithelioma of the breast：a proposal for classification. Histopathology 79：465-479, 2021
3）Tan PH, Ellis IO, Foschini MP, et al：Epithelial-myoepithelial tumours. in WHO Classification of Tumours Editorial Board（ed）：“WHO Classification of Tumours, Breast Tumours”（5th ed.）, IARC, Lyon, 2019, pp39-48
4）Moritani S, Ichihara S, Yatabe Y, et al：Immunohistochemical expression of myoepithelial markers in adenomyoepithelioma of the breast：a unique paradoxical staining pattern of high-molecular weight cytokeratins. Virchows Arch 466：191-198, 2015
5）Geyer FC, Li A, Papanastasiou AD, et al：Recurrent hotspot mutations in HRAS Q61 and PI3K-AKT pathway genes as drivers of breast adenomyoepitheliomas. Nat Commun 9：1816, 2018

I．上皮性腫瘍

5 乳頭状腫瘍

はじめに

乳腺乳頭状腫瘍は上皮に覆われた線維血管性間質を伴う腫瘍であり，筋上皮細胞層の有無でそのタイプや良悪性が異なる．WHO 分類 第 4 版（2012 年）[1]において乳頭状病変は，intraductal papillary lesions とされていた．しかし，2019 年に改訂された WHO 分類 第 5 版[2]では，乳頭状病変の中には乳管内 intraductal のほか，乳管内増殖を基調として浸潤を伴う病変があること，invasive papillary carcinoma を加えたことなどから，papillary neoplasms（乳頭状腫瘍）とまとめられた．WHO 分類 第 5 版（2019 年）の乳頭状腫瘍の章は，① intraductal papilloma，② papillary ductal carcinoma *in situ*（papillary DCIS），③ encapsulated papillary carcinoma（EPC），④ solid papillary carcinoma（SPC）（*in situ* and invasive），⑤ invasive papillary carcinoma の 5 つの病変に分類されている．本項では主に WHO 分類 第 5 版 papillary neoplasms をもとに，文献 3 を改変し概説する．

1．乳管内乳頭腫

1）定義・概念

乳管内乳頭腫 intraductal papilloma は良性の乳腺病変で，中枢性（孤在性）あるいは末梢性（多発性）に乳管内あるいは拡張乳管（嚢胞）内に，線維血管性間質を伴い，腺上皮細胞と筋上皮細胞による二層構造［わが国では二相性（二細胞性）ともいわれる］からなる，乳頭状突起から構成される腫瘍である．

2）臨床的事項

9,000 例の女性のコホートにおいて，乳腺良性病変のうち乳管内乳頭腫（異型を有するものを含む）は 5.3％と報告されている．どの年齢でも生じうるが，30〜50 歳代に多くみられる．中枢性（孤在性）は比較的大型であり，しばしば血性乳頭分泌を認める．

3）肉眼・画像所見

マンモグラフィでは境界明瞭な腫瘤として，超音波検査においては嚢胞状病変内に急峻に隆起する充実性腫瘤（混合性腫瘤）として描出され，ときに血流もみられる．一方，顕微鏡的に指摘される末梢性のタイプは，画像ではしばしば指摘が困難である．

4）組織学的所見

基本的構造は中枢性，末梢性ともに同様で，線維血管性間質を伴い，腺上皮細胞と筋上皮細胞による二層構造（二相性）を示す（**図 1a, b**）．上皮成分の過形成性変化（通常型過形成）を伴う場合は papilloma with usual ductal hyperplasia，筋上皮細胞の過形成性変化を示す場合は papilloma with myoepithelial hyperplasia と呼ばれる．しばしば巣状のアポクリン化生（**図 1c**）や扁平上皮化生を認める．ときに出血や梗塞を伴う．硬化性変化もみられ，顕著である場合は硬化性乳頭腫 sclerosing papilloma とも呼ばれ，これは乳管腺腫 ductal adenoma とほぼ同義である．

診断の要 Essential diagnostic criteria

- 乳管内病変
- 線維血管性間質を伴う乳頭状構造を呈する

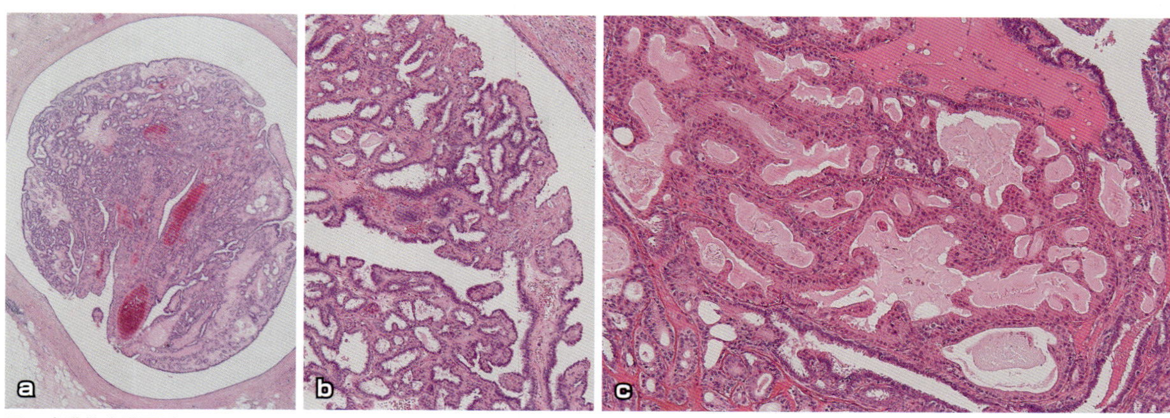

図１｜乳管内乳頭腫
a：嚢胞内の上皮細胞と比較的豊富な間質の増生を示す乳頭状病変．b：線維血管性間質とともに上皮および筋上皮細胞が増殖を示す乳頭腫．いわゆる二相性を有する．c：乳頭腫内の局所的なアポクリン化生を伴う過形成病変．乳頭腫の特徴の一つである．

◆上皮細胞と筋上皮細胞の二相性を有する

5）免疫組織化学的特徴

筋上皮細胞層の確認には，p63などの筋上皮マーカーや，cytokeratin（CK）5/6，CK14などの筋上皮/基底膜マーカーが有用である．乳管周囲に筋上皮細胞層が確認できれば乳管内病変（非浸潤）を意味するが，それのみでは良性か悪性かは判断できない．筋上皮細胞層がなければ基本的に悪性と考えてよい．一方，腫瘍内の上皮細胞と筋上皮細胞の二層構造（二相性）が認められれば，通常良性であることが多いが，後述するpapillary DCISやSPCなどの悪性病変でも二相性が保たれている場合があり，注意を要する．ERは通常，不均一な発現を認める．硬化性間質を示す場合，良悪性の診断に注意が必要である．ときに島状の上皮成分が線維成分に取り囲まれることがあり，p63などで筋上皮細胞層が確認されれば「偽浸潤」の判断が可能となる．過形成性変化を伴う場合は，悪性との鑑別が重要となる．近年，高分子量CKのCK14やCK5/6などの有用性が示されている．良性（乳頭腫）の診断は，CK14やCK5/6のモザイクパターンに加え，間質や線維血管性間質周囲に筋上皮細胞の存在が証明されれば可能となる．ただし，アポクリン病変では高分子量CKが陰性となることが多く，その使用にも注意が必要であり，あくまでもHE染色による診断の補助としての使用が推奨される．

6）分子病理学的特徴と発生メカニズム

良性乳頭腫はモノクローナル増殖と考えられている．PIK3CA/AKT1経路のactivating point mutationがみられる．

7）鑑別診断

後述するpapillary DCISを含むDCISや他の乳頭状腫瘍との鑑別が重要となる．鑑別点をWHO分類第5版のtableおよび文献3をもとに**表1, 2**にまとめる．ここではintraductal papilloma with atypical ductal hyperplasia（ADH）and/or DCISについて概説する．

intraductal papilloma with ADH and/or DCIS

乳頭腫内に一部異型を示す場合がある．中枢性よりも末梢性が多く，通常合併する異型細胞は低異型度である．異型部は高分子量CK陰性で，均一なERの陽性所見を示す．乳頭状腫瘍は，筋上皮細胞の有無とともに上皮細胞の性質によって良性あるいは悪性と診断されるが，乳頭腫内の異型（ADH）あるいは悪性（DCIS）の合併に関しては，WHO分類 第4版からサイズクライテリアが採用され，異型領域部分が3 mmのカットオフ値で両者を区別する．便宜的に異型部が3 mm未満はpapilloma with ADH，3 mm以上はpapilloma with DCISとする（**図2a, b**）．30％を基準とするグループもある．上皮細胞が中異型度，高異型度を示す場合はサイズによらず，DCIS within a papillomaと診断する[3,4]．

（＊）乳頭状病変内の異型病変へのアップグレードや癌化は，そのエビデンスが不十分で，特にわが国では長年その真偽が議論されてきた．真の癌化とする場合は，周囲に癌の存在がなく，周囲から乳頭腫への癌の進展が完全に否定されなければならないと考えられる．これは，わ

表 1 ｜乳頭状病変の病理組織学的・免疫組織化学的特徴（文献 2, 3 より改変）

●病理組織学的特徴

	intraductal papilloma	intraductal papilloma with ADH and/or DCIS	papillary DCIS	EPC	SPC	invasive papillary carcinoma
局在	孤在（中枢性）or 多発（末梢性）	孤在（中枢性）＜多発（末梢性）	多発	孤在	孤在 or 多発	孤在
乳頭状構造	通常広基性で，鈍な樹枝状構造	通常広基性で，鈍な樹枝状構造	細い樹枝状構造 ときに分枝状	多数の細い樹枝状構造 ときに分枝状	繊細な線維血管性間質を伴う充実性増殖（ときに広い）	線維血管性間質を伴う乳頭状浸潤
筋上皮細胞	全体，辺縁に存在	全体，辺縁に存在 ADH/DCIS はときに減弱	乳頭状構造部に欠如 or 減少 乳管周囲はやや減少するが残存	通常辺縁，全体に欠如	腫瘍胞巣周囲に存在 or 欠如 （注：ある場合は *in situ* といえるが，ないから浸潤とはいえず形態で判断） 乳頭状構造部に欠如 or 存在	全体に欠如
上皮細胞	多彩な非腫瘍細胞の増殖： ・上皮細胞 ・通常型過形成 ・アポクリン化生と過形成	局所的に構造や細胞所見が ADH あるいは DCIS（通常低異型度）の像を示す 背景は多彩な非腫瘍細胞の増殖	全体に構造や細胞所見が DCIS（低異型度，中異型度，まれに高異型度）の像を示す 細い線維血管性間質に沿って 1 層の増殖を示す	全体に構造や細胞所見が低異型度あるいは中異型度相当の DCIS 相当 細い線維血管性間質に沿って 1 層の増殖を示す 乳頭状構造に混在して，篩状，微小乳頭状，充実性増殖を示すことがある	全体に構造や細胞所見が低異型度あるいは中異型度相当の DCIS が主に充実性増殖を示す 紡錘形細胞成分や，しばしば神経内分泌への分化，粘液産生を細胞質，細胞外へ認めることがある	低異型度，中異型度，まれに高異型度を示す

●免疫組織化学的特徴

		intraductal papilloma	intraductal papilloma with ADH and/or DCIS	papillary DCIS	EPC	SPC	invasive papillary carcinoma
筋上皮マーカー（p63, SMMHC, calponin）	乳頭状部	陽性	乳頭腫部に陽性 ADH/DCIS 領域には乏しい	陰性 or 減弱	陰性	陰性 or 陽性	陰性
	辺縁部	陽性	陽性	陽性	通常陰性	陰性 or 陽性	陰性
高分子量 cytokeratins（CK5/6，CK14）		陽性： ・筋上皮細胞 ・通常型過形成（不均一発現） 陰性： ・アポクリン化生	陽性： ・筋上皮細胞 ・通常型過形成（不均一発現） 陰性： ・アポクリン化生 ・ADH/DCIS	陰性 ・腫瘍細胞	陰性 ・腫瘍細胞	陰性 ・腫瘍細胞	陰性
ER/PgR		陽性（散在性）： ・上皮細胞 ・通常型過形成（不均一発現） 陰性： ・アポクリン化生	強陽性，びまん性 ・ADH/DCIS 陽性（散在性）： ・上皮細胞 ・通常型過形成（不均一発現） 陰性： ・アポクリン化生	びまん性強陽性	びまん性強陽性 PgR 不定	びまん性強陽性 PgR 不定	陽性（ときに陰性） PgR 不定
その他						chromogranin A と synaptophysin の発現が高頻度	

ADH：atypical ductal hyperplasia（異型乳管過形成），DCIS：ductal carcinoma *in situ*（非浸潤性乳管癌），EPC：encapsulated papillary carcinoma（被包型乳頭癌），SPC：solid papillary carcinoma（充実乳頭癌）

表２｜乳頭癌：診断とステージング（文献２，３より改変）

	EPC	EPC with invasion	SPC *in situ*	SPC with invasion	invasive SPC	invasive papillary carcinoma
腫瘍辺縁	腫瘍細胞は線維性被包内	線維性被膜外への腫瘍細胞の浸潤 浸潤部は浸潤性乳管癌，篩状癌，管状癌，粘液癌など	境界明瞭，円形な結節（複数）	境界明瞭，円形な結節（複数）周囲に，しばしば粘液を伴う島状，塊状の浸潤成分を認める 浸潤部は浸潤性乳管癌，篩状癌，粘液癌など様々	線維性間質内に地図状，ジグソーパズルパターンを有する胞巣状増殖	浸潤性乳頭状増殖（>90％）
筋上皮細胞層	欠如，場合によって存在	欠如	欠如 or 存在	浸潤部欠如	欠如	欠如
tumor grading	核グレード	浸潤部は Nottingham 分類	核グレード	浸潤部は Nottingham 分類	Nottingham 分類	Nottingham 分類
tumor staging	pTis（DCIS）	pT（浸潤部サイズによる）	pTis（DCIS）	pT（浸潤部サイズによる）	pT（浸潤部サイズによる）	pT（腫瘍サイズによる）
ER/PgR/HER２	診断：ER びまん性強陽性，PgR 不定，HER２陰性 治療目的：不要	診断：ER びまん性強陽性，PgR 不定，HER２陰性 治療目的：浸潤部で評価	診断：ER びまん性強陽性，PgR 不定，HER２陰性 治療目的：不要	診断：ER びまん性強陽性，PgR 不定，HER２陰性 治療目的：浸潤部で評価	診断：ER びまん性強陽性，PgR 不定，HER２陰性 治療目的：浸潤部で評価	診断：転移性を否定する 治療目的：浸潤部全体で評価

DCIS：ductal carcinoma *in situ*，EPC：encapsulated papillary carcinoma（被包型乳頭癌），SPC：solid papillary carcinoma（充実乳頭癌）

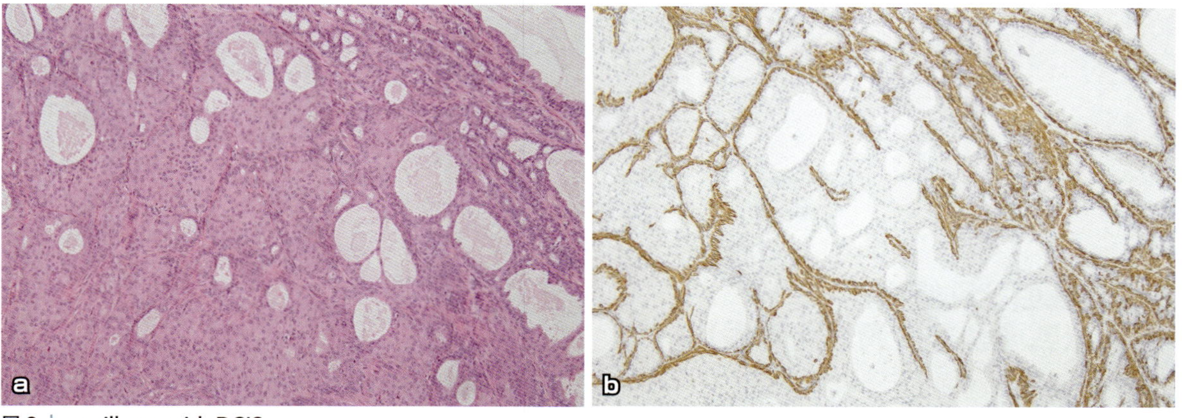

図２｜papilloma with DCIS

a：乳頭腫部（図右上部）を背景に，腺腔形成や充実性に増殖を示す異型細胞部．異型部は３mm 以上であり，papilloma with DCIS となる．３mm 未満であれば papilloma with ADH である．b：CK14 免疫染色．背景乳頭腫部（図右上部）にモザイク様発現を認めるが，腫瘍部の異型細胞には陰性を示す．

が国のように摘出組織を全割するなどの丁寧なアプローチでなければ答えは得られない．ADH/DCIS の合併は，多くの場合，低異型度細胞の合併である．経験的にも中枢性のものはまれで，さらに高異型度癌の合併は極めてまれである[4]．一方，末梢性の場合は，周囲に癌が合併することが報告されており[5]，末梢性乳頭腫から癌が発生することは否定できない．免疫染色の多用によって，高分子量 CK の陰性部を安易に癌と診断される場合が見受けられる．私見ではあるが，HE 染色でも癌と確信できるもののみ癌と診断すべきで，安易な癌合併の診断は患者の不安を助長するため慎むべきである[3]．

8）マネジメント

針生検後の異型を伴わない乳頭状病変のマネジメントについて，経過観察あるいは摘出すべきかでいまだ議論されているが，異型病変や癌へのアップグレード率は比較的低いとする報告が多い．異型を伴う場合は摘出が勧められる[6]．

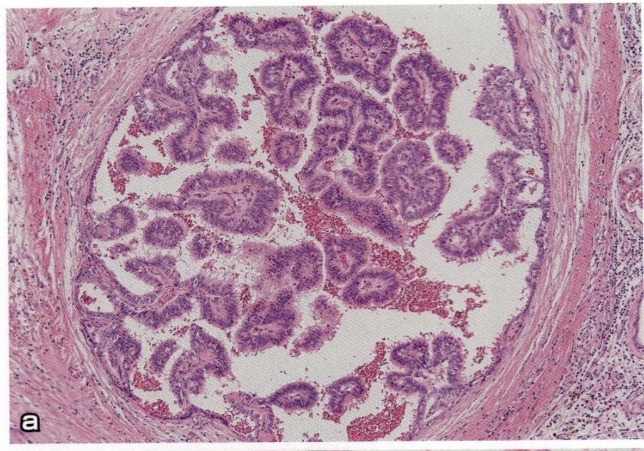

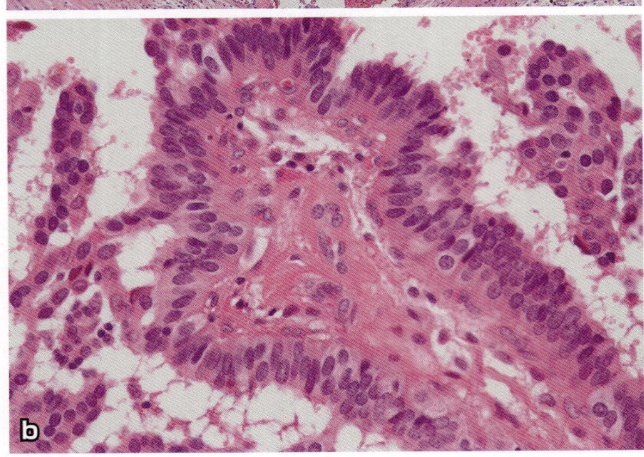

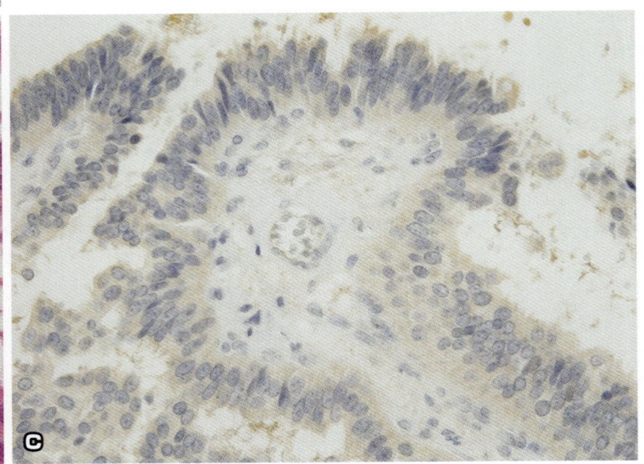

図3 | **乳頭状乳管内癌（papillary DCIS）**
a：乳管内に核クロマチンの増量した乳頭状，微小乳頭状増殖を示す乳頭癌．b：線維血管性間質周囲の乳頭状突起部は，上皮異型細胞の1層からなる．c：p63免疫染色．上皮腫瘍細胞と線維血管性間質の間にはp63の発現を認めない．すなわち，筋上皮細胞層の欠如である（二相性の喪失）．

2．乳頭状乳管内癌（乳頭型非浸潤性乳管癌）

1）定義

乳頭状乳管内癌 papillary ductal carcinoma *in situ*（papillary DCIS）（乳頭型非浸潤性乳管癌 DCIS，papillary type）は，異型を示す乳管上皮細胞が樹枝状の線維血管性間質を伴い乳頭状増殖を示すDCISの亜型で，乳管周囲辺縁に筋上皮細胞を認めるが，通常線維血管性間質周囲には筋上皮細胞が欠如する．以前は，EPCと近傍のDCISを合わせてintracystic papillary DCISとも呼ばれており，実際EPC周囲にpapillary DCISとの合併もみられる．SPC *in situ* はpapillary DCISの特殊亜型である．

2）臨床的事項

閉経後女性に多く，男性におけるDCISではpapillary DCISが最も多い．中枢性，末梢性がある．

3）肉眼・画像所見

画像での描出はときに困難であるが，マンモグラフィにおいて発見される場合，微細石灰化に伴ったDCIS類似病変が多い．肉眼所見でEPCとの鑑別はしばしば困難である．

4）組織学的所見

EPCやSPCと違い，間質と接する乳管周囲の筋上皮細胞層は存在するが，通常乳頭状増殖を示す線維血管性間質周囲は筋上皮細胞が欠如，または乏しい（**図3a～c**）．上皮細胞は低（～中等）度の核異型を示す．他のDCIS構造パターン（篩状，微小乳頭状など）とともにみられる場合が多い．他のDCISのタイプに比較しコメド壊死を伴うことは少ないが，高異型度のものも報告されている．

診断の要 *Essential diagnostic criteria*

- 繊細な樹枝状間質と線維血管性間質周囲の筋上皮細胞の欠如，減少
- 乳管周囲の筋上皮細胞層の存在

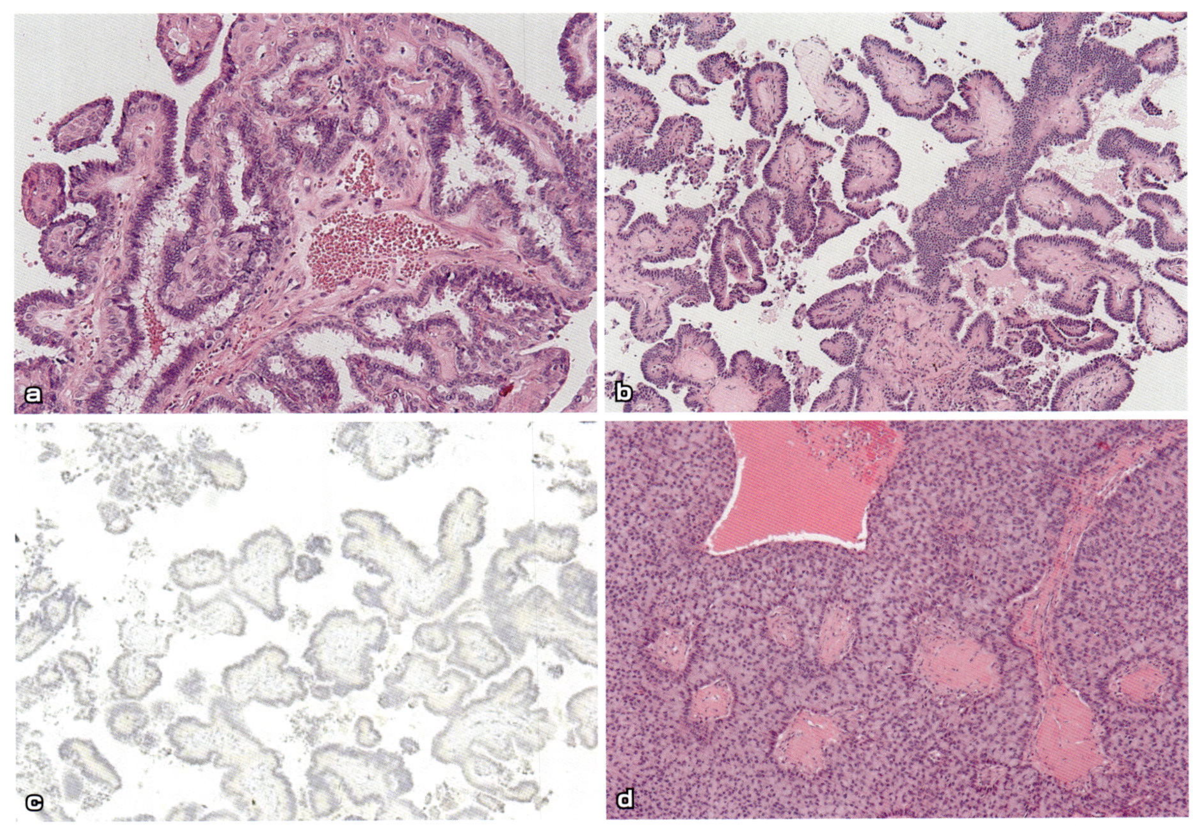

図 4 | 乳管内乳頭腫 vs 乳頭癌
a：乳管内乳頭腫．b, c：乳頭癌．p63 免疫染色 (c) では，腫瘍上皮細胞と線維血管性間質間に陰性．d：SPC．一般的に乳管内乳頭腫では間質が豊富で，乳頭癌は繊細な樹枝状構造を示すが，b〜d のように癌でも比較的豊富な間質を示す場合があり，特に針生検時には注意を要する．

5）免疫組織化学的特徴

腫瘍細胞は高分子量 CK 陰性で，ER のびまん性陽性所見を示す．一方，高異型度のものでは，異なるパターンを呈しうる．

6）鑑別診断

乳管内乳頭腫 vs 乳頭癌（図 4）

乳頭腫は上皮と筋上皮細胞からなる二相性が明瞭である．一方，乳頭癌は筋上皮層が欠如し，線維血管性間質に上皮細胞が釘刺し状となる（しかしながら，経験的に間質に筋上皮細胞が存在し二相性を有する乳頭癌もあり，筋上皮細胞を認めることのみで良性とはいえない）．乳頭癌は基本的に，間質量は乏しいが，しばしば広い線維血管性間質を有するため，針生検時などでは乳頭腫の鑑別に注意を要する [7]．

3．被包型乳頭癌

1）定義・概念

被包型乳頭癌 encapsulated papillary carcinoma（EPC）は，線維性に被包された嚢胞様構造内に，微細な線維血管性の茎に沿って通常低〜中異型度の癌細胞が増殖を示すもの．通常，腫瘍内の乳頭状構造や腫瘍辺縁に筋上皮細胞を認めない．以前の呼称である intracystic papillary carcinoma は推奨されない．

2）臨床的事項

境界明瞭な円形腫瘤で，血性分泌を認めうる．中枢性（孤在性）が多い．

3）肉眼・画像所見

マンモグラフィでは比較的大きな円形の境界明瞭な腫瘤として描出され，超音波所見では，混合性腫瘤として描出されることもある．肉眼的には，線維

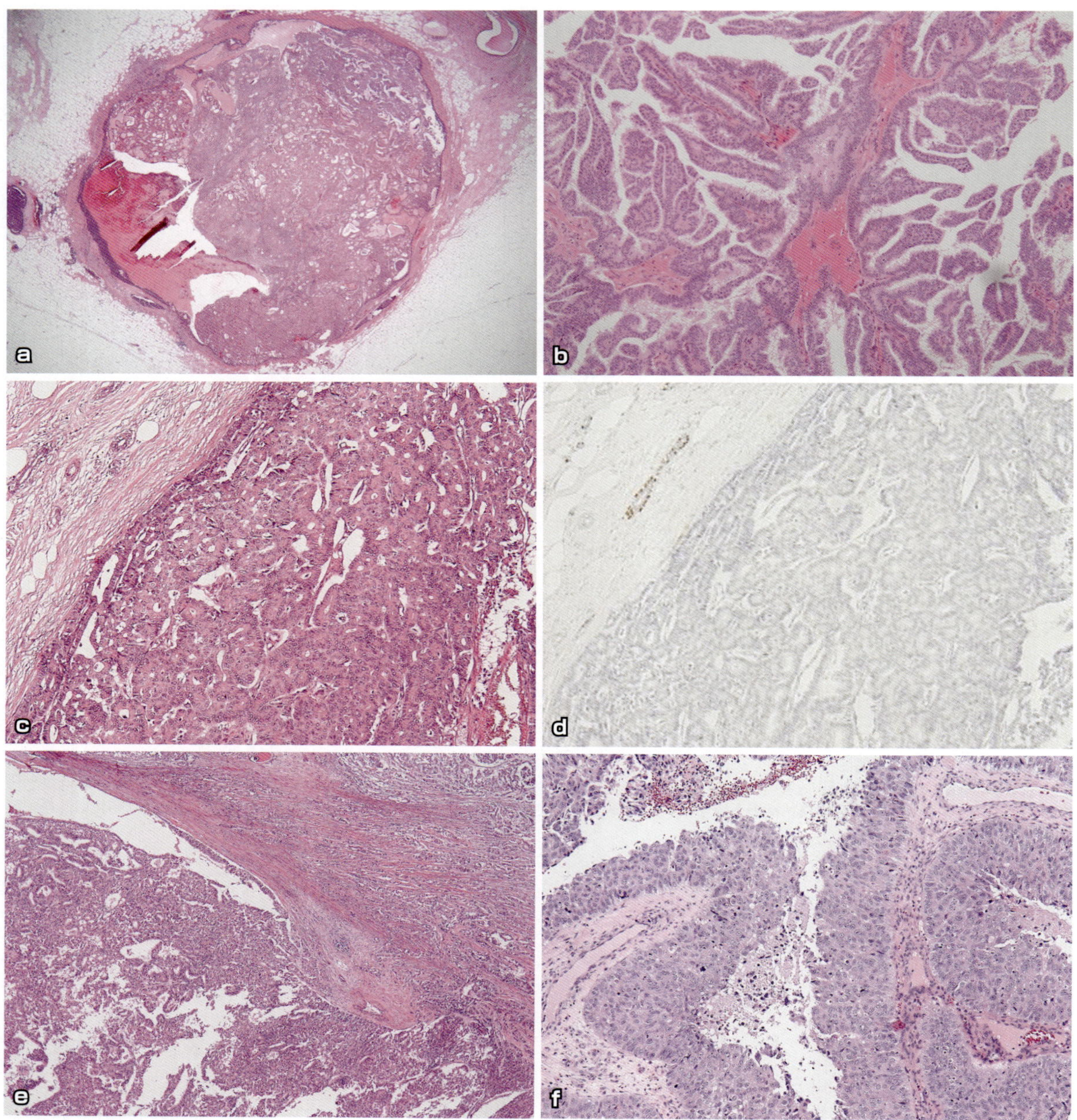

図５ ｜ 被包型乳頭癌（EPC）

a：線維性に被包された乳頭状増殖を示す癌．b：腫瘍細胞線維血管性間質を軸に，樹枝状，乳頭状増殖を示す．c：腫瘍辺縁部の筋上皮細胞層の欠如．d：p63 免疫染色．腫瘍辺縁に p63 陰性（乳管周囲の内因性コントロールは陽性）．腫瘍辺縁の筋上皮マーカーは発現がみられないことが多い．e：EPC with invasion．被包された腫瘍部周囲に明らかな浸潤巣を認める．f：高異型度 EPC．線維性に被包された嚢胞様構造内の乳頭状腫瘍．線維血管性間質周囲に核分裂を伴う高異型度細胞の乳頭状増殖をみる．

性に被包された嚢胞様構造内に崩れやすい膨隆する腫瘍を認める．

4）組織学的所見

種々の程度の線維性被膜に覆われた嚢胞様構造内に，細い樹枝状の線維血管性の茎を有し，通常低〜中異型度の癌細胞が乳頭状や篩状，微小乳頭状増殖を示す（**図５a, b**）．腫瘍辺縁の筋上皮細胞は通常欠如するが，部分的に存在する例もある（**図５c, d**）．被膜内に留まる間質浸潤成分があっても浸潤癌とはしない．線維性被膜外へ明らかな浸潤を示す場合は，その部分を浸潤部とする（**図5e**）．

診断の要 *Essential diagnostic criteria*

- 繊細な樹枝状間質と線維血管性間質周囲筋上皮細胞の欠如
- 腫瘍周囲被包部辺縁の筋上皮細胞層の欠如，減少

5）免疫組織化学的特徴

通常，腫瘍細胞は，高分子量CKは陰性を示し，筋上皮マーカーも腫瘍内，腫瘍辺縁ともに発現を認めない．ER陽性，HER2陰性を示す．

6）分子病理学的特徴と発生メカニズム

他の低異型度，ER陽性浸潤癌と同様に16q欠失，1q増加の染色体異常や*PIK3CA*変異などのゲノム異常を有する．PAM50（乳癌組織より50のsignature遺伝子を抽出した遺伝子発現検査の一つ）でも多くがluminal A型に相当する．

7）鑑別診断

他の乳頭状腫瘍（**表1, 2**参照）や後述する高異型度のもの[8]は，化生癌との鑑別も必要となる．

8）マネジメント

臨床的に予後良好で基本的にpTis（DCIS）に分類する．形態的に線維性被膜外へ明らかな浸潤巣を認める場合，EPC with invasionと診断し，その浸潤巣を浸潤径とし，ステージングする（**図5e**）．ときにリンパ節転移を認めることがあるが，総じてこれらの病変は臨床的に再発も低頻度で，過剰治療を防ぐため，WHOではpTisとして取り扱うことを推奨している．まれに高異型度を示す例（高異型度EPC）が報告され，これらはHER2陽性やトリプルネガティブ乳癌であることもあり，全体を浸潤癌としてステージングする[8]（**図5f**）．

4．充実乳頭癌（非浸潤性/浸潤性）

1）定義・概念

充実乳頭癌（非浸潤性/浸潤性）solid papillary carcinoma（SPC）（*in situ* /invasive）は，繊細な線維血管性間質とともに充実乳頭状に癌細胞が増殖する病変である（**図6a**）．非浸潤性と浸潤性があり，非浸潤性はpapillary DCISの亜型である．高頻度に神経内分泌分化を示す．

2）臨床的事項

末梢性（多発性），中枢性（孤在性）いずれも存在する．ときに腫瘤を触知し，血性乳頭分泌を認める．

3）肉眼・画像所見

マンモグラフィでは中枢性，末梢性の境界明瞭な腫瘤として，超音波では一部嚢胞性変化を伴う充実性の混合性腫瘤やDCISに類似した所見を示す．しばしば血流が豊富である．肉眼所見では白色の中枢性あるいは末梢性の充実性腫瘤を示す．

4）組織学的所見・鑑別診断，マネジメント

癌細胞は円形から紡錘形で，通常低〜中異型度を示す．好酸性で豊富な細胞質を有し，形質細胞様とも呼ばれるほか，ときにムチンを伴い印環細胞の特徴を示す．神経内分泌分化を示すことが多い．

SPCには非浸潤性と浸潤性の腫瘍がある．腫瘍胞巣周囲の筋上皮細胞層は，存在する場合と存在しない場合がある．筋上皮細胞層が確認できなくても充実胞巣部が円形，間質との境界明瞭で，*in situ*様の増殖パターンを示す場合は，筋上皮の有無にかかわらず*in situ*病変と診断し，基本的にpTis（DCIS）とステージングする（SPC *in situ*）（**図6a**）．浸潤を示すSPCの中には，*in situ*様と判断される病変周囲に明らかな通常型の浸潤巣が確認されるもの（SPC with invasion）と，不規則なジグソーパズルパターンを示し病変全体が浸潤と判断されるものがある（invasive SPC）（**図6b**）．前者は明らかな浸潤部のみを，後者は全体を浸潤巣として計測，ステージングする．しばしば胞巣周囲に粘液産生を伴い間質へ漏出することがあり，粘液癌を伴う例も経験される．通常，線維血管性間質には筋上皮細胞を認めないことが多いが，腫瘍辺縁に筋上皮細胞層を認める場合（**図6c, d**）は，線維血管性間質周囲に筋上皮細胞が存在することもある．また，一般的に乳頭癌は線維血管性間質が繊細であるが，特にSPCには広い線維血管性間質を示すものがあり，良悪性の診断には注意を要する（前述）[3,7]．SPCは総じて予後良好とされる．

5）免疫組織化学的特徴

免疫組織化学的には高分子量CK陰性，ERはびまん性陽性，HER2陰性を示す．種々の神経内分泌マーカー（synaptophysin, chromogranin Aなど）が陽

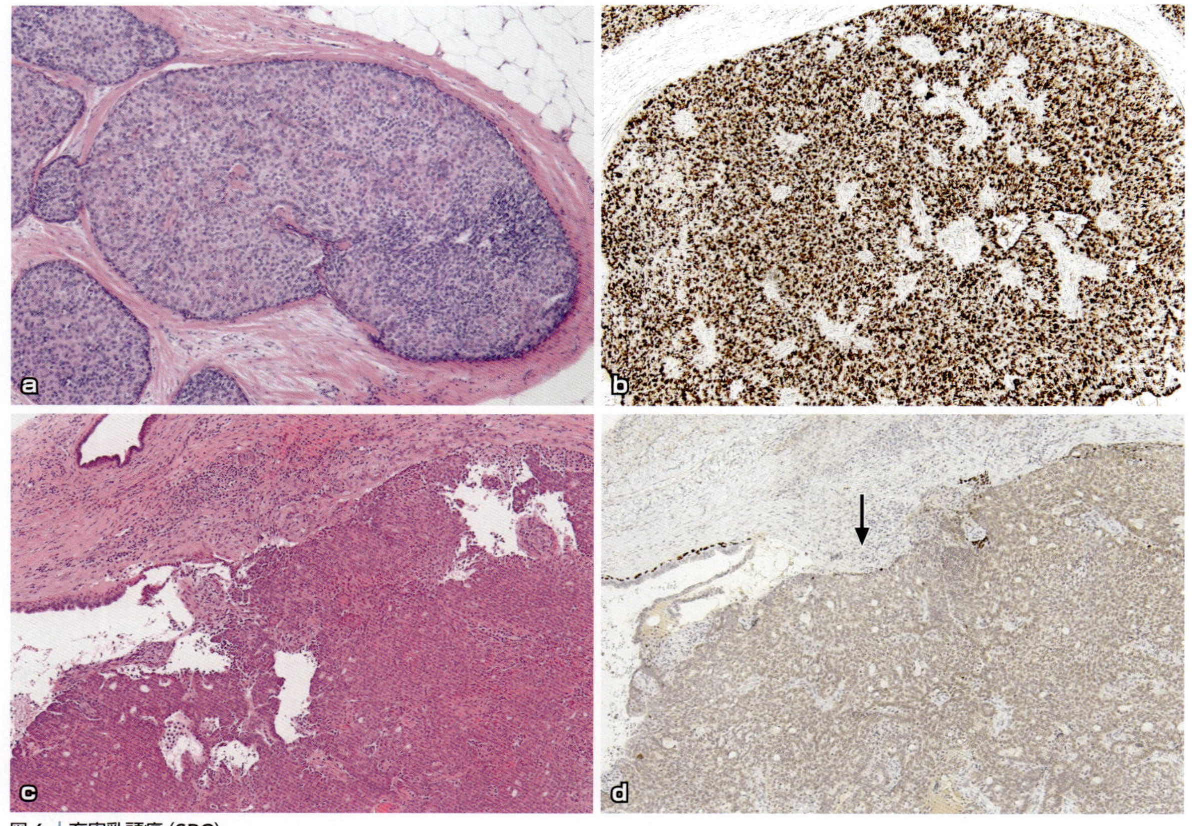

図6 | 充実乳頭癌（SPC）
a：SPC *in situ*．乳管内に，線維血管性間質を軸に，比較的胞体豊富な類円形から紡錘形細胞の増殖をみる．b と同一症例の *in situ* 部．b：invasive SPC．chromogranin A 免疫染色．ジグソーパズルパターンを示す胞巣状腫瘍の増殖．a と同一症例の浸潤部．c：腫瘍胞巣周囲の筋上皮細胞層．d：p63 免疫染色．筋上皮マーカーは発現を認める場合，認めない場合，同症例のように混在する場合がある（矢印は欠如部）．腫瘍内の線維血管性間質周囲には発現を認めない．

性となる［endocrine/neuroendocrine DCIS とも呼ばれるが，神経内分泌腫瘍 neuroendocrine tumor（NET）とは区別する．第2部-I-10（8）「神経内分泌腫瘍」参照］．

診断の要 *Essential diagnostic criteria*

- 線維血管性間質を軸とし，癌細胞が充実性に増殖を示す
- 癌細胞は形質細胞様で，しばしば神経内分泌への分化を示す
- 腫瘍辺縁，腫瘍内部の筋上皮細胞は欠如 or 存在

6）分子病理学的特徴と発生メカニズム

16q 欠失，16p 増加，1q 増加の染色体異常や *PIK3CA* 変異が報告されている．

5．浸潤性乳頭癌

浸潤性乳頭癌 invasive papillary carcinoma は，線維血管性間質を伴う乳頭状に増殖する浸潤癌である（**図7**）．極めてまれな腫瘍で，明らかな浸潤性を示す癌であり，EPC や SPC 由来の浸潤癌とは区別しなければならない．線維血管性間質周囲，腫瘍辺縁には筋上皮細胞が欠如する．通常の浸潤癌組織学的グレードに沿ってグレーディングする．

（山口　倫，三原勇太郎，渡邉秀隆）

文　献

1）Intraductal papillary lesions. in Lakhani SR, Ellis IO, Schnitt SJ, et al（eds）：“WHO Classification of Tumours of the Breast”（4th ed.），IARC, Lyon, 2012, pp99-109
2）Brogi E, Horii R, Mac Grogan G, et al：Papillary neoplasms. in WHO Classification of Tumours Editorial Board（ed）：“WHO Classification of Tumours, Breast Tumours”（5th ed.），IARC, Lyon, 2019, pp49-67

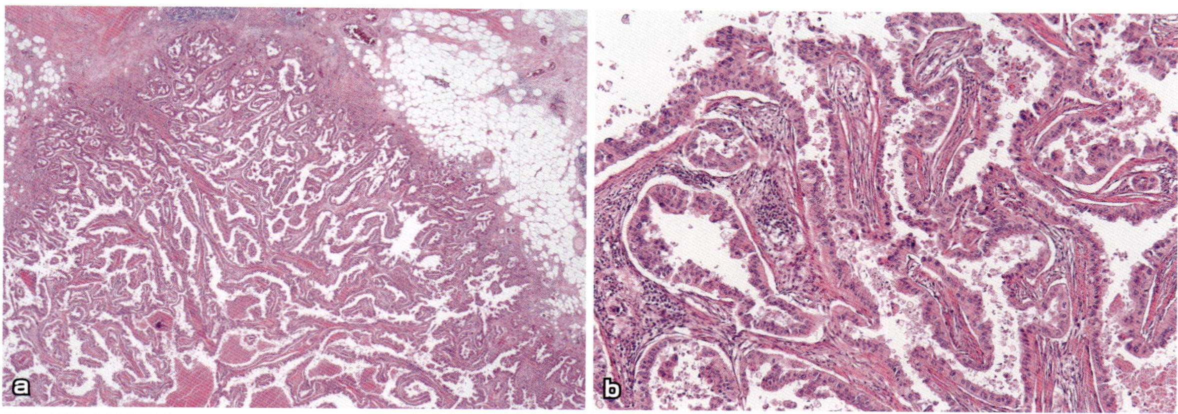

図7 ｜浸潤性乳頭癌
a：弱拡大像．b：強拡大像．樹枝状の線維血管性間質を軸に，高異型度の乳頭状増殖を示す浸潤癌．部分的に壊死を伴う．

3）山口倫，三原勇太郎，矢野博久：乳腺腫瘍—WHO 分類第5版改訂のポイント—Papillary neoplasms. 病理と臨床 39：351-358, 2021
4）Yamaguchi R, Horii R, Maki K, et al：Carcinoma in a solitary intraductal papilloma of the breast. Pathol Int 59：185-187, 2009
5）Moritani S, Ichihara S, Hasegawa M, et al：Uniqueness of ductal carcinoma in situ of the breast concurrent with papilloma：implications from a detailed topographical and histopathological study of 50 cases treated by mastectomy and wide local excision. Histopathology 63：407-417, 2013
6）Yamaguchi R, Tanaka M, Tse GM, et al：Management of breast papillary lesions diagnosed in ultrasound-guided vacuum-assisted and core needle biopsies. Histopathology 66：565-576, 2015
7）Yamaguchi R, Tanaka M, Tse GM, et al：Broad fibrovascular cores may not be an exclusively benign feature in papillary lesions of the breast：a cautionary note. J Clin Pathol 67：258-262, 2014
8）Rakha EA, Varga Z, Elsheik S, et al：High-grade encapsulated papillary carcinoma of the breast：an under-recognized entity. Histopathology 66：740-746, 2015

Ⅰ．上皮性腫瘍

6　小葉性腫瘍

1．定義・概念

小葉性腫瘍 lobular neoplasia は終末乳管小葉単位 terminal duct lobular unit（TDLU）を由来とし，結合性に乏しい単調な細胞の増殖に特徴づけられる[1)]．小葉性腫瘍には異型小葉過形成 atypical lobular hyperplasia（ALH）と 4 種類の非浸潤性小葉癌 lobular carcinoma *in situ*（LCIS）があり，TDLU を構成する細胞に占める腫瘍細胞の割合や核の大きさなどの細胞異型，壊死・石灰化の有無により分類される[2)]（**表 1**）．

lobular neoplasia という包括的な用語を用いることで ALH と LCIS を連続的な概念として扱い，過剰な治療を避ける試みもあったが，あまりにも幅広い概念であり，現在では**表 1** の定義に合わせた病理組織学的分類を用いて，臨床的にも経過観察/外科的切除とタイプ別の方針をとることとなっている．しかし，ALH と LCIS の所見が混在することや ALH とするか古典型 classic type の LCIS とするか迷う病変にあたることは少なからずある．また，多形型 pleomorphic type の LCIS であったとしても病変部の完全切除・断端陰性のメリットを示すのに十分なデータの蓄積がなく，現状では断端陰性を目指して積極的な治療を行う根拠に乏しいことも事実である．

病理医としては，ありのままの所見を誠実に記載しつつ臨床医を混乱させないような配慮をするとともに，臨床医・病理医双方が，病歴・家族歴をはじめとする種々のリスク因子の確認やターゲットとする病変部が生検時に十分採取されていたかなど，画像所見との照らし合わせが必須であることを理解しておく必要がある．

2．臨床的事項

小葉性腫瘍は癌のリスク病変や前癌病変に位置づけられる．閉経前の女性に多くみられ（平均年齢 49 歳），多中心性・多発性・両側性に病変を認めることが多いという特徴がある．家族歴やエストロゲン/プロゲステロンによるホルモン補充療法の既往等，様々なリスク要素を考慮しながらフォローする必要のある病変である．

生検材料や手術断端部に ALH/LCIS がみられた場合の取扱いについては，癌発症リスクや臨床所見を踏まえた症例ごとの判断が重要である．生検で ALH/LCIS（非多形型）がみられた場合，6〜12ヵ月ごとの画像診断フォローもしくは外科的生検を考慮する．多形型の LCIS だった場合は外科的生検を考慮する．

手術例で断端に ALH/LCIS がみられた場合，多形型の LCIS であっても完全切除・断端陰性を目指す根拠に乏しいことから，放射線・薬物治療といった非外科的治療の適応や残存病変の有無を画像的に評価することが重要と思われる．

NCCN ガイドラインでは，無症状だが LCIS または異型乳管過形成 atypical ductal hyperplasia（ADH）/ALH の病歴を有し，生涯リスクが 20％を超える場合は乳癌発症リスクを増加させる因子の一つと捉え，乳癌リスク群としての検診・経過観察や乳癌リスク低減ガイドラインに沿った対処を推奨している[3)]．

3．肉眼・画像所見

ALH や古典型の LCIS は顕微鏡的病変で肉眼・画

表 1 ｜小葉性腫瘍の分類（文献 2 より改変）

ALH と LCIS の type	核	核小体	細胞質	結合性の消失	壊死	石灰化	代表的なバイオマーカー
ALH	グレード 1，リンパ球の 1.5 倍	目立たない	乏しい	＋	−	−	ER＋，PgR＋，HER2−
古典型 LCIS type A	グレード 1，リンパ球の 1.5 倍	目立たない	乏しい	＋	−	−/＋	ER＋，PgR＋，HER2−
古典型 LCIS type B	グレード 2，リンパ球の 2 倍	小型	中等度	＋	−/＋	−/＋	ER＋，PgR＋，HER2−
LCIS, florid type	グレード 3，リンパ球の 1.5〜2 倍	小型	中等度	＋	＋/−	＋/−	ER＋，PgR＋，HER2−
多形型 LCIS	グレード 4，リンパ球の 4 倍	明瞭	豊富	＋	＋	＋	ER＋/−，PgR＋/−，HER2＋/−

ALH：atypical lobular hyperplasia（異型小葉過形成），LCIS：lobular carcinoma *in situ*（非浸潤性小葉癌）

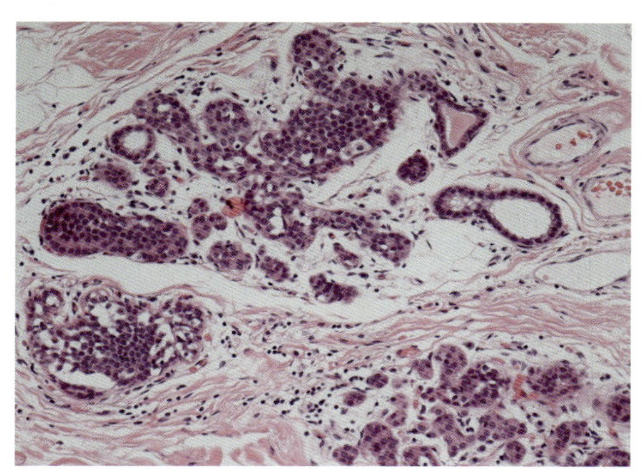

図 1 ｜異型小葉過形成（ALH）
小型・類円形で核小体の目立たない異型細胞が充実性に増殖し，小葉の軽度拡張がみられるが，増殖の程度は TDLU を構成する腺房全体の 50％以下にとどまる．

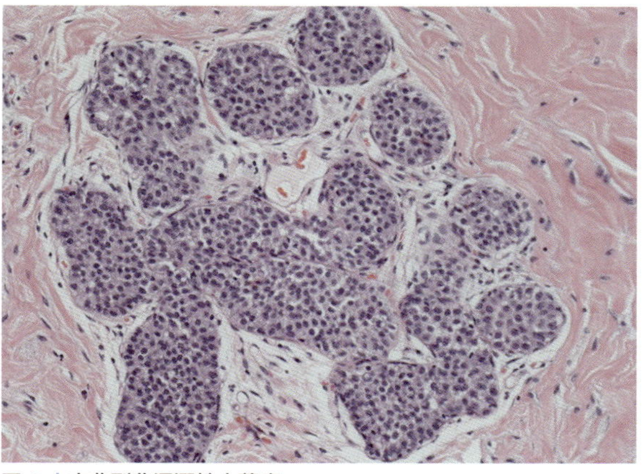

図 2 ｜古典型非浸潤性小葉癌
腫瘍細胞が充実性に増殖し小葉の拡張を伴うが，小葉の基本構造は保たれている．古典型 LCIS を構成する細胞には type A，type B があり，type A の細胞は写真のように小型・類円形で核クロマチンが均等に分布し核小体は目立たない．type B の細胞は，type A の細胞と比較しやや大きく形状にばらつきがみられる[4]．

像所見として捉えられることはほとんどなく，浸潤性病変に随伴するものや生検・手術検体で偶発的にみられるものが多い．一方，florid type や多形型の LCIS では壊死や石灰化をしばしば伴うため，画像所見として捉えることが可能である．

4．組織学的所見

ALH は，TDLU を構成する腺房の 50％以下に異型細胞の充実性増殖とそれに伴う小葉の拡張（長径 8 細胞以上）がみられると定義されている（**図 1**）．LCIS には 4 種類あり，ALH でみられる細胞とほぼ同様の形態を呈する異型細胞が TDLU を構成する腺房の 50％を超えて充実性に増殖し小葉の拡張を伴う古典型（type A, type B）[4]（**図 2**），細胞の形態は古典型に類似するものの，高度の細胞増殖により小葉の拡張が長径 40〜50 細胞以上となり，間質の介在も目立たなくなる florid type（**図 3**），細胞異型や壊死の目立つ多形型がある（**図 4，表 1**）．

5．分子病理学的特徴と発生メカニズム

小葉病変の発生には *CDH1* が重要な役割を担っている．*CDH1* は 16 番染色体長腕に位置し，細胞同士の接着に関わる E-cadherin 蛋白をコードする遺伝子である．*CDH1* の不活化によって E-cadherin の機能の低下・消失が起こり，細胞同士の接着が失われ，細胞増殖や小葉構造の改変，小葉性腫瘍の発生が起こる．

CDH1 変異は LCIS の 81％にみられ，LCIS にみられる遺伝子変異（病的バリアント）の多くは体細胞変

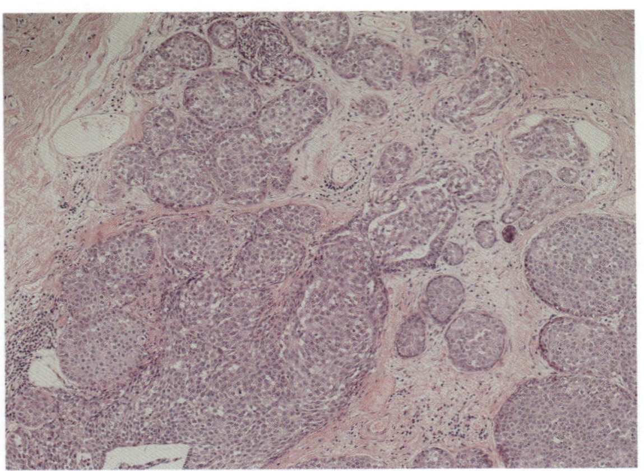

図3 | 非浸潤性小葉癌（florid type）
腫瘍細胞が高度に増生して小葉の拡張が長径40〜50細胞以上となり，小葉間間質の介在が目立たなくなる．

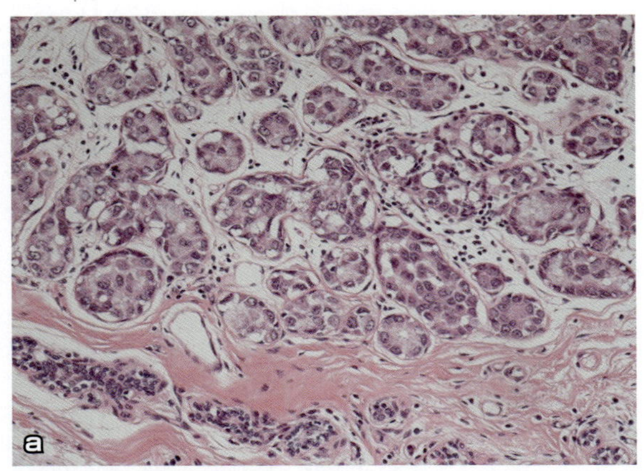

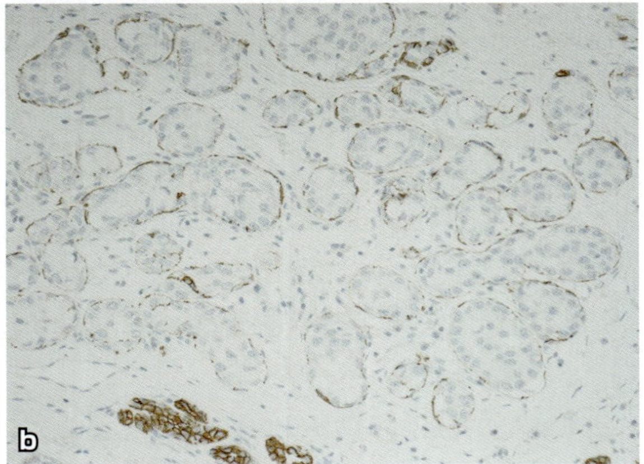

図4 | 多形型非浸潤性小葉癌
a：HE染色．b：E-cadherin免疫染色．

異で，加齢に起因するものである[5]．*CDH1*の胚細胞系列変異は遺伝性びまん性胃癌 hereditary diffuse gastric cancer（HDGC）の原因遺伝子としても知られており，常染色体顕性遺伝（優性遺伝）の形式をとって胃癌および乳腺小葉癌の発症に関与している．

表2 | 非浸潤性小葉癌と非浸潤性乳管癌の鑑別（文献2より改変）

特殊染色・免疫染色	LCIS	充実性増殖を示すDCIS
PAS，alcian blue，mucicarmine	＋	−
E-cadherin	−	＋，細胞膜
β-catenin	−	＋
p120-catenin（局在）	＋，細胞質	＋，細胞膜
高分子量 cytokeratin 34βE12	＋	− or 弱陽性

DCIS：ductal carcinoma *in situ*（非浸潤性乳管癌），LCIS：lobular carcinoma *in situ*（非浸潤性小葉癌）

6．免疫組織化学的特徴と鑑別診断

LCISと鑑別を要する病変として，充実性増殖を示す非浸潤性乳管癌 ductal carcinoma *in situ*（DCIS）が挙げられる．LCISを構成する腫瘍細胞は結合性・接着性に乏しく，腫瘍細胞間に空隙を認めることがしばしばある．DCISを構成する腫瘍細胞の結合性は保たれており，よく観察すると充実性増殖の中に腺腔形成がうかがわれる部分を認めることがある．両者の鑑別に用いる特殊染色・免疫染色を**表2**に示す．

おわりに

ALH，LCISの所見の混在や明確に分けられない所見があるものの，**表1**に示すとおりリンパ球の大きさを基準として形態的に分類することは，ある程度可能である．しかしタイプ別の治療成績データや分子病理学的知見の蓄積に伴って，タイプ別の分類がどの程度治療やリスクに影響を及ぼすかについては，慎重に判断していく必要があると思われる．

（広田由子）

文　献

1）Shin SJ, Chen YY, Decker T, et al：Non-invasive lobular neoplasia. in WHO Classification of Tumours Editorial Board（ed）："WHO Classification of Tumours, Breast Tumours"（5th ed.）, IARC, Lyon, 2019, pp68-74

2）Hoda SA, Brogi E, Koerner FC, et al：Rosen's Breast Pathology（5th ed.）, Wolters Kluwer, Philadelphia, 2021, pp886-944

3）National Comprehensive Cancer Network：NCCN Guidelines. http://nccn.org/guidelines/category_1（2022年9月閲覧）

4）Wen HY, Brogi E：Lobular carcinoma in situ. Surg Pathol Clin 11：123-145, 2018

5）Lee JY, Schizas M, Geyer FC, et al：Lobular carcinoma in situ display intralesion genetic heterogeneity and clonal evolution in the progression to invasive lobular carcinoma. Clin Cancer Res 25：674-686, 2019

I．上皮性腫瘍

7　非浸潤性乳管癌

1．定義・概論

非浸潤性乳管癌 ductal carcinoma *in situ*（DCIS）と noninvasive ductal carcinoma は同義語である．乳癌は終末乳管小葉単位を構成する細胞から発生すると考えられており，乳癌を大別すると非浸潤癌と浸潤癌に分けられる．非浸潤癌は文字通り，浸潤像のない乳管内にとどまる乳管内癌であり，乳管の基底膜を器質的にあるいは機能的に越えて乳管外に浸潤した癌を浸潤癌と呼ぶ．癌巣が嚢胞内に限局してみられるときは被包型乳頭癌 encapsulated papillary carcinoma（EPC）（かつて嚢胞内乳頭癌と呼称されていた）と組織分類され，神経内分泌マーカーが陽性となることが多い充実-乳頭型は充実乳頭癌に組織型分類される（第2部-Ⅰ-5「乳頭状腫瘍」参照）．いずれの組織型にも非浸潤癌と浸潤癌がある．

現行で非浸潤癌と分類できる診断法は病理形態学のみである．外科医が切除した検体を切り出し，ブロックを作製し，標本を作る．この過程をどの程度丁寧に行うかにより，真の非浸潤癌に近づくかどうかが決まる．針生検で非浸潤癌と判定された症例は，12～50％が手術検体では微小浸潤癌あるいは浸潤癌に upstaging する[1,2]．手術で摘出され，病理に提出された検体の切り出し時に，非浸潤癌と想定される検体は基本的に肉眼的な病変部＋その周囲の切り出しを行い，浸潤部がないこと，癌の広がりを臨床医，放射線科医にフィードバックすることが重要である．DCIS と診断された症例でも 10％程度の症例は再発すると報告されており，再発予測に腫瘍の大きさ，切除断端までの距離，核異型が高異型度か non-HG か，コメド（面疱型）壊死の有無で分ける van Nuys Prognostic Index などが報告されている[3]．

日本の再発率は欧米の再発率に比してかなり低い．このことは日本の病理医の切り出しが有用である可能性を示している．切り出しに関して，日本の病理医は日本乳癌学会による取扱い規約を中心とした世界に類をみない，厳しい条件で日常業務をこなしている．このことは日本の DCIS の診断は他国に比して，真の DCIS に近いと考えてよい．今後，DCIS の取扱いにいくつかの選択肢が出てくると考えられるが，切り出しが乳癌治療の判断に重要となる可能性があり，日本の切り出し方法を継続する必要がある．

本来，DCIS は組織分類上の一組織型で，手術材料で腫瘍の全体を確認し診断された DCIS のみに適用される組織型である．浸潤癌周囲の非浸潤癌成分を DCIS と呼称することがあるが，厳密には誤りである．しかし，針生検診断では DCIS と診断されても，その症例の手術材料では浸潤癌であったり，あるいは手術材料で DCIS と診断されても再発する症例があるなど，真の生物学的な DCIS と判断することが難しい場面がある．浸潤癌周囲の非浸潤癌成分を DCIS と記載した論文も多数あり，医学一般的には浸潤癌周囲の非浸潤癌成分を DCIS と呼称することは許容される表現であろう．

2．臨床的事項

日本乳癌学会，全国乳がん患者登録調査報告（第49号 2018 年次症例）に登録された全乳癌中 DCIS の症例数は 12,877（全乳癌の 14.2％）とされている[4]．

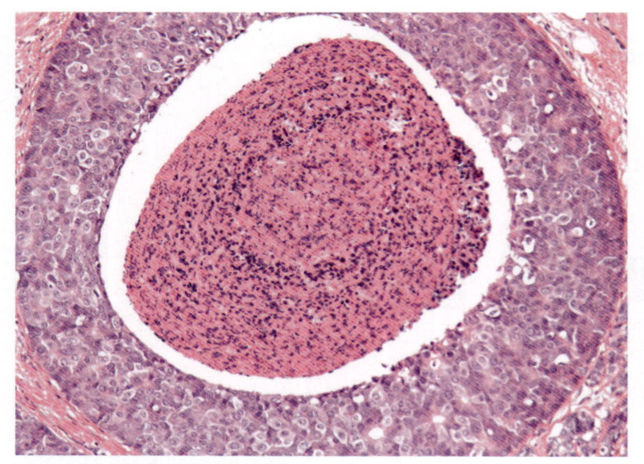
図１｜面皰型非浸潤性乳管癌
乳管内に癌細胞が充実性に増殖し，その中心に癌細胞壊死がみられる．高異型度 DCIS であることが多いが，中異型度 DCIS でもみられる．

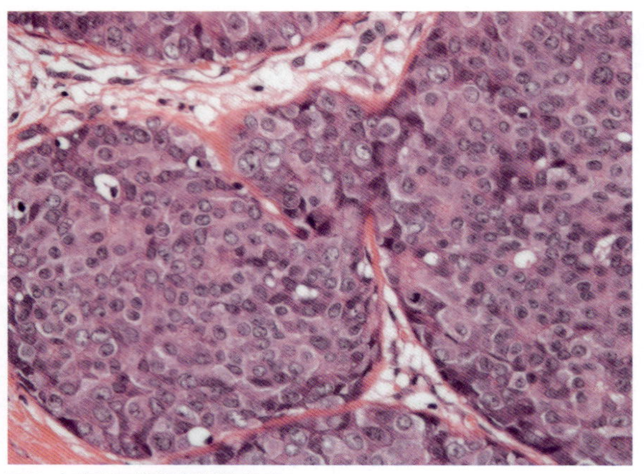
図３｜充実型非浸潤性乳管癌
乳管内に癌細胞が充実性に増殖している．図上部の赤血球に比べ 2.5 倍以上の癌細胞が散見される．本例は高異型度 DCIS である．

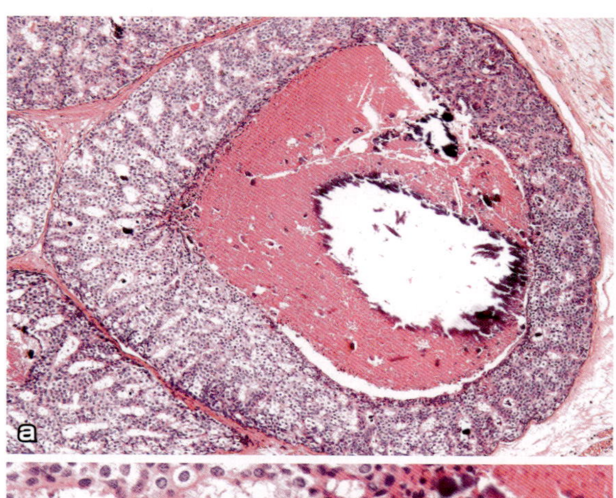
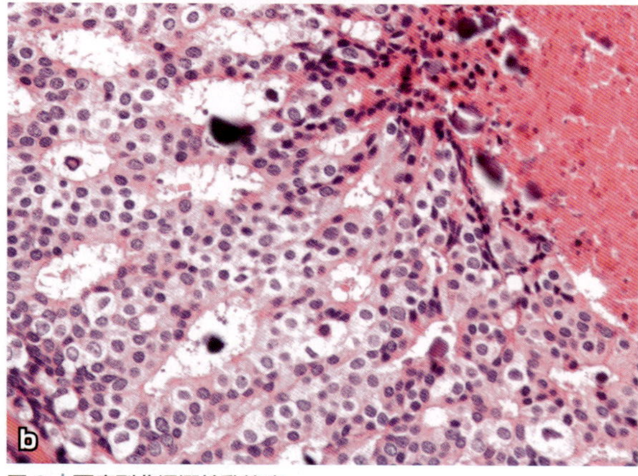
図２｜面皰型非浸潤性乳管癌
a：中拡大像．乳管内に癌細胞が増殖し，その中心には癌細胞壊死，さらに面皰型石灰化がみられる．癌巣は篩状構造を呈する．b：強拡大像．癌の篩状構造内に分泌型石灰化がみられる．本例のように同一病変内に２種類の石灰化がみられることがある．

Sagara ら[5]は米国国立がん研究所の Surveillance, Epidemiology, and End Results（SEER）データベースのデータを使用し，DCIS 57,222 症例を解析した．非手術例 1,169 症例（2.0％），手術例 56,053 症例（98.0％）で，平均 72ヵ月をフォローアップし，breast cancer specific survival（BCSS）は，非手術例 93.4％に対し手術例は 98.5％としている．低異型度 DCIS の BCSS は非手術例 98.8％に対し手術例は 98.6％と報告している．それに対し中異型度 DCIS と高異型度 DCIS では非手術例と手術例で有意差が検定されるとしている．この報告を背景に，日本の LORETTA trial[6]を含め，低異型度 DCIS に対する非手術治療を検討する研究が，いくつかの国で遂行中である．

３．肉眼所見

EPC や腫瘤形成性 DCIS では病巣が確認できる．また，コメド壊死は黄白色の点状物質として確認できることがある．

４．組織学的所見

DCIS の乳管内癌巣には，コメド壊死の有無，癌巣の構造によりいくつかの種類がある．面皰型 comedo type（**図 1, 2a, b**），充実型 solid type（**図 3**），篩状型 cribriform type（**図 4**），乳頭型 papillary type（papillary DCIS）（**図 5**）（「乳頭状腫瘍」参照），微小乳頭型 micropapillary type（**図 6, 7**），平坦型 clinging type（**図 8**）．アポクリン化生型 apocrine type，充実-乳頭型（充実乳頭癌）（「乳頭状腫瘍」参照）（図

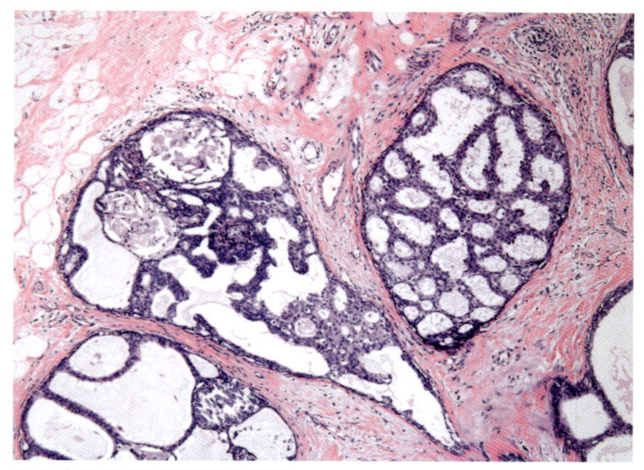

図 4 | 篩状型非浸潤性乳管癌
乳管内に癌細胞が篩状構造を呈し増殖している．図下左に 200～300 μm の大型分泌型石灰化がみられ，この大きさの石灰化はマンモグラフィで 1 個の石灰化として認識される．

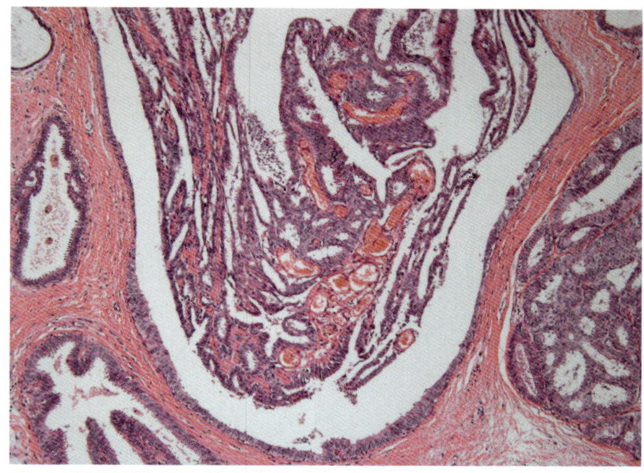

図 5 | 乳頭型非浸潤性乳管癌
乳管内に癌細胞が血管軸を有する乳頭状病変として存在している．本例は大きく拡張した乳管に大型の乳頭状病変として存在する乳頭型である．また，小さな乳頭状を呈する乳頭型もある．

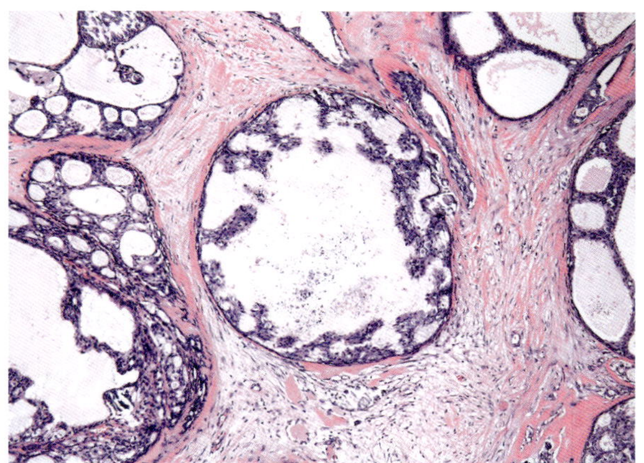

図 6 | 微小乳頭型（低乳頭型）非浸潤性乳管癌
乳管内に癌細胞が血管軸のない乳頭状構造を呈する．低異型度 DCIS である．

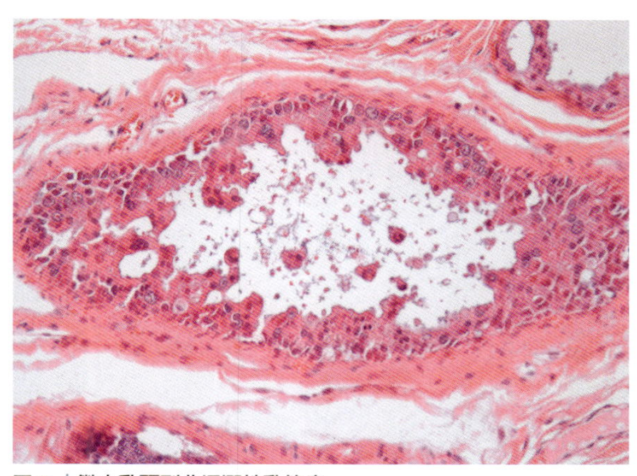

図 7 | 微小乳頭型非浸潤性乳管癌
乳管内に異型の強い癌細胞が血管軸のない乳頭状構造を呈する．高異型度 DCIS である．

9)，EPC（「乳頭状腫瘍」参照）である．そのほかに，淡明で広い細胞質を有する DCIS（**図 10**），淡明な細胞質を有する DCIS（**図 11**），アポクリン化生様の好酸性細胞質を有する DCIS（**図 12**），ホブネイル状を呈する DCIS（**図 13**），紡錘形を呈する DCIS などがある．乳腺で上皮細胞が紡錘形となる DCIS として DCIS, spindle cell type（**図 14 a,b**）と充実乳頭癌のバリアント（**図 15**）がある．腺筋上皮腫でも筋上皮細胞が紡錘形となることがあるので注意が必要である．

WHO 分類 第 5 版（2019 年）では，核異型でグレードを 3 段階に分けている．1997 年に開かれた“Consensus Conference on the Classification of Ductal Carcinoma In Situ”[7] を基本的な概念として小修正されている．低異型度は小さく単一な核（**図 16**）を有し，構造的に篩状型，微小乳頭型，充実型を呈す

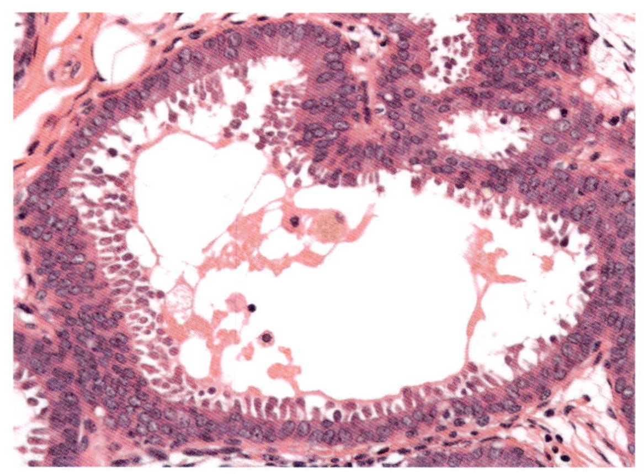

図 8 | 平坦型非浸潤性乳管癌
乳管内に 1～数層の異型上皮細胞があり，断頭分泌がみられる．本図だけでは flat epithelial atypia の診断となり，DCIS と診断できない．平坦型は他の構築の DCIS の周囲に存在した場合，診断可能となることが多い．

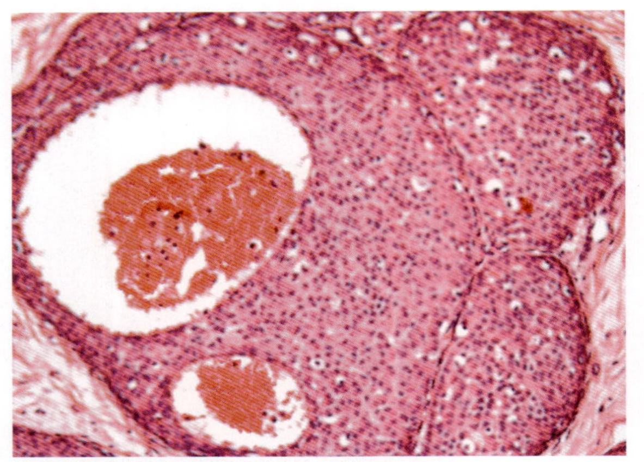

図 9 | 充実-乳頭型非浸潤性乳管癌（充実乳頭癌）
乳管に癌細胞が充実性に増殖し，赤血球を容れた拡張した血管がみられる．本来乳管内には血管は存在しない．この点を踏まえると，いずれかの部位から血管間質が巻き込まれた病変で，乳頭状病変に癌細胞が充実性に増殖した可能性が考えられる．拡張した腔が血管であることを認識することで充実-乳頭型の診断に至ることができる．神経内分泌マーカーが陽性となることが多い．

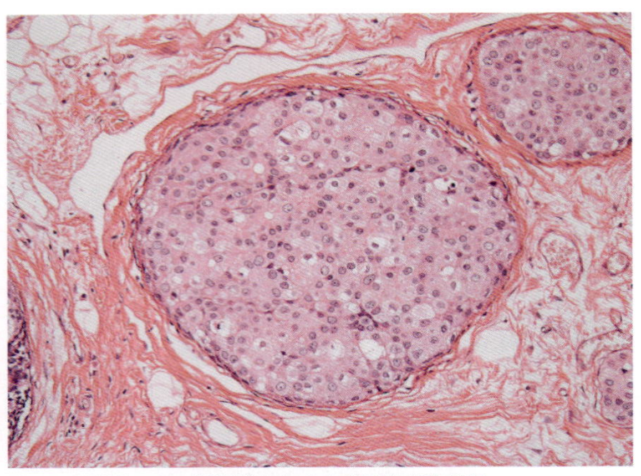

図 10 | 淡明で広い細胞質を有する非浸潤性乳管癌
乳管に癌細胞が充実性に増殖している．充実型であるが細胞質が広く好酸性の充実型である．

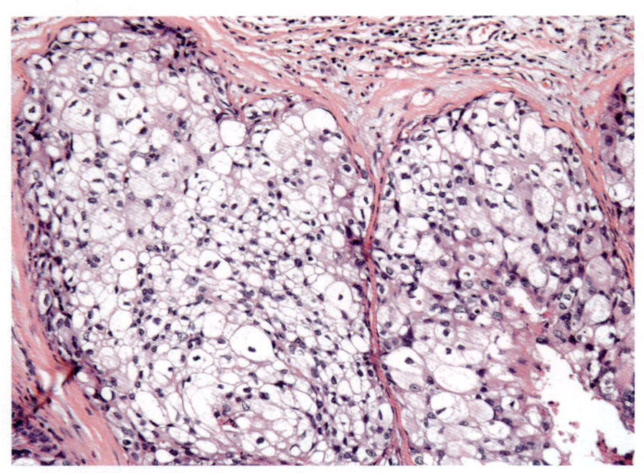

図 11 | 淡明な細胞質を有する非浸潤性乳管癌
乳管内に淡明な細胞質を有する癌細胞が充実性に増殖する．

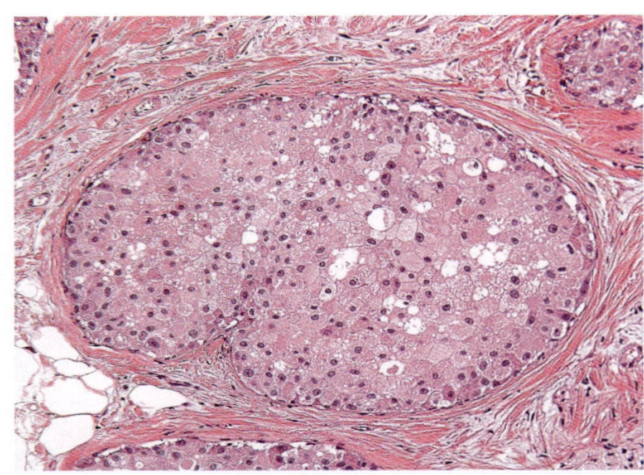

図 12 | アポクリン化生様の好酸性細胞質を有する非浸潤性乳管癌
乳管内にアポクリン化生を伴う好酸性細胞質を有する癌細胞が充実性に増殖している．真のアポクリン化生では脂腺を思わせる泡沫状の細胞質を有する癌細胞が混在することがある．

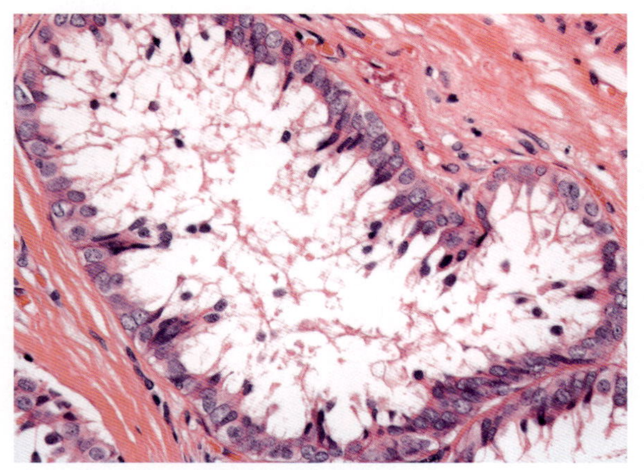

図 13 | ホブネイル状を呈する非浸潤性乳管癌
乳管内に 1〜数層の癌細胞が平坦型に増殖し，核が内腔に突出したホブネイル状を呈する．中異型度 DCIS である．高異型度 DCIS や低異型度 DCIS の症例もときおりみられる．

る．また，2 mm を超えるあるいは 2 小葉（乳管）以上の病変である（第 2 部-Ⅰ-1「良性上皮増殖性病変および境界病変」参照）．核は均一で円形を呈し，クロマチンは均一であり，核小体は目立たず，核の大きさは赤血球の 1.5〜2 倍である．中異型度の核の大きさは中等度，形は様々である．ときおり核小体がみられ，分裂像や壊死が存在することがある．高異型度の核は大きく，異型がみられる（**図 17a, b**）．通常，面疱型あるいは充実型を呈するが，篩状型，微小乳頭型を呈することもある．非典型例ではあるが，平坦型でも高異型度を呈することがあり，pleomorphic subtype of clinging DCIS と呼ばれている．核は大きく，多形性があり，不規則な輪郭を呈し，粗いクロマチンを有し，核小体が目立つ．核の大きさは

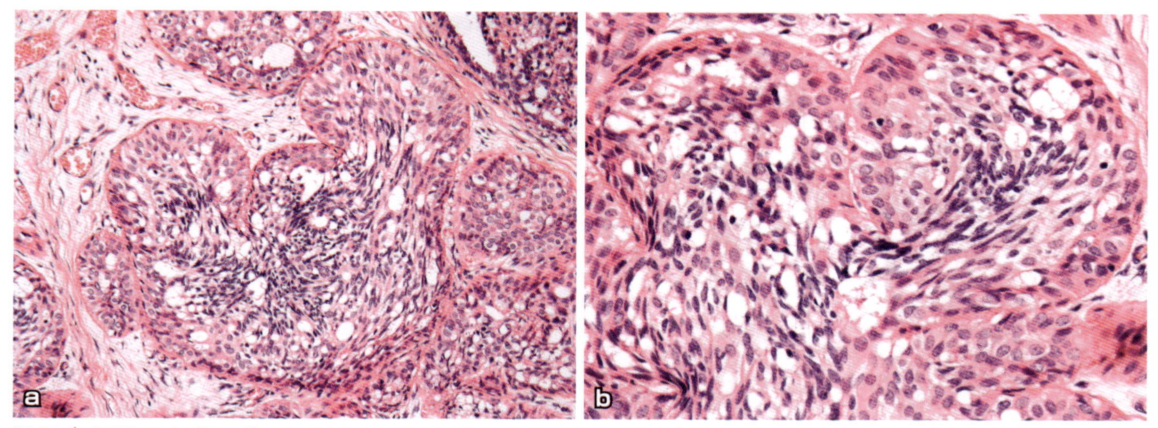

図 14 | DCIS, spindle cell type
a：中拡大像．分葉状にみえる乳管内辺縁には円形核を有する癌細胞がみられ，中心部には紡錘形核を有する癌細胞がある．b：強拡大像．癌巣の中心には紡錘形の核が流れるように存在する．まれであるが，DCIS の細胞核が紡錘形を呈することがある．多彩な細胞像として良性病変と判断しないことが重要である．

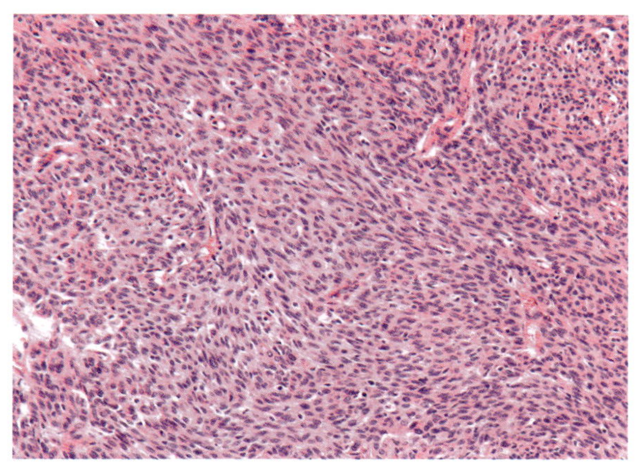

図 15 | 充実乳頭癌のバリアント
充実乳頭癌ではまれに癌細胞が紡錘形になることがある．筋上皮細胞も紡錘形になることがあるので，両者の鑑別として，神経内分泌マーカーと筋上皮マーカーの免疫染色を施行すると有用である．

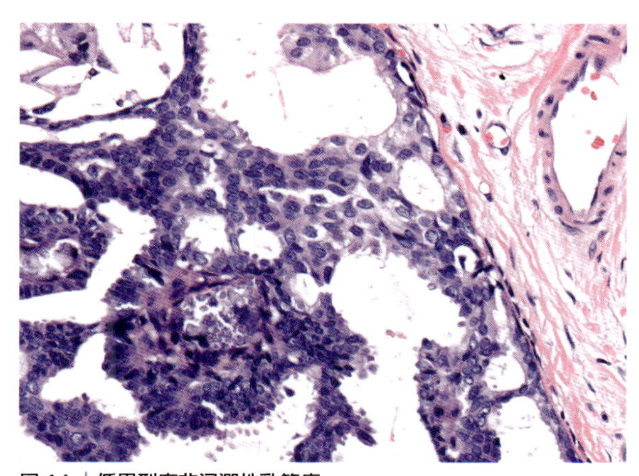

図 16 | 低異型度非浸潤性乳管癌
DCIS の細胞核はやや多彩であるものの核小体はみられず，大きさは赤血球（あるいはリンパ球）より一回り大きい程度で，癌細胞核としては小さく，クロマチンが均一で，低異型度 DCIS に分類される．

赤血球の 2.5 倍を超える．核分裂像は常にみられ，コメド壊死がみられるが，コメド壊死の有無は問わない．赤血球の 2.5 倍という明確な定義のようであるが，実際には「とても大きい核」という形態学的な曖昧な所見を定義づけしたにすぎない．形態の印象で癌細胞核が大きく不揃いだと認識した場合には高異型度 DCIS と判定すべきである．

van Nuys Prognostic Index は核異型が 3 の症例を Group 3 とし，核異型が 3 以外の症例を，コメド壊死の有無で Group 2, Group 1 に分類する．すなわち，コメド壊死がある症例は Group 2，コメド壊死がない症例は Group 1 とする[8]．

5．免疫組織化学的特徴

免疫染色を利用した良悪性の鑑別を行うときに注意するべきことは DCIS の種類である．低異型度 DCIS と高異型度 DCIS，アポクリン化生を伴う DCIS では，免疫染色結果は異なる．

低異型度 DCIS と通常型乳管過形成 usual ductal hyperplasia（UDH）の鑑別として使用されることが多い抗体は高分子量 high molecular cytokeratin（HMCK），ER，p63 である．

HMCK には 34βE12，CK5/6，CK14 がある．いずれの染色でも，低異型度 DCIS では陰性（**図 18**）となり，UDH では部分的（いわゆるモザイク状）に陽

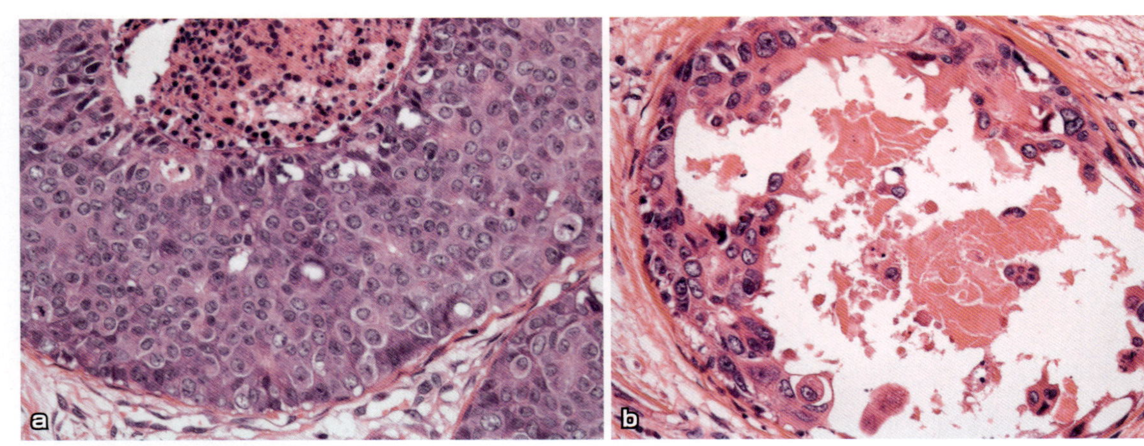

図 17 ｜高異型度非浸潤性乳管癌
a：DCIS の細胞核は赤血球に比べかなり大きく，異型がみられる．赤血球の 2.5 倍以上の核が散見され，高異型度 DCIS に分類される．b：非常に大型で異型の強い癌細胞が，微小乳頭型，平坦型の構築を呈する．

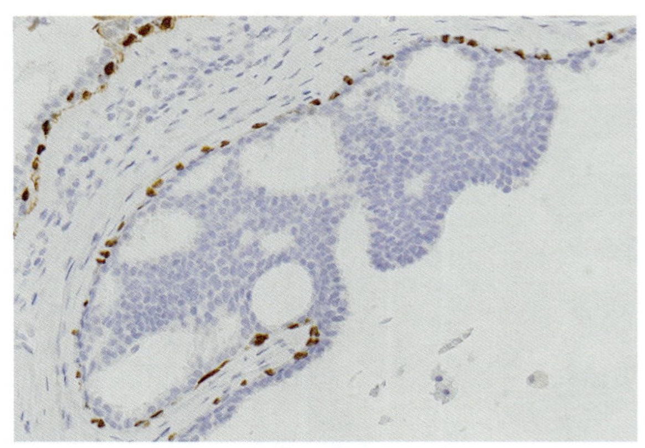

図 18 ｜低異型度非浸潤性乳管癌（CK14 と p63 のカクテル抗体免疫染色）
低異型度 DCIS の腫瘍細胞は CK14 陰性で，周囲に p63 が核に陽性の筋上皮細胞が確認できる．

性となる（**図 19**）．まれに，低異型度 DCIS でもわずかに陽性となるので注意が必要である（**図 20**）．低異型度 DCIS でわずかに陽性となる症例と UDH の鑑別点は，低異型度 DCIS では集塊状に陰性部位が存在する点にある．高異型度 DCIS では HMCK が陽性となる症例があるので注意が必要である．この点を踏まえて，HE 染色の時点で，低異型度 DCIS と高異型度 DCIS を明確に区別しておく必要がある．

ER は低異型度 DCIS ではびまん性に陽性となり（**図 21**），UDH では部分的に陽性となる（**図 19d**）．しかし，乳管内乳頭腫の UDH 部分や線維腺腫内の UDH 部分では，びまん性に陽性となることがある（**図 22**）ので，ER がびまん性に陽性という所見のみで低異型度 DCIS と判定することは避けるべきである．また，高異型度 DCIS では，UDH と同様に，部分的に陽性像を呈する症例があるので注意が必要である．

p63 は筋上皮細胞の核に陽性となる．DCIS と浸潤癌の鑑別に有用であるが，低異型度 DCIS と UDH の鑑別でも有用であることがある．DCIS では p63 陽性の筋上皮細胞が減少もしくは消失していることがある（**図 23a, b**）．筋上皮細胞が減少していない低異型度 DCIS もあり，UDH との鑑別に有用でない症例があるので注意が必要である．

HMCK，ER，p63 の染色態度を総合的に判断し，良悪性を判定するべきであり，同時に深切りの HE 染色も施行すると有用なことがある．

乳腺の良悪性に有用とする免疫染色はほかにも synaptophysin，cyclin D1 などが報告されている．筆者らは，感度は低いが，synaptophysin が 1％以上陽性であれば悪性であることを報告した [9]．cyclin D1 は papilloma よりも乳頭型 DCIS で有意に高値となるとする報告もある [10]．

日常診断において浸潤癌か非浸潤癌か判定に苦慮することがある．硬化性腺症内の DCIS は浸潤癌との鑑別が難しい癌である（**図 24a, b**）．この場合も p63 や calponin 等の筋上皮細胞マーカーの免疫染色が有用である．

診断の要 *Essential diagnostic criteria*

- DCIS は小葉・乳管内に増殖する腫瘍性上皮細胞で，様々な構造パターンと核グレードを呈する．

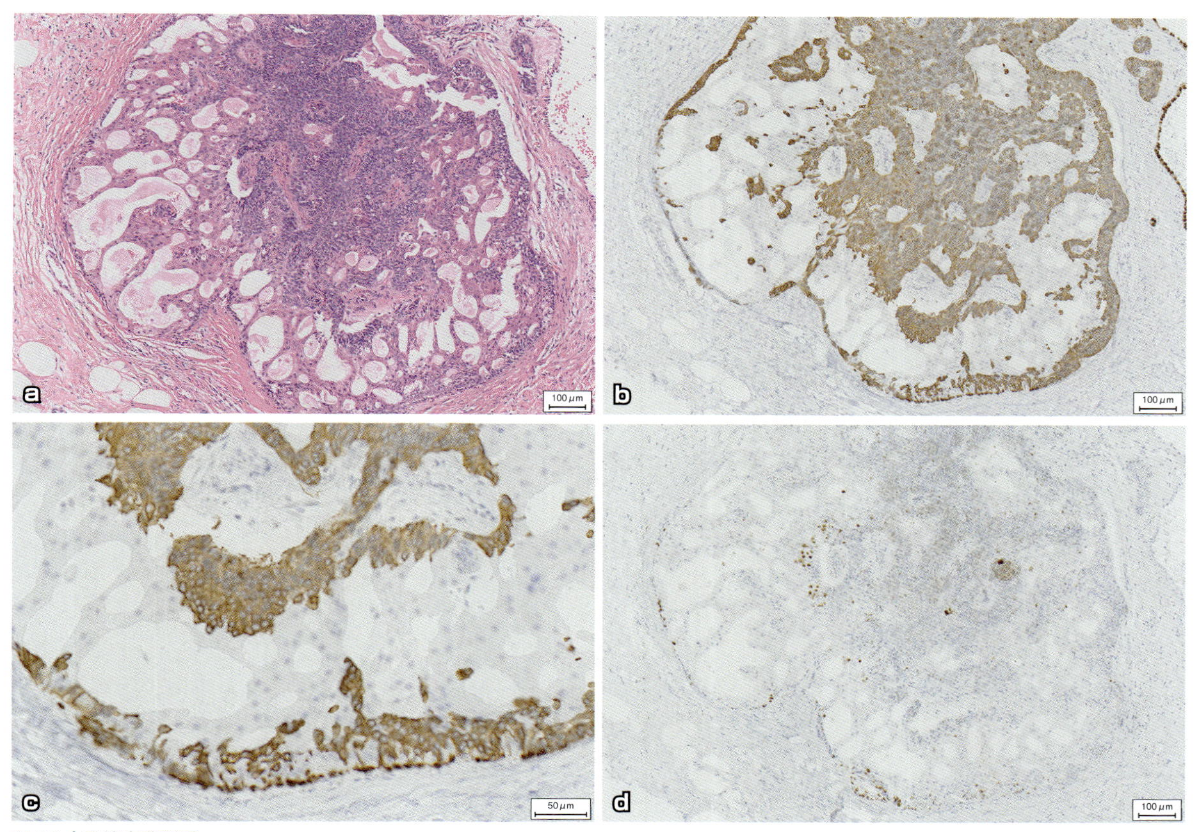

図 19 | 乳管内乳頭腫
a：中拡大像．拡張乳管内に増殖性病変がみられる．中心にいくつかの壁が肥厚した血管がみられ，その周囲に UDH が，外縁にアポクリン化生を伴う上皮細胞がみられる．乳管内乳頭腫である．b：CK14 と p63 のカクテル抗体免疫染色．中拡大像．中心部には血管を除く上皮過形成に CK14 がびまん性に陽性を示す．c：CK14 と p63 のカクテル抗体免疫染色．強拡大像．CK14 は乳管上皮過形成にびまん性に（いわゆるモザイク状）陽性像がみられるが，アポクリン化生を伴う上皮細胞には陰性である．周囲には p63 陽性の筋上皮細胞がみられる．CK14 は良性の上皮過形成でもアポクリン化生部分には陰性であることがわかる．d：ER 免疫染色．UDH 部分には陽性細胞が散見される．

◆ 良悪性の判定あるいは浸潤の有無の判定が困難な症例には HMWCK (high molecular weight cytokeratin) での，あるいは複数の筋上皮マーカーでの検討が必要である．

6．分子病理学的特徴

Tsuda らは乳管内乳頭腫と囊胞内乳頭癌（現 EPC）を比較検討し，EPC において 16q の欠失を報告している[11]．また，低異型度 DCIS と中異型度 DCIS は 1q の増加，16q の欠失，11q の欠失が高頻度に起こっているとする報告がある[12]．高異型度 DCIS では，染色体の 8p，11q，13q および 14q の欠失，1q，5p，8q および 17q の増加が高頻度に起こっているとされている[13]．

DCIS の遺伝子変異で有名なのは *TP53*，*PIK3CA*

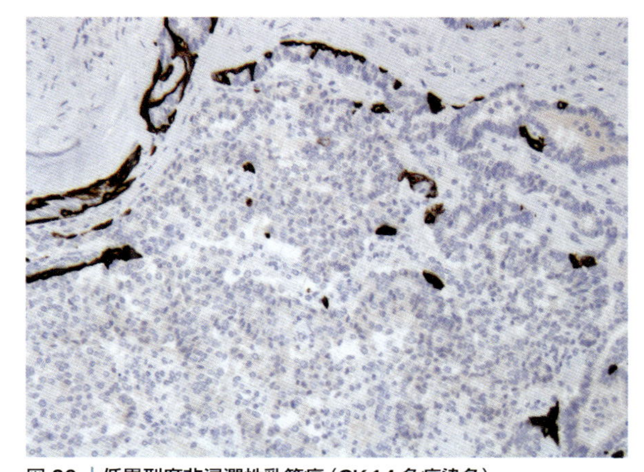

図 20 | 低異型度非浸潤性乳管癌（CK14 免疫染色）
低異型度 DCIS でもわずかに CK14 陽性となる細胞があるので注意が必要である．

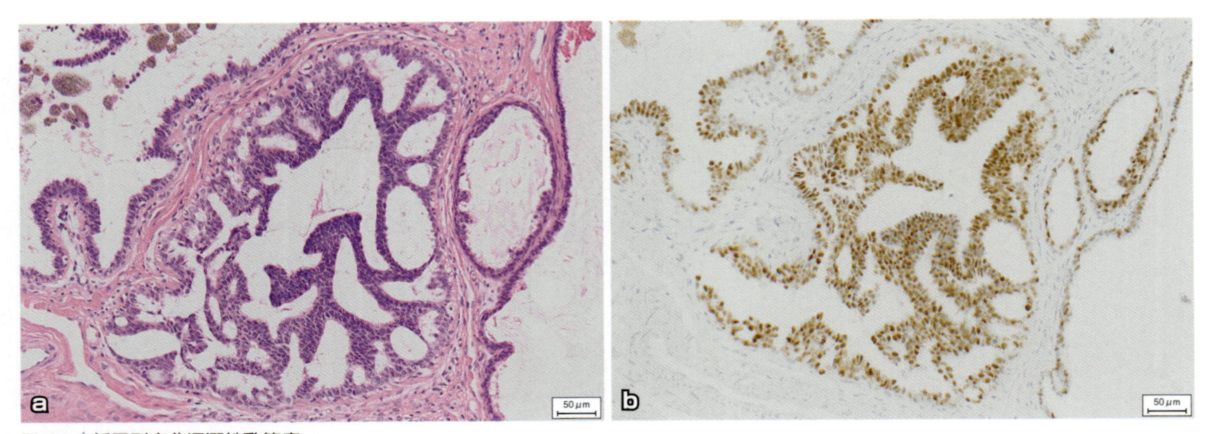

図 21 ｜低異型度非浸潤性乳管癌

a：中拡大像．乳管内に篩状構造を呈する．b：ER 免疫染色．低異型度 DCIS ではびまん性に陽性となる．

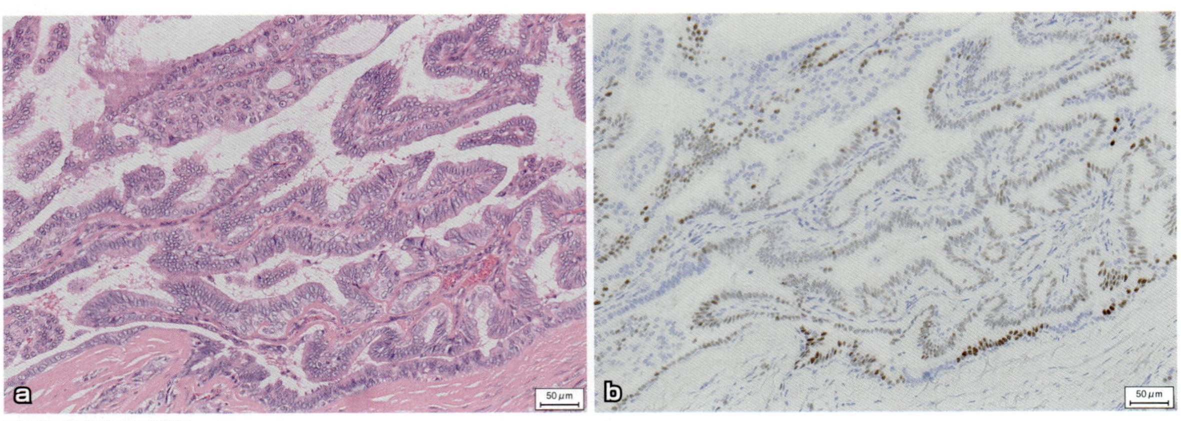

図 22 ｜乳管内乳頭腫

a：乳管内の乳頭状病変で，乳管内乳頭腫と乳頭型 DCIS の鑑別を要する．b：ER 免疫染色．10％程度の陽性細胞がみられ，良性病変であることがわかる．

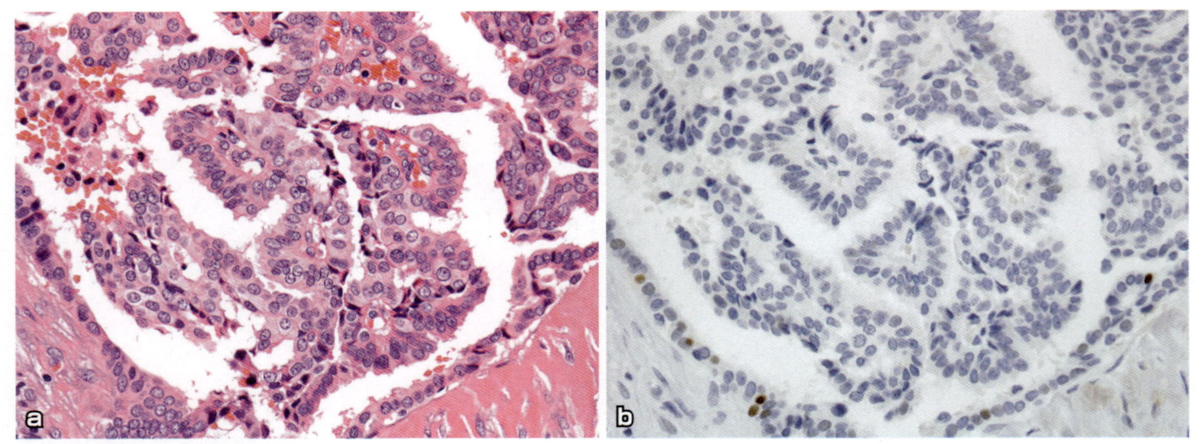

図 23 ｜乳頭型非浸潤性乳管癌

a：強拡大像．乳管内に血管軸を有する乳頭型 DCIS である．b：p63 免疫染色．乳頭状部分には p63 陽性細胞がなく，筋上皮細胞が欠如している．周囲，乳管壁にはわずかに p63 陽性の筋上皮細胞がみられる．

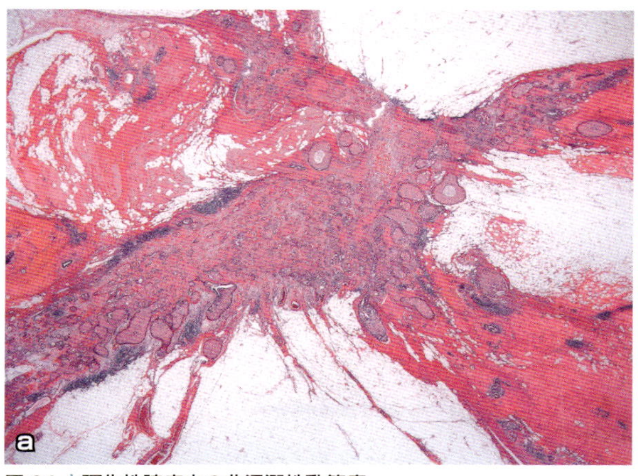

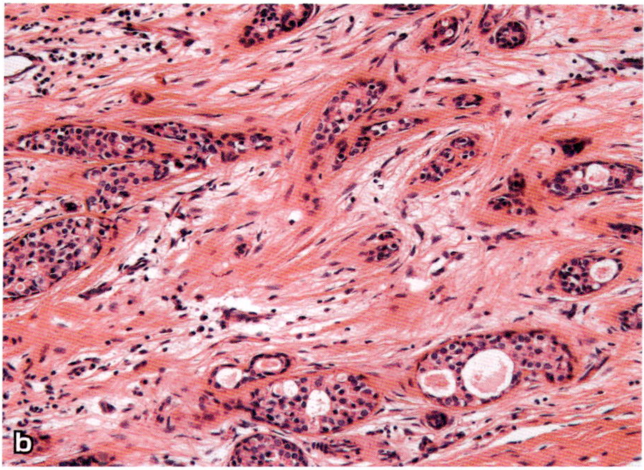

図 24 | 硬化性腺症内の非浸潤性乳管癌
a：弱拡大像．硬化性変化を伴う硬性型 IDC を思わせる線維化がみられる．b：強拡大像．癌巣周囲にはいわゆる fibrous band といわれる好酸性が強い膠原線維が取り巻いており，非浸潤癌であることがわかる．

そして *AKT1* の体細胞変異である．そのほか，より広い範囲のゲノム変化である，遺伝子コピー数異常 copy number alterations（CNA）も知られている[14]．Kim ら[14]は DCIS と浸潤性乳管癌 invasive ductal carcinoma（IDC）を whole exome sequencing（WES）解析で比較し，DCIS に多い遺伝子異常として，*TP53*, *PIK3CA*, *MAML2* などを挙げ，CNA として，がん遺伝子 oncogene では *AKT1*, *CCND1*, *ERBB2*, *MYC*, *NKX2-1*, *PIK3CA* などの領域のコピー数増多（や増幅），がん抑制遺伝子 tumor suppressor gene では *ATM*, *BRCA2*, *GATA3*, *MAP2K4*, *MAP3K1*, *MLL3*, *PTEN*, *TP53* などの領域のコピー数減少を挙げている．これらの論文から DCIS には *PIK3CA* のゲノム変異の有無，*TP53* の遺伝子変異の有無等々，多数の遺伝子変異の種類が報告されている．しかし，多くの DCIS を解析した研究ではそれらを DCIS とひとくくりとして，IDC などと比較している．今後は低異型度 DCIS，中異型度 DCIS，高異型度 DCIS の 3 分類など，ある程度 DCIS を亜分類して解析する必要があると考えられる．

その中で，病理学的組織分類に準拠した興味深い WES 解析の論文がある．"juvenile papillomatosis of the breast（JP）"は multiple papilloma，peripheral papilloma，duct papillomatosis と同義語で，これらは同一の病変を表すと考えられ，10％程度に癌の合併が知られている[15]（**図 25**）．この JP 2 例と JP に DCIS と IDC が同一病変内に併存した 1 例の計 3 症例を WES 解析した論文が報告されている．JP 全 3 例中 2 例に *PIK3CA* 変異のホットスポットである *p.E542K* の変異がみられ，3 例とも 1q 増加/16q 欠失がみられたとしている．また JP に DCIS と IDC が同一病変内に併存した症例ではいずれにも *PIK3CA*（*p.E542K*）変異がみられ，JP と癌の関連性が示されている[16]．

DCIS と診断された症例も前述したとおり，まれではあるが再発する．筆者らは臨床的因子，免疫染色，WES で DCIS 症例群を解析し，再発例では，45 歳以下，*HER2* 遺伝子増幅あり，*GATA3* の遺伝子変異ありが重要な因子であり，*PIK3CA* 遺伝子変異なし，PgR 陰性はリスク因子であるとし，さらに空間トランスクリプトーム解析により，DCIS は均一な癌細胞の集合体ではなく，いくつかのクラスタリングが可能な不均一な癌細胞集団から構成されていることを報告した[17]（**図 26**）．

（前田一郎）

文　献

1）Sheaffer WW, Gray RJ, Wasif N, et al：Predictive factors of upstaging DCIS to invasive carcinoma in BCT vs mastectomy. Am J Surg 217：1025-1029, 2019
2）Qian L, Lv Z, Zhang K, et al：Application of deep learning to predict underestimation in ductal carcinoma in situ of the breast with ultrasound. Ann Transl Med 9：295, 2021
3）Gilleard O, Goodman A, Cooper M, et al：The significance of the Van Nuys prognostic index in the management of ductal carcinoma in situ. World J Surg Oncol 6：61, 2008
4）日本乳癌学会：全国乳がん患者登録調査報告 第 49 号 2018 年次症例
5）Sagara Y, Mallory MA, Wong S, et al：Survival benefit of breast surgery for low-grade ductal carcinoma in situ：a population-based cohort study. JAMA Surg 150：739-745, 2015

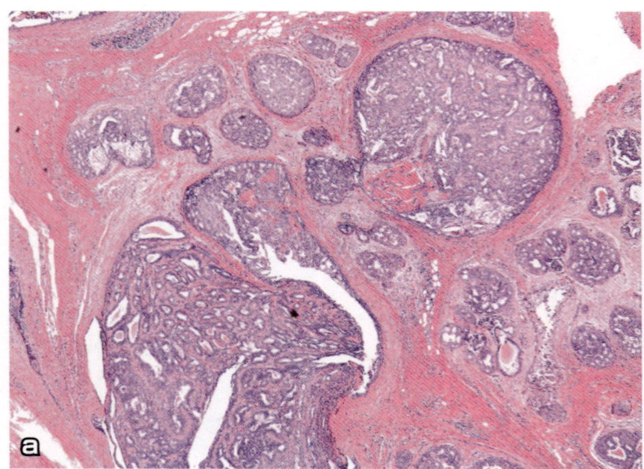

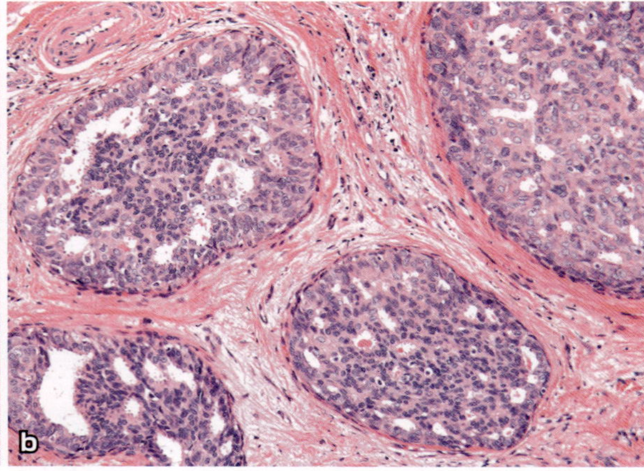

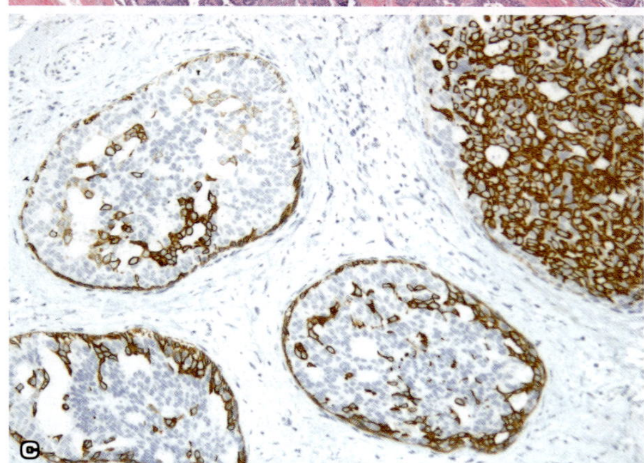

図 25 | juvenile papillomatosis coexisting with DCIS
a：弱拡大像．拡張乳管内に増殖性病変がみられる．図右上，左下の拡張乳管には比較的広い血管軸がみられ，良性の末梢性乳管内乳頭腫の像である．周囲には乳管内増殖性病変がみられる．b：強拡大像．4 つの拡張乳管内の増殖性病変がみられる．図右上の乳管内の増殖している細胞集塊は他の 3 つの細胞と異なる．c：CK14 免疫染色．図右上はびまん性に陽性像がみられ，他の乳管は陽性細胞がわずかに存在するが，ほとんどが陰性である．図右上の乳管内は UDH で，他の 3 個は DCIS の細胞が多くを占めていると判定できる．

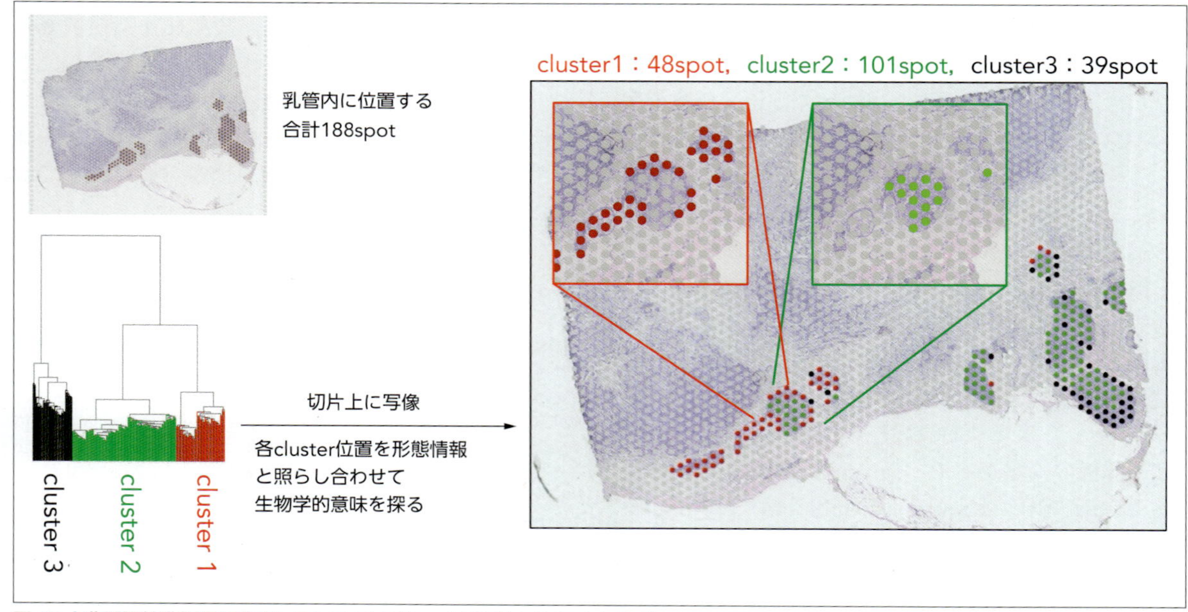

図 26 | 非浸潤性乳管癌の空間トランスクリプトーム解析（文献 17 より作成）
DCIS の生物学的不均一性の把握．（東京大学大学院新領域創成科学研究科 永澤　慧先生ご提供）

6）日本臨床腫瘍研究グループ，乳がんグループ：エストロゲン受容体陽性・低リスク非浸潤性乳管癌に対する非切除＋内分泌療法の有用性に関する単群検証的試験実施計画書 ver. 1.2.0. http://www.jcog.jp/document/1505.pdf（2022年5月閲覧）
7）Consensus conference on the classification of ductal carcinoma in situ. Hum Pathol 28, 1221-1225, 1997
8）Silverstein MJ, Lagios MD, Craig PH, et al：A prognostic index for ductal carcinoma in situ of the breast. Cancer 77：2267-2274, 1996
9）Maeda I, Tajima S, Ariizumi Y, et al：Can synaptophysin be used as a marker of breast cancer diagnosed by core-needle biopsy in epithelial proliferative diseases of the breast? Pathol Int 66：369-375, 2016
10）Wang Y, Zhu JF, Liu YY, et al：An analysis of cyclin D1, cytokeratin 5/6 and cytokeratin 8/18 expression in breast papillomas and papillary carcinomas. Diagn Pathol 8：8, 2013
11）Tsuda H, Uei Y, Fukutomi T, et al：Different incidence of loss of heterozygosity on chromosome 16q between intraductal papilloma and intracystic papillary carcinoma of the breast. Jpn J Cancer 85：992-996, 1994
12）Buerger H, Otterbach F, Simon R, et al：Comparative genomic hybridization of ductal carcinoma in situ of the breast-evidence of multiple genetic pathways. J Pathol 187：396-402, 1999
13）Kaur H, Mao S, Shah S, et al：Next-generation sequencing：a powerful tool for the discovery of molecular markers in breast ductal carcinoma in situ. Expert Rev Mol Diagn 13：151-165, 2013
14）Kim SY, Jung SH, Kim MS, et al：Genomic differences between pure ductal carcinoma in situ and synchronous ductal carcinoma in situ with invasive breast cancer. Oncotarget 6：7597-7607, 2015
15）Cheng E, D'Alfonso T, Patel A, et al：Mammary juvenile papillomatosis（"Swiss cheese" disease）：study of 121 cases reiterates need for long-term follow-up. Breast J 24：1136-1137, 2018
16）D'Alfonso TM, Pareja F, Da Cruz Paula A, et al：Whole-exome sequencing analysis of juvenile papillomatosis and coexisting breast carcinoma. J Pathol Clin Res 7：113-120, 2021
17）Nagasawa S, Kuze Y, Maeda I, et al：Genomic profiling reveals heterogeneous populations of ductal carcinoma in situ of the breast. Commun Biol 4：438, 2021

Ⅰ．上皮性腫瘍

8　浸潤性乳管癌

1．定義・概念

乳癌取扱い規約 第18版(2018年)(以下規約第18版と略す)では，浸潤癌は「癌細胞が間質に浸潤し，その程度が微小浸潤(1 mm)を超えるもの」をいう[1)]．規約第18版では浸潤性乳管癌の定義は記載されていないが，自明のこととして，特殊型以外の浸潤癌を指すものと理解される．WHO分類 第5版(2019年)では，浸潤性乳管癌のかわりに非特殊型浸潤性乳癌 invasive breast carcinoma of no special type (IBC-NST)という組織型が用いられている[2)]．このIBC-NSTは「形態的にどの特殊型にも分類できない浸潤性乳癌の群」と定義されている．

2．臨床的事項

臨床症状は乳房の腫瘤としてみつかることが大部分であるが，それ以外に異常乳頭分泌や乳房痛などがある．大部分の浸潤性乳管癌は肉眼的に認識できるか，あるいは触知可能な腫瘤を形成する．局所進行した癌では，皮膚の浮腫，潰瘍，皮膚衛星結節がみられることがある．癌に伴う同側の異常乳頭分泌は，片側性，自発的，血性が多いとされる．

3．肉眼所見

浸潤性乳管癌は通常乳管内成分と浸潤癌成分からなるが，浸潤癌成分が主体であれば浸潤癌の肉眼像が，乳管内成分が主体であれば乳管内成分の肉眼像が目立つ．浸潤癌は，様々な様式によって周囲に対して浸潤性に増殖する．豊富な線維性間質を伴った浸潤性増殖を示す浸潤癌は，割面上，不規則な輪郭を示す結節を形成する傾向にある(**図1, 2**)．一方，腫瘍胞巣がより大型で周囲への圧排性浸潤を示す浸潤癌は，割面の辺縁がより明瞭な類円形〜分葉状の結節を形成する傾向にある(**図3, 4**)．前者は硬性型や腺管形成型に多く，後者は充実型に多いが，逆の例や両者の中間の形態もある．乳管内成分主体の浸潤癌は拡張した乳管内を充満した癌巣が集簇し，その中の一部に浸潤癌結節がみられる(**図5, 6**)．

4．組織学的所見

1）規約とWHO分類の定義の不一致

規約第18版の浸潤性乳管癌とWHO分類 第5版のIBC-NSTとの定義の不一致は海外との登録データ比較の際に問題となりうる．両分類の違いについて理解しておくことは重要と思われる．両者の不一致は以下の点に要約される[1,2)]．

① WHO分類 第5版では，特殊型の組織パターンが90％を超える腫瘍面積を占める場合は特殊型(小葉癌，粘液癌，管状癌など)と診断され，特殊型の成分が癌の10〜90％を占める場合「IBC-NSTと特殊型の混合型」という診断名を用いてもよいと記載されている．これに対し規約第18版では，特殊型の組織パターンが90％以上の癌を純型，50％以上〜90％未満の場合は混合型として，いずれも特殊型に分類される．

② WHO分類 第5版では，乳頭状腫瘍は良性，非浸潤癌，浸潤癌にかかわらず別扱いとし，浸潤を伴

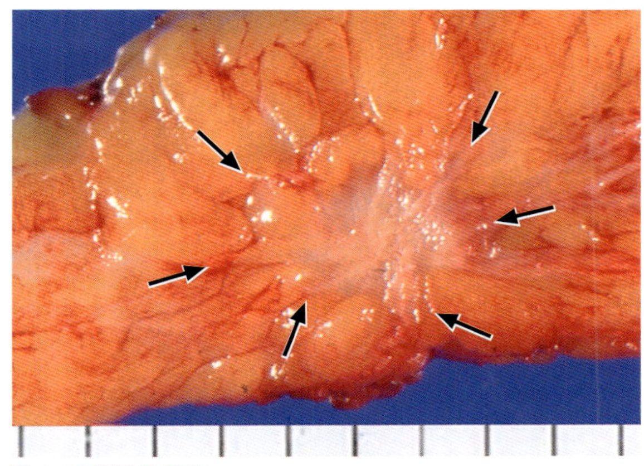

図 1｜浸潤性乳管癌
割面マクロ所見．境界不整で浸潤性の腫瘤を形成している．線維が豊富のため周囲組織が引き込まれ，腫瘍の割面は陥凹を示す（矢印：腫瘍の輪郭）．

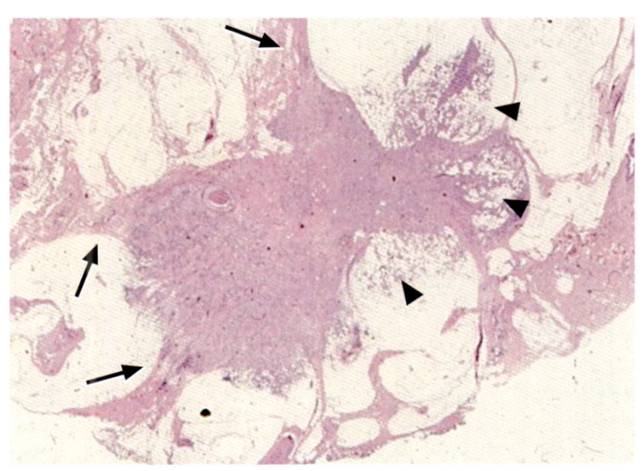

図 2｜浸潤性乳管癌
ルーペ像．Cooper 靱帯を引き込み（矢印），脂肪組織にも浸潤している（矢頭）．

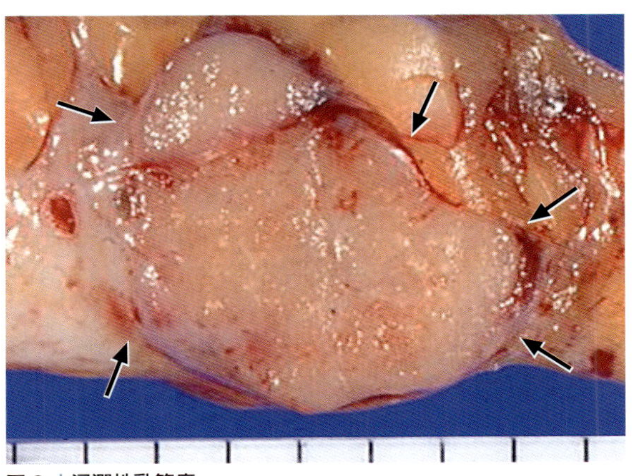

図 3｜浸潤性乳管癌
割面マクロ所見．境界平滑かつ明瞭で圧排性の腫瘤を形成している．腫瘍細胞が密で間質の割合が少ないため，周囲を圧排し腫瘍の割面は隆起している（矢印：腫瘍の輪郭）．

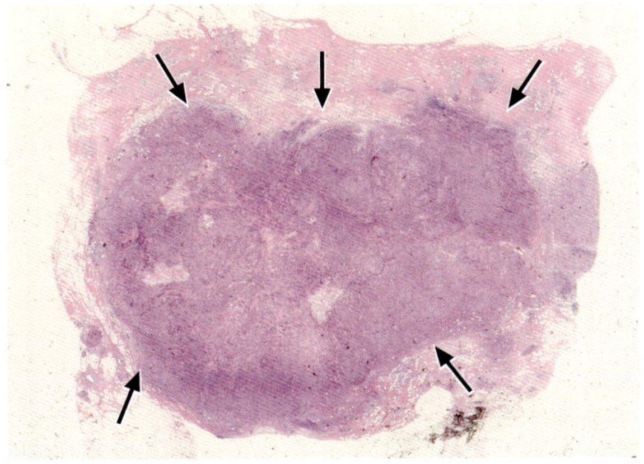

図 4｜浸潤性乳管癌
ルーペ像．周囲組織に対し，圧排性に浸潤している．境界はかなり明瞭である　（矢印：腫瘍の輪郭）．

う被包型乳頭癌，浸潤を伴う充実乳頭癌も乳頭状腫瘍の中に分類される．規約第 18 版では，浸潤を伴う被包型乳頭癌は浸潤性乳管癌に含まれる．

③ WHO 分類では IBC-NST の亜型分類については原則行わず，一部の特殊なパターンを記載するにとどまる．その中には比較的頻度の高い髄様パターン，神経内分泌分化を伴う癌，破骨細胞様間質巨細胞を伴う癌も含まれる．また，特殊型に分類すべき臨床的根拠に乏しい lipid-rich carcinoma，glycogen-rich（clear cell）carcinoma，sebaceous carcinoma や，極めてまれな多形性癌，絨毛癌様やメラノーマ様パターン，oncocyte パターンなども含まれる．

2）浸潤性乳管癌（規約第 18 版）

浸潤性乳管癌の組織所見は構造異型と細胞異型の面から判断される．構造異型の程度を表す腫瘍胞巣の構築は管状～篩状，充実性～地図状，索状～個細胞性の 3 つの基本形から構成され，原則は管状，篩状は高分化，充実性～地図状，索状～個細胞性は低分化を表すとされる．しかし実際の分化度は構造異型に加えて細胞異型も加味して判断されており，組織グレード分類ではそれらの所見が総合的に評価されている[1,2]．規約第 18 版では浸潤性乳管癌は癌胞巣の構築のみに基づいて腺管形成型，充実型，硬性型，「その他」の 4 亜型に分類される．「その他」以外の 3 亜型が 2 つ以上混在する場合は優勢な成分の組織亜型を採用する．また乳管内癌巣が主病変の大部

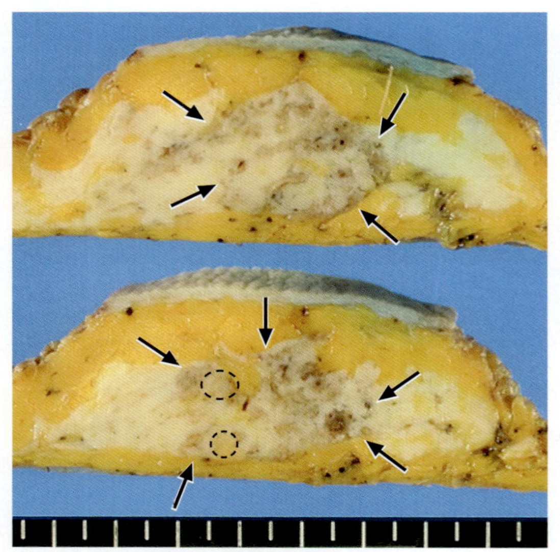

図5 | **乳管内成分優位の浸潤性乳管癌**
割面マクロ所見．拡張した乳管内に増殖する腫瘍の成分とその周囲の線維増生の部分が，褐色調，斑状の色調変化領域として認められる（矢印）．点線で囲んだ部分は浸潤癌成分．

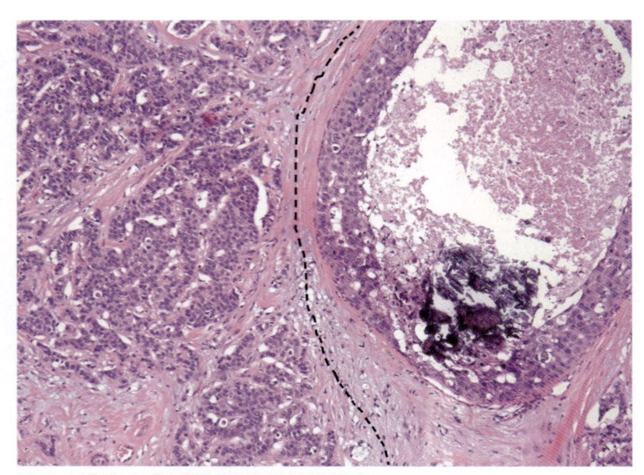

図6 | **乳管内成分優位の浸潤性乳管癌**
図5と同一症例の組織像．点線の左側が浸潤癌成分，右側が乳管内成分で中心部にコメド壊死と石灰化を伴う．

分を占めるもの［元来の定義では，浸潤癌成分が乳管内成分の面積の1/4以下の場合（腫瘍面積全体の20％以下）を占めるもの］を「乳管内成分優位の浸潤性乳管癌」として記載し，その場合も浸潤癌成分の組織パターンに応じて亜型の診断を行う．

a）腺管形成型

浸潤癌胞巣が腺管形成を示す高分化な浸潤性乳管癌である（**図7, 8**）．グレードは低～中程度のものが多いが，高グレードの例もある（**図9**）．腺管形成には管状構造に加え，篩状構造も含まれると解釈できるが，純型，混合型の管状癌と篩状癌は含まれない．乳頭状構造は腺管形成と考えることは難しい．規約第17版（2012年）まで用いられていた乳頭腺管癌のグループは規約第18版の改訂により解体され，①本組織亜型のほか，②「乳管内成分優位の浸潤性乳管癌」，③浸潤性篩状癌，④浸潤癌成分を有する乳頭状腫瘍（浸潤を伴う被包型乳頭癌など），⑤浸潤性乳頭癌に分けられた．②と④は浸潤癌成分の組織亜型が付与される．この改訂により，「乳管内成分優位の浸潤性乳癌」の画像を示す乳癌は，必ずしも腺管形成型の特徴ではなくなった．

b）充実型

充実性で腺管形成が不明瞭な浸潤癌胞巣が周辺組織に対して圧排性ないし膨張性の浸潤性発育を示す浸潤性乳管癌である（**図10～12**）．充実型は規約第17版以前の充実腺管癌とほぼ同じものであり，高グレードの例が多く，硬性型と比較して浸潤癌胞巣は大きい（**図10, 11**）．浸潤癌胞巣の間に間質結合織が介在したり，中心部が壊死ないし線維化を示すことがあるが，異型度の低い例もある（**図12**）．充実乳頭型の浸潤癌もこの型に分類されうる．

c）硬性型

癌細胞が散在性あるいは小塊状となって間質に浸潤し，多少とも間質結合織の増殖を伴う浸潤性乳管癌である．浸潤癌胞巣は小さく，周囲組織に対してびまん浸潤性に発育する（**図13～15**）．高グレードから低グレードの例まで様々な分化度を示す．中央部に線維性瘢痕を伴う例もみられる（**図16**）．規約第17版以前には，硬癌は，狭義の硬癌（乳管内癌巣部分が極めて少なく間質浸潤が高度なもの）と広義の硬癌（乳頭腺管癌ないしは充実腺管癌由来のびまん性間質浸潤が面積的に優位を占めるもの）とからなると記載されていた[3]．

d）その他

腺管形成型，充実型，硬性型のうち，2種類以上の型が認められ，いずれが優勢とも判断が困難な場合，あるいは中間的な組織像を示す場合は「その他」に分類する．

3）臨床的サブタイプ分類

近年の遺伝子発現プロファイルやゲノム解析の結果から，乳癌は不均一な集団であり，分子発生経路が異なる複数の内因性サブタイプの存在が示唆されている．内因性サブタイプはluminal型，HER2過

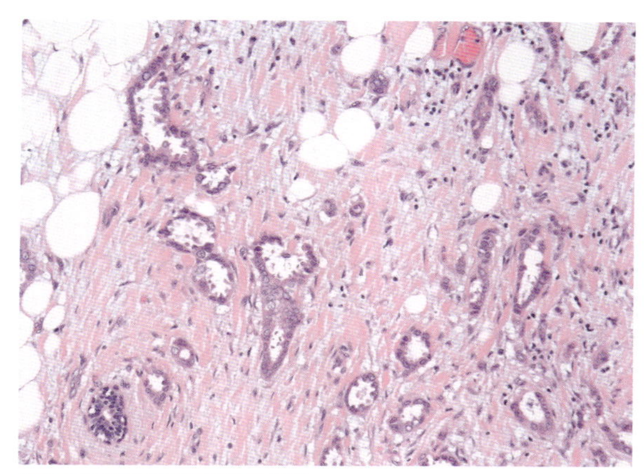

図 7 ｜腺管形成型浸潤性乳管癌
豊富な間質増生を伴い周囲脂肪組織に浸潤性に増殖している．形態や大きさが均一でクロマチン増量が目立たない核や snout を形成する腺管は管状癌に似るが，半分以上の腫瘍成分は索状や個細胞性パターンを示す．

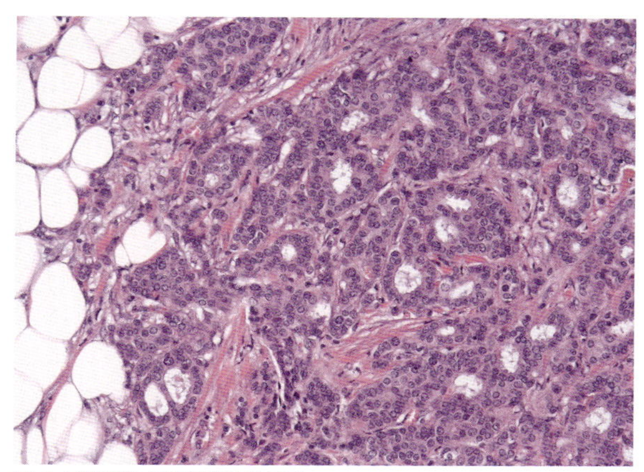

図 8 ｜腺管形成型浸潤性乳管癌
主に大型の篩状集塊を形成し管状，索状構造が混在する．核はほぼ均一でクロマチンが中等度濃染する．線維性間質を伴って周囲脂肪組織に浸潤している．

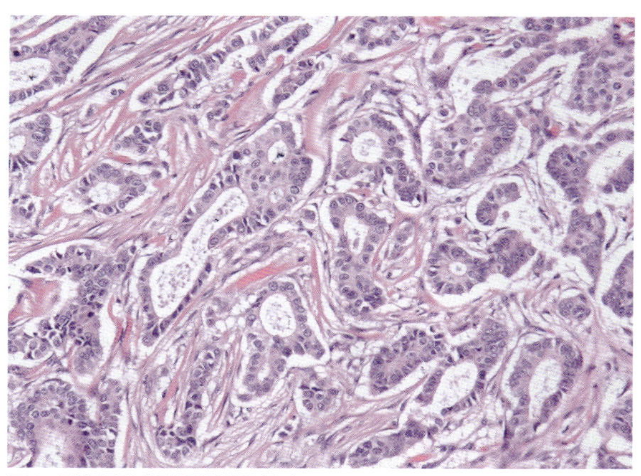

図 9 ｜腺管形成型浸潤性乳管癌
豊富な線維性間質を伴って不規則な腺管状～一部索状パターンにて増殖する．核形不整や核分裂像がやや目立つ例で，*HER2* 増幅もみられた．

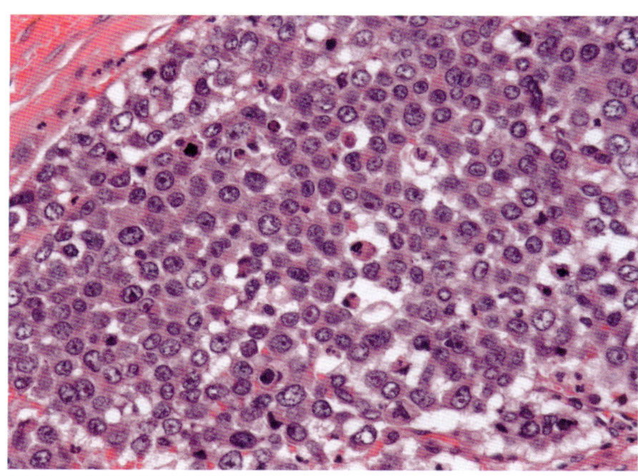

図 10 ｜充実型浸潤性乳管癌
大型の充実性癌胞巣を形成し，線維性間質は乏しく，周囲に向かって圧排性に浸潤している．核/細胞質比（N/C 比）が高く，中等度の核形不整，大小不同を示す核を有する癌細胞が密に増殖している．核クロマチンは不均等に分布し，1～複数個の明瞭な核小体や核分裂像が目立つ．

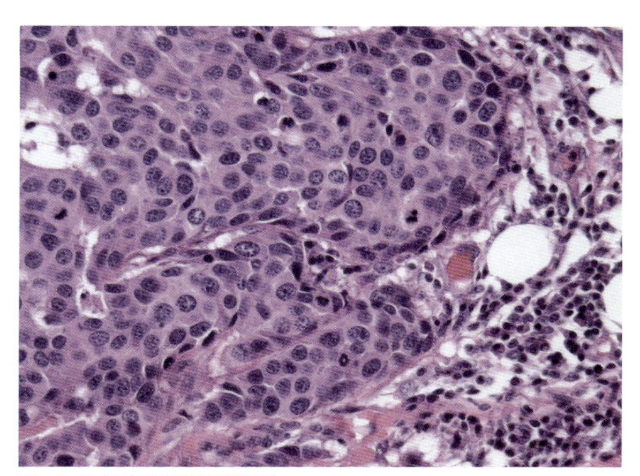

図 11 ｜充実型浸潤性乳管癌
不規則な形態の充実胞巣には N/C 比がやや高く，中等度の核形不整，大小不同を示す核を有する腫瘍細胞が密に増殖している．核クロマチンは濃染，不均等分布を呈し核分裂像が目立つ．

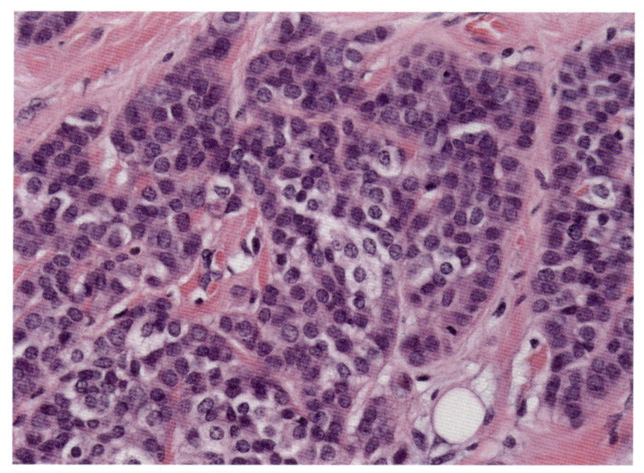

図 12 ｜充実型浸潤性乳管癌
異型の乏しい核グレード 1 の腫瘍．不規則な充実性癌胞巣を形成し，N/C 比が高く，クロマチン増量を伴う均一な核を有する細胞が密に増殖する．核分裂像は少ない．

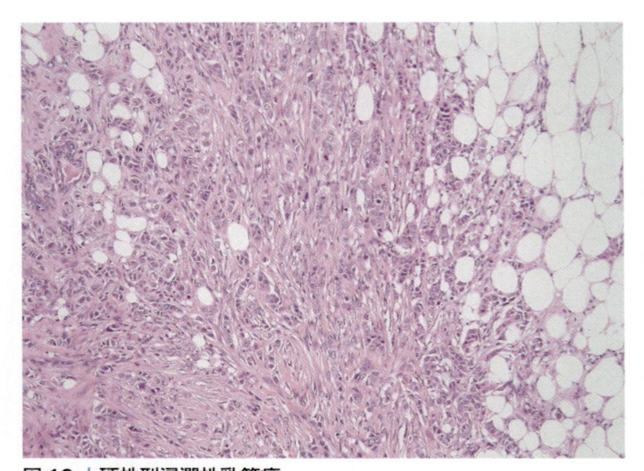

図 13 | 硬性型浸潤性乳管癌
豊富な間質増生を伴い周囲脂肪組織に浸潤している．腫瘍胞巣は小型，索状である．

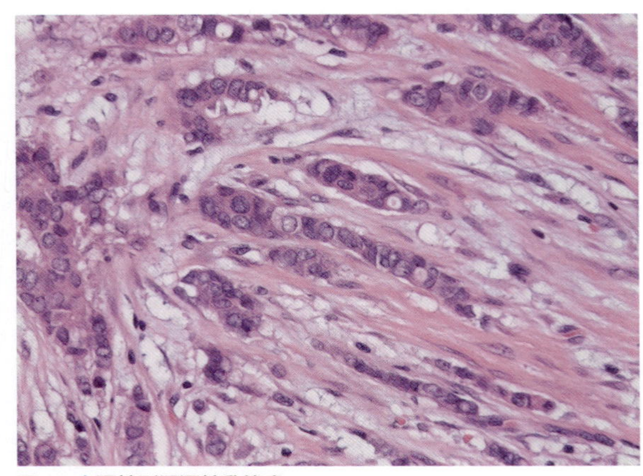

図 14 | 硬性型浸潤性乳管癌
豊富な膠原線維と間質細胞（線維芽細胞）増生を伴いながら索状パターンをとって増殖している．腫瘍細胞は核形不整，大小不同，クロマチンの中等度の不均等分布や，木目込み様配列，細胞質内小空胞がみられる．

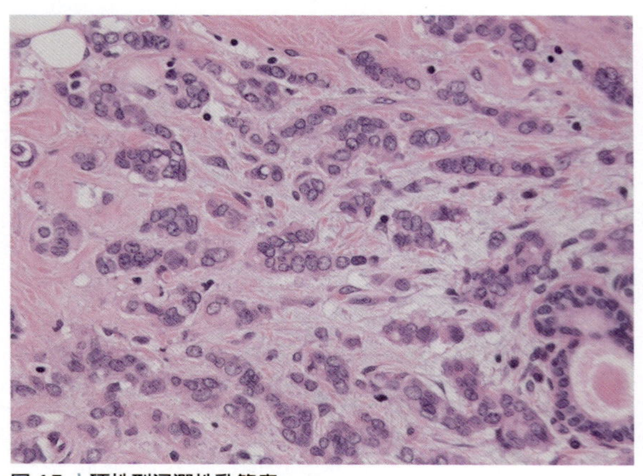

図 15 | 硬性型浸潤性乳管癌
低グレードの例．豊富な間質増生を伴い，ときに幅広い小型の索状パターンをとって増殖している．腫瘍細胞の N/C 比は高いが，均一でクロマチン増量も乏しく核小体や核分裂像も目立たない．核が数珠状に配列する点はむしろ小葉癌に似る．

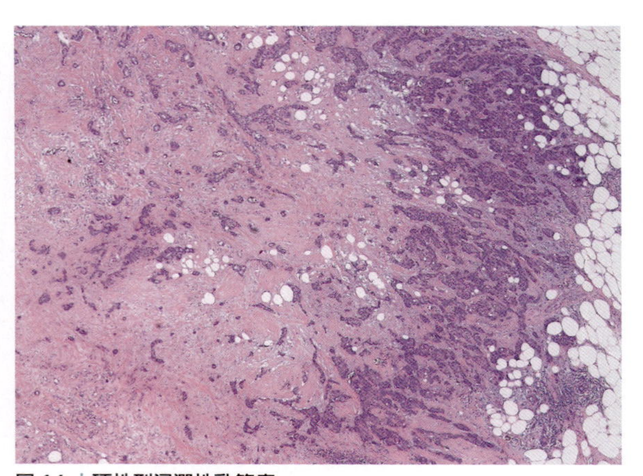

図 16 | 硬性型浸潤性乳管癌
中心部に広汎な線維化巣（線維性瘢痕）を有する例．辺縁部は索状〜不規則な癒合状，地図状パターンをとり，周囲脂肪組織に浸潤している．

剰発現型，basal-like 型などからなるが，このような内因性サブタイプに近似させるべく，臨床病理学的にはホルモン受容体 hormone receptor（HR）（ER, PgR）と HER2 の免疫染色による発現状態に基づく臨床的サブタイプ分類が行われる．

WHO 分類 第 5 版では IBC-NST を形態的に亜分類はしていないが，臨床的サブタイプ分類に基づく各サブタイプの形態的特徴を大まかに記載している [2]．まず，HR 陽性の luminal-like 型と HR 陰性の非 luminal-like 型に大別し，前者を細胞増殖指標やグレードが低い luminal A-like 型とこれらが高い luminal B-like 型に分類している．また HR 陽性かつ HER2 陽性の癌は増殖指標にかかわらず luminal B-like 型に含められている．非 luminal-like 型は HER2 過剰発現の有無に基づき HER2 陽性型とトリプルネガティブ乳癌 triple negative breast cancer（TNBC）に分けられる [2,4]．

a）luminal-like 型

luminal-like 型乳癌は高分化〜低分化のいずれの組織形態とグレードも呈しうるが，大部分は，luminal A-like の特徴である ER 強陽性，HER2 陰性を呈し，低〜中等度グレードの核所見と管状構造を示す（**図 17**）．一部の例は充実性パターン，核多形性などより高グレードで TNBC に類似し，より高い増殖性

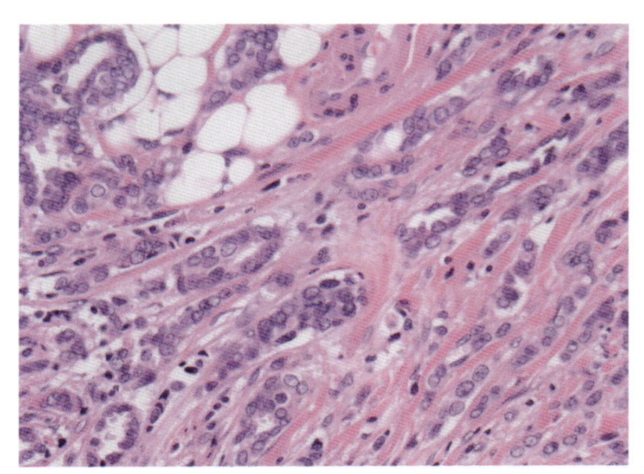

図 17 | ホルモン受容体陽性（luminal A-like）乳癌
低〜中等度グレードの核所見と一部管状構造を示す．

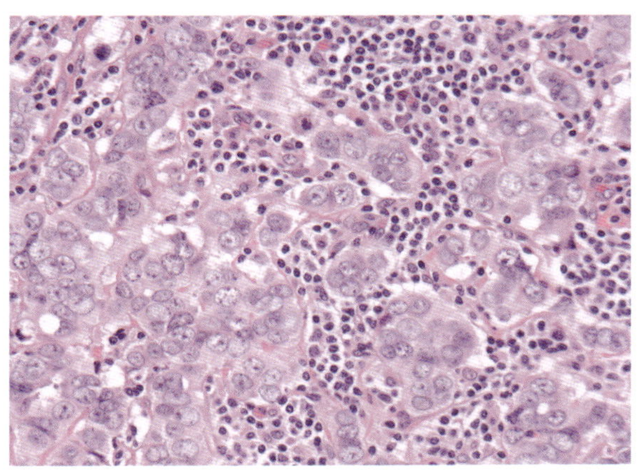

図 18 | ホルモン受容体陽性（luminal B-like）乳癌
索状〜充実性構築を示し，核多形性，空胞状の核，明瞭な 1〜複数個の核小体を有するなど，高グレードで TNBC に類似する．間質に腫瘍浸潤リンパ球を伴う．

を示す luminal B-like 型の特徴を呈する（**図 18**）．

また，典型的な ER 陽性乳癌では，低〜中異型度非浸潤性乳管癌 ductal carcinoma *in situ*（DCIS），非浸潤性小葉病変などの ER 強陽性病変を高頻度で背景に伴っている．なお，*BRCA2* 生殖細胞系列病的バリアント保持者にみられる乳癌は大部分が ER 陽性である．

b）HER2 陽性型

HER2 陽性型乳癌は，通常高グレードで頻繁にコメド型高異型度 DCIS 成分を伴い，しばしば DCIS 成分は広汎に広がる．浸潤様式は通常，索状または充実性パターンで，不規則管状や個細胞性パターンを示す例もみられる．高度の核多形性，核分裂像を示し，豊富な好酸性細胞質を有する例が多く，ときにアポクリン癌様にみえる（**図 19**）．細胞増殖性は高度であるが TNBC の浸潤性乳管癌に比べてより低く，Ki67 ラベリングインデックスは 20〜60％である．

c）トリプルネガティブ型（TNBC）

TNBC は，ER，PgR，HER2 が陰性の癌である．トリプルネガティブ型浸潤性乳管癌は周囲への圧排性浸潤と充実性増殖パターンを示す例が多い（**図 20**）．高グレードで核形不整や大小不同を呈し，核分裂像は非常に多く，Ki67 ラベリングインデックスはしばしば 80％を超える．地図状壊死や，中心部の広範な瘢痕や無細胞領域，腫瘍間質への高密度のリンパ球浸潤を伴う．基底細胞マーカー（CK5/6，EGFR）陽性の basal-like とよばれる型では，癌細胞は比較的小型で N/C 比が高く，核形不整や明瞭な核小体，多数の核分裂像を示す（**図 21**）．扁平上皮様の層状分化傾向を伴う例もある．DCIS 成分は luminal 型に比べるとみられないか，わずかなことが多い．*BRCA1* 生殖細胞系列病的バリアント保持者に生じる乳癌は，頻繁にこの型である．luminal B-like 型の中に TNBC と同様の組織形態を示す一群がある．浸潤性乳管癌のほか，腺様嚢胞癌，化生癌，分泌癌，大多数のアポクリン癌など，様々な特殊型もこの TNBC に含まれる．

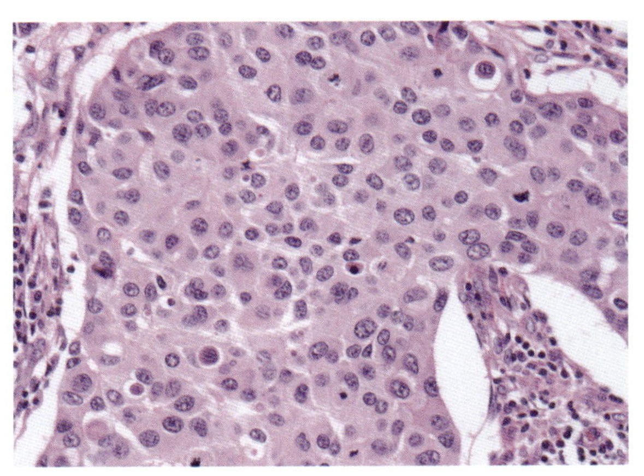

図 19 | HER2 陽性乳癌
充実性構造を呈し，高グレードで核の大小不同や核形不整と不均一で粗糙なクロマチンパターンを有する．豊富な好酸性細胞質を有し，核分裂像やアポトーシスを認める．

5．免疫組織化学的特徴

浸潤性乳管癌は通常，低分子量 cytokeratin（CK）（CK7，CK8/18，CK19）のほか，EMA，E-cadherin，GATA3，bcl-2 が陽性であるが，高グレードの例ではこれらの中のいくつかが陰性のものがある．低〜

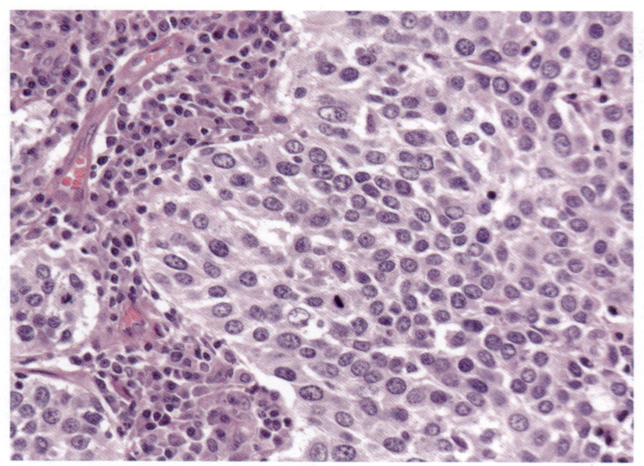

図 20 | トリプルネガティブ型乳癌
充実性増殖パターンを示し，間質には腫瘍浸潤リンパ球が高度にみられる．高グレードで N/C 比が高く，中等度の核の形態不整や大小不同を呈し，核分裂像が頻繁にみられる．細胞質は淡好酸性である．

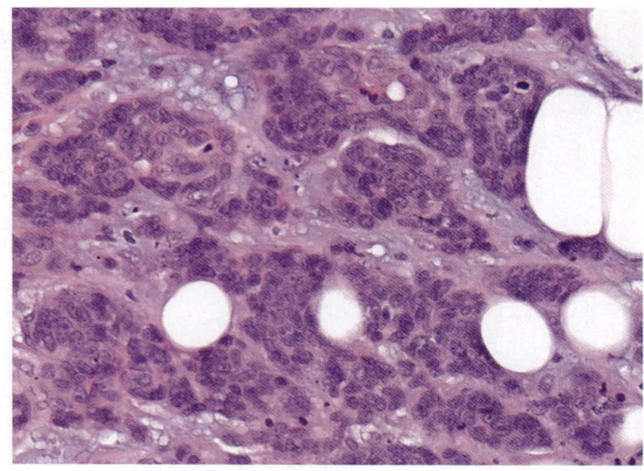

図 21 | トリプルネガティブ型乳癌
細胞は比較的小型で N/C 比が非常に高く，核が重なってみえる．核形不整や明瞭な核小体，多数の核分裂像を示す．

中グレードの乳管癌では GCDFP15，mammaglobin，CEA などが陽性である．30％の浸潤性乳管癌は基底細胞マーカーとされる高分子量 CK（CK5/6，CK14，CK17）や EGFR が陽性となり，これらの癌では ER 陰性が多い．他臓器腫瘍で特徴的な CDX2，PAX8，WT-1，TTF1，HMB45，melan A，CD3，CD20 や CK20，p63 は大部分の例で陰性であるが，例外的な陽性例がある[2]．

HR，HER2 の評価は，治療方針の決定のために浸潤性乳管癌患者において実施される．わが国で 2017 年に切除された乳癌で ER の評価が実施された 84,673 名の中で，ER 陽性（10％以上），低陽性（1～<10％），陰性（1％未満），不明の頻度は各々75.0％，3.3％，14.6％，7.1％であった．また同様に，PgR の評価が実施された 84,571 名の中で，PgR 陽性（10％以上），低陽性（1～<10％），陰性（1％未満），不明の頻度は各々61.2％，7.6％，24.0％，7.2％であった．HER2 の評価が実施された 79,992 名の中で，HER2 陽性［免疫組織化学 immunohistochemistry（IHC）3＋または *in situ* hybridization（ISH）陽性］，陰性，不明の頻度は各々12.8％，75.1％，12.1％であった[5]．

診断の要　Essential diagnostic criteria

(invasive breast caracinoma of no special type)

- ◆間質浸潤を示す乳腺上皮由来の乳癌（ときに間質浸潤や乳腺由来の確認には免疫染色が有用）
- ◆ER，PgR，HER2 の免疫染色が分類，治療，予後予測の指標となる．
- ◆純粋な特殊型の成分を有する場合，腫瘍全体の 90％以下にとどまる．ただし，特殊型の成分が癌の 10～90％を占める場合は「IBC-NST と特殊型の混合型」という診断名を用いてもよい．

6．分子病理学的特徴と発生メカニズム

近年の遺伝子発現プロファイルやゲノム解析の結果から，乳癌は不均一な集団であり，分子発生経路が異なる複数の内因性サブタイプの存在が示唆されている．内因性サブタイプは luminal 型，HER2 過剰発現型，basal-like 型などがある[6]．

luminal 型乳癌は HER2 陰性で，ER 関連遺伝子群（ER，PgR など）が高発現し細胞増殖関連遺伝子群（Ki67 など）の発現が低い luminal A 型と，ER 関連遺伝子群の発現がより低く増殖性が高い luminal B 型に分類される．luminal A 型では 1q 増加，16q 欠失，16p 増加などを特徴とする単純な二倍体～近二倍体の核型を有するが，luminal B 型ではこれらに加えて 11q13.3 や 8p11.23 などの増幅を伴い，核型は限定的ながらより複雑である．遺伝子変異は luminal 型共通に *PIK3CA* 変異が高頻度であり，加えて luminal B 型では *TP53* 変異も高頻度である．

一方，ER 陰性の HER2 過剰発現型と basal-like 型乳癌はほとんどが高グレードで遺伝学的に不安定な異数体 aneuploid の癌であり，複雑な核型を示す．HER2 過剰発現型乳癌では 17q12（*HER2* を含む領域）の増幅に加え *TP53* と *PIK3CA* の変異が高頻度で

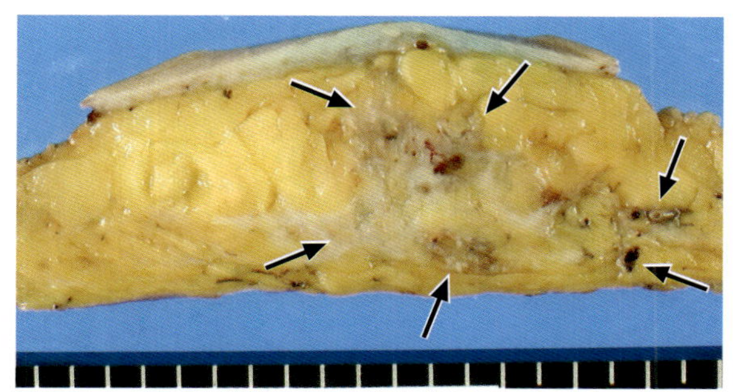

図 22 | 乳管内成分優位の浸潤性乳管癌
割面マクロ所見．約 5 cm の幅で拡張した乳管内に進展する腫瘍を色調の変化として認める（矢印）．腫瘍結節ははっきりしない．

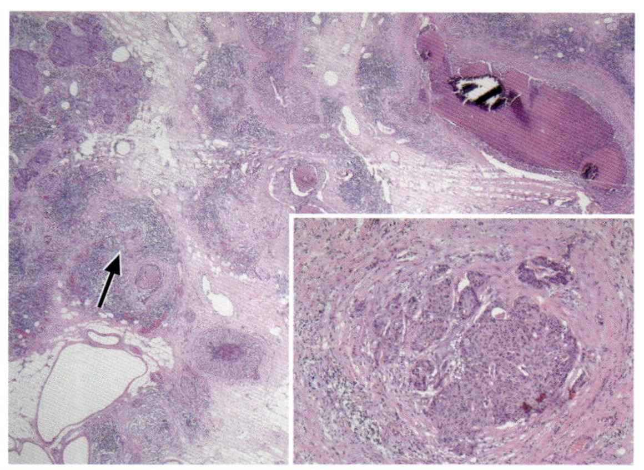

図 23 | 乳管内成分優位の浸潤性乳管癌
図 22 と同一症例のルーペ像．拡張した乳管内にコメド壊死と石灰化を伴う DCIS がみられ（矢印），周囲にはリンパ球浸潤を認める．矢印の部分に 2 mm 径の浸潤癌巣を認める．inset：浸潤癌巣の強拡大像．

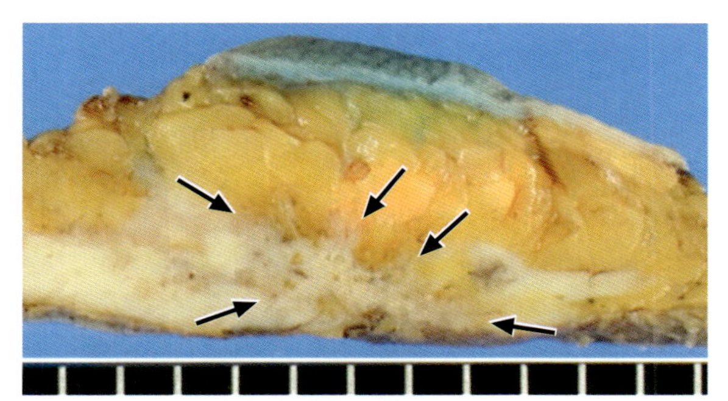

図 24 | 腺症内に生じた非浸潤性乳管癌
割面マクロ所見．背景には硬化性腺症あるいは複雑型硬化性病変が，辺縁不規則で放射状の腫瘤様の領域として認められる（矢印）．

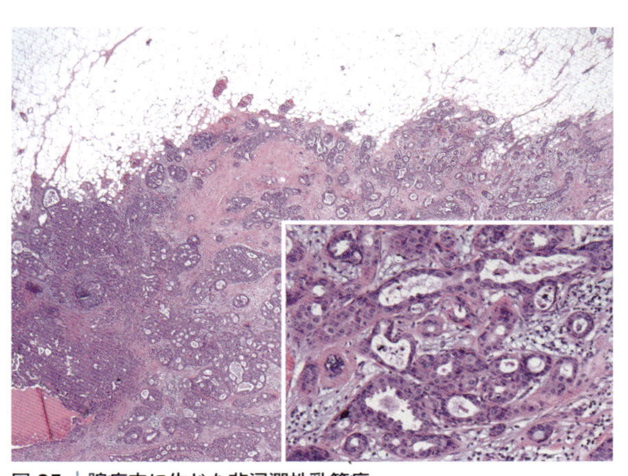

図 25 | 腺症内に生じた非浸潤性乳管癌
図 24 と同一症例の組織像．間質増生を伴う腺管の密な増殖により，辺縁不整な腫瘤を形成している．inset：腫瘍は管状～篩状構造を呈するが，腺管の周辺部に扁平な筋上皮の層が保たれる．明らかな間質浸潤はみられない．

みられる．basal-like 型では 10p 増加，5q 欠失，8q24（*MYC* を含む領域）の増幅などがみられ，*TP53* 変異が高頻度である．高増殖性であるが HER2 過剰発現はみられない．免疫細胞浸潤，DNA 相同組換え修復欠損 homologous recombination deficiency（HRD）の頻度がより高い．*BRCA 1* 生殖細胞系列病的バリアント保持者に生じる乳癌では HRD が認められる．

7．鑑別診断

1）非浸潤癌との鑑別

浸潤性乳管癌は DCIS や微小浸潤癌との鑑別が重要である．浸潤巣を見逃さないように観察し，浸潤癌巣があれば浸潤径を正確に測定する（**図 22, 23**）．

非浸潤癌相当の被包型乳頭癌や充実乳頭型 DCIS に浸潤癌成分を伴う例については，浸潤癌成分が乳管癌のときは浸潤性乳管癌に分類する．硬化性腺症や放射状瘢痕/複雑型硬化性病変に関連して生じる DCIS は，硬性型，腺管形成型との鑑別が必要なことがある（**図 24, 25**）．

2）特殊型との鑑別

規約第 18 版では，50 % 以上の面積を特殊型の組織所見が占めれば特殊型と診断されること，一方 WHO 分類では 90 % を超えた面積を特殊型が占める場合に限り特殊型の主診断名がつけられることはす

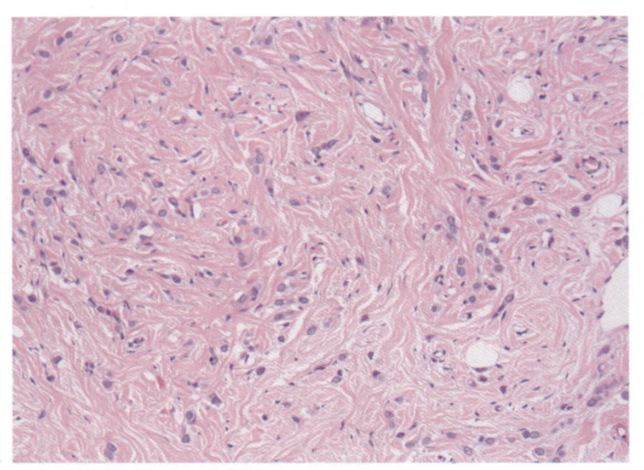

図 26 硬性型浸潤性乳管癌 vs 浸潤性小葉癌
膠原線維増生を伴いながら，個細胞性～数個の数珠状パターンをとって浸潤性に増殖する．

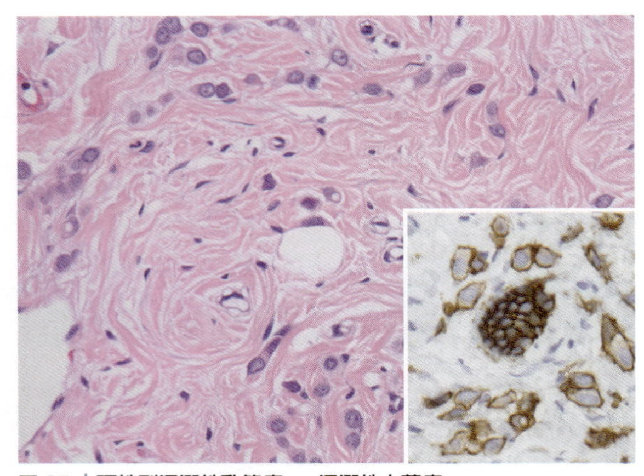

図 27 硬性型浸潤性乳管癌 vs 浸潤性小葉癌
図 26 と同一症例の強拡大像．腫瘍細胞は小型で N/C 比が高く，核はほぼ均一でクロマチンの増量は乏しい．HE 染色では古典型浸潤性小葉癌を考えたが，免疫染色で E-cadherin 陽性（inset）であり硬性型と最終診断された．

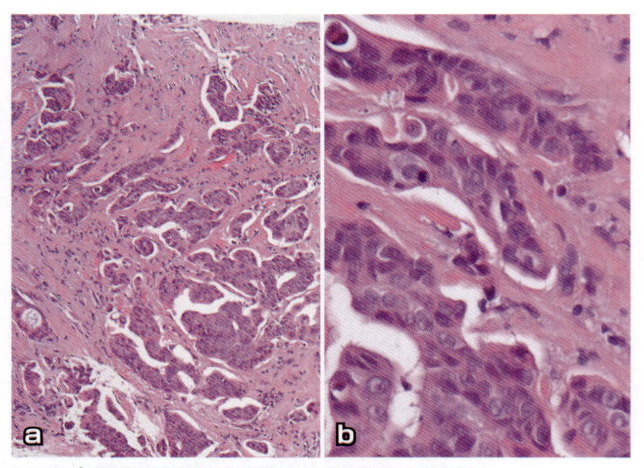

図 28 硬性型浸潤性乳管癌 vs 浸潤性微小乳頭癌
a：豊富な間質増生とともに，索状～やや小型充実性の癌胞巣を認める．胞巣は周囲の間質との間に間隙を形成する．b：強拡大像．癌胞巣に核極性の反転はみられず診断名を硬性型とした．

でに述べた．

硬性型はときに，浸潤性小葉癌の古典型，多形型との鑑別診断に苦慮することがある．細胞形態のほか，E-cadherin 免疫染色，非浸潤性小葉癌成分の有無などが考慮される（**図 26, 27**）．HE 染色では小葉癌の形態であるが E-cadherin 陽性の癌も 15％あり，その逆もある．HE 像と E-cadherin のいずれを優先すべきかについては難しい問題であるが，E-cadherin が大いに参考にされていることは事実である[7]．ときにリンパ腫も，充実型や硬性型，あるいは小葉癌との鑑別が問題となる．

浸潤性微小乳頭癌の癌胞巣は周囲間質との間に間隙を形成し，かつ癌胞巣に核極性の反転傾向を示すが，核極性の反転がない場合は浸潤性乳管癌に分類されるべきであろう（**図 28**）．髄様癌は WHO 分類 第5版では IBC-NST の髄様パターンを示す群となったが，規約第 18 版では特殊型として残されている[1,2]（**図 29**）．中心部に無細胞領域を有する浸潤性乳管癌（通常 ER 陰性）と基質産生癌も鑑別が必要なことがある．前者は辺縁部癌胞巣が中心に向かう途中で突然途絶えて粘液腫状基質と膠原線維からなる無細胞領域に移行するが，後者は癌胞巣が徐々にバラバラになって無細胞の粘液腫状基質領域に移行する[8]（**図 30**）．アポクリン癌と浸潤性乳管癌の鑑別は，前者が幅広い，より明調な好酸性顆粒状の細胞質と空胞状の類円形核を有し大型核小体が目立つのに対し，後者の細胞質はアポクリン癌に比べるとより狭く暗調にみえ，細胞質の顆粒は伴わず，核クロマチンはより粗糙なことが多い（**図 31**）．アポクリン癌では snout がみられることがある．複雑な乳頭状構築を示す浸潤癌は規約第 17 版以前は乳頭腺管癌に分類されたが，第 18 版では浸潤性乳頭癌（特殊型の「その他」）と診断される[1,3]（**図 32**）．

なお，浸潤性乳管癌亜型間の鑑別は本項の「4-2）浸潤性乳管癌（規約第 18 版）」に示したとおりである．

（津田　均）

文　献

1）日本乳癌学会（編）：臨床・病理 乳癌取扱い規約，第 18 版，金原出版，2018
2）WHO Classification of Tumours Editorial Board (ed)：WHO Classification of Tumours, Breast Tumours (5th ed.), IARC, Lyon, 2019, pp82-109

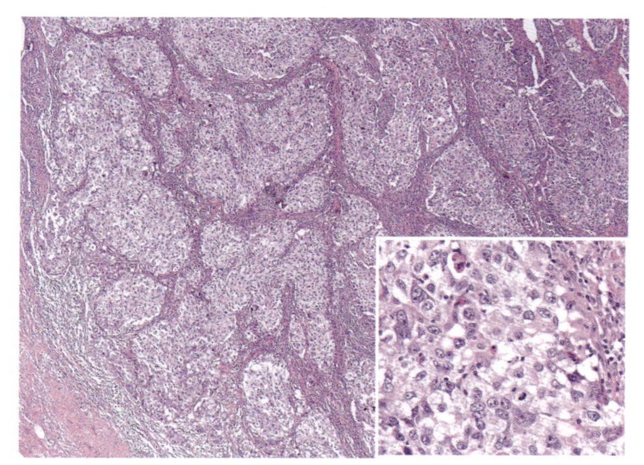

図 29 | 髄様癌 vs 充実型浸潤性乳管癌

周囲との境界明瞭な腫瘍で，脳回状の大型充実性腫瘍胞巣とリンパ球浸潤が高度な腫瘍間質からなる．inset：腫瘍細胞は淡好酸性の軟らかい感じの細胞質を有し，syncytial pattern もうかがわれる．髄様癌と診断されたが，WHO 分類 第 5 版では invasive carcinoma, no specific type の髄様パターンとなる．

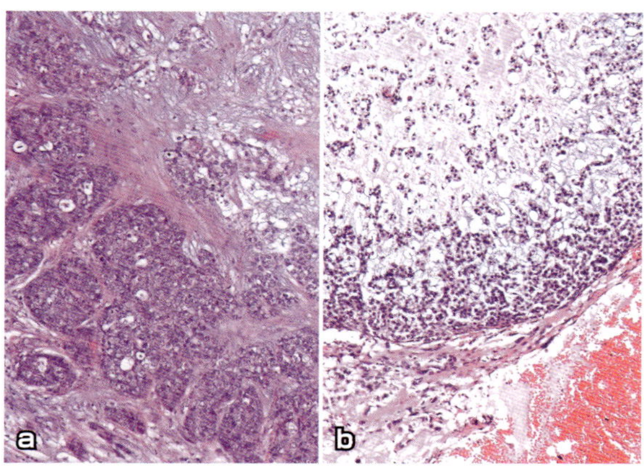

図 30 | 充実型浸潤性乳管癌 vs 基質産生癌

a：癌細胞は腫瘤の周辺部に限局し，中心部では粘液腫状基質と膠原線維からなる広汎な無細胞領域を形成する．癌胞巣は中心部に向かって突如途絶えて無細胞領域に移行する．周囲には圧排性～一部浸潤性に増殖している．充実型と最終診断された．b：基質産生癌．癌細胞は腫瘤の周辺部に限局し，中心部の大部分は粘液腫状基質からなる無細胞領域を形成する．癌胞巣は中心部に向かって徐々にバラバラになって無細胞の粘液腫状基質領域に移行する．（JA 三重厚生連鈴鹿中央総合病院 村田哲也先生ご提供）

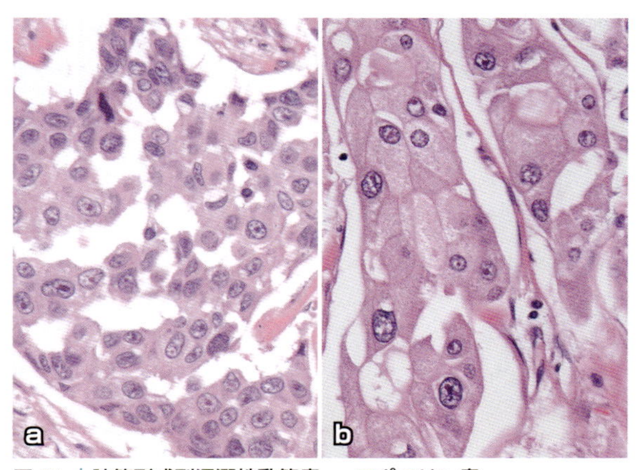

図 31 | 腺管形成型浸潤性乳管癌 vs アポクリン癌

a：細胞質は広く淡好酸性であるが，アポクリン癌に比べるとより狭く暗調で，細胞質内顆粒は伴わず，核クロマチン染色性は不均一，粗糙で濃染する．腺管形成型と診断された．なお免疫染色で HER2 陽性であった．b：アポクリン癌．アポクリン化生に比べるとよりくすんでみえるが，幅広い明調な好酸性顆粒状の細胞質，類円形で空胞状の核と大型核小体を有する．本例では細胞境界が明瞭である．

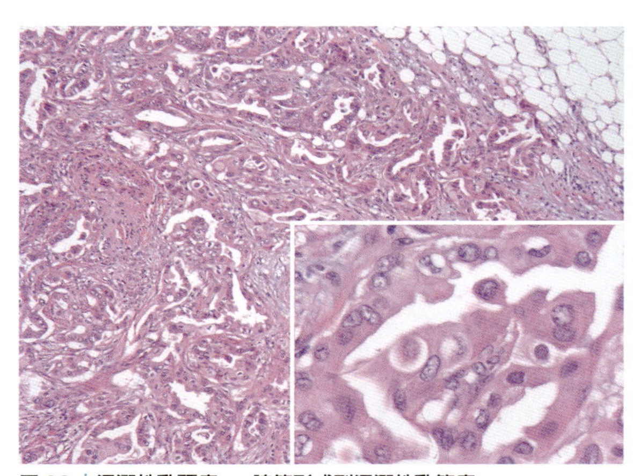

図 32 | 浸潤性乳頭癌 vs 腺管形成型浸潤性乳管癌

不規則な乳頭状～管状構造を示しながら豊富な線維性間質を伴い周囲に向かって浸潤性に増殖する．inset：不規則な形態の腺管には線維血管性間質を引き込んで乳頭状構築を呈するものが多くみられ，核の形態不整や大小不同も目立つ．浸潤性乳頭癌と診断された．

3）日本乳癌学会（編）：臨床・病理 乳癌取扱い規約，第 17 版，金原出版，2012
4）徳永えり子：内因性サブタイプから臨床的サブタイプ（IHC 法によるサブタイプ）への変遷．津田　均，木下貴之，田村研治（編）：乳癌診療のための分子病理エッセンシャル，南山堂，2016, pp120-129
5）Hayashi N, Kumamaru H, Isozumi U, et al：Annual report of the Japanese Breast Cancer Registry for 2017. Breast Cancer 27：803-809, 2020
6）Cancer Genome Atlas Network：Comprehensive molecular portraits of human breast tumours. Nature 490：61–70, 2012
7）De Schepper M, Vincent-Salomon A, Christgen M, et al：Results of a worldwide survey on the currently used histopathological diagnostic criteria for invasive lobular breast cancer. Mod Pathol, 2022, doi：10.1038/s41379-022-01135-2. online ahead of print
8）Sasaki Y, Tsuda H, Ueda S, et al：Histological differences between invasive ductal carcinoma with a large central acellular zone and matrix-producing carcinoma of the breast. Pathol Int 59：390-394, 2009

Ⅰ．上皮性腫瘍

9 微小浸潤癌

1．定義・概念

微小浸潤癌 microinvasive carcinoma は，長径 1 mm 以下の浸潤癌と定義されている[1)]．TNM 分類では pT1 mi に相当し，浸潤径が 1 mm を超えるが 5 mm 以下の pT1a とは区別される[2)]．多くは浸潤性乳管癌であるが，小葉癌や粘液癌，乳房 Paget 病に伴う亜型も含まれる．

2．臨床的事項

特異的事項はなく，非浸潤性乳管癌 ductal carcinoma *in situ*（DCIS）の病理検索の際に顕微鏡的に偶発的に発見される．予後は非常に良好で，DCIS と同等あるいは小さな浸潤癌に類似するといわれている[1)]．

3．肉眼・画像所見

乳管内癌に準拠する．併存することの多い高異型度 DCIS は，境界不明瞭な線維化巣内のコメド壊死として認識できる場合がある．

4．組織学的所見

浸潤径が 1 mm を超えないことが重要である．筋上皮や基底膜を越えて，小型の角張った癌胞巣が間質へ浸潤し，典型的には炎症細胞浸潤や浮腫，desmoplasia を伴う（**図 1**）．DCIS 周囲にリンパ球集簇巣［tertiary lymphoid structure（TLS）］があると微小浸潤が隠れている場合が多く，また微小浸潤巣は多発する傾向にあるため[3)]，慎重な検索が望まれる．複数の微小浸潤が離れて存在する場合，これらの合計を腫瘍径としてはならず（**図 2**），最大病巣の浸潤径を計測する．近傍の DCIS から浸潤成分までの距離ではなく，浸潤成分そのものの大きさを計測する．

疑わしい所見があれば深切りや免疫染色を追加し，浸潤性増殖であることの確認や，より大きな浸潤癌の除外を行う．特に生検検体では注意が必要で，深切りで初めて乳管内癌が発見されるのみならず，微小浸潤が出現する場合もある（**図 3**）．浸潤について明らかな証拠がない（あるいは病変が消失した）場合は，乳管内癌に分類することが推奨されている[1)]．

診断の要 *Essential diagnostic criteria*
- 長径 1 mm 以下の浸潤癌
- 非浸潤性乳癌と鑑別，より大きな浸潤癌を除外

5．免疫組織化学的特徴

小葉内や硬化性腺症内への進展と区別する場合，筋上皮細胞（p63，CK5/6）や基底膜（type Ⅳ collagen，laminin）の消失が，浸潤性増殖の根拠となる．ただし，DCIS 周囲の筋上皮細胞がみえなくなる場合や，浸潤癌の周囲に不完全な基底膜が残る場合もあり，短絡的な診断は避ける．

炎症細胞浸潤を背景とした癌細胞と組織球の鑑別には，CK-AE1/AE3 などの上皮系マーカーが有用である．

微小浸潤といっても転移する可能性はあり，浸潤成分について ER/PgR/HER2 等を検索する．この免

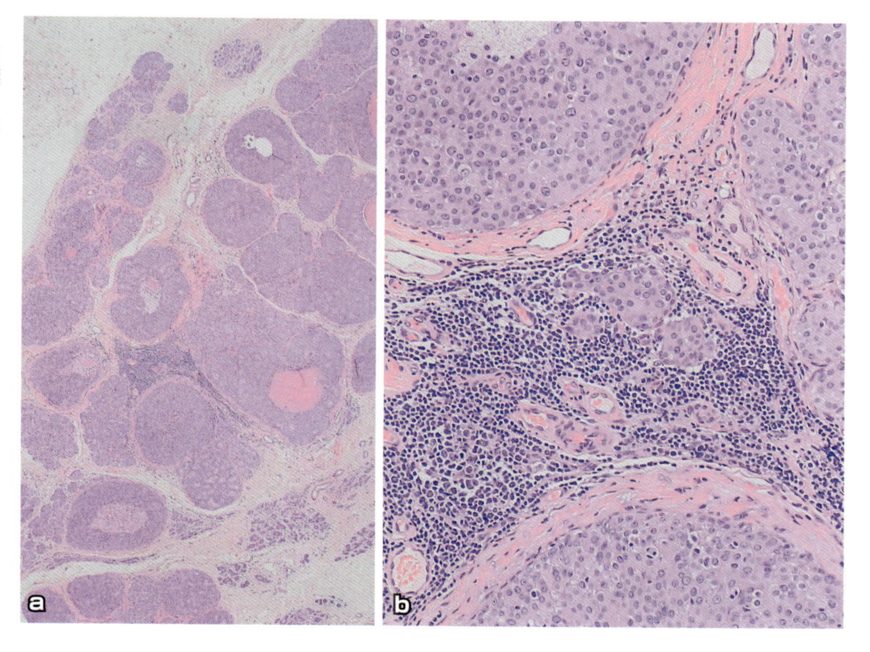

図 1 ｜微小浸潤癌
充実性〜篩状の乳管内癌が進展しており，中心付近の間質にリンパ球の集簇がみられる (a)．その部位を拡大すると，小型の癌胞巣が微小浸潤をきたしている (b)．

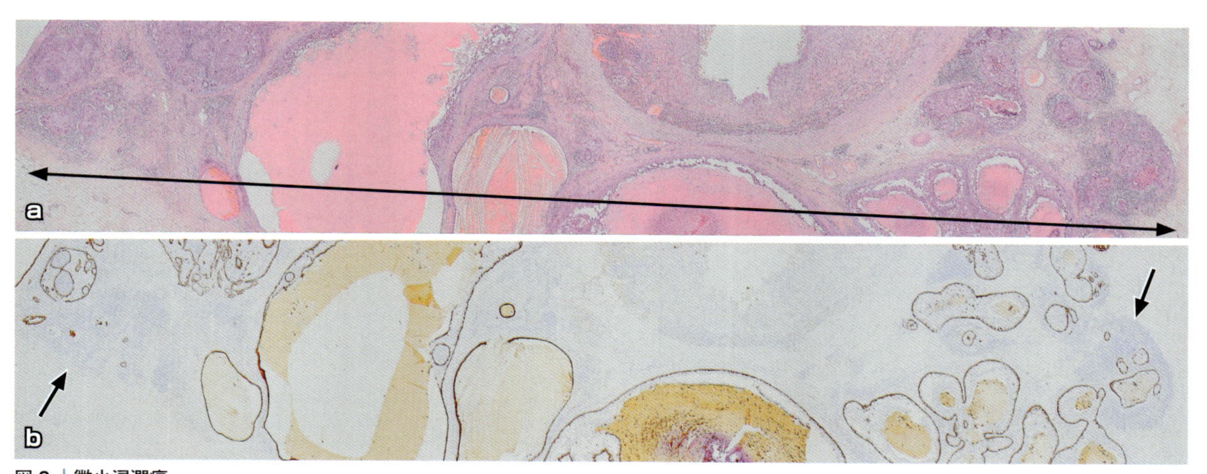

図 2 ｜微小浸潤癌
充実性〜コメド状の乳管内癌を背景として，左右に 2 つの微小浸潤を認める (b：矢印．CK5/6 免疫染色では筋上皮が消失している)．これらを合計して腫瘍径としない (a：矢印)．なお，図上方中央やや右は癌胞巣ではなく，乳管周囲の炎症反応が円形を呈している．

疫染色に基づくサブタイプは，luminal/HER2 陽性/トリプルネガティブと様々である．

6．鑑別診断

高異型度 DCIS 辺縁における不規則な突出は，背景に炎症反応を伴って微小浸潤のようにみえることがある [4]．DCIS が既存の小葉内に進展すると，小さな癌胞巣の浸潤にみえることもある．また，乳管内乳頭腫でときにみられる偽浸潤のような，紛らわしい所見に遭遇する場合もある (**図 4**)．これは，線維血管性の間質が硬化し，線維化巣の中に複雑な上皮胞巣が混在することによって，浸潤癌のようにみえる変化と考えられている [5]．これら 3 通りのパターンでは，免疫染色によって筋上皮の有無を確認すれば過剰診断を防げる．

ほかに，針生検による組織破壊と癌細胞の迷入も，微小浸潤と紛らわしい所見を呈する (**図 5**)．この際，筋上皮の消失は必ずしも浸潤性増殖を意味しないので，出血やヘモジデリン沈着，瘢痕状の線維化など，

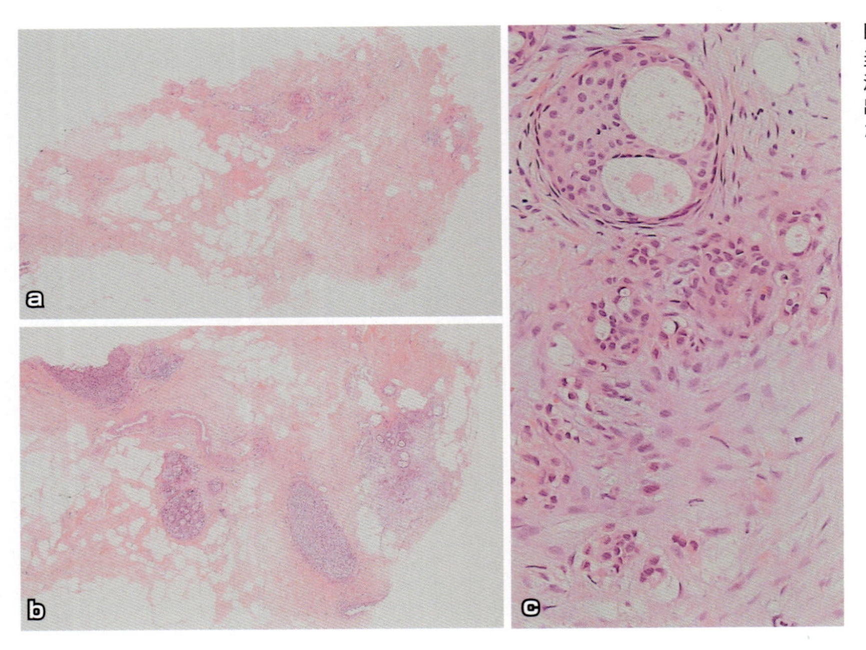

図3｜微小浸潤癌
当初の切片に腫瘍はみられないが (a)，深切りでは篩状～充実性の乳管内癌が出現し (b)，一部に微小浸潤も認められた (c)．

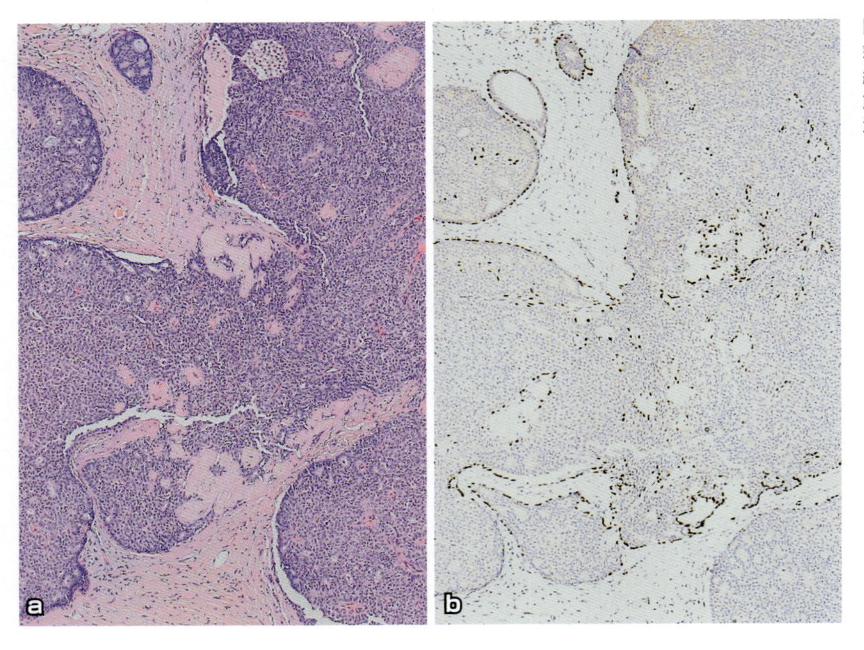

図4｜微小浸潤と紛らわしい所見
乳管内癌の一部辺縁が不規則となり，線維化の内部に異型細胞が分布する．筋上皮の介在 (b：p63 免疫染色) より，浸潤ではないと判断できる．

周囲の組織反応や構造変化を詳細に観察する必要がある．

7．発癌メカニズム

微小浸潤は浸潤性乳癌の初期段階と考えられ，基底膜破壊や腫瘍浸潤リンパ球 tumor infiltrating lymphocytes (TIL) との関連が示唆されている [6]．癌細胞は type Ⅳ collagenase を産生し，活性型に変化させて，基底膜を破壊する [7]．一方で筋上皮細胞は蛋白分解酵素を阻害し，物理的バリアーとしても機能する [7]．

（飛田　陽）

文　献

1) WHO Classification of Tumours Editorial Board (ed)：

WHO Classification of Tumours, Breast Tumours (5th ed.), IARC, Lyon, 2019, pp110-113
2）Brierley JD, Gospodarowicz MK, Wittekind C, et al (eds)：TNM Classification of Malignant Tumours (8th ed.), John Wiley & Sons, Hoboken, 2017
3）Yang M, Moriya T, Oguma M, et al: Microinvasive ductal carcinoma (T1 mic) of the breast. The clinicopathological profile and immunohistochemical features of 28 cases. Pathol Int 53：422-428, 2003
4）Tan PH, Sahin AA：Atlas of Differential Diagnosis in Breast Pathology, Springer, New York, 2017, pp292-297
5）Hoda SA, Brogi E, Koerner FC, et al (eds)：Rosen's Breast Pathology (5th ed.), Wolters Kluwer, Philadelphia, 2021, p103
6）Morita M, Yamaguchi R, Tanaka M, et al：CD8(＋)tumor-infiltrating lymphocytes contribute to spontaneous "healing" in HER2-positive ductal carcinoma in situ. Cancer Med 5：1607-1618, 2016
7）Hoda SA, Brogi E, Koerner FC, et al (eds)：Rosen's Breast Pathology (5th ed.), Wolters Kluwer, Philadelphia, 2021, p416

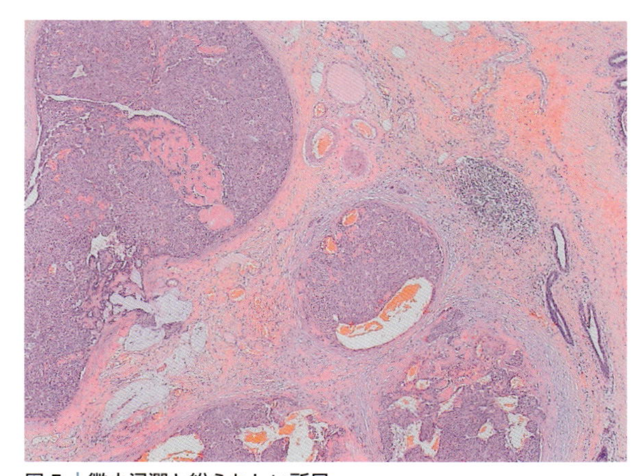

図 5 | 微小浸潤と紛らわしい所見
乳管内癌の周辺に，粘液の漏出や小型癌胞巣の散布がみられる．背景には線維化や出血を伴っており，針生検や穿刺吸引細胞診の影響を考慮すべきである．

(1) 浸潤性小葉癌

1．定義・概念

浸潤性小葉癌 invasive lobular carcinoma は浸潤性乳癌 invasive breast carcinoma の一種である．一番の特徴としては，組織学的には“discohesive”といわれる腫瘍細胞間の細胞接着が低下し，腫瘍細胞が孤在性か索状に配列するパターンを示すことが挙げられる．なお従来用いられていた infiltrating lobular carcinoma は，診断名としては用いないことが望まれる．

2．臨床的事項

浸潤性小葉癌は全乳腺浸潤癌の中で 5～15％を占めており，近年他の乳腺浸潤癌と比較するとその頻度が増加している傾向にある[1,2]．この原因としては，近年頻度が増加している閉経期以降のホルモン補充療法[3]，女性のアルコール消費の増加などが提唱されているが，確証はない．浸潤性小葉癌の発症年齢の平均は 57～65 歳で，他の浸潤癌，特に浸潤性乳管癌 invasive ductal carcinoma（IDC）［非特殊型浸潤性乳癌 invasive breast carcinoma of no special type（IBC-NST）と同義］よりやや高い傾向にある．

浸潤性小葉癌は乳房のどこの部位でも発生する．従来提唱されていたように　IBC-NST と比較すると両側発生，特に 5～19％の症例で左右同時発症が認められており，この頻度は IBC-NST よりも有意に高く，また同側の乳房でも多発発生の頻度がより高い[4]．このことは，コア針生検 core needle biopsy（CNB）などで浸潤性小葉癌の診断がつけられた症例では，対側乳房の精査が必要となることを示している．また，浸潤性小葉癌は IBC-NST と比較すると境界不明瞭な腫瘤として触知されることがほとんどで，ときに原発腫瘍が触診，マンモグラフィ，超音波で臨床的にみつからない段階で転移をきたすこともある．

転移病変としては，IBC-NST と比較すると髄膜，消化管，子宮，卵巣，腹膜への転移がより多いという報告もあるが，確立はされていない．臨床予後に関しても，IBC-NST と同様に高齢，最大腫瘍径，腋窩リンパ節への腫瘍転移の有無などが関係するとされている．IBC-NST と比較して浸潤性小葉癌は，内分泌療法への反応性は良好であるが化学療法への反応性は不良であるという報告が一般的である．

3．肉眼・画像所見

図 1 に示すように，マンモグラフィでは構築の乱れ（architectural distortion）が比較的多く認められる所見で，不整形な辺縁微細鋸歯状の腫瘤病変としてみられることも多い．また，微細石灰化は IBC-NST と比較するとその頻度は少ない．マンモグラフィではいわゆる偽陰性症例が 19％前後にみられるという報告もあり[5]，超音波による検討がより望ましいとも提唱されてきた．しかし，超音波検査では逆に浸潤性小葉癌の偽陽性の診断例も少なくなく，さらに腫瘍径をより大きく判断する傾向が否めない．このような事情から現在では，種々の臨床ガイドラインにおいて，浸潤性小葉癌が臨床的に疑われる症例の画像診断として，MRI が最も推奨されている[6]．

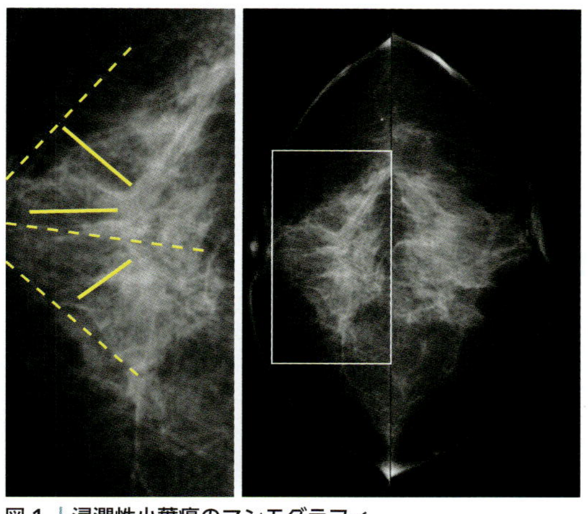

図 1 | 浸潤性小葉癌のマンモグラフィ
マンモグラフィのカテゴリー分類でカテゴリー1と診断された左乳房と比較して，右乳房では黄色の線で示すように構築の乱れが観察され，カテゴリー4と診断された.

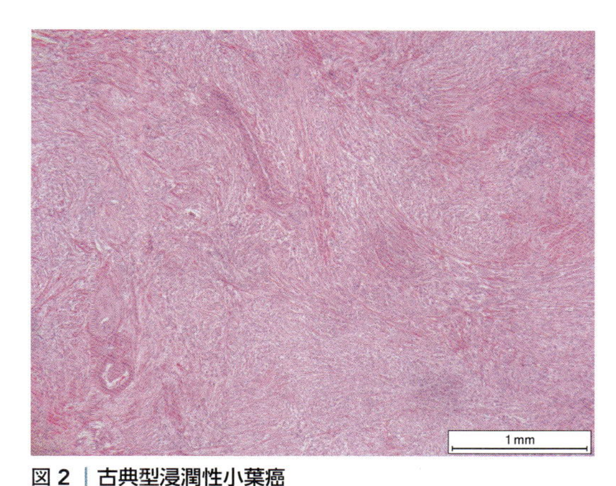

図 2 | 古典型浸潤性小葉癌
弱拡大像. 比較的小型の腫瘍細胞が線維性間質を伴い列を形成し，あるいは孤在性に増殖している.

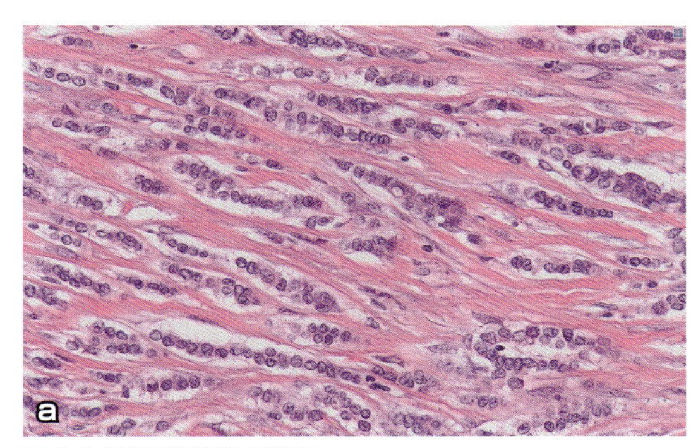

図 3 | 古典型浸潤性小葉癌
強拡大像. a：HE 染色. ×40. b：E-cadherin 染色. 既存の拡張した乳管では E-cadherin 陽性所見が認められるが，小葉癌では完全に陰性を呈する. ×40.

摘出標本の肉眼所見も，浸潤性小葉癌は IBC-NST と比較すると境界が不明瞭な病巣を呈することが多い. これは後述するように，腫瘍細胞が孤在性に明確な腫瘤を形成せずに浸潤していることに起因する. このような理由から，IBC-NST と比較すると摘出標本での腫瘍径の正確な判定が極めて困難であり，摘出標本の肉眼的検索の際には注意が必要である[7].

4. 組織学的所見

浸潤性小葉癌は，病理組織学的に以下の亜型に分類される.

①古典型 classic type
②充実型 solid type
③胞巣型 alveolar type
④多形型 pleomorphic type
⑤invasive ductulolobular carcinoma（tubulolobular carcinoma）
⑥signet-ring-cell variant of lobular carcinoma（印環細胞型）
⑦混合型 mixed type

浸潤性小葉癌の多くが古典型か，あるいは2種類以上の亜型が混在する混合型であり，75％の症例が古典型もしくは混合型である. また，⑥の signet-ring-cell variant は WHO 分類 第5版（2019年）では必ずしも独立した亜型としては取り上げられてはいないが，本項では，臨床病理学的な重要性を鑑みて触れることにする.

1）古典型

古典型 classic type は，比較的小型の N/C 比大の異型細胞が孤在性あるいは**図 2, 3** に示すように索状

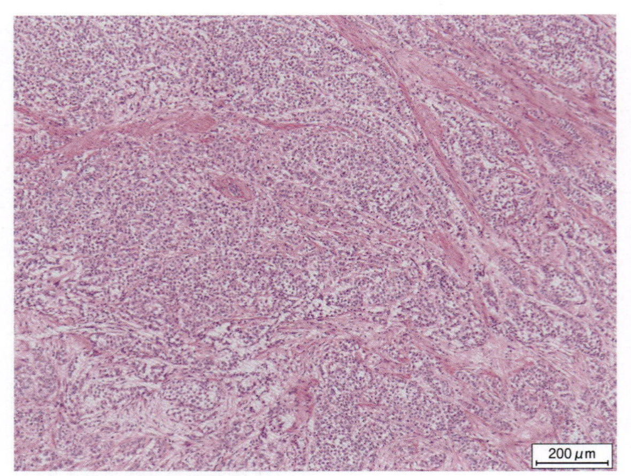

図4｜充実型浸潤性小葉癌
弱拡大像．比較的小型の腫瘍細胞が集塊を形成している．

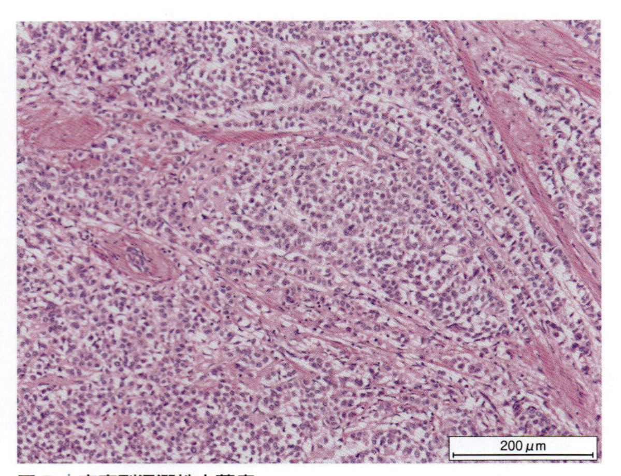

図5｜充実型浸潤性小葉癌
強拡大像．核異型度がそれほど高くない腫瘍細胞が集塊を形成し増殖しているが，腫瘍細胞間の細胞接着/結合はほとんど認められない．

に配列して浸潤している．従来から，小型の腫瘍細胞が1列に配列する所見，および正常の細乳管を同心円状に取り巻いて浸潤する targetoid pattern が特徴的である．また**図2, 3**に示すように腫瘍細胞間の細胞接着はほとんど認められず，いわゆる"discohesive"という特徴を示す．この形態学的所見は亜型を問わず，浸潤性小葉癌に特徴的な所見である．

また，IBC-NST と比較するとこの古典型は，**図3**に示すように比較的多くの膠原線維とともに CAF（cancer associated fibroblasts）と呼ばれる腫瘍組織特異的な線維芽細胞が多くみられ，壊死，desmoplasia はまれで，脈管侵襲も少ない[8]．さらに vasohibin 1/2 などで検討した研究成果から，古典型は血管新生は活発であるが，腫瘍血管の成熟はより未分化であることも示されてきた[8]．これは，古典型の浸潤性小葉癌では癌細胞の遺伝子発現動態は IBC-NST と有意の差異は認められないが，腫瘍組織微小環境 tumor tissue microenvironment がかなり異なり，このことが両者の臨床/生物学的差異に関係する可能性を示唆するという極めて興味深い所見となっている．

2）充実型

充実型 solid type は，古典型と同様に細胞間接着/結合に乏しく小型の腫瘍細胞が増殖しているが，**図4, 5**に示すように1列または孤在性ではなく集塊を形成して増殖している亜型である．この亜型は古典型と比較して細胞増殖が活発であるという報告はあるが[9]，その意義は不明である．浸潤性小葉癌に共通する組織学的特徴をよく理解していれば，組織診断は困難ではない．

3）胞巣型

胞巣型 alveolar type は，古典型と同様に比較的小型で細胞間接着/結合性が低下している腫瘍細胞が，袋の裏打ちをするように胞巣状に配列している亜型であるが，純型はまれである．

4）多形型

多形型 pleomorphic type は，浸潤性小葉癌の約1割を占めると考えられており，日常診断で遭遇する機会は決して低くはない．一般的に本病変の組織学的分化度は**図6**に示すように低い．強拡大像でみてみると**図7**に示すように核は古典型よりも大きく，複数の核小体を有し，クロマチン密度が高く，核縁が不整であるなど核異型度が高いことが特徴である[10,11]．さらに古典型と比較して細胞質が多く認められる腫瘍細胞から構成されている症例も少なくない．しかし，このように個々の腫瘍細胞の細胞異型は亢進しているが，浸潤性小葉癌の基本となる組織構築，増殖形態は保持しており，このことが鑑別診断では極めて重要となる．もう一つの多形型の特徴としては，**図8**に示すように周囲に，浸潤癌と同様の形態学的所見を有する腫瘍細胞から構成され中心壊死を伴うことが多い非浸潤性小葉癌成分を伴う症例が多いことである．

5）invasive ductulolobular carcinoma

図9, 10に示すように IBC-NST に浸潤性小葉癌が合併する症例を invasive ductulolobular carcinoma（浸潤性乳管小葉癌）と命名するが，詳細に摘出標本を検討すると，決してその頻度は低くない．なお，

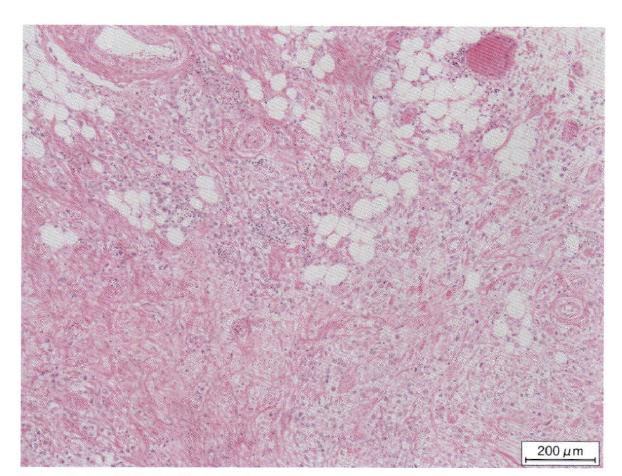

図 6 | 多形型浸潤性小葉癌
弱拡大像．比較的中～大型の異型細胞が線維形成を伴いながら周囲の脂肪組織へ浸潤している．

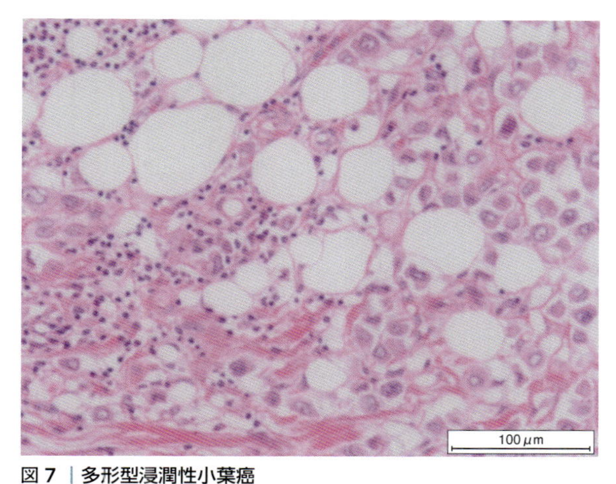

図 7 | 多形型浸潤性小葉癌
強拡大像．腫瘍細胞の細胞間接着/結合は認められず，腫瘍細胞は孤在性にみられる．核小体が複数認められるなど核異型度は高く，大小不同がみられ核縁も不整である．

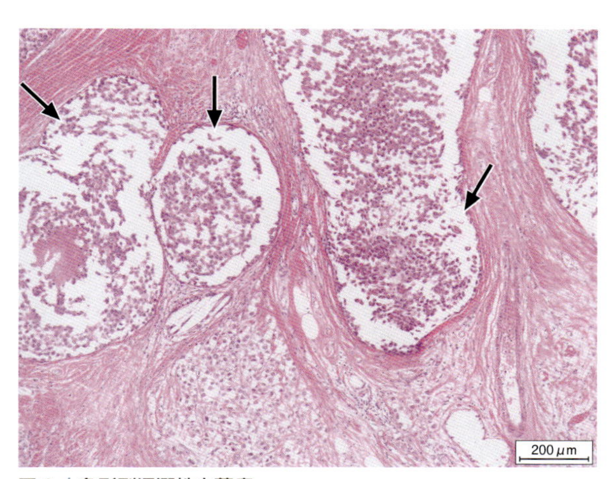

図 8 | 多形型浸潤性小葉癌
弱拡大像．浸潤癌と同様の形態学的所見を呈する腫瘍細胞から構成される非浸潤性小葉癌成分（矢印）が，浸潤癌と接している．

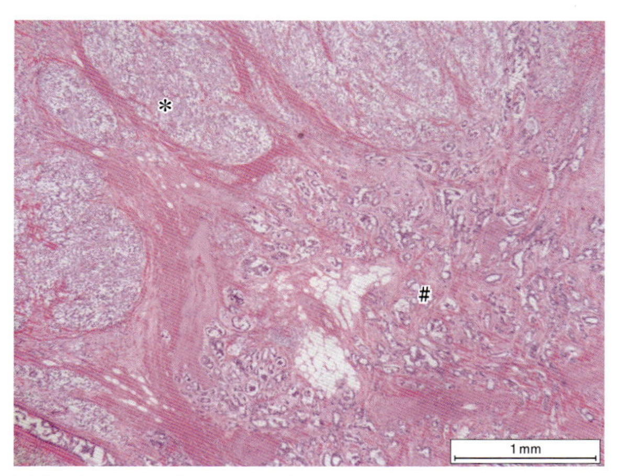

図 9 | invasive ductulolobular carcinoma
弱拡大像．浸潤性小葉癌（*）に接して IBC-NST（#）が認められる．

この invasive ductulolobular carcinoma は従来の invasive tubulolobular carcinoma と同義語である．神経内分泌腫瘍における mixed neuroendocrine-non-neuroendocrine neoplasm（MiNEN）のように，**図 10** に示すように両者が病理組織学的に確実に移行している composite tumor であるとは WHO 分類 第 5 版でも定義はされておらず，現時点では隣接していれば collision tumor も含まれる．しかし近年，この混合腫瘍の場合，同一の癌幹細胞に由来することが示されており[12]，今後は確実に composite tumor であると断定できる症例に限って診断をつけることになる可能性が高い．なお，collision tumor は起源由来の異なる 2 つ以上の腫瘍が併存している病変で，互いの移行はない．これに対して composite tumor は

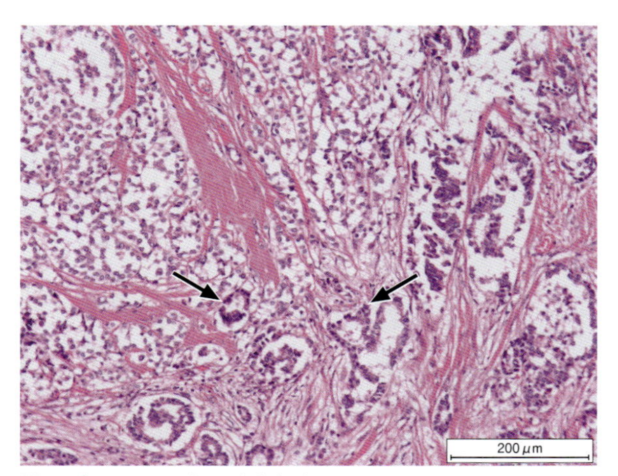

図 10 | invasive ductulolobular carcinoma
強拡大像．IBC-NST から浸潤性小葉癌に組織学的に移行がみられ（矢印），本症例は collision tumor ではなく，乳管癌成分と小葉癌成分は単一腫瘍由来であることが考えられる．

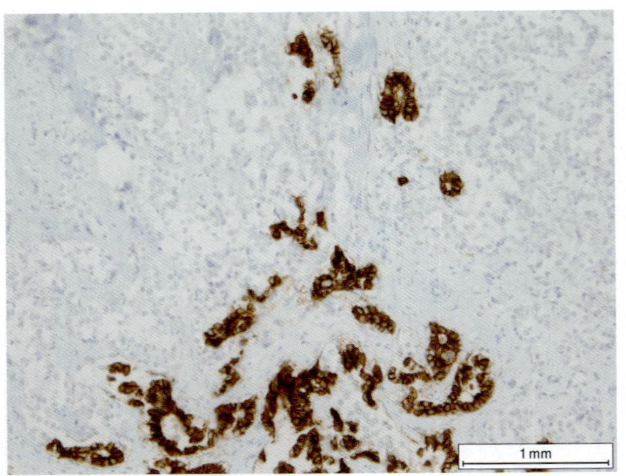

図 11 | invasive ductulolobular carcinoma の E-cadherin 免疫染色
IBC-NST 成分では E-cadherin 陽性所見が認められるが，浸潤性小葉癌の部位では陰性であることがわかる．

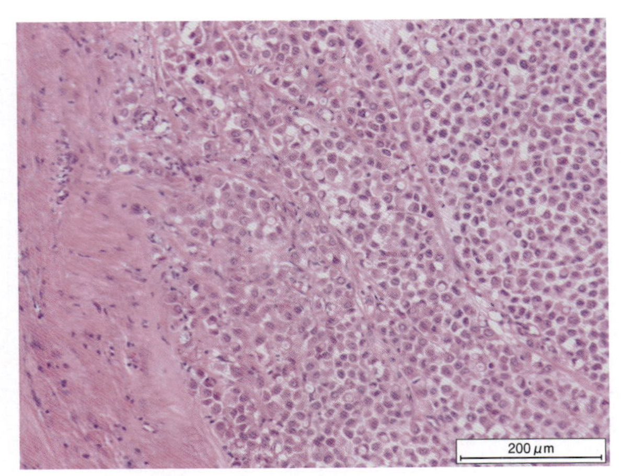

図 12 | signet-ring-cell variant of lobular carcinoma
腫瘍細胞の内部に印環細胞の特徴を有する腫瘍細胞が認められる．腫瘍細胞の細胞間結合性は全体的に低下している．

同一の幹細胞に由来する腫瘍で，形態学的には互いの移行がみられる．また**図 11** に示すように E-cadherin の免疫組織化学は invasive ductulolobular carcinoma に有用である．

6）signet-ring-cell variant of lobular carcinoma

上部消化管等に認められる印環細胞が認められる乳癌である．細胞診などでは印環細胞が認められると浸潤性小葉癌と診断する傾向があるが，非浸潤性小葉癌，IBC-NST でも発生することを銘記することが重要である．**図 12** に示すように，いわゆる“discohesive”などの浸潤性小葉癌の特徴を有しながら印環細胞の形態所見を呈する乳癌と定義される．多くの場合，signet-ring-cell variant of lobular carcinoma は近傍に古典型が併存する症例がほとんどで，後述する E-cadherin の免疫組織化学などによる鑑別診断はそれほど困難ではない．むしろ CNB などの場合，胃原発の印環細胞癌の乳腺転移との鑑別が問題となり，GATA3，CDX2 などの免疫組織化学はこのような症例の病理組織診断では必須である．

5．免疫組織化学的特徴

亜型を問わず浸潤性小葉癌の一番の特徴は，**図 13** に示すように細胞接着分子（cell-cell adhesion molecule）の一つである E-cadherin の完全欠失である．この E-cadherin の欠失が，浸潤性小葉癌に特徴的な腫瘍細胞間の接着/結合性の欠損として認められると考えられている[13,14]．そしてこの E-cadherin の欠失が他の細胞接着に関わる因子である α-catenin，β-catenin，γ-catenin などの発現消失となり，p120-catenin が本来発現している細胞膜から細胞質に移行してしまうことが近年の研究で明らかにされてきている[15]．しかしこの E-cadherin は浸潤性小葉癌の 15％で種々の強度，程度で陽性所見が認められ，IBC-NST のごく一部で E-cadherin の欠失が認められることから[16]，浸潤性小葉癌の確定診断には E-cadherin の免疫組織化学と病理組織学的検討の双方が欠かせない．

また，**図 14** に示すように浸潤性小葉癌の 70～80％では ER が陽性であり，特に古典型ではほぼ全ての腫瘍細胞が ER 陽性となる．しかし多形型では，ER，PgR は 10％前後の症例しか陽性所見を示さない．また，HER2 は多形型以外の浸潤性小葉癌では原則的に陰性である．CK14，CK5/6 などの基底細胞マーカー，SMA，p63 などの筋上皮性のマーカーは，亜型を問わず浸潤性小葉癌で陽性になることは極めて少ない．

診断の要　Essential diagnostic criteria

◆ 古典型浸潤性小葉癌
－腫瘍細胞間の結合性の著しい低下
－核異型度は低く細胞分裂数も多くない
－ほとんどの腫瘍細胞で ER 陽性で HER2 は陰性
－E-cadherin 陰性

◆ 多形型浸潤性小葉癌
－腫瘍細胞間の結合性の著しい低下

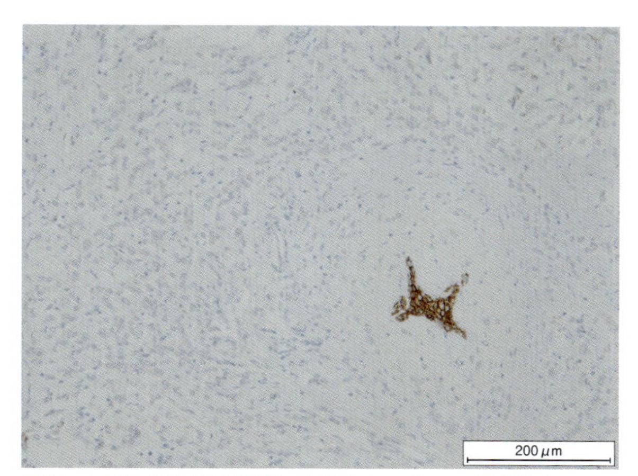

図 13 | 古典型浸潤性小葉癌における E-cadherin 免疫染色
中心部にある既存の正常乳管では E-cadherin の陽性所見が認められるが，腫瘍細胞では完全に陰性となっている．

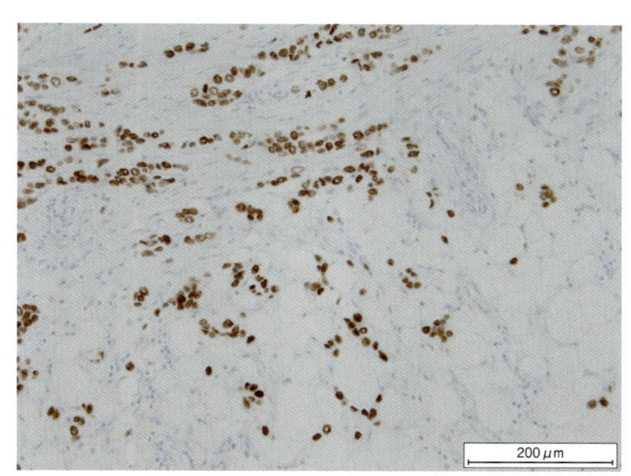

図 14 | 古典型浸潤性小葉癌における ER 免疫染色
ほとんどの腫瘍細胞で ER は核に陽性所見が認められている．

－核異型度は高く細胞分裂は亢進
－E-cadherin 陰性
－多くの場合 ER 陰性で HER2 はときに陽性

6．分子病理学的特徴と発生メカニズム

腫瘍細胞の網羅的遺伝子発現解析により，浸潤性小葉癌の 85％はいわゆる luminal A 型に分類され，残りは HER2 型を示す多形型の一部を除くと luminal B 型に分類される[17]．いわゆるトリプルネガティブ乳癌 triple negative breast cancer（TNBC）症例はほとんど認められない．

一方 E-cadherin の遺伝子である *CDH1*（cadherin 1）は，一方の対立遺伝子（アレル）の胚細胞系列変異と，他方の体細胞でのアレルの欠失もしくはエピジェネティックな機能抑制により遺伝性のびまん型胃癌と浸潤性小葉癌が発症することが知られてきた[18]．そして浸潤性小葉癌の体細胞遺伝子変異を網羅的に解析すると，*CDH1* 遺伝子変異のほか，興味深いことに 16q，16p の増幅，上述の *CDH1* が位置する 16q22.1 の欠失が特徴的である[19]．そしてこの体細胞レベルでの *CDH1* 遺伝子の機能消失は，ほとんどの浸潤性小葉癌症例で認められており，分子病理学的背景と発生機序で極めて重要であることが判明してきている．この *CDH1* の体細胞遺伝子変異が認められていない症例では，α-catenin や他の cadherin-catenin family の体細胞遺伝子変異が報告されている．また遺伝子発現の消失としては体細胞遺伝子変異に加えて遺伝子の methylation などのいわゆるエピジェネティックな制御も重要であるが，浸潤性小葉癌における E-cadherin/*CDH1* のこのエピジェネティックな制御の有無に関しては議論がある．腫瘍組織内浸潤リンパ球の動態は，IBC-NST で同様の ER/PgR/HER2 の発現動態の症例よりもリンパ球浸潤の程度は低いという報告もある[20]が，今後の検討が必要な領域である．

7．鑑別診断

乳腺組織では古典型の浸潤性小葉癌であれば，その特徴的な組織形態と，E-cadherin の免疫組織化学を行うことでほとんどの場合，鑑別診断は困難ではない．むしろ腫瘍細胞間の結合性が低下していることから，形質細胞腫，悪性黒色腫，悪性リンパ腫，上皮型の筋線維芽細胞腫 myofibroblastoma などの非上皮性の悪性腫瘍が鑑別診断として挙げられる．手術検体の場合には周囲に非浸潤性の小葉癌が認められるかどうかが，病理組織学的鑑別診断として有用である．しかし CNB などの生検検体の場合には GATA3 を含む種々の免疫組織化学的検索が必要不可欠になる．なお多形型の浸潤性小葉癌は他の腫瘍との鑑別診断が最も困難である．**図 15** に多形型のリンパ節転移を示すが，**図 16** に示すように pancytokeratin の免疫組織化学を行って初めて上皮性の癌として病理組織診断がつけられ，その後 GATA3，E-cadherin の免疫組織化学を行うことで浸潤性小葉癌（多形型）の転移との診断がつけられた．また前述のように signet-ring-cell variant of lobular carcinoma

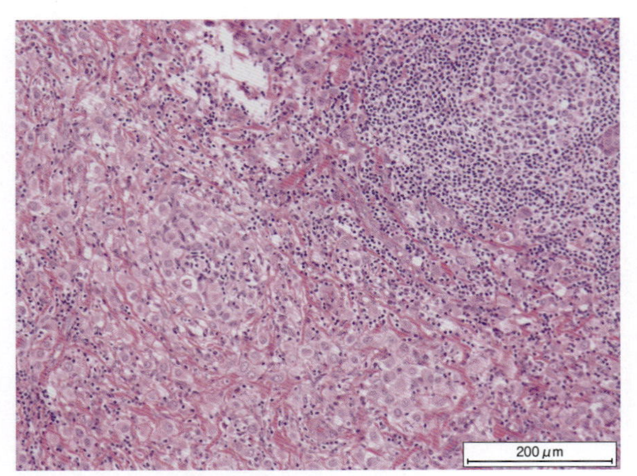

図15 | 多形型浸潤性小葉癌のリンパ節転移病変
結合性の低下は不明瞭で，核異型も顕著である．

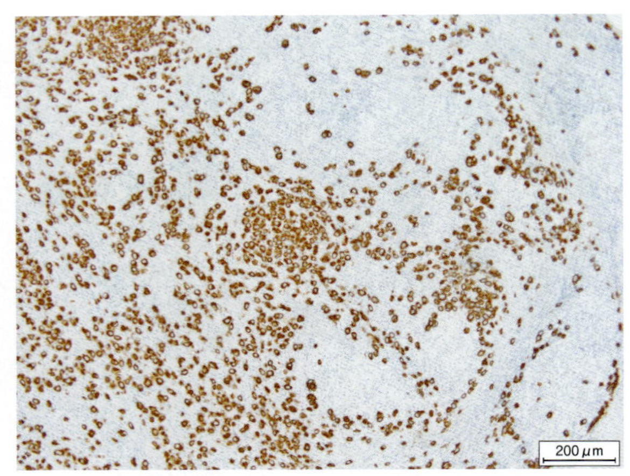

図16 | 多形型浸潤性小葉癌のリンパ節転移病変での pancytokeratin 免疫染色
腫瘍細胞はびまん性に CK が陽性で，CK の免疫染色を行うことで腫瘍細胞間の結合性の低下も明らかになった．

の場合には，胃などの消化管原発の印環細胞癌の乳腺転移との鑑別が極めて重要となる．

（笹野公伸，國吉真平）

文　献

1）Li CI, Anderson BO, Daling JR, et al：Trends in incidence rates of invasive lobular and ductal breast carcinoma. JAMA 289：1421-1424, 2003
2）Li CI, Anderson BO, Porter P, et al：Changing incidence rate of invasive lobular breast carcinoma among older women. Cancer 88：2561-2569, 2000
3）Daling JR, Malone KE, Doody DR, et al：Relation of regimens of combined hormone replacement therapy to lobular, ductal, and other histologic types of breast carcinoma. Cancer 95：2455-2464, 2002
4）Arpino G, Bardou VJ, Clark GM, et al：Infiltrating lobular carcinoma of the breast：tumor characteristics and clinical outcome. Breast Cancer Res 6：149-156, 2004
5）Hilleren DJ, Andersson IT, Lindholm K, et al：Invasive lobular carcinoma：mammographic findings in a 10-year experience. Radiology 178：149-154, 1991
6）Mann RM, Kuhl CK, Kinkel K, et al：Breast MRI：guidelines from the European Society of Breast Imaging. Eur Radiol 18：1307-1318, 2008
7）Winchester DJ, Chang HR, Graves TA, et al：A comparative analysis of lobular and ductal carcinoma of the breast：presentation, treatment, and outcomes. J Am Coll Surg 186：416-422, 1998
8）Nakagawa S, Miki Y, Miyashita M, et al：Tumor microenvironment in invasive lobular carcinoma：possible therapeutic targets. Breast Cancer Res Treat 155：65-75, 2016
9）Fechner RE：Histologic variants of infiltrating lobular carcinoma of the breast. Hum Pathol 6：373-378, 1975
10）Sneige N, Wang J, Baker BA, et al：Clinical, histopathologic, and biologic features of pleomorphic lobular（ductal-lobular）carcinoma in situ of the breast：a report of 24 cases. Mod Pathol 15：1044-1050, 2002
11）Rakha EA, van Deurzen CH, Paish EC, et al：Pleomorphic lobular carcinoma of the breast：is it a prognostically significant pathological subtype independent of histological grade? Mod Pathol 26：496-501, 2013
12）McCart Reed AE, Kutasovic JR, Nones K, et al：Mixed ductal-lobular carcinomas：evidence for progression from ductal to lobular morphology. J Pathol 244：460-468, 2018
13）De Leeuw WJ, Berx G, Vos CB, et al：Simultaneous loss of E-cadherin and catenins in invasive lobular breast cancer and lobular carcinoma in situ. J Pathol 183：404-411, 1997
14）Oka H, Shiozaki H, Kobayashi K, et al：Expression of E-cadherin cell adhesion molecules in human breast cancer tissues and its relationship to metastasis. Cancer Res 53：1696-1701, 1993
15）Da Silva L, Parry S, Reid L, et al：Aberrant expression of E-cadherin in lobular carcinomas of the breast. Am J Surg Pathol 32：773-783, 2008
16）Acs G, Lawton TJ, Rebbeck TR, et al：Differential expression of E-cadherin in lobular and ductal neoplasms of the breast and its biologic and diagnostic implications. Am J Clin Pathol 115：85-98, 2001
17）Weigelt B, Geyer FC, Natrajan R, et al：The molecular underpinning of lobular histological growth pattern：a genome-wide transcriptomic analysis of invasive lobular carcinomas and grade- and molecular subtype-matched invasive ductal carcinomas of no special type. J Pathol 220：45-57, 2010
18）Corso G, Figueiredo J, La Vecchia C, et al：Hereditary lobular breast cancer with an emphasis on E-cadherin genetic defect. J Med Genet 55：431-441, 2018
19）Ciriello G, Gatza ML, Beck AH, et al：Comprehensive molecular portraits of invasive lobular breast cancer. Cell 163：506-519, 2015
20）Desmedt C, Salgado R, Fornili M, et al：Immune infiltration in invasive lobular breast cancer. J Natl Cancer Inst 110：768-776, 2018

(2) 管状癌

1．定義・概念

管状癌 tubular carcinoma は，極めて予後良好な特殊型乳癌である．高分化の管腔を形成する浸潤癌で，癌細胞の異型度は極めて軽度であり，1層に並んでやや不規則で明瞭な腺腔を形成するものと定義されている[1,2]．典型的な組織学的特徴を示す成分が癌胞巣の90％以上を占める場合，純型の管状癌（以後，管状癌）とする．圧倒的に良好な予後と特徴的な組織所見を呈し，独立した疾患単位として区別する意義がある．

2．臨床的事項

浸潤性乳癌の2％未満とされる．浸潤性乳管癌と比較すると患者年齢が高く，閉経後女性に多い．しばしばマンモグラフィ検診で発見される．約95％の症例は腫瘍径がpT1で，かつ1 cm未満の症例が多い[3,4]．10〜20％は多発性，また腋窩リンパ節転移の頻度は低く[3,4]，転移の有無と予後に相関はないとされる．局所再発率が低く，遠隔転移は非常にまれである[3,4]．長期予後は高分化な浸潤性乳管癌より良好で[3]，同じ年齢構成の一般集団と同等ともいわれる[4]．

長期予後が非常に良好であることから，術後薬物療法や放射線療法等の治療介入の必要性や方法について種々の議論がなされている[5,6]．浸潤性乳管癌とは異なる推奨治療を決定する因子の一つとなりうるため，厳密な診断基準により正しく診断する必要がある．

3．肉眼・画像所見

肉眼的には灰白色〜白色調，不整形，星芒状の硬い腫瘤を呈す[7]．線維成分を豊富に含み周囲組織を牽引する腫瘍であることを反映して，マンモグラフィではスピキュラを有す腫瘤，超音波では後方エコーの減弱を伴う不整な低エコー腫瘤として描出される．同様の性質をもつ硬性型浸潤性乳管癌，放射状硬化性病変 radial sclerosing lesion（別名：radial scar/complex sclerosing lesion）や硬化性腺症などの良性病変との鑑別を要す．

4．組織学的所見

線維性間質を背景に，1層の癌細胞からなる小型管状腺管が，ばらばらの向きで不規則に分布する（**図1**）．各腺管は円形〜卵円形，あるいは一部が角張った歪な形態を示すことが多く，内腔は1穴でよく開いている（**図2**）．癌細胞は立方状ないし円柱状で小型〜中型の核を有す．単調で多形性は乏しく，核分裂像はまれである．多層化は原則みられず，あってもわずかである．しばしば管腔面に細胞質突起（apical snouts）を呈す（**図3**）．腺管周囲に筋上皮細胞は介在しないが，不完全な基底膜がみられることがある．腺管同士の間隔がやや広く，筋線維芽細胞や弾性線維を含む線維形成性間質を伴うことも特徴の一つである（**図1**）．乳管内成分は篩状や乳頭状パターンをとることが多い．円柱状細胞病変，小葉性腫瘍と共存することが多く，管状癌を含めたこれらの3要素は“Rosen's triad”と呼ばれる[8]．

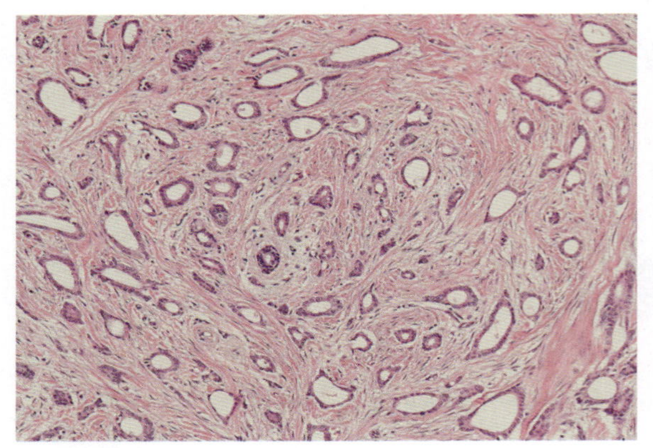

図１｜管状癌
弱拡大像．線維性間質を背景に，１層の癌細胞からなる小型管状腺管が，ばらばらの向きで不規則に分布する．腺管同士の間隔がやや広く，筋線維芽細胞や弾性線維を含む線維形成性間質を伴う．

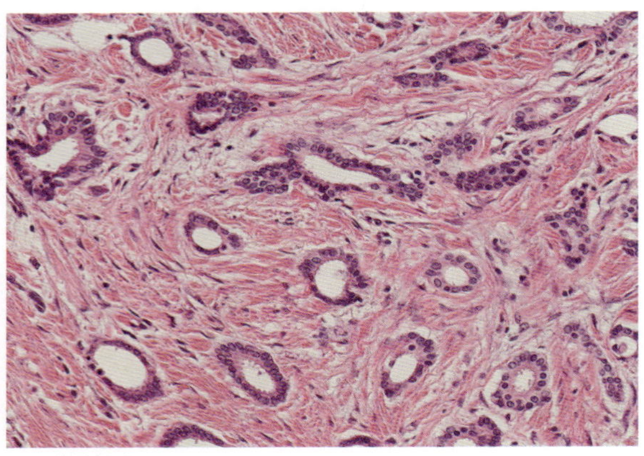

図２｜管状癌
中拡大像．各腺管は円形～卵円形，あるいは一部が角張った歪な形態を示すことが多い．内腔は１穴でよく開いている．

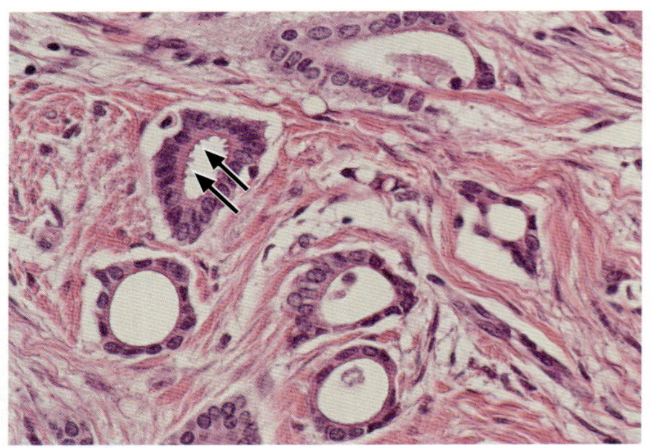

図３｜管状癌
強拡大像．癌細胞は立方状ないし円柱状で小型～中型の核を有し，多形性は乏しい．多層化は原則みられず，あってもわずかである．しばしば管腔面に細胞質突起（apical snouts；矢印）を呈す．

癌胞巣全体の90％以上に典型像を認めることが診断条件であるため摘出標本での評価が望ましく，情報量が制限される針生検検体では注意を要す[7]．針生検の場合は管状癌の可能性を示唆するにとどめるか，摘出検体での最終診断が異なる可能性について，あらかじめ病理診断報告書で言及するとよい．

5．免疫組織化学的特徴

通常，ER陽性，PgR陽性，HER2陰性で，Ki67ラベリングインデックスは低い．仮にHER2陽性が判明した場合，診断を再考すべきである[2,7]．多くの症例でARが陽性である[3,9]．

診断の要　*Essential diagnostic criteria*

- 癌胞巣の90％以上に下記特徴がみられるものをいう
  - －円形～卵円形あるいは角張った管状腺管で，内腔が開存
  - －癌細胞は単層に配列
  - －低異型度であり，核分裂像はまれ
  - －ER陽性，HER２陰性

6．鑑別診断

1）硬化性腺症，放射状硬化性病変

硬化性腺症は乳管の増殖，変形，間質の硬化が進んだ乳腺症の一種である．放射状硬化性病変は，膠原線維/弾性線維のコアに向かって周囲組織が放射状に引き込まれた病変である（**図4**）．いずれも良性で，管状癌にみられる構成細胞の異型，不規則な分布，二相性の消失を欠くことにより鑑別する．二相性の評価には，p63，CD10，CK5/6，αSMA，calponinなどの免疫染色による筋上皮細胞の存在確認が有用である．

2）microglandular adenosis

良性でありながら筋上皮細胞をもたないまれな病変である．lamininやtype Ⅳ collagenの免疫染色により完全な基底膜を認識できることが多い．ER陰性，S100陽性を示すことが特徴で，管状癌との鑑別に有用である．

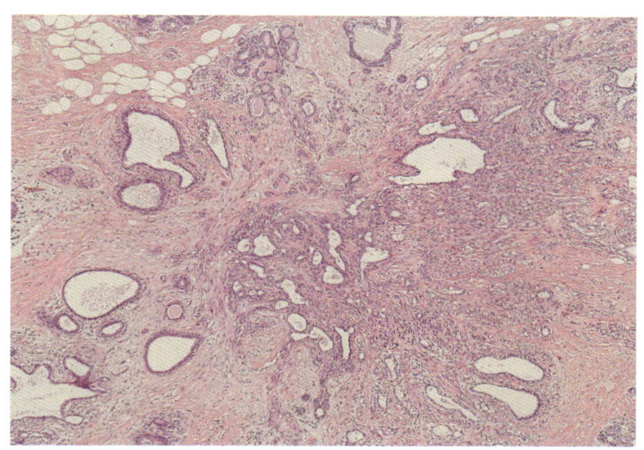

図 4 ｜放射状硬化性病変
周囲組織が放射状に引き込まれているが，二相性が保たれた良性病変である．

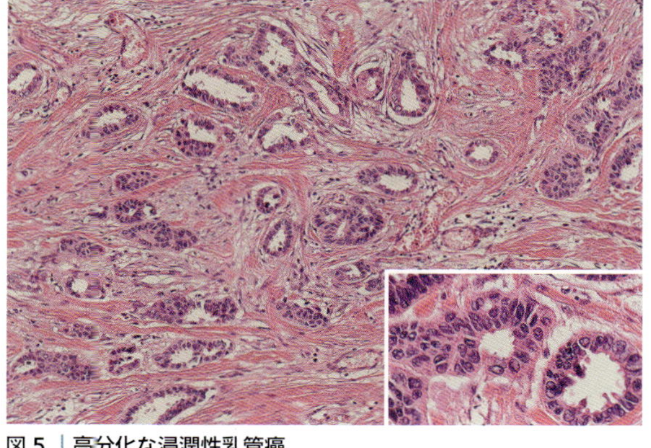

図 5 ｜高分化な浸潤性乳管癌
癒合状腺管が混在し上皮の多層化がみられる．細胞異型が目立つ(inset)．管状癌とすべきではない．

3) 高分化な浸潤性乳管癌

腺管の癒合傾向，腺腔形成が不明瞭，上皮の多層化，核異型や核分裂像が目立つなど管状癌の典型像と異なる場合は，浸潤性乳管癌の腺管形成型に分類する（**図 5**）．

7．分子病理学的特徴と発生メカニズム

遺伝子発現プロファイリングでは luminal A 型に分類される．最も頻繁に認められる染色体異常は 16q 欠失，1q 増加である．上述した“Rosen's triad”をはじめ，管状癌は高分化な浸潤性乳管癌，浸潤性篩状癌，浸潤性小葉癌などと共通した遺伝子異常を示し，一連の“low-grade breast neoplasia family”に属すると位置づけられている[10]．管状癌のみに特徴的とされる遺伝子変異はみつかっていない．トランスクリプトーム解析では管状癌と浸潤性乳管癌の類似性が示された一方，管状癌では ER 関連シグナル伝達経路の *ESR1*，*CREBBP*，*NCOR1*，あるいは PI3K 経路に関わる *INPP4B* の発現レベルが高いなどの相違が指摘された[11]．トランスクリプトームレベルで見出された浸潤性乳管癌との差異が，一連の腫瘍群の中でも際立つ本腫瘍の臨床病理学的特性に関わっている可能性がある．

（清水亜衣）

文　献

1) 日本乳癌学会(編)：臨床・病理 乳癌取扱い規約，第 18 版，金原出版，2018
2) van Deurzen CHM, Denkert C, Purdie CA：Tubular carcinoma. in WHO Classification of Tumours Editorial Board (ed)："WHO Classification of Tumors, Breast Tumours" (5th ed.), IARC, Lyon, 2019, pp119-120
3) Rakha EA, Lee AH, Evans AJ, et al：Tubular carcinoma of the breast：further evidence to support its excellent prognosis. J Clin Oncol 28：99-104, 2010
4) Metovic J, Bragoni A, Osella-Abate S, et al：Clinical relevance of tubular breast carcinoma：large retrospective study and meta-analysis. Front Oncol 11：653388, 2021
5) 日本乳癌学会(編)：乳癌診療ガイドライン 1 治療編 2018 年版　金原出版，2018
6) Wu SG, Zhang WW, Sun JY, et al：Omission of postoperative radiotherapy in women aged 65years or older with tubular carcinoma of the breast after breast-conserving surgery. Front Oncol 8：190, 2018
7) Brogi E：Tubular carcinoma. in Hoda SA, Brogi E, Koerner FC, et al (eds)："Rosen's Breast Pathology" (5th ed.), Wolters Kluwer, Philadelphia, 2020, pp516-538
8) Rosen PP：Columnar cell hyperplasia is associated with lobular carcinoma in situ and tubular carcinoma. Am J Surg Pathol 23：1561, 1999
9) Collins LC, Cole KS, Marotti JD, et al：Androgen receptor expression in breast cancer in relation to molecular phenotype：results from the Nurses' Health Study. Mod Pathol 24：924-931, 2011
10) Abdel-Fatah TM, Powe DG, Hodi Z, et al：Morphologic and molecular evolutionary pathways of low nuclear grade invasive breast cancers and their putative precursor lesions：further evidence to support the concept of low nuclear grade breast neoplasia family. Am J Surg Pathol 32：513-523, 2008
11) Lopez-Garcia MA, Geyer FC, Natrajan R, et al：Transcriptomic analysis of tubular carcinomas of the breast reveals similarities and differences with molecular subtype-matched ductal and lobular carcinomas. J Pathol 222：64-75, 2010

Ⅰ．上皮性腫瘍　10．特殊型乳癌

(3) 篩状癌

1．定義・概念

篩状癌 invasive cribriform carcinoma は，腫瘍細胞が明瞭な「ふるい」状構造を示しながら，浸潤性に増殖する低異型度の浸潤癌である[1)]．

2．臨床的事項

浸潤性乳癌の約 0.4％を占めるまれな腫瘍である．混合型，あるいは一部に篩状癌の成分を有する腫瘍が多く，純型の腫瘍はまれとされている[2,3)]．発症年齢の中央値は 63 歳．50 歳未満の患者は 25％と高齢者に多い腫瘍である[3)]．

3．肉眼・画像所見

他の組織亜型と鑑別できるような特徴的な肉眼像や画像所見はない．篩状癌は通常弾性硬の腫瘤を形成し，平均腫瘍径は約 31 mm である．マンモグラフィでは，いわゆる“spiculated mass”として描出されることが多く，微細石灰化の集簇を伴うことがある．10〜20％の症例では多発病巣が認められる[2)]．

4．組織学的所見

腫瘍細胞が明瞭な「ふるい」状構造を呈して浸潤性に増殖する（**図 1**）．腫瘍細胞の核異型度は低く，核分裂像は目立たない（**図 2**）．核グレード分類（nuclear grading）では Grade 1 に相当する[1)]．内腔に石灰化，少量の粘液を伴う場合がある．また，破骨細胞様巨細胞を伴う症例もある[4)]（**図 3**）．約 80％の症例で乳管内成分が確認でき，乳管内成分の形態も篩状型が主体である[2)]（**図 4**）．

5．免疫組織化学的特徴

篩状癌はホルモン受容体（ER，PgR）陽性，HER2 陰性の luminal 型乳癌が大部分である[3,5)]．Ki67 ラベリングインデックスも低い症例が多く，低異型度乳癌に位置づけられている[3)]．

診断の要 *Essential diagnostic criteria*

- 明瞭な篩状構造
- 核異型度は低い
- ER・PgR 陽性，HER2 陰性

6．鑑別診断

1）篩状形態を示す非浸潤性乳管癌

浸潤癌では，腫瘍細胞周囲に反応性の間質増生を認めることで鑑別可能となることが多い．判断に迷う場合や病変が少ない場合は，筋上皮細胞の有無を CK14，CK5/6，p63，p40 などのマーカーを用いて免疫組織化学的に確認するほうが確実である（**図 4**）．

2）腺様嚢胞癌

篩状様構造を呈する腺様嚢胞癌との鑑別が必要である．腺様嚢胞癌では，いわゆる「真の腺腔」と「偽の腺腔」が確認できるが（**図 5**），篩状癌では，「偽の腺腔」は認められない．HE 標本上で判断に迷う場合

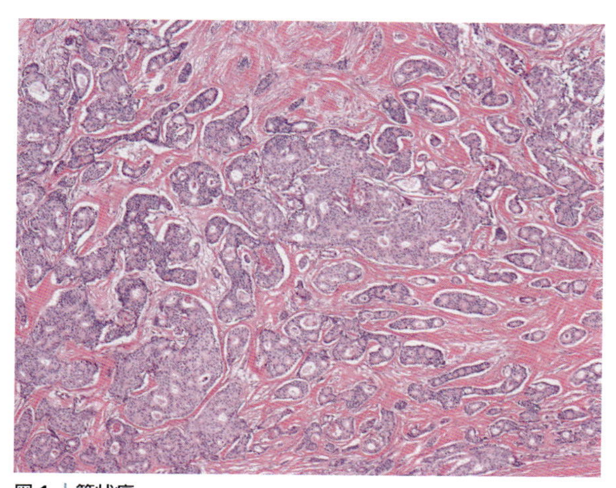

図 1 | 篩状癌
弱拡大像．明瞭な「ふるい」状構造を呈して浸潤性に増殖する腫瘍細胞を認める．

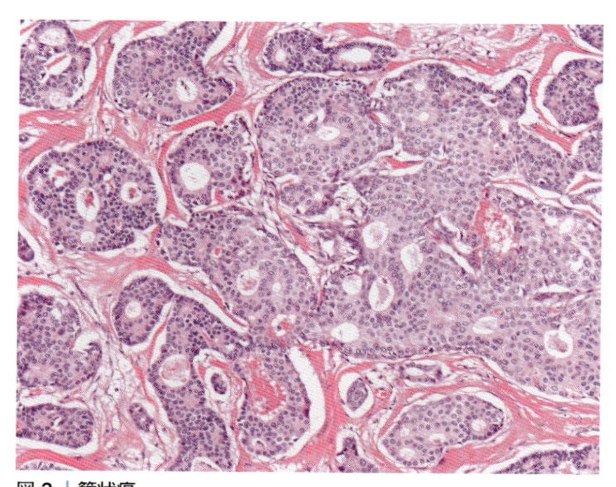

図 2 | 篩状癌
図 1 の強拡大像．核異型は軽度で，核分裂像は目立たない．

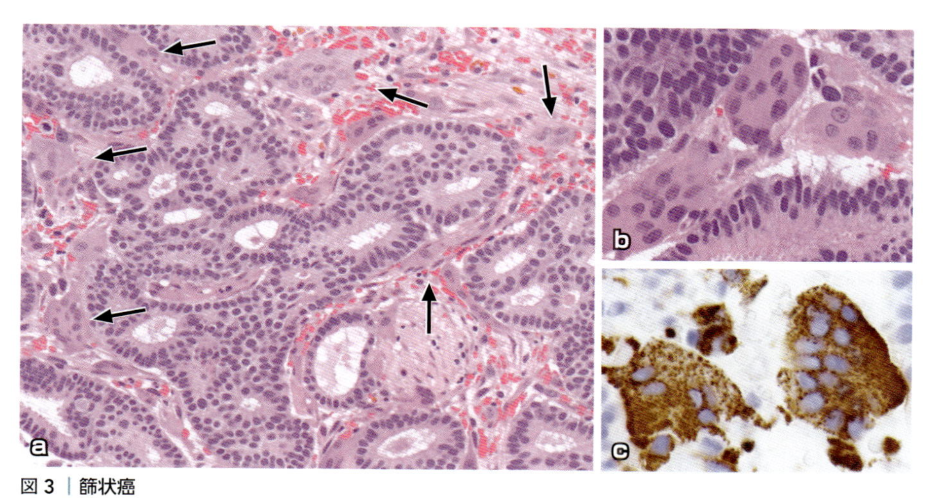

図 3 | 篩状癌
強拡大像．a：腫瘍細胞の周囲に破骨細胞様巨細胞（矢印）を伴う症例．b：破骨細胞様巨細胞．C：破骨細胞様巨細胞の CD68 免疫染色．

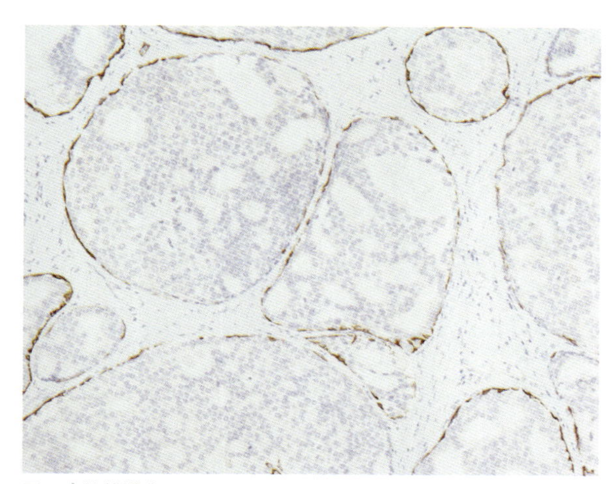

図 4 | 篩状構造を呈する乳管内成分の CK14 免疫染色
図 1 と同一症例．腫瘍胞巣周囲に筋上皮細胞の存在が確認できる．

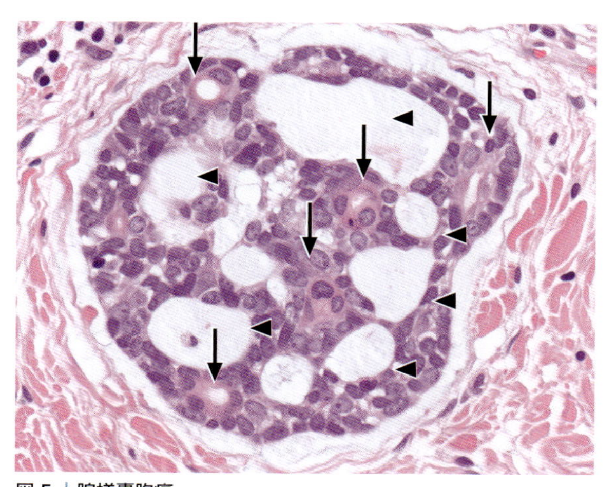

図 5 | 腺様嚢胞癌
篩状の形態を示す腺様嚢胞癌．いわゆる「真の腺腔」（矢印）と「偽の腺腔」（矢頭）が認められる．

は，各種免疫染色（CK7，CK14，c-kit，p40 など）を行い，「真の腺腔」と「偽の腺腔」の確認を行うとよい．

7．予後

篩状癌は低異型度乳癌に分類され，予後は良好とされている．10 年全生存率は純型に比べて混合型のほうがやや低くなるものの，いずれも 90～100％である[2,5]．

（村田有也）

文　献

1）Van Deurzen CHM, Denkert C, Purdie CA, et al：Cribriform carcinoma. in WHO Classification of Tumours Editorial Board (ed)："WHO Classification of Tumours, Breast Tumours" (5th ed.), IARC, Lyon, 2019, pp121-122
2）Page DL, Dixon JM, Anderson TJ, et al：Invasive cribriform carcinoma of the breast. Histopathology 7：525-536, 1983
3）Liu XY, Jiang YZ, Liu YR, et al：Clinicopathological characteristics and survival outcomes of invasive cribriform carcinoma of breast：a SER population-based study. Medicine (Baltimore) 94：e1309, 2015
4）Ng WK：Fine needle aspiration cytology of invasive cribriform carcinoma of the breast with osteoclastlike giant cells：a case report. Acta Cytol 45：593-598, 2001
5）Sinem D, Gulten S, Aysegul AS, et al：Clinicopathological analysis of invasive cribriform carcinoma of the breast, with review of the literature. Ann Diagn Pathol 54：151794, 2021

I．上皮性腫瘍　10．特殊型乳癌

(4) 粘液癌

1．定義・概念

乳房の粘液癌 mucinous carcinoma（MC）は浸潤性乳癌 invasive breast carcinoma（IBC）の特殊型の一種で，細胞外粘液湖の中に癌細胞のクラスターが浮遊する像がみられることを特徴とする[1]．

WHO 分類 第5版（2019年）では，特殊型成分が10％以上あれば特殊型として分類するため，非特殊型浸潤性乳癌 invasive breast carcinoma of no special type（IBC-NST）［浸潤性乳管癌 invasive ductal carcinoma（IDC）と同義］の中に少量の MC 成分（＜10％）が混在するものは，乳房 MC とは定義されない[1]．MC 成分が90％を超えるものを純型の粘液癌 pure type mucinous carcinomas（pMC），MC 成分が10〜90％のものを混合型の粘液癌 mixed type mucinous carcinomas（mMC）と定義している[1]．2012年の WHO 分類 第4版では，MC 成分が90％以上であれば pMC と診断し，50％以上〜90％未満のものを mMC と定義しており，乳癌取扱い規約 第18版（2018年）ではこの分類を採用していた[2]．

本項では MC の様々な細胞形態を紹介するとともに，MC と関連性のある粘液産生病変についても触れたい．

2．臨床的事項

MC は高齢女性（60歳以上，閉経後）に好発する傾向があり，その発生率は全乳癌の2％程度である[3,4]．通常は触知可能な腫瘤を呈する[5]．MC 患者は IBC 患者に比べて腫瘍のグレードやリンパ節転移率が低く，予後などが有意に良好とされ[3]，10年生存率は80％とされている[4]．しかし，MC の中でも細胞形態が微小乳頭構造を示す微小乳頭型粘液癌 micropapillary mucinous carcinoma（MMC）は発症年齢が若い傾向にあり，微小乳頭構造成分が50％を上回る症例では予後が悪くなる[6,7]．また，mMC は pMC よりも予後が悪い[1]．

3．肉眼・画像所見

肉眼的に腫瘍は境界明瞭のものが多く，硬度は軟で，割面はゼラチン状を呈する（**図1**）．楕円形あるいは形態不規則のものもあり，幅広いサイズが報告されている[1,4]．

約80％以上の MC 症例で，マンモグラフィ，超音波検査，MRI 検査のいずれかで何らかの異常所見を認める[5,8]．マンモグラフィでは腫瘤として認められることが多いが，pMC の腫瘤境界は明瞭かつ分葉状の場合が多く，mMC の腫瘤境界は棘状または不明瞭である．また，両タイプとも微細石灰化所見は少ない[8]．超音波検査では，pMC は形態不規則または楕円形を呈する傾向があり（**図2**），mMC は不規則な形状を呈する．pMC は mMC よりも後方エコー増強を示し，より不均一なエコーパターンを示す[8]．MRI では，pMC は persistent kinetic curve を描く傾向があるが，mMC では主に washout pattern がみられる．また，ほとんどの pMC は T2 高信号であるのに対し，mMC は T2 等信号＞高信号である[8]．

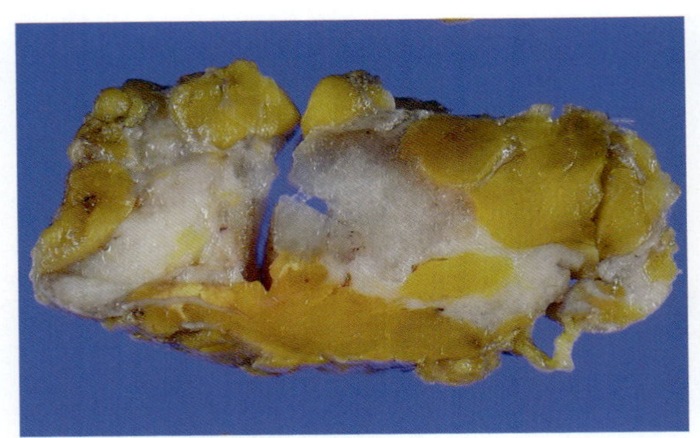

図1 ｜ 粘液癌の肉眼像
腫瘍は楕円形で，境界明瞭，割面はゼラチン状である．

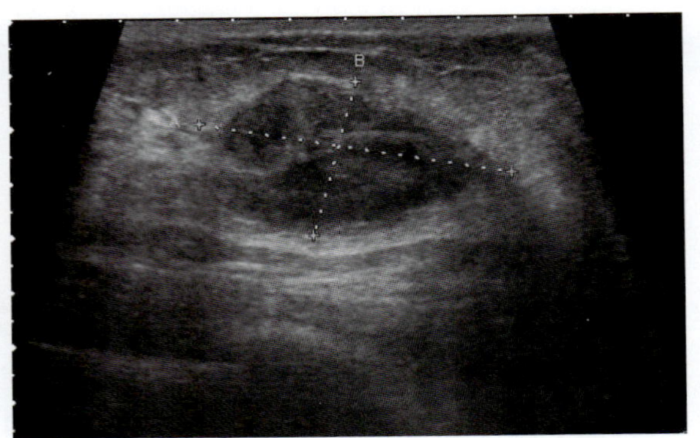

図2 ｜ 粘液癌の超音波画像
超音波検査では，腫瘍は楕円形で，内部エコーは不均一，後方エコー増強を示す．

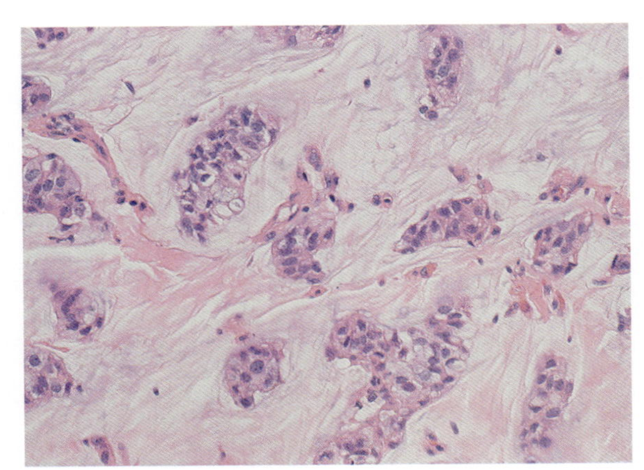

図3 ｜ A型粘液癌
大量の粘液の中に小さな細胞クラスターが浮遊しており，細胞質内粘液も確認できる．

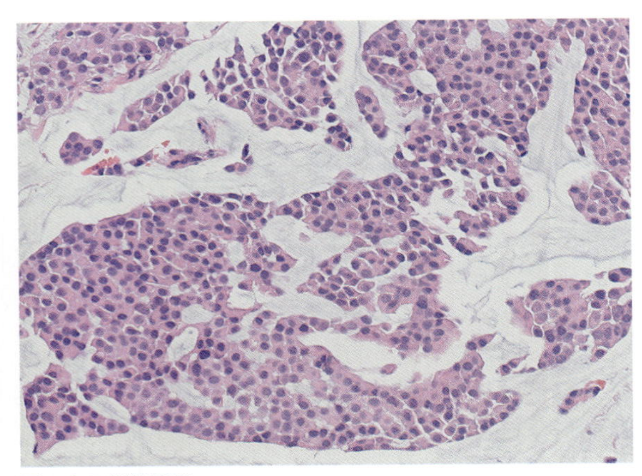

図4 ｜ B型粘液癌
粘液湖内の癌細胞クラスターは大きく，丸みを帯びた塊状を呈し，それらが互いに吻合したシート状構造をとる．

4．組織学的所見

pMCは細胞異型が軽度のものが多いとされている[3,4]．主に細胞密度および細胞外粘液量の違いに基づき，細胞が少なく粘液の多いA型と，細胞が多く粘液が少ないB型に分けられる．B型の一部は神経内分泌分化 neuroendocrine differentiation を示す[9]．A型は細胞クラスターが小さく，細胞形態は索状，リボン状，管状を呈するものが多い（**図3**）．B型の細胞クラスターは大きく，丸みを帯びた塊状を呈し，それらが互いに吻合したシート状構造が主体となる（**図4**）．また，その中間のAB型もある[9]．そのほか，篩状構造や印環細胞 signet-ring-cell 様の細胞もみられる（**図5**）．また，細胞質内粘液小胞体構造はA型とB型のいずれでもみられる[9]．

乳房MMCはpMCの約20％を占めるとされる[6]．このタイプの腫瘍細胞は，中～高異型度の核，ホブネイルパターンに加え，特に細胞周囲の引き込みや空間を占める様々な量の粘液を伴う花弁状の微小乳頭状構造を特徴とする（**図6**）．浸潤性微小乳頭癌 invasive micropapillary carcinoma（IMPC）にみられる特徴的な inside-out pattern が存在し，微小乳頭状クラスターの周縁部は epithelial membrane antigen（EMA）（**図6 inset**）で染色される[4]．MMCは，リンパ管侵襲，リンパ節転移，*HER2* 増幅など，pMCよりも浸潤性の高い表現型を示す[4,6]．

pMCの中に，粘液産生型非浸潤性乳管癌 ductal carcinoma *in situ*（DCIS）を背景に発生する微小浸潤性粘液癌がある（**図7**）．このタイプの癌は，mucocele-like lesion（MLL）の良性型と混同しないように注意する必要がある．詳細は鑑別診断の項で述べる．

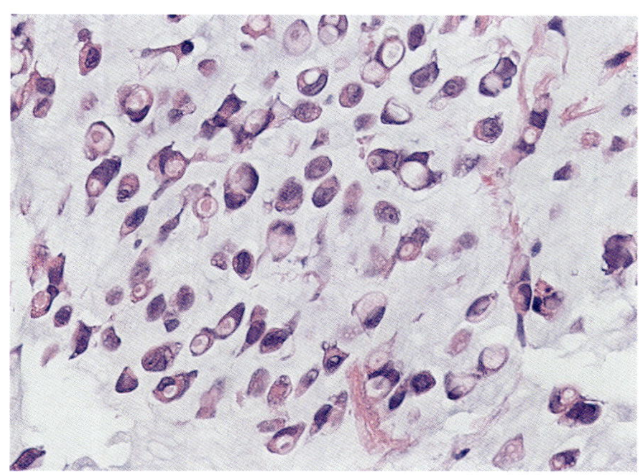
図 5 | 印環細胞様の粘液癌
消化管印環細胞癌に類似している.

5. 免疫組織化学的特徴

AR は MC の約 80 % で陽性を示し[10], WT-1 は pMC の 65 %, mMC の 33 % で陽性を示す[11]. GATA3 も陽性を示すとされる[12].

診断の要 Essential diagnostic criteria
- 細胞外粘液湖の中に癌細胞のクラスターが浮遊する
- 多くの純型の粘液癌は細胞異型度が低い
- ER+, PgR+, HER2−が多い

6. 分子病理学的特徴と発生メカニズム

MC は luminal A 型が多く, IBC と比較して, ER および PgR が陽性の症例の割合が高く, HER2 が陽性の症例の割合は低い[3]. しかし, MMC の HER2 陽性例 (33 %) は pMC (9 %) より高い傾向にある[6].

pMC にゲノムレベルで最も高頻度に変異がみられるのは *GATA3* (23.8 %), *KMT2C* (19.0 %), *MAP3K1* (14.3 %) であり[13], トランスクリプトームレベルでは *MUC2*, *TFF1*, *CARTPT* が代表的な発現上昇遺伝子である. また, 神経伝達物質に関連する遺伝子発現亢進が報告されている[3].

MMC では, pMC と IMPC の中間的な遺伝子変化が確認されている[4]. pMC と同様, ER 陽性/HER2 陰性の一般的な乳癌と比較して, *PIK3CA* と *TP53* の変異率が低く, 1q 増加と 16q 欠失の併発も少ない[13,14]. 一方, IMPC でみられる反復性のコピー数の変化として例えば, 1q, 6p, 8q, 10q の増加, 16q, 11q, 13q の欠失, *FGFR1* を包含する 8p12-8p11.2 の増幅などが報告されている[14].

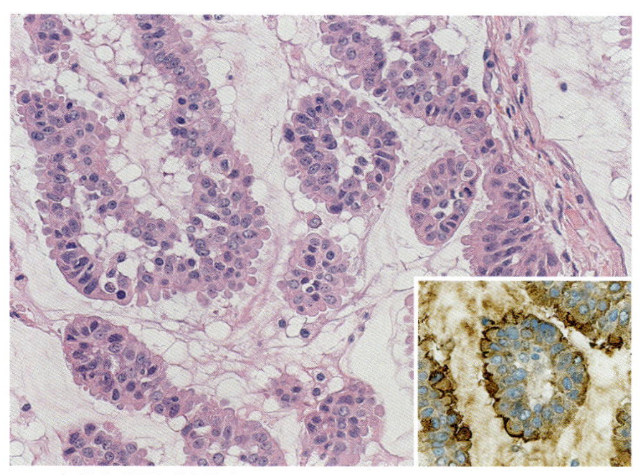
図 6 | 微小乳頭型粘液癌
癌細胞の核異型は中等度～高度で, inside-out pattern を示す. inset : EMA の免疫染色で, 微小乳頭状クラスターの周縁部がより強く染色されている.

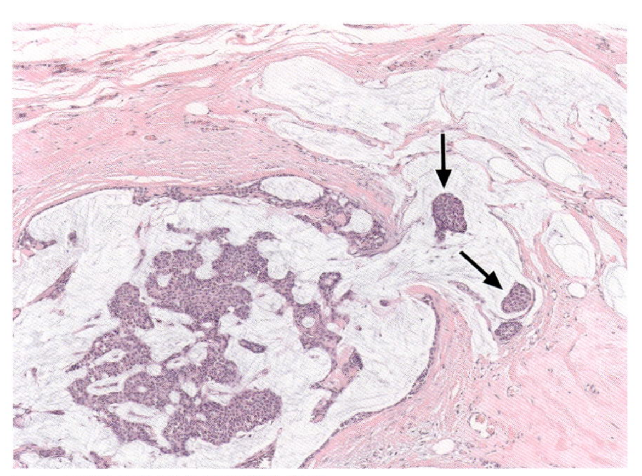
図 7 | 粘液産生型非浸潤性乳管癌
粘液が間質に漏れ, 粘液中に癌細胞のクラスターを認める (矢印). 微小浸潤性粘液癌である.

7. 鑑別診断

1) mucocele-like lesion (MLL)

MLL は, Rosen[15] によって最初に記述されたもので, 粘液を含む嚢胞で構成されている (**図 8**). 粘液嚢胞が破裂し, 嚢胞壁から剥離した上皮が粘液中に浮遊することがある. また, 粘液中には石灰化がしばしばみられる. MLL は, 良性の増殖性 (**図 9**) および非増殖性変化, 異型過形成, DCIS や浸潤性癌への移行など, 様々な病理学的変化を示す, またはそれらと密接に関連していると考えられている[4]. 一

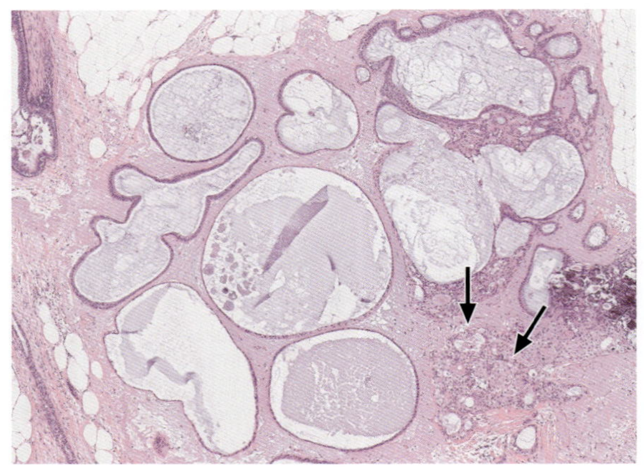

図 8 | mucocele-like lesion (MLL)
多数の粘液嚢胞で構成される．図右下部の粘液中に石灰化がみられる．また，矢印は DCIS の合併を示す．

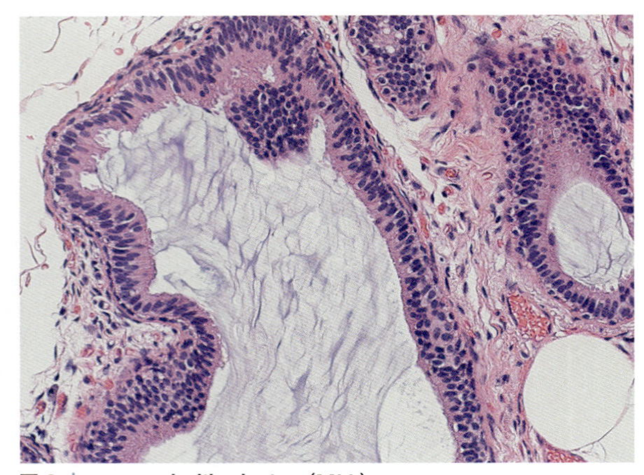

図 9 | mucocele-like lesion (MLL)
強拡大像．細胞は高円柱状変化を示し，嚢胞様に拡張した管腔内に粘液貯留を認める．

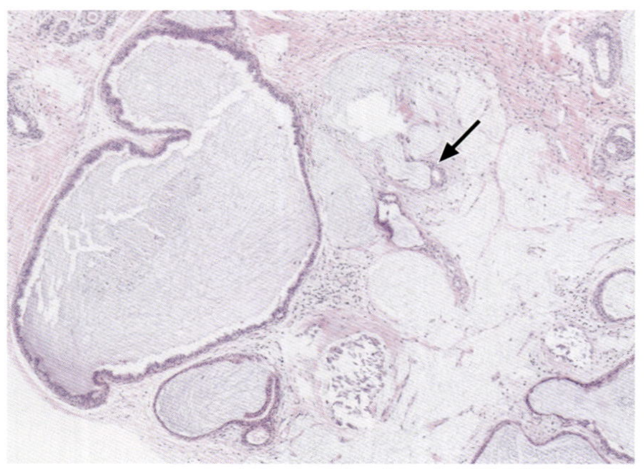

図 10 | mucocele-like lesion (MLL)
粘液嚢胞が破裂し，嚢胞壁から剥離した上皮が粘液中に浮遊している（矢印）．図７の微小浸潤性粘液癌との鑑別を要する．

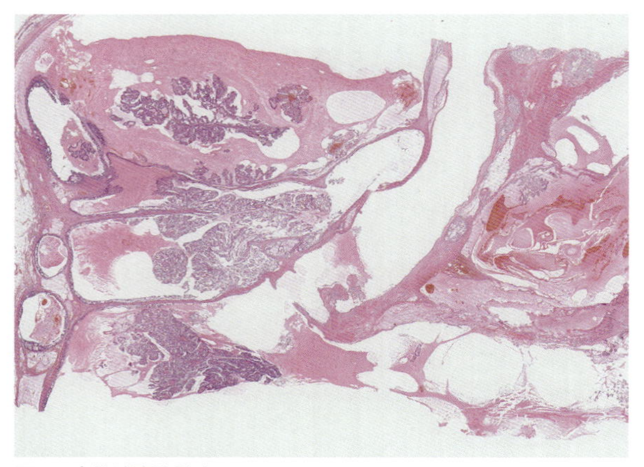

図 11 | 粘液嚢胞腺癌
弱拡大像．粘液を含有する多嚢胞性の腫瘍である．

部の MLL は MC を生じることもある．良性 MLL の上皮細胞が剝がれ落ち，粘液嚢胞の内腔外の粘液中に迷入した断片（**図 10**）と，MC の真の腫瘍性上皮巣，特に微小浸潤性 MC とを区別する必要がある．このような状況では，MLL の上皮細胞の異型性や，周囲に DCIS が認められるかどうかが鑑別上大変重要である．また，以前の生検による線維化瘢痕の有無や，免疫組織化学による浮遊上皮の筋上皮細胞の同定も有用である [4]．

2）粘液嚢胞腺癌

粘液嚢胞腺癌 mucinous cystadenocarcinoma（MCAC）は，原発性乳癌としては珍しく，卵巣や膵臓の MCAC に酷似している．高齢の女性に好発する傾向がある．肉眼的には，粘液質の物質を含む境界明瞭な多嚢胞性の腫瘍である．組織学的所見では，嚢胞壁に繊細な線維血管性の茎を伴う円柱状の上皮細胞の房状または乳頭状の増殖（**図 11, 12**）がみられる [16]．細胞異型性の程度は非常に多様で，また，豊富な細胞質内粘液を有する粘液性上皮が粘液非含有細胞の間に散在してみられる．免疫組織化学的には，MC と対照的に，腫瘍細胞は ER，PgR，AR が陰性である場合が多く，HER2 も陰性である．また，cytokeratin（CK）7 が強陽性を示し，chromogranin A，CK20，CDX2，GCDFP15 は陰性である [17]．MIB1（Ki67）陽性細胞が多いとの報告もあるが，予後は必ずしも悪くない．MCAC は独立した原発性乳癌の組織型の一つであり，MC と区別すべき腫瘍である [1]．

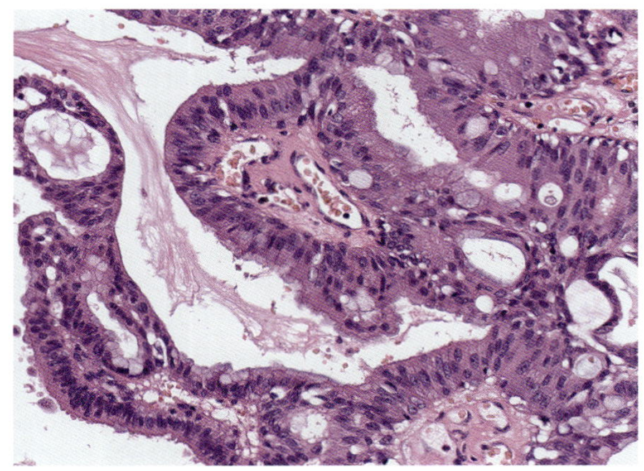

図 12 | 粘液嚢胞腺癌
強拡大像．繊細な線維血管性の茎を伴う高円柱状の上皮細胞の乳頭状増殖が主体で，細胞質内粘液を有する杯細胞様上皮も散在してみられる．

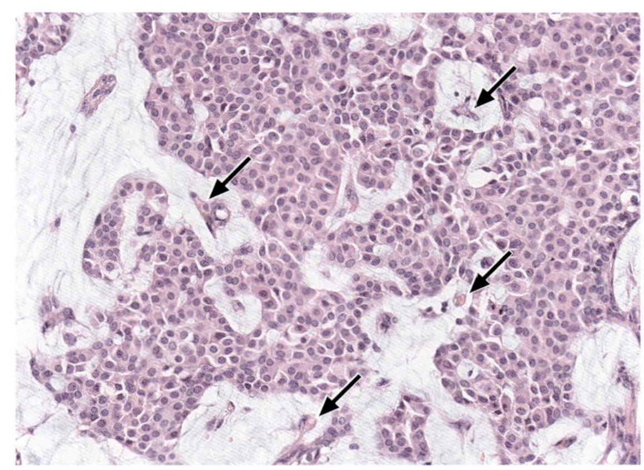

図 13 | 充実乳頭癌の中に著明な粘液産生を認める症例
細胞集塊の中に繊細な線維血管性の茎が確認できる（矢印）．

3）充実乳頭癌

充実乳頭癌 solid papillary carcinoma（SPC）は繊細な線維血管性間質を有する充実乳頭構造を形成する特殊な乳頭癌で，pMC と合併することもある[18]．SPC と pMC の鑑別が問題となるのは，SPC の一部細胞が粘液産生および神経内分泌分化能を示すためである[18]．特に，pMC の B 型では大きな細胞塊を形成することがあり，SPC の大きな「地図状」パターンを有する充実性癌細胞結節と区別しにくいときがある．鑑別のポイントは，SPC の細胞集塊の中には繊細な線維血管性の茎が確認できることである[4,18]（**図 13**）．また，SPC では顕著な細胞外粘液の産生がみられる．一方，粘液中に癌細胞のクラスターが認められる場合は pMC と診断すべきである[1,4]．

4）浸潤性微小乳頭癌（IMPC）

IMPC では粘液産生が認められず，細胞周囲の空間（empty space）は，MUC1（EMA）による細胞と間質の結合性の減弱により形成される[19]．

5）基質産生化生癌

基質産生化生癌 matrix-producing metaplastic carcinoma（MPMC）では癌細胞が粘液基質を産生する（**図 14**）が，粘液湖形成は認められず，高度な核異型が多くみられる．軟骨形成の合併などもみられる．コア針生検 core needle biopsy（CNB）などで検体採取量が少ない場合は鑑別が困難な場合もある[4]．

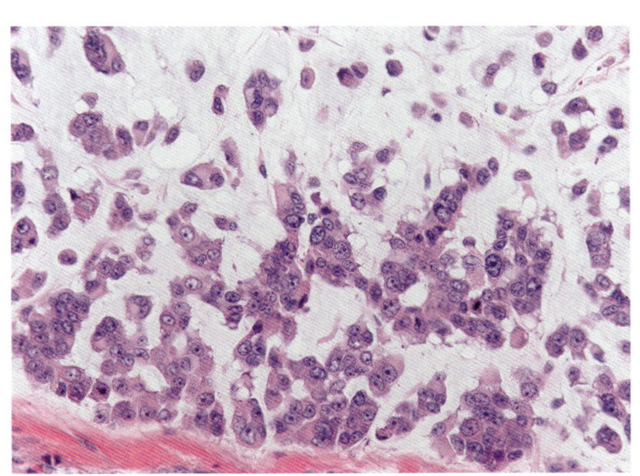

図 14 | 基質産生化生癌
癌細胞が粘液基質を産生し，核異型は高度である．

6）転移性乳癌

印環細胞様 MC は転移性乳癌，特に消化管印環細胞癌の転移との鑑別を要する[1]．その他の臓器からの転移性の粘液産生癌との鑑別も必要である[4]．また，粘液産生性の印環細胞様の小葉癌との鑑別は，小葉癌の細胞間結合性は弱く，E-cadherin 免疫組織化学が陰性であることに基づいて行う[4]．

（唐　小燕）

文　献

1）Wen HY, Desmedt C, Reis-Fiho JS, et al：Mucinous carcinoma. in WHO Classification of Tumours Editorial Board（ed）："WHO Classification of Tumours, Breast tumours"（5th ed.）, IARC, Lyon, 2019：pp123-125

2）日本乳癌学会（編）：臨床・病理 乳癌取扱い規約，第 18 版，金原出版，2018, pp29-30

3）Lu K, Wang X, Zhang W, et al：Clinicopathological and genomic features of breast mucinous carcinoma. Breast 53：

130-137, 2020
4）Ginter PS, Tang X, Shin SJ：A review of mucinous lesions of the breast. Breast J 26：1168-1178, 2020
5）Matsuda M, Yoshimoto M, Iwase T, et al：Mammographic and clinicopathological features of mucinous carcinoma of the breast. Breast Cancer 7：65-70, 2000
6）Ranade A, Batra R, Sandhu G, et al：Clinicopathological evaluation of 100 cases of mucinous carcinoma of breast with emphasis on axillary staging and special reference to a micropapillary pattern. J Clin Pathol 63：1043-1047, 2010
7）Xu X, Bi R, Shui R, et al：Micropapillary pattern in pure mucinous carcinoma of the breast-does it matter or not? Histopathology 74：248-255, 2019
8）Chaudhry AR, Khoury ME, Gotra A, et al：Imaging features of pure and mixed forms of mucinous breast carcinoma with histopathological correlation. Br J Radiol 92：20180810, 2019
9）Capella C, Eusebi V, Mann B, et al：Endocrine differentiation in mucoid carcinoma of the breast. Histopathology 4：613-630, 1980
10）Collins LC, Cole KS, Marotti JD, et al：Androgen receptor expression in breast cancer in relation to molecular phenotype：results from the nurses' health study. Mod Pathol 24：924-931, 2011
11）Domfeh AB, Carley AL, Striebel JM, et al：WT1 immunoreactivity in breast carcinoma：selective expression in pure and mixed mucinous subtypes. Mod Pathol 21：1217-1223, 2008
12）Wendroth SM, Mentrikoski MJ, Wick MR：GATA3 expression in morphologic subtypes of breast carcinoma：a comparison with gross cystic disease fluid protein 15 and mammaglobin. Ann Diagn Pathol 19：6-9, 2015
13）Pareja F, Lee JY, Brown DN, et al：The Genomic landscape of mucinous breast cancer. J Natl Cancer Inst 111：737-741, 2019
14）Pareja F, Selenica P, Brown DN, et al：Micropapillary variant of mucinous carcinoma of the breast shows genetic alterations intermediate between those of mucinous carcinoma and micropapillary carcinoma. Histopathology 75：139-145, 2019
15）RosenPP：Mucocele-like tumors of the breast. Am J Surg Pathol 10：464-469, 1986
16）Honma N, Sakamoto G, Ikenaga M, et al：Mucinous cystadenocarcinoma of the breast：a case report and review of the literature. Arch Pathol Lab Med 127：1031-1033, 2003
17）Coyne JD, Irion L：Mammary mucinous cystadenocarcinoma. Histopathology 49：659-660, 2006
18）Maluf HM, Koerner FC：Solid papillary carcinoma of the breast. A form of intraductal carcinoma with endocrine differentiation frequently associated with mucinous carcinoma. Am J Surg Pathol 19：1237-1244, 1995
19）Wesseling J, van der Valk SW, Vos HL, et al：Episialin（MUC1）overexpression inhibits integrin-mediated cell adhesion to extracellular matrix components. J Cell Biol 129：255-265, 1995

Ⅰ．上皮性腫瘍　10．特殊型乳癌

(5)　浸潤性微小乳頭癌

1．定義・概念

浸潤性微小乳頭癌 invasive micropapillary carcinoma (IMPC) は微小乳頭状の構築パターンを示す浸潤性乳癌で，線維血管性の茎を伴わない腫瘍細胞の重積および突出を特徴とする．間質内で浸潤する腫瘍細胞の集塊は小型で，間質との間には空隙 (empty space) が形成されている．この特徴的な構築パターンは，婦人科領域の漿液性癌 serous carcinoma を原型とするが，肺腺癌，尿路上皮癌などでも特異な形態的バリエーションとして位置づけられるようになり，乳腺では 1980 年に Fisher らが "exfoliative appearance" として記載し[1]，1993 年に Siriaunkgul らが初めて IMPC の名称を提唱した[2]．2019 年に改訂・出版された WHO 分類 第 5 版では，IMPC の構築パターンを示す領域が腫瘍全体の 90％を超える浸潤性乳癌が純型 (pure type) の IMPC として定義され，特殊型に含められている[3]．

2．臨床的事項

純型の IMPC はまれで浸潤性乳癌の約 1～2％を占めるにすぎないが，IMPC パターンを一部に含む混合型を含めるとその頻度は約 5～8％である[4~6]．患者の年齢の中央値は 50～62 歳で，ER 陽性の浸潤性乳管癌 invasive ductal carcinoma (IDC) ［非特殊型浸潤性乳癌 invasive breast carcinoma of no special type (IBC-NST) と同義］と違いがない[4]．まれに男性にも発生する[7]．IDC と比較して脈管侵襲や腋窩リンパ節転移の頻度が高く，予後不良であるとする報告が多いが，臨床病理学的因子により層別化した場合は独立した予後因子ではないという報告もある[8]．近年実施されたメタアナリシスでは，IDC と比較して有意に局所再発率が高いが，全生存率，無病生存率，無遠隔転移再発率に有意差はないことが示されている[9]．ただし，IMPC 成分が存在する場合は，その多寡にかかわらず脈管侵襲，リンパ節転移がみられる頻度が高いことから[5,6]，その旨を病理診断報告書に記載することが望ましい．

3．肉眼・画像所見

IMPC は触知可能な腫瘤を形成し，マンモグラフィでは微細石灰化を伴う境界不明瞭な不整形腫瘤として認められる[10]．超音波検査では低エコーないし等エコー腫瘤として描出され，MRI では不均一な増強効果を示すことが多い[11]．割面では腫瘤の辺縁は不整で，白色調かつ充実性である．ただし，これらの所見は IMPC に特異的なものではないため，画像所見や肉眼所見から IMPC を疑うことは困難である．乳房内では特に好発部位は知られていない．

4．組織学的所見

立方状ないし円柱状の腫瘍細胞が，線維血管性間質の茎を欠いた「中空 (hollow)」あるいは「桑実胚様 (morula-like)」と表現される集塊を形成しながら浸潤する．集塊と間質の間には空隙が介在している (**図 1a**)．中空構築を示す集塊では中央の空隙を取り囲むように腫瘍細胞が花冠状に配列し (**図 1b**)，桑実胚

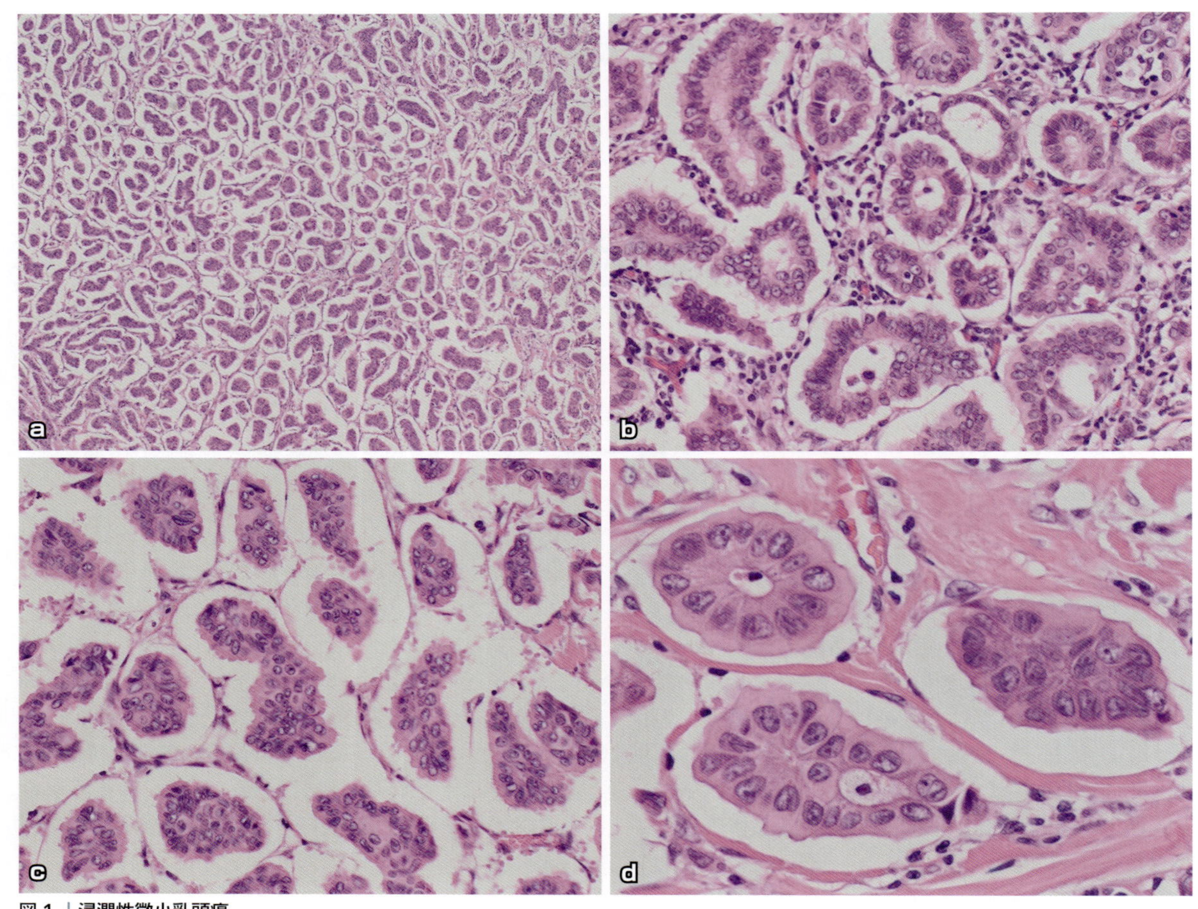

図１｜浸潤性微小乳頭癌
a：繊細な間質成分の間に多数の空隙が認められ，弱拡大ではスポンジ状にみえる．b：中央に空隙を伴う「中空」パターン．c：充実性集塊を形成する「桑実胚様」パターン．d：強拡大では集塊辺縁に凹凸が認められ，核が集塊中心側に偏在している．

様集塊は充実性で中央の空隙が不明瞭である（**図 1c**）．後者が主体を占めることが多いが，細胞集塊の形態による臨床病理学的な違いは知られていない．間質は繊細でスポンジ状の構築を示すことが多い．集塊では構成細胞の極性が反転しており，間質側すなわち集塊辺縁が腫瘍細胞の基底側ではなく，頂部に相当する．この状態は“inside-out” pattern と表現される．実際，この極性の反転を反映して，HE 染色標本では集塊辺縁で凹凸のほか，ときに断頭分泌像（apocrine snout）に類似した細胞質の突出あるいは分泌像が認められる．核は細胞集塊の中心側に偏在している（**図 1d**）．電子顕微鏡では集塊辺縁側で微絨毛が認められる[12]．腫瘍細胞の細胞質は好酸性で，アポクリン形態を示すことがある．核異型は中等度ないし高度であることが多く，80％以上の症例では組織学的グレードが 2 または 3 である[7,8]．混合型では IDC や粘液癌が併存することが多い[5]．

診断の要　*Essential diagnostic criteria*

◆細胞極性が反転した浸潤性微小乳頭状パターンを示す成分が腫瘍全体の 90％を超える浸潤性乳癌

5．免疫組織化学的特徴

IDC では MUC1（EMA）の免疫組織化学が細胞質や管腔側の細胞膜で線状に陽性となるのに対して，IMPC では細胞極性の反転を反映して集塊辺縁の細胞膜が線状に陽性で，細胞質の染色性が減弱ないし消失している[13]（**図 2**）．通常は ER および PgR が陽性で[7,8]，HER2 の陽性率は報告により大きく異なるが[4]，近年の報告では IDC と違いがないとみられている．ただし，*HER2* 遺伝子が増幅していても，細

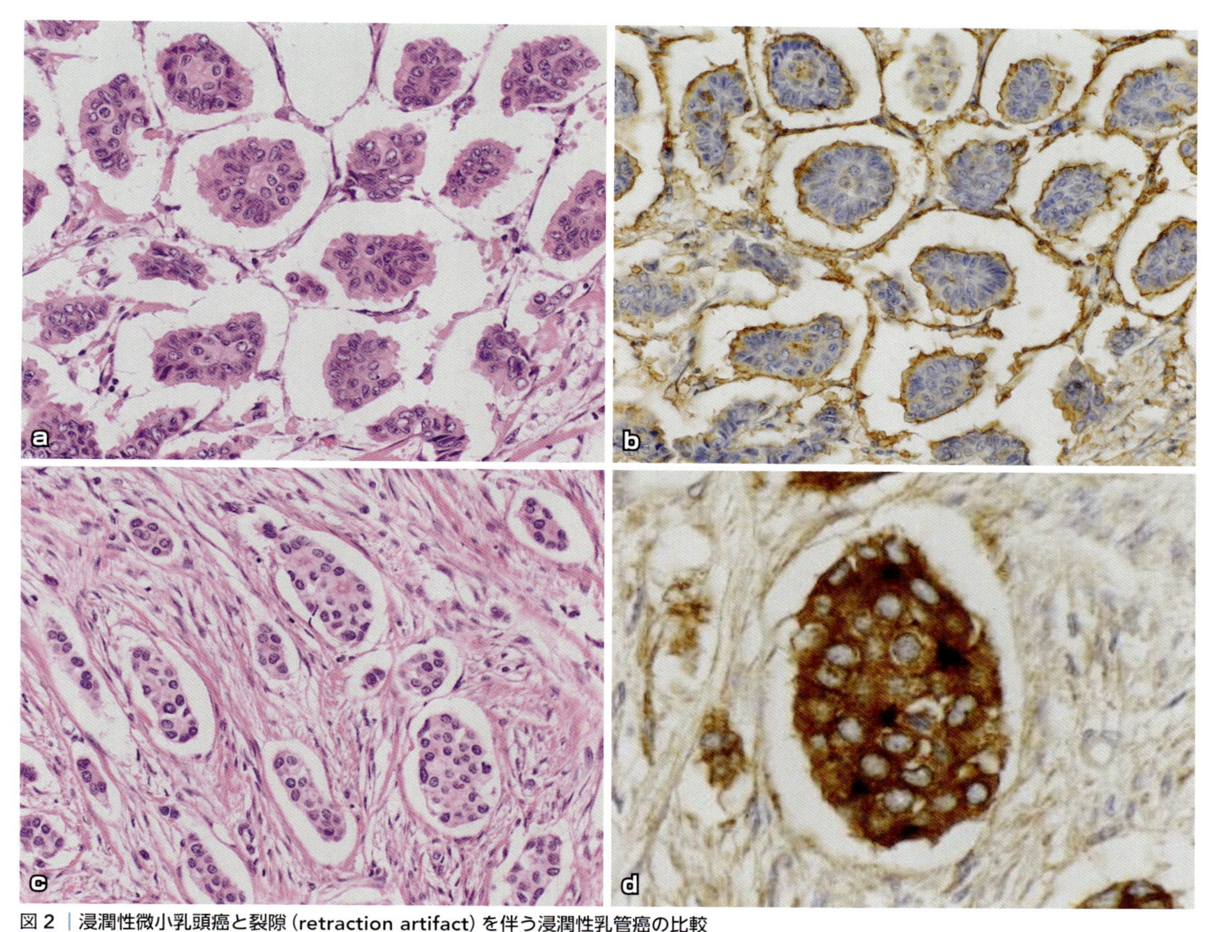

図 2 | 浸潤性微小乳頭癌と裂隙 (retraction artifact) を伴う浸潤性乳管癌の比較

a, b：浸潤性微小乳頭癌．MUC 1 (EMA) の免疫組織化学 (b) は集塊辺縁側の細胞膜に陽性を示し，細胞質の染色性が減弱している．c, d：裂隙 (retraction artifact) を伴う IDC．MUC 1 (EMA) の免疫組織化学 (d) は細胞質や集塊内の小さな管腔に陽性を示している．

胞集塊辺縁の細胞膜が陰性で，細胞間と集塊中央側の基底部の細胞膜のみが陽性となることがあるため，注意を要する[14]．このような HER2 の染色パターンは "U-shaped basolateral pattern" と呼ばれ（**図 3**），胃癌でよく知られている．この所見がみられた場合には *in situ* hybridization 法により *HER2* 遺伝子の増幅の有無を確認する必要がある．

6．分子病理学的特徴と発生メカニズム

IMPC の多くは luminal 型に分類される[15]．IMPC に特異的な分子遺伝学的異常は知られていないが，遺伝子変異のスペクトラムは luminal B 型の IDC に近似していることが報告されている[16]．array comparative genomic hybridization を用いた研究では，

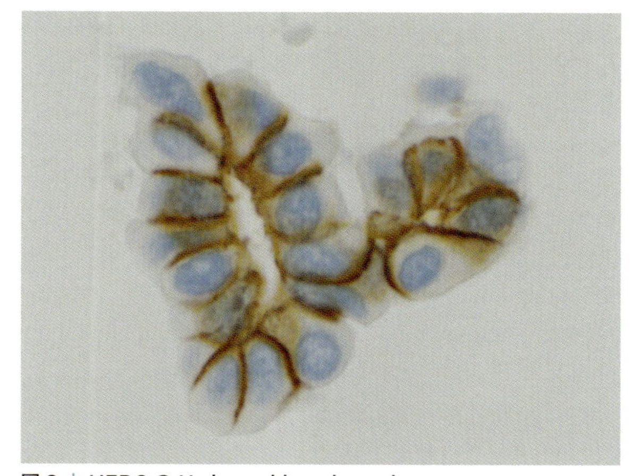

図 3 | HER 2 の U-shaped basolateral pattern

HER 2 は細胞間と基底側の細胞膜に陽性を示し，集塊辺縁の細胞膜は陰性である．この症例は *in situ* hybridization で HER 2 陽性であることが確認された．

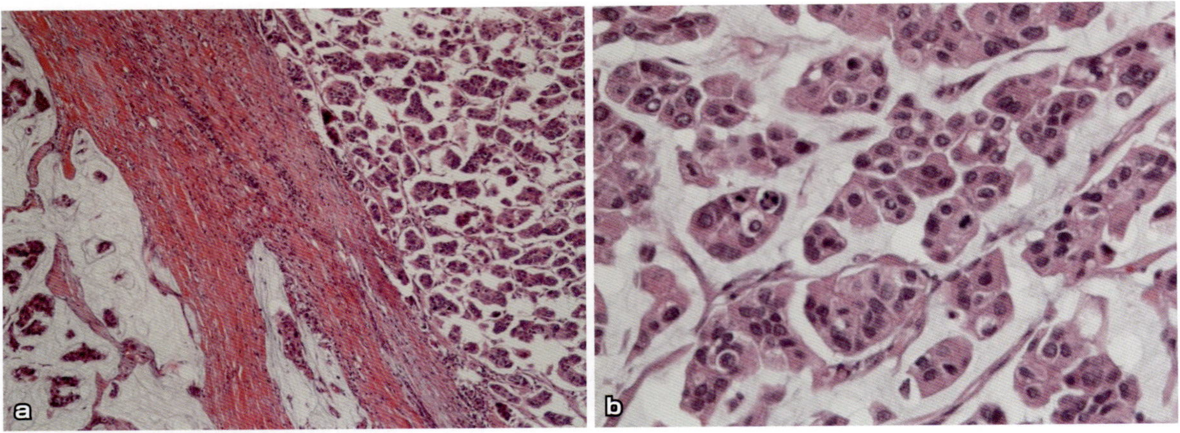

図４｜浸潤性微小乳頭状パターンを示す粘液癌
a：粘液湖に腫瘍細胞の集塊が浮遊している．b：強拡大では集塊が浸潤性微小乳頭状パターンを示していることが確認される．

8q，17q，20q 上の DNA コピー数の増加が高頻度にみられ，組織学的グレードや ER の発現状態を層別化した場合には IDC とは異なる分子遺伝学的特徴を有することが示されている[7]．さらに，IDC と IMPC で構成される混合型は，分子遺伝学的に IDC よりも純型の IMPC に近いことも報告されている[17]．興味深いことに，*in vitro* の解析により MUC1 の発現が亢進するとともに細胞間や細胞・細胞外基質間の接着性が低下することが報告されている[18]．この知見は IMPC の特徴的な形態形成の機序を示唆している．

7．鑑別診断

1）裂隙（retraction artifact）を伴う浸潤性乳管癌

IDC では腫瘍細胞の集塊と間質との間に裂隙がみられることがある．この裂隙は標本作製過程における組織収縮率の差によって生じるアーティファクト（retraction artifact）であると考えられているが，この所見自体がリンパ節転移のリスク要因で，予後と相関するという報告がある[19]．弱拡大では一見 IMPC に類似するが，前述したような細胞極性の反転を示唆する所見がないことが鑑別点である．HE 染色標本で確証が得られない場合は，MUC1（EMA）に対する免疫組織化学が有用である（**図２**）．なお，細胞極性の反転が一部でしかみられない，あるいは空隙の形成が不明瞭であるために IMPC の定義を完全に満たしているとはいえない症例がしばしば経験される．このような症例もリンパ管侵襲やリンパ節転移の頻度が高いことが報告されており，IMPC のスペクトラムとして捉える見解がある[13]．

2）粘液癌

粘液湖内に浸潤性微小乳頭状パターンを示す腫瘍細胞の集塊が浮遊するものが存在する（**図４**）．WHO 分類 第５版では，このような腫瘍は IMPC ではなく粘液癌に分類されていることに留意する必要がある[20]．

3）浸潤性微小乳頭状パターンを示す他臓器癌

前述したように，乳癌以外の他臓器癌の中にも卵巣漿液性癌を含めて微小乳頭状パターンを示すものが存在する．他臓器に発生した癌が乳房に転移することは極めてまれで，乳房悪性腫瘍の 0.2〜1％を占めるにすぎないが[21]，担癌患者では鑑別診断として重要である．それぞれの腫瘍の特徴的な表現型を理解し，特異性の高いマーカーを用いた免疫組織化学を実施することで鑑別可能だが，非浸潤性乳管癌や IDC 成分の併存の有無も参考となる．

（山田　倫，三上芳喜）

文　献

1）Fisher ER, Palekar AS, Redmond C, et al：Pathologic findings from the National Surgical Adjuvant Breast Project（protocol no. 4）. VI. Invasive papillary cancer. Am J Clin Pathol 73：313-322, 1980
2）Siriaunkgul S, Tavassoli FA：Invasive micropapillary carcinoma of the breast. Mod Pathol 6：660-662, 1993
3）Marchiò C, Horlings HM, Vincent-Salomon A：Invasive micropapillary carcinoma. in WHO Classification of Tumours Editorial Board（ed）："WHO Classification of Tumours, Breast Tumours"（5th ed.）, IARC, Lyon, 2019, pp128-130
4）Yang YL, Liu BB, Zhang X, et al：Invasive micropapillary carcinoma of the breast：an update. Arch Pathol Lab Med 140：799-805, 2016

5) Guo X, Chen L, Lang R, et al : Invasive micropapillary carcinoma of the breast : association of pathologic features with lymph node metastasis. Am J Clin Pathol 126 : 740-746, 2006
6) Ide Y, Horii R, Osako T, et al : Clinicopathological significance of invasive micropapillary carcinoma component in invasive breast carcinoma. Pathol Int 61 : 731-736, 2011
7) Marchiò C, Iravani M, Natrajan R, et al : Genomic and immunophenotypical characterization of pure micropapillary carcinomas of the breast. J Pathol 215 : 398-410, 2008
8) Vingiani A, Maisonneuve P, Dell'orto P, et al : The clinical relevance of micropapillary carcinoma of the breast : a case-control study. Histopathology 63 : 217-224, 2013
9) Wu Y, Zhang N, Yang Q : The prognosis of invasive micropapillary carcinoma compared with invasive ductal carcinoma in the breast : a meta-analysis. BMC Cancer 17 : 839, 2017
10) Adrada B, Arribas E, Gilcrease M, et al : Invasive micropapillary carcinoma of the breast : mammographic, sonographic, and MRI features. AJR Am J Roentgenol 193 : W58-63, 2009
11) Lim HS, Kuzmiak CM, Jeong SI, et al : Invasive micropapillary carcinoma of the breast : MR imaging findings. Korean J Radiol 14 : 551-558, 2013
12) Luna-Moré S, Gonzalez B, Acedo C, et al : Invasive micropapillary carcinoma of the breast. A new special type of invasive mammary carcinoma. Pathol Res Pract 190 : 668-674, 1994
13) Acs G, Esposito NN, Rakosy Z, et al : Invasive ductal carcinomas of the breast showing partial reversed cell polarity are associated with lymphatic tumor spread and may represent part of a spectrum of invasive micropapillary carcinoma. Am J Surg Pathol 34 : 1637-1646, 2010
14) Stewart RL, Caron JE, Gulbahce EH, et al : HER2 immunohistochemical and fluorescence in situ hybridization discordances in invasive breast carcinoma with micropapillary features. Mod Pathol 30 : 1561-1566, 2017
15) Weigelt B, Horlings HM, Kreike B, et al : Refinement of breast cancer classification by molecular characterization of histological special types. J Pathol 216 : 141-150, 2008
16) Natrajan R, Wilkerson PM, Marchiò C, et al : Characterization of the genomic features and expressed fusion genes in micropapillary carcinomas of the breast. J Pathol 232 : 553-565, 2014
17) Marchiò C, Iravani M, Natrajan R, et al : Mixed micropapillary-ductal carcinomas of the breast : a genomic and immunohistochemical analysis of morphologically distinct components. J Pathol 218 : 301-315, 2009
18) Wesseling J, van der Valk SW, Vos HL, et al : Episialin (MUC1) overexpression inhibits integrin-mediated cell adhesion to extracellular matrix components. J Cell Biol 129 : 255-265, 1995
19) Acs G, Dumoff KL, Solin LJ, et al : Extensive retraction artifact correlates with lymphatic invasion and nodal metastasis and predicts poor outcome in early stage breast carcinoma. Am J Surg Pathol 31 : 129-140, 2007
20) Wen HY, Desmedt C, Reis-Filho CS, et al : Mucinous carcinoma. in WHO Classification of Tumours Editorial Board (ed) : "WHO Classification of Tumours, Breast Tumours" (5th ed.), IARC, Lyon, 2019, pp123-125
21) Bombonati A, Lerwill MF : Metastases to and from the Breast. Surg Pathol Clin 5 : 719-747, 2012

I．上皮性腫瘍 10．特殊型乳癌

(6) アポクリン癌

1．定義

アポクリン癌 apocrine carcinoma は乳癌取扱い規約 第18版（2018年）では「アポクリン化生を示す浸潤癌」と定義されている[1]．一方，WHO分類 第5版（2019年）では「アポクリン汗腺に類似した異型細胞によって特徴づけられる浸潤性癌」が腫瘍の90％以上を占める場合に特殊型のアポクリン分化を伴う癌 carcinoma with apocrine differentiation に分類される[2]．アポクリン分化は浸潤性乳管癌 invasive ductal carcinoma（IDC）［非特殊型浸潤性乳癌 invasive breast carcinoma of no special type（IBC-NST）と同義］や他の特殊型の癌（浸潤性小葉癌，浸潤性微小乳頭癌，粘液癌など）にも認められ，アポクリン分化を示す被包型乳頭癌の報告もある．アポクリン化生を伴う非浸潤癌は非浸潤性乳管癌 ductal carcinoma *in situ*（DCIS）に分類する[1]．

2．概念

アポクリン癌の定義や判断基準は様々であり，発生頻度は乳癌全体の0.3～3％とばらつきがみられる[3]．

WHO分類 第5版の定義を満たす腫瘍は一般的にはER陰性，PgR陰性を示すが，ホルモン受容体陽性を示すこともある．ER陰性，PgR陰性，AR陽性を示す浸潤癌は pure apocrine carcinoma（PAC）と分類され，その他の癌は apocrine-like carcinoma と分類される[4]．HER2は陽性も陰性もありうる．

近年の分子生物学的研究により，アポクリン分化を伴い，AR-mRNAを高発現する腫瘍として molecular apocrine tumors（MAT）と luminal androgen receptor tumors（LAR）が同定されている[5,6]．MATはER陰性，AR陽性として特徴づけられ，浸潤性乳管癌の8～14％を占める[5]．LARはトリプルネガティブ乳癌 triple negative breast cancer（TNBC）のサブグループ解析から同定され，TNBCの10％を占める[6]．HER2陰性のMATと重複することが示唆されている．

PACとMATは重複する部分が多いが，完全に同等ではない．定量的RT-PCRを用いて同定されたMATは，ほぼ全てが免疫染色でER陰性，PgR陰性を示すが，58％のみがAR陽性を示し，アポクリン分化は7％でしか観察されなかったと報告されている[7]．

一方で，同じ腫瘍に由来し，形態学的にアポクリン分化を示す成分と示さない成分について解析を行った結果，共通の遺伝子変化が認められたことから，アポクリン分化は二次的な付帯現象であるとする意見もある[8]．

3．臨床的事項

患者は大半が閉経後の女性であり，発症年齢はIDCよりも5～10歳高いとされる[2,3]．男性例も報告されている[3]．アポクリン癌の臨床的所見はIDCと類似しており，発生部位も大差はない．対側乳癌のリスクが高いことが報告されている[3]．

アポクリン癌の予後は，従来の研究ではIDCと同等とされている[3]．一方で，PACは非アポクリン癌よりも無病生存率 disease-free survival（DFS）が不良

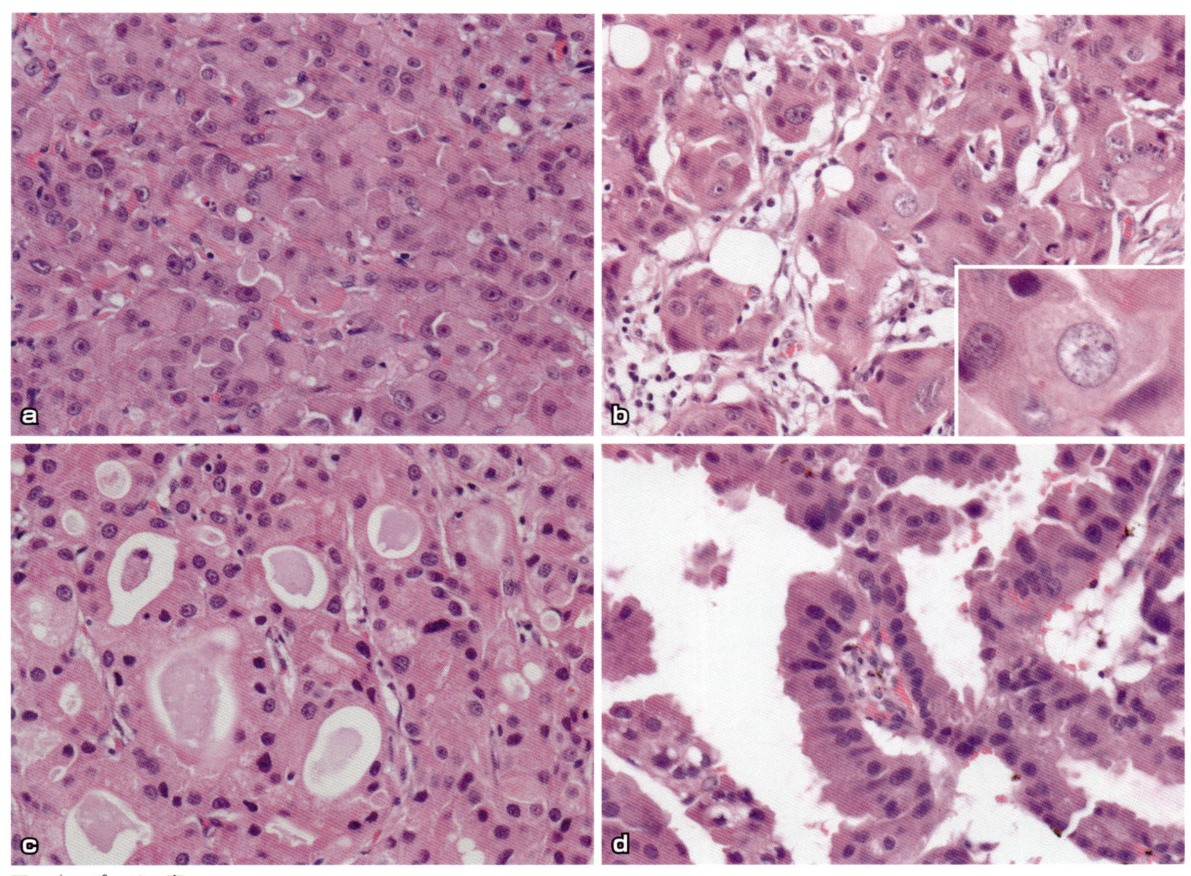

図1 | アポクリン癌
a：充実性．アポクリン分化を示す異型細胞が充実性に増殖している．b：細胞所見．豊富な顆粒状の好酸性細胞質を有し，核小体がやや目立つ．c：腺腔形成性．アポクリン分化を示す異型細胞が腺腔を形成して増殖し，一部充実性の増殖を伴う．d：乳頭状．アポクリン分化を示す異型細胞が乳頭状に増殖している．

であったとの報告や，apocrine-like carcinoma は非アポクリン癌と DFS や全生存期間 overall survival (OS) が同等であったとの報告もある[9]．術前化学療法に対する反応性に関するデータは乏しい．

4. 肉眼・画像所見

肉眼的な外観は非特異的で，IDC と類似する[2]．多くの場合，硬い腫瘤を形成し，割面は灰色～白色を呈する[3]．

5. 組織学的所見

豊富な顆粒状の好酸性または空胞状の細胞質を特徴とするが，組織構築は様々である（**図1**）．良性アポクリン化生と比較すると，核は円形～楕円形腫大を示し多形である[3]．低異型度の腫瘍では，核腫大は軽度で核小体は目立たない．高異型度の腫瘍では核の多形腫大を示し，核小体がみられる．低異型度はまれとされる一方で，高異型度は 40～83％とばらつきがある[9]．脈管侵襲の程度は，非アポクリン癌と有意差がないと報告されている[3]．

診断の要 *Essential diagnostic criteria*

◆アポクリン分化が腫瘍細胞の 90％以上にみられる

6. 免疫組織化学的特徴

WHO 分類 第5版では，アポクリン癌は ER 陰性，PgR 陰性，AR 陽性を示すとされるが，必須ではない（desirable 相当）[2]（**図2**）．AR はアポクリン分化を示す癌で一貫して発現が保たれているが，非アポクリン癌の一部でも発現している[2,3]．AR の活性化は 30～60％の症例で HER2 蛋白の過剰発現と関連

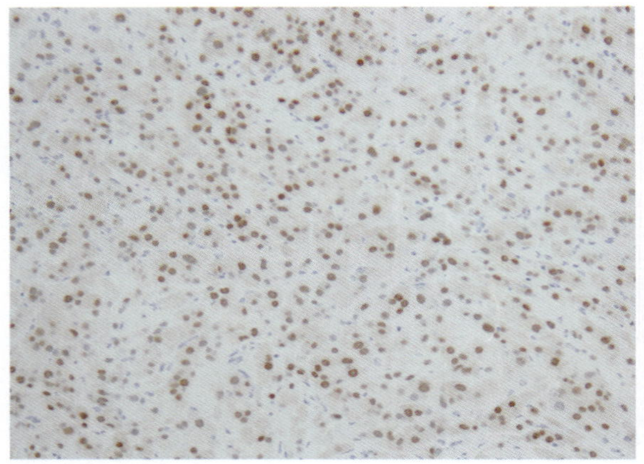

図2 ｜ アポクリン癌
AR 免疫染色．図1と同一症例．癌細胞の核に陽性を示す．本症例はPACに相当する．

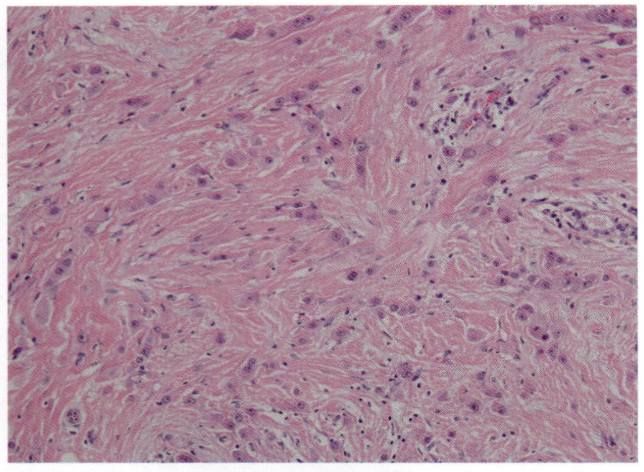

図3 ｜ アポクリン分化を示す浸潤性小葉癌
豊富な線維性間質中に個細胞性～索状に浸潤，増殖を示す．個々の腫瘍細胞はアポクリン分化を示す．

している[2)]．

アポクリン分化のマーカーとして gross cystic disease fluid protein 15（GCDFP15）が用いられるが，非アポクリン癌の23％でも発現が認められる[3)]．

7．鑑別診断

アポクリン分化はIDCのほか，様々な特殊型でも観察される（**図3**）．アポクリン癌の診断は形態学的特徴が明瞭であり，腫瘍の90％以上を占めるときに用いられる．

硬化性病変を伴う異型アポクリン腺症やアポクリンDCISは，浸潤癌との鑑別が問題となることがある．この場合，筋上皮マーカーの免疫染色が有用となるが，アポクリン化生上皮周囲の筋上皮の免疫染色結果は通常と異なる場合があるため，複数の抗体を用いた検討が勧められる[10)]．

淡明細胞型腎細胞癌の乳房転移は，アポクリン癌に類似した形態を示すことがある．cytokeratin（CK）7，AR，GCDFP15の免疫染色や乳管内病変の存在が鑑別に有用となる．

顆粒細胞腫は豊富な顆粒状の好酸性細胞質を有し，ER陰性である．核異型性は目立たず，CK陰性，CD68とS100は強くびまん性に陽性を示す．アポクリン癌はCK陽性，CD68陰性を示す．S100は局所的に弱陽性を示すことがある．

好酸性癌 oncocytic carcinoma はGCDFP15とHER2が陽性になることがある．しかし通常ER陽性，mitochondria陽性を示す．

脂質分泌癌 lipid-rich carcinoma は通常 Oil red O 染色陽性，PAS染色陰性を示すが，アポクリン癌は Oil red O 染色陰性，PAS染色陽性を示す．一方でアポクリン癌と脂質分泌癌は関連した腫瘍とする意見もある[4)]．

（木脇圭一）

文　献

1）日本乳癌学会（編）：臨床・病理 乳癌取扱い規約，第18版，金原出版，2018
2）Provenzano E, Gatalica Z, Vranic S：Carcinoma with apocrine differentiation. in WHO Classification of Tumours Editorial Board（ed）："WHO Classification of Tumours, Breast Tumours"（5th ed.），IARC, Lyon, 2019, pp131-133
3）Brogi E：Apocrine carcinoma. in Hoda SA, Brogi E, Koerner FC, et al（eds）："Rosen's Breast Pathoogy"（5th ed.），Wolters Kluwer, Philadelphia, 2021, pp707-731
4）Vranic S, Tawfik O, Palazzo J, et al：EGFR and HER-2/neu expression in invasive apocrine carcinoma of the breast. Mod Pathol 23：644-653, 2010
5）Farmer P, Bonnefoi H, Becette V, et al：Identification of molecular apocrine breast tumours by microarray analysis. Oncogene 24：4660-4671, 2005
6）Turner NC, Reis-Filho JS：Tackling the diversity of triple-negative breast cancer. Clin Cancer Res 19：6380-6388, 2013
7）Lehmann-Che J, Hamy AS, Porcher R, et al：Molecular apocrine breast cancers are aggressive estrogen receptor negative tumors overexpressing either HER2 or GCDFP15. Breast Cancer Res 15：R37, 2013
8）Patani N, Barbashina V, Lambros MB, et al：Direct evidence for concurrent morphological and genetic heterogeneity in an invasive ductal carcinoma of triple-negative phenotype. J Clin Pathol 64：822-828, 2011
9）Dellapasqua S, Maisonneuve P, Viale G, et al：Immunohistochemically defined subtypes and outcome of apocrine breast cancer. Clin Breast Cancer 13：95-102, 2013
10）Cserni G：Benign apocrine papillary lesions of the breast lalcking or virtually lacking myoepithelial cells. Potential pitfalls in diagnosing malignancy. APMIS 120：249-252, 2012

(7) 化生癌

1．定義・概念

化生癌 metaplastic carcinoma は，乳腺上皮から発生した腺癌細胞が，扁平上皮への分化や，紡錘形細胞，軟骨，骨等の間葉系類似成分への分化を示す浸潤性乳癌の一亜型である[1)]．数種類の化生成分が一つの腫瘍内に混在することもまれでなく，種々の割合で通常の腺癌成分とも混在しうる．また，化生癌は大部分が高異型度の乳癌であるが，中には低異型度のものも含まれており，形態学的にも，臨床的にも heterogeneous な疾患群である．

化生癌が浸潤性乳管癌 invasive ductal carcinoma（IDC）［非特殊型浸潤性乳癌 invasive breast carcinoma of no special type（IBC-NST）と同義］と混在している場合や複数の化生癌成分が混在している場合の診断基準は，いまだ標準化されていない．乳癌取扱い規約 第18版（2018年）（以下，取扱い規約）では，腫瘍の50％以上を化生癌成分が占める場合に化生癌と診断するが[2)]，複数の化生癌成分や IDC が混在することもまれではないため，優勢な成分を主診断として記載し，その他の組織亜型を占拠率とともに記載するのが現実的と考えられる．また，IDC にわずかに化生癌成分を伴う場合にも，組織亜型を含め所見を付記する必要がある．

2．臨床的事項

化生癌は，浸潤性乳癌全体の 0.2〜1％程度を占める比較的まれな腫瘍で，IDC より進行した状態で発見されることが多く，大部分が腫瘤触知可能である[1,3,4)]．リンパ節転移は IDC より低頻度である[3,4)]．大部分の化生癌は化学療法抵抗性を示すものが多く予後不良であるが，低異型度腺扁平上皮癌と線維腫症様化生癌は再発転移が少なく，予後良好である[5)]．

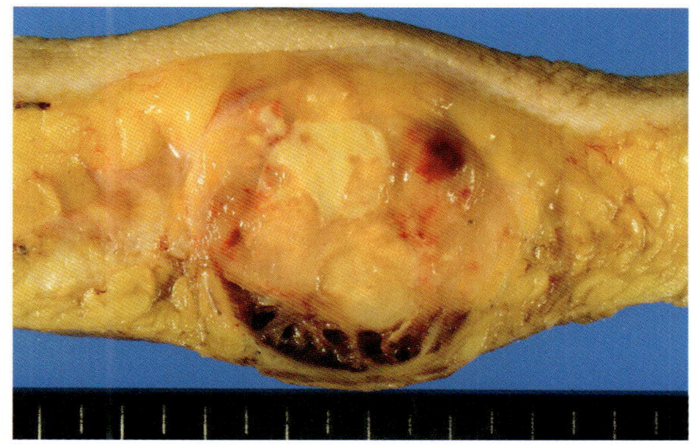

図1｜化生癌の肉眼像
境界明瞭で内部に壊死や出血，空洞を伴っている．

3．肉眼・画像所見

マンモグラフィや乳腺超音波では，比較的境界明瞭な腫瘤として検出されることが多いが[4)]，境界不明瞭で辺縁不整な腫瘤やスピキュラを伴うものもみられる[3)]．MRI では，内部信号不均一で，中心部に壊死を伴うことが多く，腫瘤辺縁にリング状の造影効果がみられることが特徴的である[3)]．

化生癌の平均腫瘍径は 3.9 cm で，肉眼的には，境界不明瞭な不整形腫瘤を示すものもあるが，比較的境界明瞭な腫瘤を形成することが多い[1)]（**図1**）．

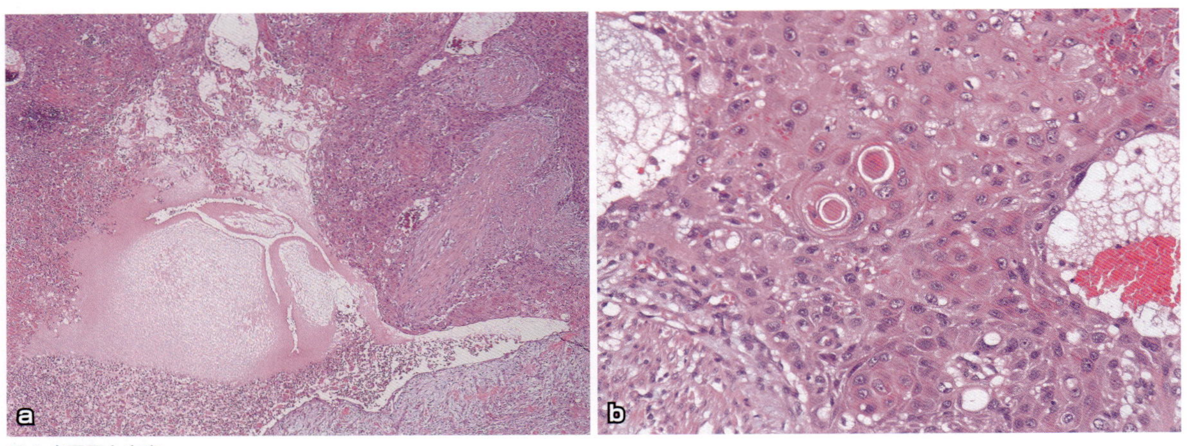

図2｜扁平上皮癌
a：弱拡大像．嚢胞形成がみられる．b：強拡大像．腫瘍細胞は好酸性の広い胞体を有し，細胞間橋や角化を伴う．

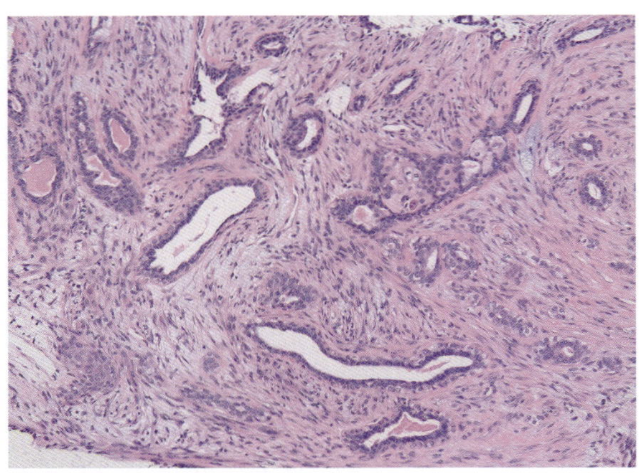

図3｜低異型度腺扁平上皮癌
異型の軽度な腫瘍細胞が線維性間質を伴いつつ，管状に増殖するとともに，扁平上皮への分化を伴う．腺管成分では内側に上皮様成分，外側に筋上皮様成分がみられることがあり，良性病変との鑑別を要する．

割面は組織亜型により様々であるが，内部に壊死を伴うものが多い．扁平上皮化生を示すものは内部に嚢胞状の空洞を有することがある[1]．

4．組織学的所見

1）組織学的亜分類について

化生癌の細分類はWHO分類 第5版（2019年）（以下，WHO分類）と取扱い規約で異なっている．WHO分類では，低異型度なlow-grade adenosquamous carcinoma，fibromatosis-like metaplastic carcinoma，高異型度なspindle cell carcinoma，squamous cell carcinoma，metaplastic carcinoma with heterologous mesenchymal differentiation，様々な化生癌成分や腺癌成分が混在してみられるmixed metaplastic carcinomasの6種類に分類されている．一方，取扱い規約では，化生癌は扁平上皮癌，間葉系分化を伴う癌，混合型に分類され，間葉系分化を伴う癌が紡錘細胞癌，骨・軟骨化生を伴う癌，基質産生癌，その他に細分類されている．low-grade adenosquamous carcinomaは扁平上皮癌の中に，fibromatosis-like metaplastic carcinomaは紡錘細胞癌の中に注釈で記載されている．取扱い規約で細分類されている基質産生癌は，WHO分類中ではmetaplastic carcinoma with heterologous mesenchymal differentiation内で言及されている．本項では，取扱い規約分類に基づき亜分類の説明を行う．

2）扁平上皮癌（図2）

扁平上皮癌squamous cell carcinomaは扁平上皮化生を伴う癌で，角化または細胞間橋のみられるものをいう[2]．他の化生癌成分やIDC成分と混在してみられることが多い．線維性間質を伴いながら，シート状，胞巣状に浸潤増殖し，腫瘍細胞に被覆された嚢胞様の空洞を伴うことが多い．間質の炎症細胞浸潤が目立つこともある．癌細胞同士の結合性が低下し，acantholytic patternを示すことがあるが，腺癌様，血管肉腫様にみえるため，これらとの鑑別に注意が必要である．

低異型度腺扁平上皮癌（図3）

低異型度腺扁平上皮癌low-grade adenosquamous carcinomaは予後良好・低異型度な化生癌の一つで，扁平上皮癌とは臨床病理学的に異なる亜型である．

高分化な小腺管と扁平上皮胞巣が，紡錘形細胞を伴う線維性間質を背景に混在して認められる．腫瘍辺縁には，cannonball pattern と呼ばれるリンパ球集簇巣が認められる．腺癌成分を伴う高異型度の扁平上皮癌と鑑別が必要であるが，核異型が軽度で核分裂像が目立たず，Ki67 ラベリングインデックスなどの増殖マーカーが低値であることから鑑別可能である[5]．

3）間葉系分化を伴う癌

a）紡錘細胞癌（図 4）

肉腫様の紡錘形腫瘍細胞からなる高異型度の化生癌で，中等度から高度の核異型がみられ，壊死や核分裂像を高頻度に伴っている．増殖パターンは多彩で，長紡錘形細胞の波状，束状配列から，短紡錘形細胞の錯綜，花むしろ状配列まで様々である．一部に上皮様性格の明らかな領域がみられることが多く，扁平上皮癌成分や腺癌成分との移行がみられることもある[1]．

線維腫症様化生癌（図 5）

線維腫症様化生癌 fibromatosis-like metaplastic carcinoma は，低異型度腺扁平上皮癌とともに，低異型度で予後良好な化生癌の一群である．核異型が軽度で淡好酸性胞体を有する紡錘形腫瘍細胞が，波状を示しつつ束状に配列する像が全体の 95％以上を占める腫瘍で，周囲に浸潤性に増殖する[1]．種々の程度に膠原線維性間質がみられる．胞体の広い上皮様腫瘍細胞が索状〜小塊状に増殖する像も混在してみられ，扁平上皮化生をしばしば伴う．核分裂像はまれで，壊死はみられない[5]．

b）骨・軟骨化生を伴う癌（図 6）

腫瘍内に骨あるいは軟骨化生を示す癌である[2]．腺癌や扁平上皮癌などの上皮様成分と様々な割合で混在してみられることが多い．骨・軟骨基質と上皮様成分との間には，紡錘形腫瘍細胞の介在がみられ，骨・軟骨化生成分周囲には紡錘細胞癌成分を伴うものが多い．骨・軟骨化生成分は，骨肉腫や軟骨肉腫様の異型が目立つものから，異型の軽度なものまで様々である．

c）基質産生癌（図 7）

骨・軟骨基質の産生を伴うが，上皮様の癌腫成分と基質成分の間に紡錘細胞成分や破骨細胞成分が介在しない腫瘍である[2]．basal-like subtype の浸潤性乳癌は，しばしば中心部に広範な変性・壊死を伴うものがあり，基質産生癌との鑑別が難しいことがある．

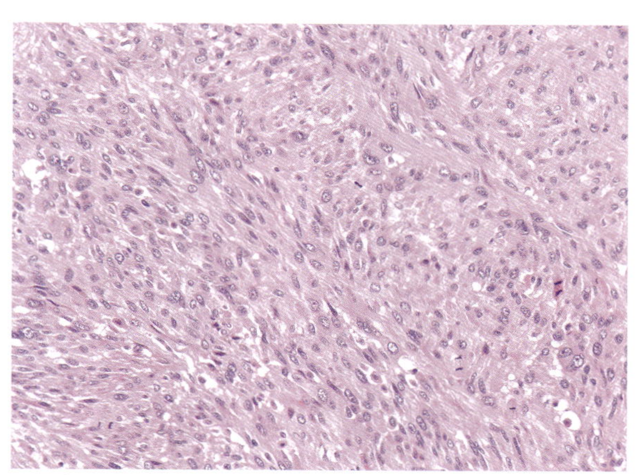

図 4 | 紡錘細胞癌
異型の目立つ紡錘形腫瘍細胞が錯綜しながら増殖している．核分裂像が目立つ．

また，両者はしばしば混在して認められる．基質産生癌は中心部に向かって腫瘍細胞が漸減するのに対し，中心部に広範な壊死を伴う浸潤性乳癌は，腫瘍細胞領域と壊死領域が比較的明瞭に境界される[6]．

4）混合型

化生癌の主たる部分が異なる要素の混合を示すものを混合型 mixed metaplastic carcinoma に分類する[2]．取扱い規約では，扁平上皮癌と紡錘細胞癌など，異なる化生癌成分が混在しているものを混合型に分類しているが，WHO 分類では，化生癌成分と通常の腺癌成分が混在してみられるものも mixed metaplastic carcinoma の範疇としている[1]．

5．免疫組織化学的特徴

90％以上の化生癌は ER，PgR，HER2 陰性のトリプルネガティブ乳癌である[1]．また，大部分が cytokeratin（CK）5/6，CK14，34βE12 等の高分子量 CK や，p63，EGFR に陽性で，basal-like な形質を有している．幹細胞マーカーである CD44 が大部分に陽性との報告もある[7]．

化生癌の上皮性分化を確認するためには，複数の免疫染色を組み合わせることが重要である．AE1/AE3 等の pancytokeratin（75〜85％陽性），高分子量 CK（70〜75％），および p63（77％）を組み合わせた免疫染色パネルは，正確な診断に極めて有用である[1,8]．そのほか，SMA や CD10 といった筋上皮マーカーも比較的高頻度に陽性を示す（50〜70％）．CK7 や CK19 等の低分子量 CK は 30〜60％程度陽性

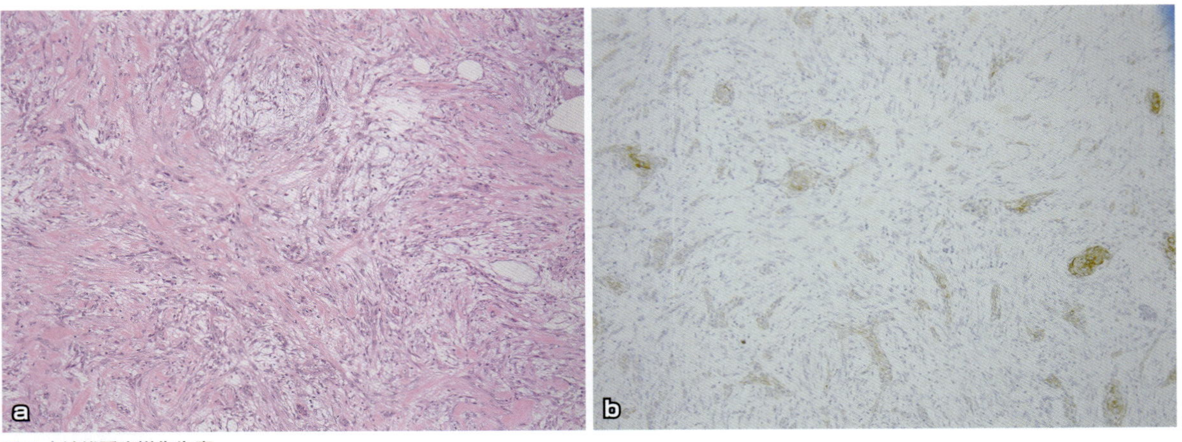

図5 | 線維腫症様化生癌
a：異型の乏しい紡錘形細胞が，一部上皮様索状構造や扁平上皮への分化を伴いつつ増殖している．b：AE1/AE3免疫染色．主に索状～胞巣状の上皮様腫瘍細胞が陽性を示す．

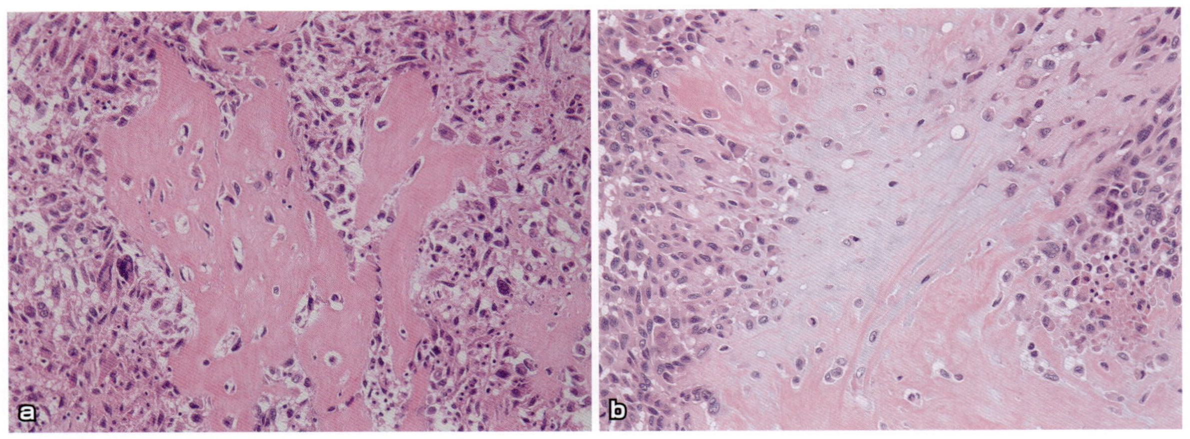

図6 | 骨・軟骨化生を伴う癌
a：紡錘形腫瘍細胞や破骨細胞様腫瘍細胞の介在を伴って骨基質がみられる．b：紡錘形～不整形腫瘍細胞とともに軟骨基質がみられる．

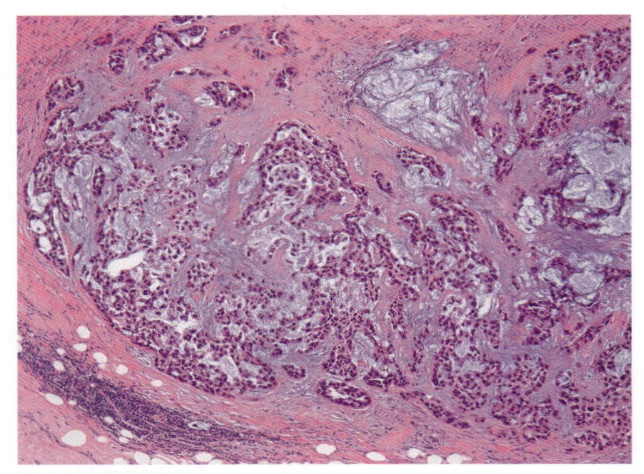

図7 | 基質産生癌
紡錘形細胞の介在を伴わずに軟骨基質の産生がみられる．

である[9]．CD34は100％陰性で，desminやSMMHCの陽性率は低頻度である[1]．

低異型度腺扁平上皮癌は，トリプルネガティブな形質に加え，AR陰性で，p63やCD10等の筋上皮マーカーが腫瘍辺縁や腫瘍胞巣内に不連続，不均一に陽性を示す[10,11]．また，同一腫瘍内でも連続性に陽性を示す領域と陰性を示す領域が存在するなど，染色性は多彩であることも特徴的である[10]．

診断の要 *Essential diagnostic criteria*

- 異型扁平上皮成分，紡錘細胞成分，かつ/または間葉系分化を伴う浸潤性乳癌
- 非浸潤性乳管癌や通常型腺癌成分の混在による上皮成分への分化が診断に有用
- 高分子量CK，p63などの上皮マーカー陽性

6．分子病理学的特徴と発生メカニズム

化生癌はER，PgR，HER2陰性のトリプルネガティブ乳癌であるが，網羅的遺伝子発現解析によるintrinsic subtype分類[12,13]ではbasal-likeないしはclaudin-low subtypeに分類される[1,14,15]．亜分類間の検討では，紡錘細胞癌はclaudin-low subtype，軟骨化生を伴う癌や扁平上皮癌はbasal-like subtypeが多い[16]．全エクソンシークエンス等による遺伝子変異解析では，化生癌の多様な遺伝子変異が報告されており，特に*TP53*変異が多い．そのほかPI3K経路やMAPK経路，Wnt経路に関連した遺伝子異常が報告されている[17~19]．亜分類間で遺伝子異常の傾向が異なり，紡錘細胞癌と低異型度腺扁平上皮癌では*TP53*変異の頻度が低く[17]，軟骨化生を伴う癌では*PIK3CA*変異の頻度が低い[18]．一方，低異型度腺扁平上皮癌では*PIK3CA*変異が高頻度で認められる[11]．

7．鑑別診断

間葉系分化を伴う癌は，悪性葉状腫瘍や乳腺原発ないしは転移性の肉腫との鑑別が必要である．多数の標本を作製し，一部に腺癌や扁平上皮癌などの明らかな上皮性腫瘍成分を伴うことや葉状腫瘍成分がみられないことを確認することが重要である．上皮性腫瘍成分が明らかでない場合は，間葉系分化を示す腫瘍細胞が高分子量CKやp63などの上皮マーカーに陽性を示すことを確認することが鑑別に有用である[1]．

悪性筋上皮腫/筋上皮癌については，現時点で独立した疾患として分類されておらず，形態学的，免疫組織化学的に紡錘細胞癌との鑑別が困難であるため，紡錘細胞癌の範疇に含まれている[1]．

低異型度腺扁平上皮癌は，異型の軽度な腺管を形成するため，管状癌と鑑別を要する．管状癌と異なり腺管が角ばっておらず丸いこと，ホルモン受容体や筋上皮マーカーの免疫染色が鑑別に有用である[8]．また，低異型度腺扁平上皮癌や線維腫症様化生癌は異型が乏しく，乳腺症やradial scar，結節性筋膜炎やfibromatosis等の良性疾患との鑑別も問題となる．ER，PgR陰性であることや，高分子量CK，筋上皮マーカーの染色態度から鑑別が可能である[8]．

（桂田由佳）

文　献

1）Reis-Filho JS, Gobbi H, McCart Reed AE, et al：Metaplastic carcinoma. in WHO Classification of Tumours Editorial Board（ed）："WHO Classification of Tumours, Breast Tumours"（5th ed.）, IARC, Lyon, 2019, pp134-138
2）日本乳癌学会（編）：臨床・病理 乳癌取扱い規約，第18版，金原出版，2018, pp30-31
3）Langlands F, Cornford E, Rakha E, et al：Imaging overview of metaplastic carcinomas of the breast：a large study of 71 cases. Br J Radiol 89：20140644, 2016
4）Yang WT, Hennessy B, Broglio K, et al：Imaging differences in metaplastic and invasive ductal carcinomas of the breast. AJR Am J Roentgenol 189：1288-1293, 2007
5）Cserni G, Quinn CM, Foschini MP, et al：Triple-negative breast cancer histological subtypes with a favourable prognosis. Cancers 13：5694, 2021
6）Sasaki Y, Tsuda H, Ueda S, et al：Histological differences between invasive ductal carcinoma with a large central acellular zone and matrix-producing carcinoma of the breast. Pathol Int 59：390-394, 2009
7）Voutilainen S, Heikkilä P, Sampo M, et al：Expression of markers of stem cell characteristics, epithelial-mesenchymal transition, basal-like phenotype, proliferation, and androgen receptor in metaplastic breast cancer and their prognostic impact. Acta Oncol 60：1233-1239, 2021
8）McMullen ER, Zoumberos NA, Kleer CG：Metaplastic breast carcinoma：update of histopathology and molecular alterations. Arch Pathol Lab Med 143：1492-1496, 2019
9）Rakha EA, Coimbra NDM, Hodi Z, et al：Immunoprofile of metaplastic carcinomas of the breast. Hisopathology 70：975-985, 2017
10）Kawaguchi K, Shin SJ：Immunohistochemiacal staining characteristics of low-grade adenosquamous carcinoma of the breast. Am J Surg Pathol 36：1009-1020, 2012
11）Bataillon G, Fuhrmann L, Girard E, et al：High rate of PIK3CA mutations but no TP53 mutations in low-grade adenosquamous carcinoma of the breast. Histopathology 73：273-283, 2018
12）Perou CM, Sørlie T, Eisen MB, et al：Molecular portraits of human breast tumours. Nature 406：747-752, 2000
13）Sørlie T, Perou CM, Tibshirani R, et al：Gene expression patterns of breast carcinomas distinguish tumor subclasses with clinical implications. Proc Natl Acad Sci USA 98：10869-10874, 2001
14）Weigelt B, Kreike B, Reis-Filho JS：Metaplastic breast carcinomas are basal-like breast cancers：a genomic profiling analysis. Breast Cancer Res Treat 117：273-280, 2009
15）Part A, Parker JS, Karginova O, et al：Phenotypic and molecular characterization of the claudin-low intrinsic subtype of breast cancer . Breast Cancer Res 12：R68, 2010
16）Weigelt B, Ng CK, Shen R, et al：Metaplastic breast carcinomas display genomic and transcriptomic heterogeneity [corrected]. Mod Pathol 28：340-351, 2015
17）Krings G, Chen YY：Genomic profiling of metaplastic breast carcinomas reveals genetic heterogeneity and relationship to ductal carcinoma. Mod Pathol 31：1661-1674, 2018
18）Ng CK, Piscuoglio S, Geyer FC, et al：The landscape of somatic genetic alterations in metaplastic breast carcinomas. Clin Cancer Res 23：3859-3870, 2017
19）McCart Reed AE, Kalaw E, Nones K, et al：Phenotypic and molecular dissection of metaplastic breast cancer and the prognostic implications. J Pathol 247：214-227, 2019

Ⅰ．上皮性腫瘍　10．特殊型乳癌

(8) 神経内分泌腫瘍

1．定義・概念

乳腺の神経内分泌腫瘍はまれであり，乳腺カルチノイドとして報告されて以来[1]，神経内分泌乳癌を構成するものについての様々な定義および基準が使用されてきた．神経内分泌腫瘍 neuroendocrine neoplasm（NEN）という用語は，神経内分泌顆粒を有し，びまん性ないし均一な免疫組織化学による神経内分泌マーカーの陽性像を示すものとされる．WHO 分類 第5版（2019年）では，他の臓器分類との標準化のため，乳腺の神経内分泌の形態をもつ腫瘍は二分分類に移行しており，神経内分泌腫瘍 neuroendocrine tumor（NET）と神経内分泌癌 neuroendocrine carcinoma（NEC）に分類されている[2,3]．

2．臨床的事項

乳腺の NEN はまれであり，報告されている神経内分泌乳癌または乳癌における神経内分泌分化の頻度は約5〜30％の範囲である[2,3]．乳腺の非高悪性度 NEN の臨床症状は通常の浸潤癌と同様であり，患者の大部分は触知可能な腫瘤またはスクリーニング画像で検出された腫瘤を呈する閉経後の女性である[2〜7]．カルチノイド症候群などの異所性ホルモン産生による症候群と関連しているとされる．

NET（Grade 1〜2）の予後に関する相反する結果が報告されているが[8,9]，これは，様々な研究で統一基準がないためと考えられる．さらに NEC（Grade 3）の転帰データは限られており，乳腺の大細胞癌に関する大規模な研究は行われていない．しかし，年齢，腫瘍サイズ，組織学的グレード，および ER 状態を補正すると，神経内分泌分化はより悪い臨床経過と関連しているとされる[3]．また高悪性度の腫瘍である乳腺小細胞癌に関する大規模な Surveillance Epidemiology and End Results（SEER）データーベース研究では，疾患特異的生存率 disease-specific survival（DSS）および全生存率 overall survival（OS）が短く，5年での DSS は50.5％，OS は32％であることが報告されている[4]．

3．肉眼・画像所見

肉眼および画像所見において特徴とする像はない．

4．組織学的所見

WHO 分類 第5版では，NEN を“NET”と“NEC”の2つのカテゴリーに分類しており[3]，神経内分泌形態が10％未満の浸潤癌を no special type（NST）として分類し，90％を超える浸潤癌を NET または NEC として分類することを推奨している．

1）神経内分泌腫瘍（NET）

多角形，紡錘形の腫瘍細胞が充実性ないし索状胞巣を形成しながら増殖する．腫瘍細胞の胞体は細顆粒状を示し，核は類円形で，細顆粒状のクロマチンを有する核異型度スコア1〜2点の浸潤癌である（**図1**）．

2）神経内分泌癌（NEC）

形態学的に肺にみられるものと類似しており，大

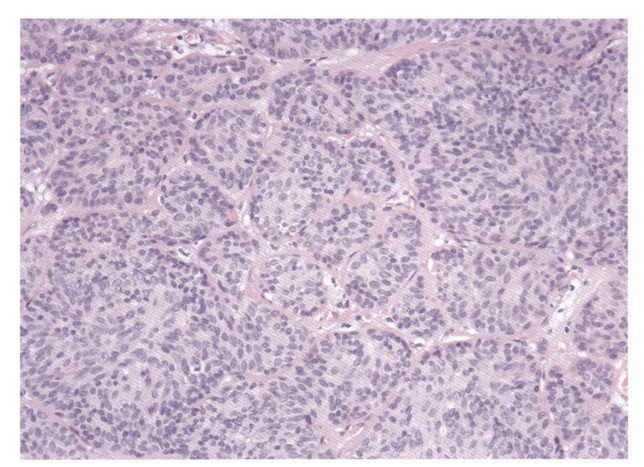

図 1 | 神経内分泌腫瘍 (NET)
多角形，紡錘形の腫瘍細胞が小胞巣を形成しながら増殖している．核は類円形で，細顆粒状のクロマチンを有する．

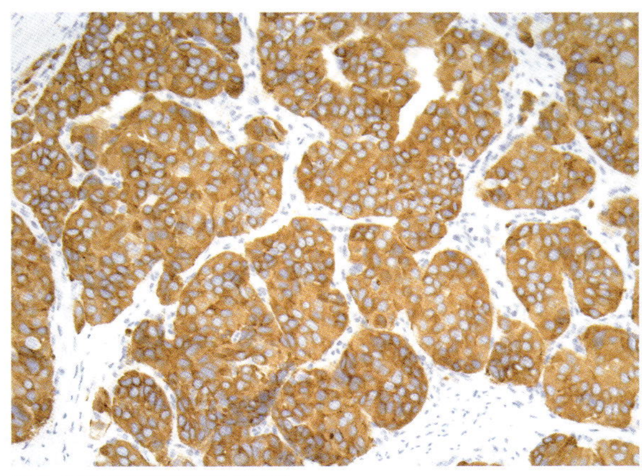

図 2 | 神経内分泌腫瘍 (NET)
synaptophysin 免疫染色は多くの症例で陽性であり，細胞質に高度に発現している．

きな多形性の核を有する．豊富な核分裂像と壊死がしばしば明らかである．多くの大細胞 NEC は，顕著な NEC の特徴がなく，神経内分泌マーカーが使用されない場合，低分化型浸潤性乳管癌と診断される可能性がある．

5．免疫組織化学的特徴

神経内分泌マーカー発現を示すために最も一般的に使用される免疫組織化学には，synaptophysin，chromogranin A，および CD56 がある（**図 2, 3**）．synaptophysin と chromogranin A は特異的なマーカーであるが，CD56 は感度が高く特異性が低い．一部の研究では，腫瘍全体の 50％以上に神経内分泌マーカーが発現している症例のみを対象としたため，神経内分泌発現がみられる程度は様々に報告されていた[6,10]．現在，NEN として分類される腫瘍における神経内分泌発現の閾値は設けられていない場合が多い．

大部分（>90％）の乳腺 NEN は，ER の強い発現を示す一方で，PgR の反応性は様々であり，HER2 は陰性である[5,6,8,11,12]．GATA3 は 95％以上の症例で陽性であると報告されている[7,11]．他の浸潤性乳癌と同様に，ほとんどの NEN は CK7 を発現し，CK20 は陰性である．小細胞癌は症例の 30～60％で ER 発現を示し，HER2 陰性である[13,14]．肺小細胞癌と同様に，乳腺の小細胞癌において RB1 陰性，TTF1 陽性，Ki67 ラベリングインデックスは高い（>90％）．GATA3 は，少数例での検討であるが，小細胞癌で陽性であった[7]．

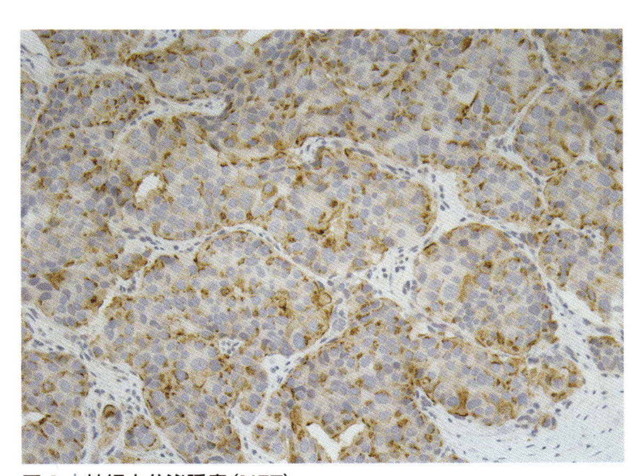

図 3 | 神経内分泌腫瘍 (NET)
chromogranin A 免疫染色において陽性像を示しており，特異的であり診断に有用である．

診断の要 *Essential diagnostic criteria*

- NET：神経内分泌の形態学的特徴を伴う低～中悪性度の浸潤癌
- NEC：神経内分泌の形態学的特徴を伴う高悪性度の浸潤癌
- いずれも神経内分泌顆粒を有し，びまん性ないし均一な免疫組織化学による神経内分泌マーカーの陽性像を示す

6．鑑別診断

神経内分泌マーカーが発現した solid papillary carcinoma（SPC）と hypercellular variant of mucinous carcinoma（HMC）について，これらは形態により確立した組織型であるため，WHO 分類 第 5 版では除外

された[3,11]．

乳腺のNENの最も重要な鑑別診断は転移性腫瘍である．原発性乳腺NENと他の部位のNEN腫瘍との間には，かなりの形態学的重複がある．腫瘍が乳腺に原発性であることを裏づける主な特徴は，共存する非浸潤性乳管癌 ductal carcinoma *in situ*（DCIS）および/または浸潤性乳管癌成分の存在，ER/PgRおよびGATA3の発現，TTF1，CDX2などの他の起源部位に特異的な発現マーカーの欠如である．ただしER反応性は肺カルチノイドなどいくつかの転移性腫瘍でみられる可能性があるが，通常，びまん性の発現を示さず，その強度も弱い．TTF1は非肺小細胞癌で発現する割合が高いため，TTF1を使用して小細胞癌の発生部位を特定することはできない．Grade 1〜2の腫瘍と同様に，ER/PgR免疫染色およびDCISまたは浸潤性乳管癌の存在は，小細胞癌の乳腺起源を支持する．乳腺への転移性小細胞癌は，組織学的に不確実な症例では画像診断を含めた検索によって除外されるべきである．大細胞NECについては，神経内分泌マーカー発現の有無により高悪性度の浸潤性乳管癌との鑑別が必要である．

7．分子病理学的特徴と発生メカニズム

NENに関する遺伝子変異については少数での報告にとどまり，不明な点が多い．神経内分泌分化を伴う乳房腫瘍に関するこれまでのほとんどの研究は，現在の分類におけるNETおよびIDC-NED（invasive ductal carcinoma with neuroendocrine differentiation）が混在しており，luminal型乳癌との関連が指摘されている[12]．Parejaらは ER陽性/HER2陰性浸潤性乳管癌と比較して，乳房NETは，転写因子 *TBX3*，*FOXA1* および *CTCF* を標的とする突然変異の頻度が高い一方で，*PIK3CA* 変異，1q増加および16q欠失の頻度が低いことを報告した[15]．WeiらはNECとして分類されたNENの遺伝子分析を報告し，*TP53* および *RB1* 遺伝子の変異はみられなかったものの，p53およびRB1経路における他の遺伝子変異がそれぞれ18％および27％認められたと報告した[16]．それに対してBeanらは小細胞NEC（6/7，86％），大細胞NEC（2/4，50％）において *TP53* と *RB1* に変異が同時に認められたと報告しており，乳房外NECとの遺伝的類似性を指摘している[17]．

（黒田　一）

文　献

1）Azzopardi JG, Muretto P, Goddeeris P, et al：'Carcinoid' tumours of the breast：the morphological spectrum of argyrophil carcinomas. Histopathology 6：549-569, 1982
2）Lakhani SR, Ellis IO, Schnitt SJ, et al（eds）：WHO Classification of Tumours of the Breast（4th ed.）, IARC, Lyon, 2012
3）WHO Classification of Tumours Editorial Board（ed）：WHO Classification of Tumors, Breast Tumours（5th ed.）, IARC, Lyon, 2019
4）Cloyd JM, Yang RL, Allison KH, et al：Impact of histological subtype on long-term outcomes of neuroendocrine carcinoma of the breast. Breast Cancer Res Treat 148：637-644, 2014
5）Roininen N, Takala S, Haapasaari KM, et al：Primary neuroendocrine breast carcinomas are associated with poor local control despite favourable biological profile：a retrospective clinical study. BMC Cancer 17：72, 2017
6）Kelten Talu C, Leblebici C, Kilicaslan Ozturk T, et al：Primary breast carcinomas with neuroendocrine features：clinicopathological features and analysis of tumor growth patterns in 36 cases. Ann Diagn Pathol 34：122-130, 2018
7）Lavigne M, Menet E, Tille JC, et al：Comprehensive clinical and molecular analyses of neuroendocrine carcinomas of the breast. Mod Pathol 31：68-82, 2018
8）Bogina G, Munari E, Brunelli M, et al：Neuroendocrine differentiation in breast carcinoma：clinicopathological features and outcome. Histopathology 68：422-432, 2016
9）Kwon SY, Bae YK, Gu MJ, et al：Neuroendocrine differentiation correlates with hormone receptor expression and decreased survival in patients with invasive breast carcinoma. Histopathology 64：647-659, 2014
10）Sapino A, Righi L, Cassoni P, et al：Expression of apocrine differentiation markers in neuroendocrine breast carcinomas of aged women. Mod Pathol 14：768-776, 2001
11）Pareja F, D'Alfonso TM：Neuroendocrine neoplasms of the breast：a review focused on the updated World Health Organization（WHO）5th edition morphologic classification. Breast J 26：1160-1167, 2020
12）Marchio C, Geyer FC, Ng CK, et al：The genetic landscape of breast carcinomas with neuroendocrine differentiation. J Pathol 241：405-419, 2017
13）Shin SJ, DeLellis RA, Ying L, et al：Small cell carcinoma of the breast：a clinicopathologic and immunohistochemical study of nine patients. Am J Surg Pathol 24：1231-1238, 2000
14）McCullar B, Pandey M, Yaghmour G, et al：Genomic landscape of small cell carcinoma of the breast contrasted to small cell carcinoma of the lung. Breast Cancer Res Treat 158：195-202, 2016
15）Pareja F, Vahdatinia M, Marchio C, et al：Neuroendocrine tumours of the breast：a genomic comparison with mucinous breast cancers and neuroendocrine tumours of other anatomic sites. J Clin Pathol 75：10-17, 2022
16）Wei Y, Ke X, Yu J, et al：Clinical and genomic analyses of neuroendocrine neoplasms of the breast. Mod Pathol 35：495-505, 2022
17）Bean GR, Najjar S, Shin SJ, et al：Genetic and immunohistochemical profiling of small cell and large cell neuroendocrine carcinomas of the breast. Mod Pathol, 2022, doi:10.1038/s41379-022-01090-y. online ahead of print

(9) 腺様嚢胞癌および他の唾液腺型乳癌

はじめに

estrogen receptor (ER), progesterone receptor (PgR), および HER2 発現陰性のトリプルネガティブ乳癌 triple negative breast cancer (TNBC) のうち, 低悪性度の癌の多くは唾液腺型乳癌である. 唾液腺型乳癌は, 唾液腺に発生する同名腫瘍と類似した組織形態を示し, それらと共通した遺伝子異常がある場合があることが知られている. 特徴的な遺伝子異常として, 分泌癌の *ETV6-NTRK3* 融合遺伝子形成, 腺様嚢胞癌 adenoid cystic carcinoma (AdCC) の *MYB* 遺伝子再構成がある. 一方, 腺房細胞癌 acinic cell carcinoma (ACC) では, 同名唾液腺腫瘍でみられる遺伝子異常はみられず, 高悪性度 TNBC と共通した遺伝子異常があると報告されている[1].

本項では, 唾液腺型乳癌の中では遭遇頻度が高いと思われる AdCC について主に記述し, ACC についても触れる. 分泌癌については, 次項第2部-I-10-(10)「分泌癌」を参照されたい.

1. 腺様嚢胞癌 (AdCC)

1) 定義・概念

唾液腺の AdCC と同じ組織形態を呈する腫瘍で, WHO 分類 第5版 (2019年) では, 患者の臨床経過を考慮し, 古典型腺様嚢胞癌 (classic AdCC), 充実類基底細胞型腺様嚢胞癌 solid-basaloid AdCC (SB-AdCC), 高異型度転化を伴う腺様嚢胞癌 AdCC with high-grade transformation に分けられている[2].

2) 臨床的事項

高齢女性に多い. 触知可能な単発腫瘤のことが多く, 乳頭直下が好発部位である. 画像では境界明瞭な腫瘤を呈することが多く, 線維腺腫等の良性病変との鑑別が難しいことがある[3]. classic AdCC では, 完全切除により再発はまれとされているが, classic AdCC 以外は必ずしも予後良好ではない[2].

3) 肉眼所見

周囲圧排性の境界明瞭な腫瘤であることが多い[2].

4) 組織学的所見

筋上皮細胞の増生を背景に管腔を形成する上皮の増生巣があり, 胞巣は篩状あるいは腺管状構造をとる. 管腔構造は, 上皮細胞に囲まれ粘液を容れる真の腺腔と, 筋上皮細胞で囲まれ基底膜様物質を容れる偽腺腔からなる (**図1**). まれに脂腺や扁平上皮への分化を示す. classic AdCC は, 核異型は乏しく核分裂像はまれで, 壊死はないか乏しい. SB-AdCC は, classic AdCC の組織形態に加えて, 異型の目立つ基底細胞様細胞からなる充実性の胞巣がみられるもので, 核分裂像や壊死がある (**図2**). AdCC よりも悪性度が高い癌を合併した場合は, AdCC with high-grade transformation と呼称される[2].

診断の要 *Essential diagnostic criteria*

- 篩状, 腺管状, あるいは充実性構造をとり, 筋上皮あるいは上皮の形質をもつ細胞からなる浸潤癌. 古典型では, 上皮性粘液を容れた真の腺腔と基底膜様物質を容れた偽腺腔が確認される

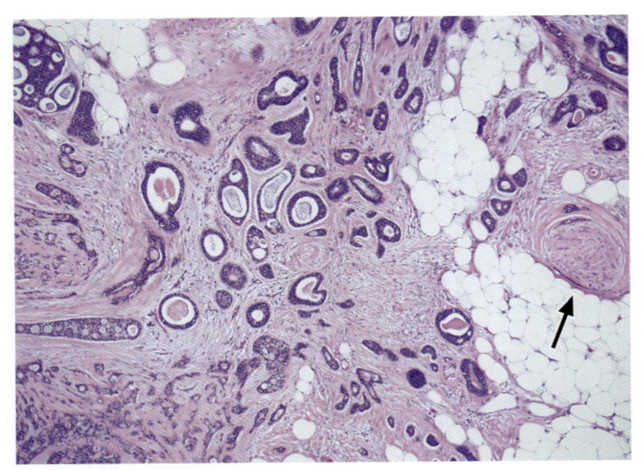

図 1 | 古典型腺様囊胞癌
腺管状あるいは篩状構造をとる胞巣がみられ，胞巣には管腔構造が確認される．管腔は，上皮細胞に囲まれ粘液を容れる真の腺腔と，筋上皮細胞で囲まれ基底膜様物質を容れる偽腺腔からなる．図右中ほどに，腫瘍の神経周囲浸潤が確認される（矢印）．（四国がんセンター症例：寺本典弘先生ご提供）

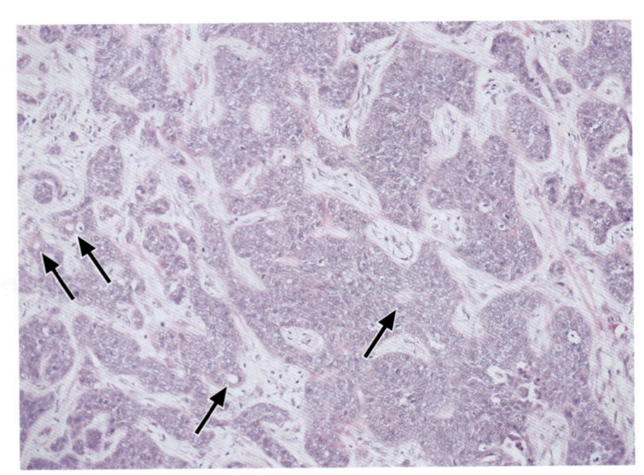

図 2 | 充実類基底細胞型腺様囊胞癌
異型の目立つ基底細胞様細胞からなる充実性の胞巣がみられ，核分裂像や壊死がある．よくみると管腔構造が確認される（矢印）．

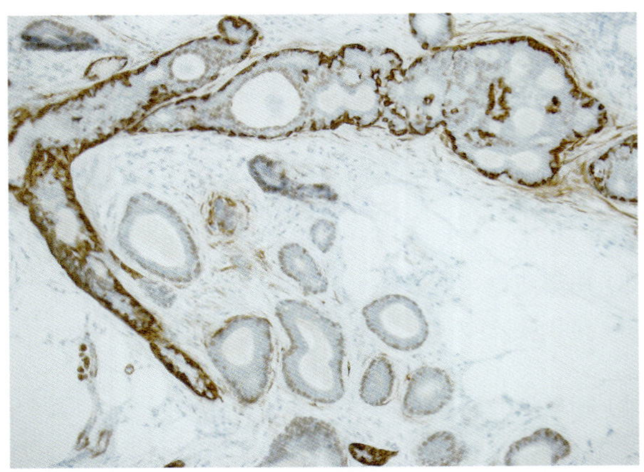

図 3 | 腺様囊胞癌（calponin と p63 のカクテル抗体免疫染色）
浸潤部と非浸潤部がみられる．腫瘍部筋上皮成分の染色性は，非腫瘍筋上皮の染色性と比較すると弱い．（四国がんセンター症例：寺本典弘先生ご提供）

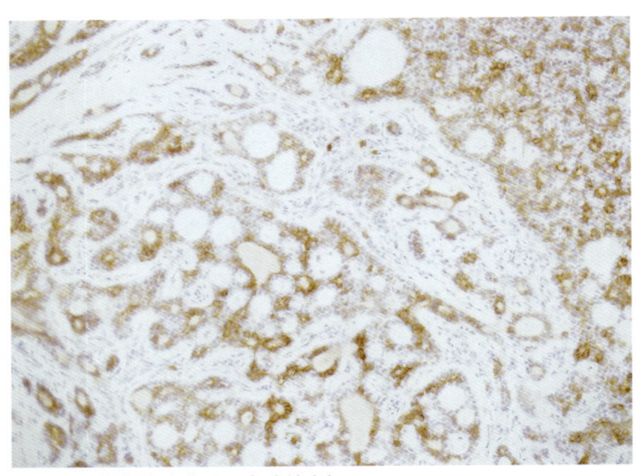

図 4 | 腺様囊胞癌（c-kit 免疫染色）
管腔構造を形成する上皮が陽性である．（四国がんセンター症例：寺本典弘先生ご提供）

5）免疫組織化学的特徴

AdCC は腺上皮と筋上皮の増生からなる腫瘍であるため，筋上皮に対する免疫染色が有用である．ただし，筋上皮マーカーとして知られている抗体の染色性は，腫瘍化すると変化することがあるため，複数の抗体を使用する必要がある[4]（**図 3**）．通常，c-kit（CD117）が上皮に強陽性となり（**図 4**），筋上皮成分に強くびまん性の MYB 陽性像が認められる．唾液腺 AdCC 同様，乳腺 AdCC でも SOX10 が陽性となる[5]．基底膜物質である type Ⅳcollagen や laminin に対する抗体で，腫瘍胞巣内の偽腺腔内基底膜様物質が染色される[2]．

6）鑑別診断

a）collagenous spherulosis

AdCC に類似した上皮と筋上皮の分布を示す篩状形態を呈する病変であり，管腔内に基底膜様物質を容れるが，通常偶発的に発見される．c-kit の発現は弱いか陰性である[5]．

b）篩状癌

篩状癌 cribriform carcinoma は筋上皮との二相性はなく，ER および PgR は陽性である．

c）microglandular adenosis（MGA）

腺管周囲に筋上皮はなく，免疫染色では c-kit は強陽性ではない．

d）神経内分泌癌

神経内分泌癌 neuroendocrine carcinoma は，SB-AdCC の類基底細胞増生領域では，筋上皮が同定できない場合があり注意が必要である．免疫染色で神経内分泌系への分化を確認する．

2．腺房細胞癌（ACC）

1）定義・概念

ACC は唾液腺漿液性腺房細胞に類似した，淡明あるいは顆粒状の細胞質をもつ細胞の増生からなる悪性腫瘍で，細胞質内にチモーゲン顆粒をもつ．

2）臨床的事項

通常成人女性に発生する．報告例が少なく臨床経過の検討は不十分であるが，浸潤性乳管癌よりは概ね予後がよさそうである[3]．

3）肉眼所見

特徴的な肉眼像は報告されていない[2]．

4）組織学的所見

組織構築ではなく，細胞形態が診断の要となる．典型的な例では，細胞質に好酸性あるいは好塩基性の顆粒をもつ細胞と淡明な細胞質をもつ細胞からなる（**図 5**）．核は細胞の中心にあり，核小体が目立つことが多い[2]．ジアスターゼ消化 PAS 染色で，細胞質内にチモーゲン顆粒が認められる[3]．

5）免疫組織化学的特徴

amylase，lysozyme，α_1-antichymotrypsin，S100，EMA が陽性となる[3]．

診断の要 *Essential diagnostic criteria*

- 細胞質に好酸性あるいは好塩基性の顆粒をもつ細胞からなる
- 免疫染色で漿液性腺房への分化が確認される

6）鑑別診断

各種浸潤癌が鑑別に挙がる．腫瘍細胞形態と漿液性腺房への分化の有無から鑑別する[3]．

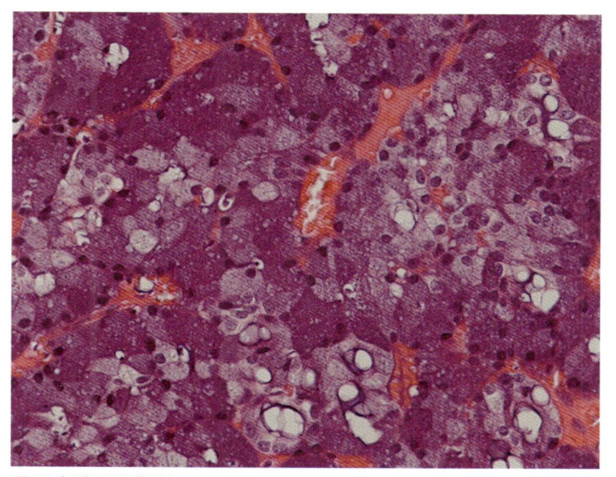

図 5 | 腺房細胞癌
本例は，細胞質に好塩基性の顆粒をもつ細胞と淡明な細胞質をもつ細胞からなる．腺房細胞癌の診断には腫瘍細胞の形態と性状が重要である．（川崎医科大学病理学 森谷卓也先生ご提供）

微小腺管形態を示す例では MGA との鑑別が難しいことがある．さらに，ACC と MGA には組織学的な移行があることがあり，共通の遺伝子変異が知られている[1]．

（西村理恵子）

文　献

1）Pareja F, Weigelt B, Reis-Filho JS：Problematic breast tumors reassessed in light of novel molecular data. Mod Pathol 34：38-47, 2021
2）Foschini MP, Geyer FC, Marchio C, et al：Rare and salivary gland-type tumours. in WHO Classification of Tumours Editorial Board（ed）："WHO Classification of Tumours, Breast Tumours"（5th ed.），IARC, Lyon, 2019, pp139-154
3）Cima L, Kaya H, Marchiò C, et al：Triple-negative breast carcinomas of low malignant potential：review on diagnostic criteria and differential diagnoses. Virchows Arch 480：109-126, 2022
4）Tan PH, Ellis IO, Foschini MP, et al：Epithelial-myoepithelial tumours. in WHO Classification of Tumours Editorial Board（ed）："WHO Classification of Tumours, Breast Tumours"（5th ed.），IARC, Lyon, 2019, pp39-48
5）Brogi E：Adenoid cystic carcinoma. in Hoda SA, Brogi E, Koerner FC, et al（eds）："Rosen's Breast Pathology"（5th ed.），Wolters Kluwer, Philadelphia, 2021, pp799-827

I．上皮性腫瘍　10．特殊型乳癌

(10) 分泌癌

1．定義・概念

分泌癌 secretory carcinoma は腫瘍細胞内の分泌空胞または細胞外の好酸性・泡沫状の分泌物を特徴とする腫瘍で，腫瘍細胞が様々な構造を示して増殖する浸潤癌である[1)]．そして高い頻度で染色体転座による *ETV6-NTRK3* 融合遺伝子が検出される．1966 年に McDivitt と Stewart により，小児を含む若年者に発症する乳癌で“juvenile carcinoma（若年性癌）”として初めて発表されたが[2)]，後に成人での発症が報告され，臨床的にも小児よりも大人での発症が多いとされ，形態学的な特徴を表す分泌癌の名称が採用された．なお乳癌取扱い規約 第 18 版（2018 年）では，特殊型の一つに分類されている．

2．臨床的事項

非常にまれな乳癌で，日本乳癌学会・年次乳癌登録集計/全国乳がん患者登録調査報告では乳腺悪性腫瘍のうちおよそ 0.03％である[3)]．また患者年齢の中央値は 52 歳（24〜76 歳）である[4)]．分泌癌はいずれの領域にも発生するが，女性では中央区域に，男性や思春期前の女児では乳輪下に発生することが多い．左右差はみられない．腫瘍は緩徐に発育し，硬く，無痛性で，可動性のある腫瘤を形成する．ときに圧痛や乳頭分泌を伴う．

3．肉眼・画像所見

マンモグラフィでは不規則な形状の腫瘤として捉えられ，境界明瞭な場合は良性腫瘍との鑑別が問題となる．肉眼的には充実性で硬い境界明瞭な腫瘤形成が一般的であるが，境界不明瞭で周囲組織へ染み入るように増殖する場合もある．割面は灰白色または黄褐色，大きさは平均 2 cm（0.5〜16 cm）である[1)]．

4．組織学的所見

腫瘤は周囲組織に対して圧排性に増生する（**図 1**）．腫瘍細胞は微小嚢胞状（蜂巣状）（**図 2**），充実性（**図 3**），乳頭状（**図 4**），管腔状構造（**図 5**）を呈して増殖し，各々の構造が移行し混在してみられる[5)]．微小嚢胞状構造は甲状腺の濾胞を模倣するような組織像である．また間質の線維化が観察されることがある．肉眼的に腫瘍境界が明瞭であっても組織学的には浸潤を示すことがある（**図 5**）．分泌形質を示す腫瘍細胞の細胞質は淡明，好酸性または両染性で多くの分泌物が含まれ，核は小型〜中等度の大きさで，小型で均一な核小体が認められる．細胞質内および細胞外に好酸性または両染性の分泌物が観察され，この分泌物は PAS，mucicarmine，alcian blue 染色陽性である．核分裂像は非常に少ない．また顆粒状，好酸性の細胞質を有するアポクリン形質を示す腫瘍細胞が様々な割合で混在する．多くの分泌癌は Nottingham 分類の Grade1〜2 を示し，高異型度なものはまれである．乳管内病変がしばしば認められる．

5．免疫組織化学的特徴

腫瘍細胞は α-lactalbumin，S100（**図 6a**）に陽性を

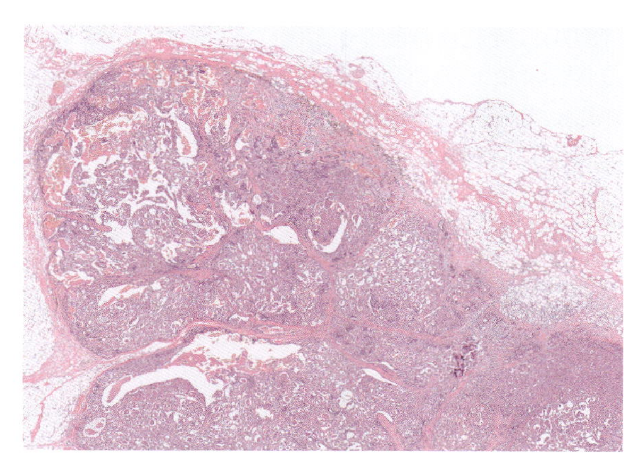

図 1 | 分泌癌のルーペ像
分葉状の結節性病変で，境界は比較的明瞭である．

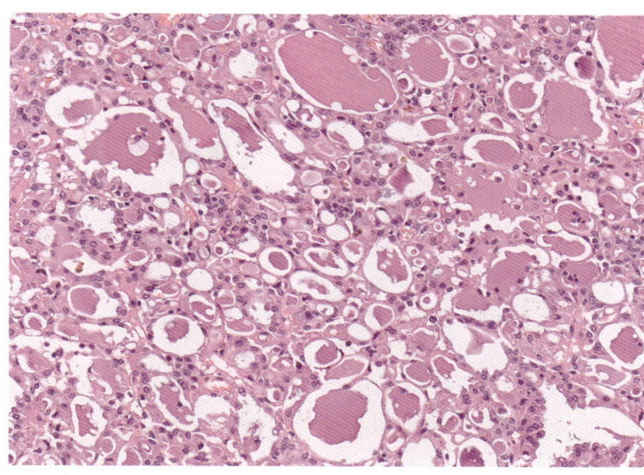

図 2 | 分泌癌
腫瘍細胞は微小嚢胞状構造を示す．嚢胞内または細胞質内に好酸性分泌物がみられる．コロイドを容れた甲状腺濾胞を模倣するようにみえる部分がある．

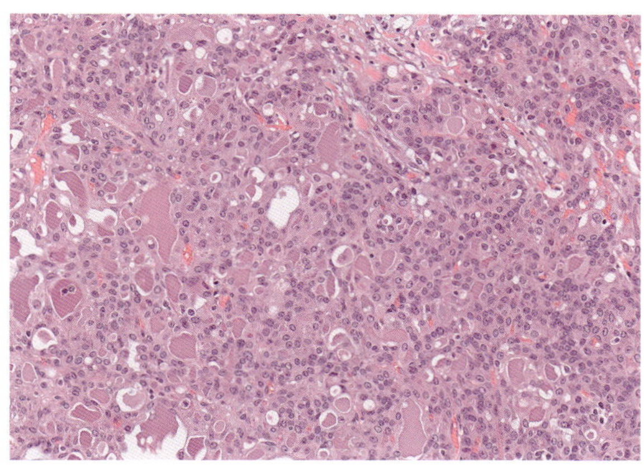

図 3 | 分泌癌
腫瘍細胞は充実性構造を呈して増殖する．

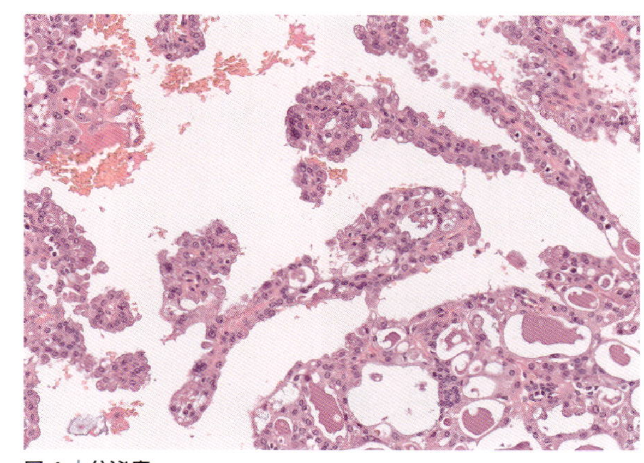

図 4 | 分泌癌
腫瘍細胞は乳頭状構造を呈して増殖する．

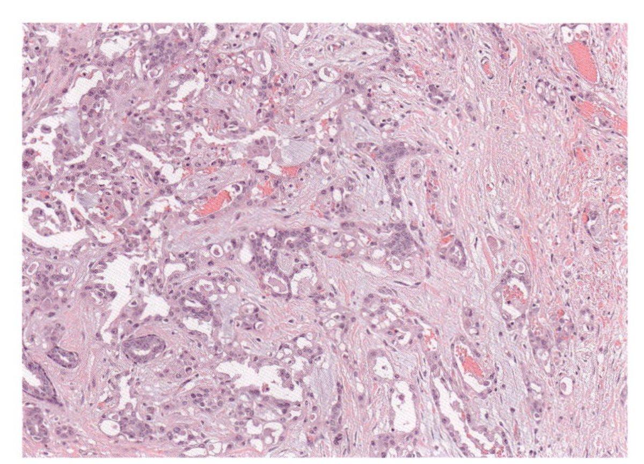

図 5 | 分泌癌
腫瘍細胞は管腔状構造を示しながら，周囲間質へ浸潤している．

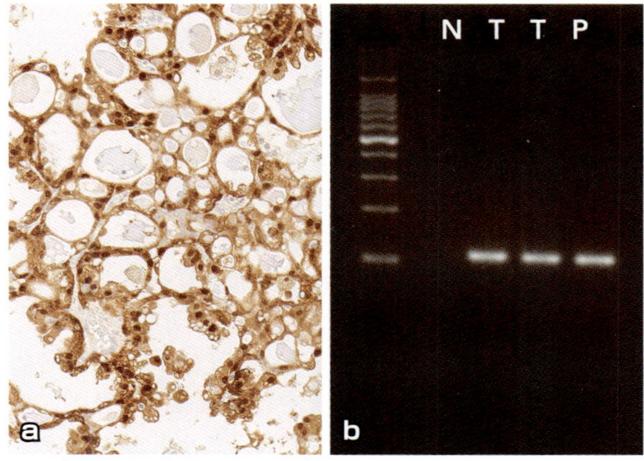

図 6 | 分泌癌の免疫染色および RT-PCR 法による融合遺伝子検索
a：腫瘍細胞の多くは S100 陽性である．b：本腫瘍では RT-PCR 法により *ETV6-NTRK3* 融合遺伝子産物が検出された（110 bp）．N：negative control，T：tumor，P：positive control．（東京医科大学人体病理学分野 長尾俊孝先生ご提供）．

示す[4,6]．またCEA(polyclonal)，GCDFP15，mammaglobin，GATA3，SOX10，MUC4も陽性となる[7]．多くの腫瘍は基底細胞マーカーであるCK5/6，EGFRを発現するが，部分的である．免疫組織化学的subtypeは通常ER，PgRおよびHER2陰性のトリプルネガティブ乳癌であるが，ときにホルモン受容体の発現がみられる症例がある．Ki67ラベリングインデックスは報告によって幅があるが，おおよそ20％より少ない．

診断の要 *Essential diagnostic criteria*

- 腫瘍細胞の細胞内および細胞外に多量の分泌物が観察される
- 微小嚢胞状(蜂巣状)，充実性，管腔状，乳頭状等の複数の組織構造が混在している
- 細胞異型は軽度から中等度である(Nottingham分類のGrade 1～2)
- 免疫組織化学でα-lactalbumin，S100陽性
- 免疫組織化学的subtypeは通常ER，PgRおよびHER2陰性のトリプルネガティブ乳癌である
- 染色体転座による*ETV6-NTRK3*融合遺伝子が検出される
- 緩徐に発育する腫瘍で，予後良好とされる

6．鑑別診断

切除検体のように十分な腫瘍組織を検索できる場合は診断に苦慮することは少ないが，針生検のように腫瘍の採取量が少ないときには診断に際して注意が必要である．

鑑別診断として，アポクリン癌，腺房細胞癌，cystic hypersecretory carcinoma(CHC)などが挙げられる．アポクリン癌の腫瘍細胞は顆粒状で好酸性の細胞質であるが，分泌癌のように腺腔内の豊富な分泌像はみられない．腺房細胞癌の腫瘍細胞は豊富で顆粒状の好酸性から両染性の細胞質を有し，免疫染色でS100陽性であることは分泌癌と類似するが，amylase陽性，α-lactalbumin陰性である点が異なる．CHCでは拡張した乳管内に甲状腺コロイドに類似した分泌物を容れ，腫瘍細胞は微小乳頭状パターンを呈して乳管内で増殖する．また免疫染色にてα-lactalbumin，S100が陽性である．しかし非浸潤病変が多く腫瘍細胞の細胞異型は中等度～高度であることが鑑別点となる．そのほかに分泌像の目立つ微小腺管腺症，cystic hypersecretory hyperplasia (CHH)，授乳性腺腫等が鑑別に挙げられる．これらは良性疾患・良性腫瘍であるため，一つ一つの管腔が筋上皮細胞や基底膜で覆われていることが鑑別点である．

上述のごとく形態学的特徴や免疫染色を踏まえた鑑別診断を記載したが，可能であれば分泌癌の遺伝子的特徴である*ETV6-NTRK3*融合遺伝子をFISH法やRT-PCR法(**図6b**)等を用いて証明することが望ましい．

7．分子病理学的特徴

分泌癌には，t(12;15)(p13;q25)転座により生じる*ETV6-NTRK3*融合遺伝子が検出される．この融合遺伝子は分泌癌に特異的であり，非浸潤部・浸潤部の双方にみられ，腫瘍発生に重要な関連があるとされる[8]．

*ETV6-NTRK3*融合遺伝子はcongenital fibrosarcoma等で発見され，RAS-MAPKおよびPI3K経路を経由して細胞の形質転換や腫瘍形成を促進するチロシンキナーゼをコードする遺伝子である．また以前は乳腺相似分泌癌mammary analogue secretory carcinoma(MASC)とも呼ばれていたように，唾液腺[9]，甲状腺[10]および皮膚付属器[11]等にも同様の融合遺伝子をもつ腫瘍が発生する．乳腺およびそれ以外の臓器に発生した分泌癌において共通の形態学的，免疫表現型的，遺伝学的特徴がみられることから，腫瘍の発生部位にかかわらず*ETV6-NTRK3*融合遺伝子が腫瘍発生の病因であることが示唆される．

NTRK3やNTRK familyの阻害薬についての研究が進んでおり[12]，RT-PCR法やFISH法を用いた融合遺伝子の検索を日常的に行うことが必要と思われる．またTRK蛋白の一部を認識するpan-Trk抗体を用いた免疫染色[13,14]についても，治療のバイオマーカーとして使用するためにより精度の高い抗体の開発が望まれる．

8．予後

分泌癌は一般的に緩徐な臨床経過をたどり，特に小児や若年者ではその傾向が強い．高齢者の場合は，若年者に比べより進行性で晩期再発が認められる．腫瘍径が2 cm未満の場合リンパ節転移はほとんど認めず，3個を超えるリンパ節転移はあまりみられない[15]．死亡例はまれで，予後良好とされる．5年

および10年生存率は各々94％，91％である[16]．

（熊木伸枝）

文　献

1）Krings G, Chen YY, Sorensen PHB, et al：Secretory carcinoma. in WHO Classification of Tumours Editorial Board (ed)："WHO Classification of Tumours, Breast Tumours" (5th ed.), IARC, Lyon, 2019, pp146-148

2）McDivitt RW, Stewart FW：Breast carcinoma in children. JAMA 195：388-390, 1966

3）日本乳癌学会：年次乳癌登録集計/全国乳がん患者登録調査報告 (2004～2016年)

4）Osako T, Takeuchi K, Horii R, et al：Secretory carcinoma of the breast and its histopathological mimics：value of markers for differential diagnosis. Histopathology 63：509-519, 2013

5）Koerner FC：Secretory carcinoma. in Hoda SA, Brogi E, Koerner FC, et al (eds)："Rosen's Breast Pathology" (5th ed.), Wolters Kluwer, Philadelphia, 2021, pp762-776

6）Li D, Xiao X, Yang W, et al：Secretory breast carcinoma：a clinicopathological and immunophenotypic study of 15 cases with a review of the literature. Mod Pathol 25：567-575, 2012

7）Krings G, Joseph NM, Bean GR, et al：Genomic profiling of breast secretory carcinomas reveals distinct genetics from other breast cancers and similarity to mammary analog secretory carcinomas. Mod Pathol 30：1086-1099, 2017

8）Tognon C, Knezevich SR, Huntsman D, et al：Expression of the ETV6-NTRK3 gene fusion as a primary event in human secretory breast carcinoma. Cancer Cell 2：367-376, 2002

9）Skalova A, Bell D, Bishop JA, et al：Secretory carcinoma. in El-Nagger AK, Chan JKC, Grandis JR, et al (eds)："WHO Classification of Head and Neck Tumours" (4th ed.), IARC, Lyon, 2017, pp177-178

10）Dogan S, Wang L, Ptashkin RN, et al：Mammary analog secretory carcinoma of the thyroid gland：a primary thyroid adenocarcinoma harboring ETV6–NTRK3 fusion. Mod Pathol 29：985–995, 2016

11）Kazakov DV, Argenyi ZB, Brenn T, et al：Secretory carcinoma. in Elder DE, Massi D, Scolyer RA, et al (eds)："WHO Classification of Skin Tumours" (4th ed.), IARC, Lyon, 2018, pp179-180

12）Cocco E, Scaltriti M, Drilon A：NTRK fusion-positive cancers and TRK inhibitor therapy. Nat Rev Clin Oncol 15：731–747, 2018

13）Hechtman JF, Benayed R, Hyman DM, et al：Pan-TRK immunohistochemistry is an efficient and reliable screen for the detection of NTRK fusions. Am J Surg Pathol 41：1547-1551, 2017

14）Harrison BT, Fowler E, Krings G, et al：Pan-TRK immunohistochemistry. A useful diagnostic adjunct for secretory carcinoma of the breast. Am J Sur Pathol 43：1693-1700, 2019

15）Vasudev P, Onuma K：Secretory breast carcinoma：unique, triple-negative carcinoma with a favorable prognosis and characteristic molecular expression. Arch Pathol Lab Med 135：1606-1610, 2011

16）Horowitz DP, Sharma CS, Connolly E, et al：Secretory carcinoma of the breast：results from the survival, epidemiology, and end results database. Breast 21：350-353, 2012

Ⅰ．上皮性腫瘍　10．特殊型乳癌

(11) その他のまれな乳癌

はじめに

本項では，浸潤性乳管癌の特殊形態パターンおよび tall cell carcinoma with reversed polarity について，WHO 分類 第5版（2019 年）に準じて解説する．なお，非特殊型浸潤性乳癌の組織型名が WHO 分類 第5版，同 第4版（2012 年），同 第3版（2003 年）および乳癌取扱い規約 第18版（2018 年）で異なるが，本項ではわが国で一般的に用いられている浸潤性乳管癌を用いる．

1．浸潤性乳管癌の特殊形態パターン

WHO 分類 第5版では，浸潤性乳管癌に 10 種の特殊形態パターンが掲載されている（**表 1**）．そのうち4種は，同 第4版で浸潤性乳管癌のまれな形態学的亜型とされていたものが，基本的には第5版でもそのまま引き継がれた．一方，他の6種は，第4版では独立した組織型とされていたが，第5版では浸潤性乳管癌に亜型として含まれることになった．

1）medullary pattern

a）定義・概念

圧排性増殖，合胞体様の浸潤巣，高度な核異型，著明なリンパ球浸潤を特徴とする腫瘍（形態パターン）である．

本腫瘍（形態パターン）は，分類が最も変遷してきた乳腺腫瘍の一つである（**表 1**）．WHO 分類 第3版では，medullary carcinoma と分類されていた．しかし，診断者間一致率が低い点が問題視され，第4版では，髄様増殖を示し腫瘍浸潤リンパ球が豊富な腫瘍がより広く carcinoma with medullary features という組織型に分類されることとなった．その中には，① medullary carcinoma，② atypical medullary carcinoma，③ invasive carcinoma of no special type with medullary features の3亜型が含まれることになった．その後，第5版では，腫瘍浸潤リンパ球が豊富な浸潤性乳管癌の極型に位置づけられ，浸潤性乳管癌の亜型に組み入れられた．

b）臨床的事項

かつて medullary carcinoma と診断されていた典型例は，全乳癌の1％未満である[1]．がん研究会有明病院で WHO 分類 第5版に従って診断した乳腺腫瘍のうち，本形態パターンを少なくとも一部に伴う頻度は，浸潤性乳管癌の 0.8％であった（2020 年～2021 年に手術した 1,503 例中 12 例）．本腫瘍は病期を一致させた高異型度腫瘍と比較して予後良好である[2]．その良好な予後は豊富な腫瘍浸潤リンパ球，すなわち宿主の強い免疫応答によるとされる[3]．

c）肉眼・画像所見

肉眼的には，境界明瞭で圧排性の腫瘤を形成する（**図 1**）．内部に壊死や出血を生じ，嚢胞性変化を呈することもある．腫瘍径の中央値は 2.2 cm である[4]．画像所見はこの肉眼所見を反映し，境界明瞭な腫瘤を呈する．

d）組織学的所見

①境界明瞭で圧排性の増殖（**図 2**），②管状構造の欠如（**図 3**），③合胞体様のシート状増殖（**図 4**），④高度な核異型度（**図 4**），⑤著明な腫瘍浸潤リンパ球

表 1 | WHO 分類 第 5 版に掲載されている浸潤性乳管癌の特殊形態パターン 10 種類と過去の WHO 分類での表記

第 5 版 (2019 年)	第 4 版 (2012 年)	第 3 版 (2003 年)
medullary pattern	carcinoma with medullary features*	medullary carcinoma*
invasive carcinoma with neuroendocrine differentiation	同 第 5 版 (ただし，浸潤性乳管癌とは別の組織型) **	記載なし
carcinoma with osteoclast-like stromal giant cells	同 第 5 版	carcinoma with osteoclastic giant cells
pleomorphic pattern	pleomorphic carcinoma	同 第 4 版
choriocarcinomatous pattern	carcinoma with choriocarcinomatous features	同 第 4 版
melanotic pattern	carcinoma with melanotic features	同 第 4 版
oncocytic pattern	oncocytic carcinoma*	同 第 4 版
lipid-rich pattern	lipid-rich carcinoma*	同 第 4 版
glycogen-rich clear cell pattern	glycogen-rich clear cell carcinoma*	同 第 4 版
sebaceous pattern	sebaceous carcinoma*	同 第 4 版

*浸潤性乳管癌とは別の独立した組織型．**浸潤性乳管癌とは別の独立した組織型である carcinoma with neuroendocrine features の亜型．

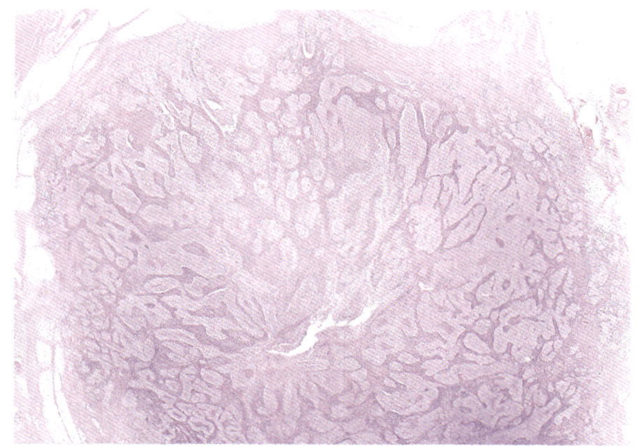

図 1 | **medullary pattern**
ルーペ像．比較的境界明瞭な充実性腫瘤を呈する．

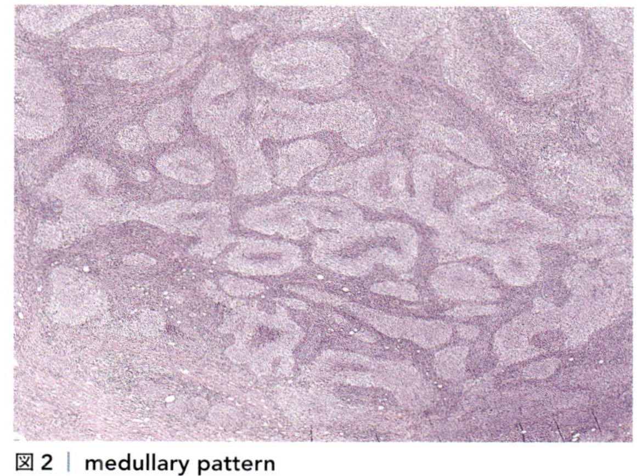

図 2 | **medullary pattern**
弱拡大像．充実性の腫瘍胞巣およびリンパ球浸潤が著明な腫瘍間質のコントラストにより，脳回様を呈する．

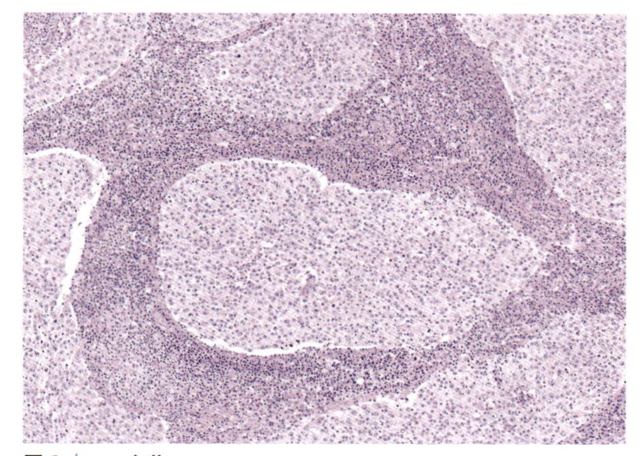

図 3 | **medullary pattern**
中拡大像．腺腔形成を伴わない充実性の癌胞巣で，周囲の間質にリンパ球を主体とした著明な炎症細胞浸潤がみられる．

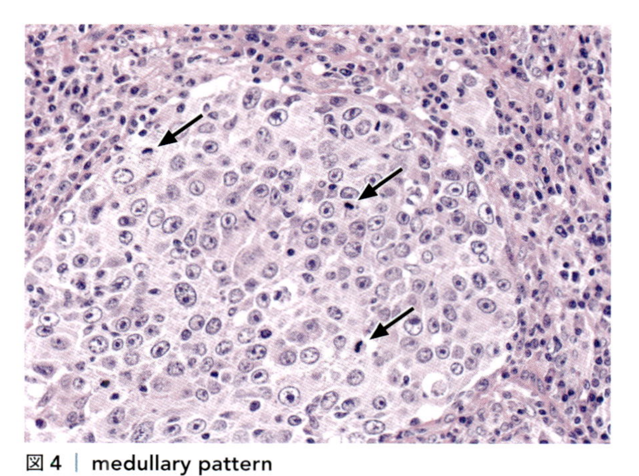

図 4 | **medullary pattern**
強拡大像．癌胞巣では，細胞境界が不明瞭で合胞体様を呈する．癌細胞は核異型が目立ち，分裂像も多くみられる (矢印)．

表2 | WHO 分類 第5版に掲載されている神経内分泌分化を伴う腫瘍と過去の WHO 分類での表記

第5版（2019年）			第4版（2012年）	第3版（2003年）
組織型分類	組織・細胞形態	神経内分泌マーカー	組織型分類	組織型分類
invasive carcinoma with neuroendocrine differentiation	下記のいずれもが明瞭でない	様々な程度に陽性	同 第5版（ただし，浸潤性乳管癌とは別の組織型）*	記載なし
neuroendocrine tumour	神経内分泌形態（低〜中等度の悪性度）	びまん性陽性	neuroendocrine tumour, well-differentiated*	solid neuroendocrine carcinoma†
neuroendocrine carcinoma	神経内分泌形態（高悪性度，肺の小細胞癌や大細胞神経内分泌癌に類似）	陽性が多い	neuroendocrine carcinoma, poorly differentiated (small cell carcinoma*)	small cell/oat cell carcinoma† large cell neuroendocrine carcinoma†
solid papillary carcinoma (invasive)	充実乳頭状の構築で浸潤	陽性が多い	同 第5版**	記載なし
mucinous carcinoma (hypercellular subtype)	細胞外粘液内に癌胞巣が浮遊	陽性が多い	同 第5版**	同 第5版

*組織型 carcinoma with neuroendocrine features の亜型．**神経内分泌分化を伴うものは，組織型 carcinoma with neuroendocrine features の亜型である invasive breast carcinoma with neuroendocrine differentiation にも該当．†組織型 neuroendocrine tumours の亜型．

（**図2, 3**）のうち，全てもしくはいくつかを示す腫瘍（形態パターン）である[2,5,6]．合胞体様とは，個々の癌細胞の境界が不明瞭となり，複数の核を含んだ大きな細胞（合胞体，シンシチウム）のようにみえる組織形態をいう．また，典型例の弱拡大像では，充実性の浸潤癌胞巣と間質のリンパ球浸潤のコントラストから，脳回様を呈する（**図2**）．以上の形態学的特徴から，組織学的グレードは3になることがほとんどである．

診断の要 *Essential diagnostic criteria*

- 境界明瞭で圧排性の増殖
- 合胞体様のシート状増殖
- 管状構造の欠如
- 高度な核異型度
- 著明な腫瘍浸潤リンパ球

e）免疫組織化学的特徴

本腫瘍の多くは，ER，PgR，および HER2 がいずれも陰性となるトリプルネガティブ乳癌である．Ki67 ラベリングインデックスも高い．さらに，基底細胞マーカーである高分子量 cytokeratin（CK5/6，CK14）や EGFR（HER1）が陽性となり，basal-like phenotype を呈することが多い[7]．また，p53 発現異常がみられることも多い．

f）分子病理学的特徴

medullary carcinoma の遺伝子発現解析では，免疫や炎症に関係する遺伝子が高発現し，トリプルネガティブ乳癌の中では immunomodulatory サブタイプに分類される[8]．

2）invasive carcinoma with neuroendocrine differentiation

a）定義・概念

典型的な神経内分泌形態や特定の特殊形態を示さず，様々な程度に神経内分泌マーカーが陽性となる形態パターンである．

神経内分泌分化を伴う腫瘍も，分類が最も変遷してきた乳腺腫瘍の一つである（**表2**）．WHO 分類 第3版では，浸潤癌の組織型として neuroendocrine tumours が掲載された．その中で第5版の neuroendocrine tumour および neuroendocrine carcinoma に相当する亜型が解説されているが，神経内分泌分化を伴う浸潤性乳管癌は言及されていない．第4版では，組織型 carcinoma with neuroendocrine features の亜型として，典型的な神経内分泌形態を示さないが，神経内分泌分化を伴う浸潤性乳管癌または特殊組織型（invasive breast carcinoma with neuroendocrine differentiation）が掲載された．この亜型の中には，神経内分泌分化を伴う solid papillary carcinoma および mucinous carcinoma も含まれ，それらは2つの組織型に分類されうるという問題が生じた．その後，第5版では分類がより整理され，典型的な神経内分泌形態を示す腫瘍は neuroendocrine neoplasm（neuroendocrine tumour または neuroendocrine carcinoma）に分類され，神経内分泌形態を示さない腫瘍はその形態に応じた組織型（浸潤性乳管癌，solid papillary carcinoma，mucinous carcinoma など）に分類されることになった．

b）臨床的事項

浸潤性乳管癌の約10〜30％で様々な程度に神経内

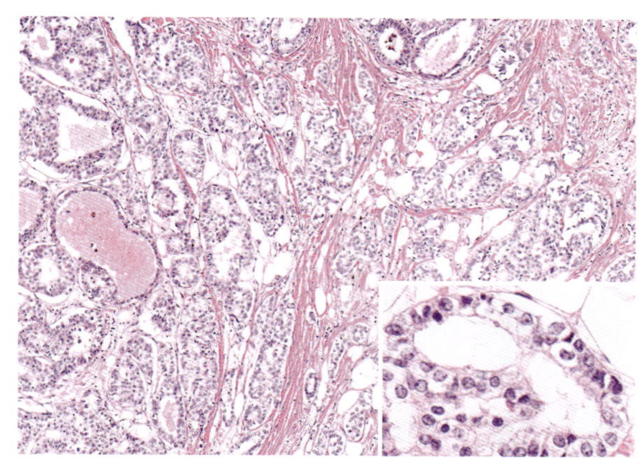

図 5 | invasive carcinoma with neuroendocrine differentiation
中拡大像．非特異的な浸潤性乳管癌の組織像である(inset：強拡大像)．

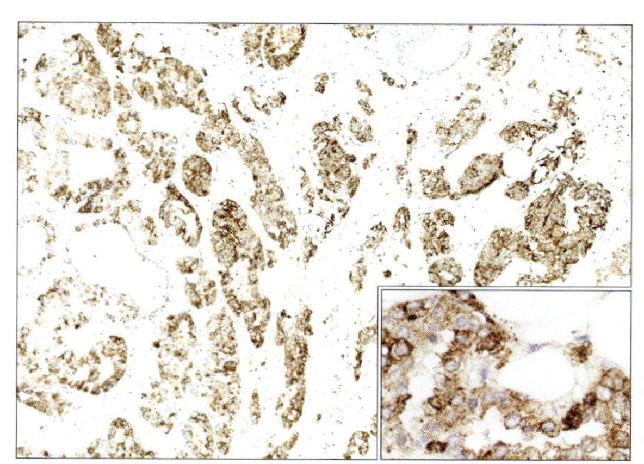

図 6 | invasive carcinoma with neuroendocrine differentiation
図 5 と連続切片．免疫染色では chromogranin A がびまん性強陽性である(inset：強拡大像)．

分泌マーカーが陽性となるとされる．しかし，神経内分泌マーカーが広汎に陽性となる浸潤性乳管癌は 5％未満である[9]．

c) 組織学的所見

典型的な神経内分泌形態や特定の特殊形態を示さず，非特異的な形態を示す(**図 5**)．

d) 免疫組織化学的特徴

定義上，神経内分泌マーカー(synaptophysin, chromogranin A)が様々な程度に陽性となる(**図 6**)．また，ホルモン受容体(ER, PgR)陽性，HER2 陰性の luminal 型が多い．

e) 鑑別診断

神経内分泌マーカーが陽性となる下記 4 つの組織型を組織・細胞形態学的に鑑別する必要がある．

① neuroendocrine tumor：低〜中等度の悪性度の神経内分泌形態を示す浸潤癌である．典型的には，好酸性の細胞質をもつ多角形細胞が，線維血管性間質に囲まれた，細胞密度が高い充実性の島状胞巣を形成し，浸潤する．

② neuroendocrine carcinoma：高悪性度の神経内分泌形態を示す浸潤癌で，肺原発の小細胞癌もしくは大細胞神経内分泌癌に類似する．

③ solid papillary carcinoma (invasive)：好酸性の細胞質をもち，核異型度が軽度〜中等度で円形ないし紡錘形の均質な腫瘍細胞が，細い線維血管性の茎を伴う充実性胞巣で浸潤する．

④ mucinous carcinoma (hypercellular subtype)：細胞外粘液の集塊の中に，癌胞巣が浮遊する．神経内分泌分化を伴うものは，癌胞巣が充実性で大きく，粘液の割合が低い(いわゆる type B)．

3) carcinoma with osteoclast-like stromal giant cells

a) 定義・概念

破骨細胞様巨細胞が癌の間質にみられる形態パターンである．浸潤性乳管癌以外の組織型でもみられることが知られているが，WHO 分類 第 5 版では浸潤性乳管癌の特殊形態パターンに記載されている．

b) 臨床的事項

頻度は全乳癌中の約 1％である[10]．がん研究会有明病院での頻度は，浸潤性乳管癌の 0.7％であった(2020 年〜2021 年に手術した 1,503 例中 11 例)．癌の生物学的特性が予後と関連し，破骨細胞様巨細胞の有無は予後に影響しない．

c) 肉眼所見

腫瘍間質に赤血球漏出やヘモジデリン沈着を伴う症例では，割面が褐色の充実性腫瘤を呈する(**図 7**)．

d) 組織学的所見

① 破骨細胞様巨細胞の特徴：腫瘍間質および癌胞巣内にみられる．細胞の大きさは様々である．また，核は異型が乏しく，その数も様々である(**図 8, 9**)．

② 腫瘍間質の特徴：赤血球漏出やヘモジデリン沈着を伴う，炎症性，線維性，富血管性の間質であることが多い．破骨細胞様巨細胞のほかに，単核ないし多核の組織球がみられる(**図 8**)．

③ 癌の特徴：高分化〜中分化の浸潤性乳管癌(乳癌取扱い規約 第 18 版での腺管形成型)であることが多い(**図 8, 9**)．浸潤性乳管癌以外では，篩状癌に多くみられるが，化生癌にもまれにみられる．

e) 免疫組織化学的特徴

破骨細胞様巨細胞は，CD68 が陽性である一方，

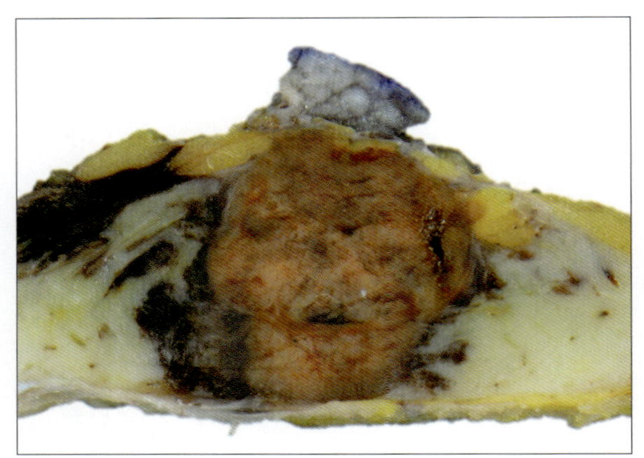

図 7 ｜ carcinoma with osteoclast-like stromal giant cells
割面肉眼像．割面が褐色調の分葉状充実性腫瘤．

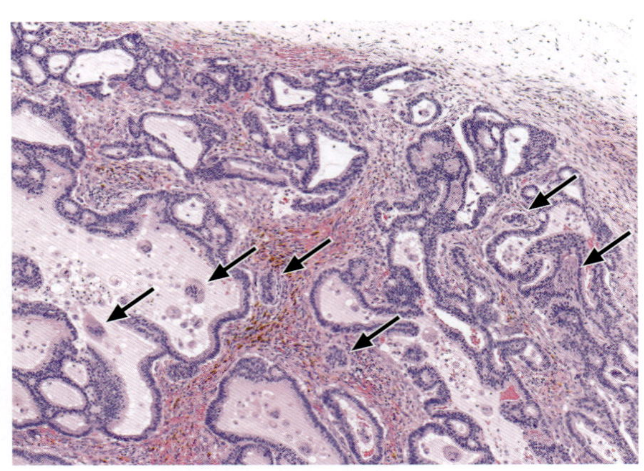

図 8 ｜ carcinoma with osteoclast-like stromal giant cells
図 7 と同一症例の中拡大像．腺腔形成の目立つ浸潤癌で，腫瘍間質にはヘモジデリン沈着が目立つ．多核巨細胞が間質および癌胞巣内にみられる（矢印）．

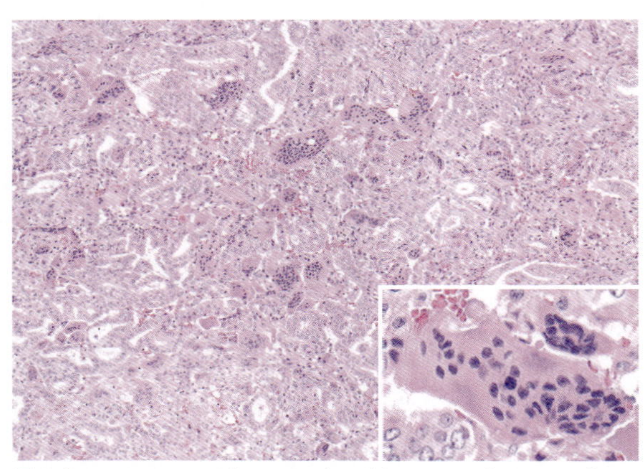

図 9 ｜ carcinoma with osteoclast-like stromal giant cells
図 7 とは別症例の中拡大像．中分化の腺癌で，破骨細胞様多核巨細胞（inset：強拡大像）が多数みられる．

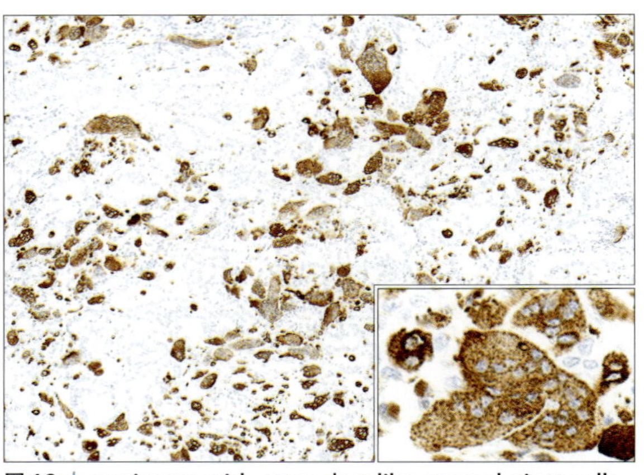

図 10 ｜ carcinoma with osteoclast-like stromal giant cells
図 9 と連続切片．破骨細胞様巨細胞は CD68 免疫染色陽性である（inset：強拡大像）．

CK，EMA，ER，PgR，S100 は陰性である（**図 10**）．癌は，ER 陽性，HER2 陰性の luminal 型が多い[11]．

f）分子病理学的特徴

遺伝子異常は浸潤性乳管癌と類似している[12]．

g）鑑別診断

下記の pleomorphic pattern と鑑別を要する．pleomorphic pattern で出現する多核細胞は腫瘍細胞であり，核異型が目立ち，CK 陽性となる点で鑑別が可能である．また，pleomorphic pattern の腫瘍は低分化であるのに対し，carcinoma with osteoclast-like stromal giant cells では高～中分化であり腺腔形成がみられることが多い．

4）pleomorphic pattern

a）定義・概念

腺癌もしくは化生癌成分を伴う腺癌を背景に，多形性があり奇怪な形態や多核の腫瘍巨細胞がみられる腫瘍（形態パターン）である．腫瘍巨細胞の定義は，細胞が核の 6 倍を超えるサイズとなることである[13]．本腫瘍（形態パターン）は，高異型度の浸潤性乳管癌の極型もしくは，化生癌への分化を一部で示していると考えられている．WHO 分類 第 4 版および第 3 版までは pleomorphic carcinoma という名称で，腫瘍巨細胞が癌細胞の 50% 超を占めるものと定義されていた．

b）臨床的事項

がん研究会有明病院で診断された浸潤性乳管癌のうち，本形態パターンを少なくとも一部に伴う頻度

図 11 | pleomorphic pattern
割面肉眼像．割面が黄白色で分葉状の充実性腫瘤．内部に点状の壊死がみられる．

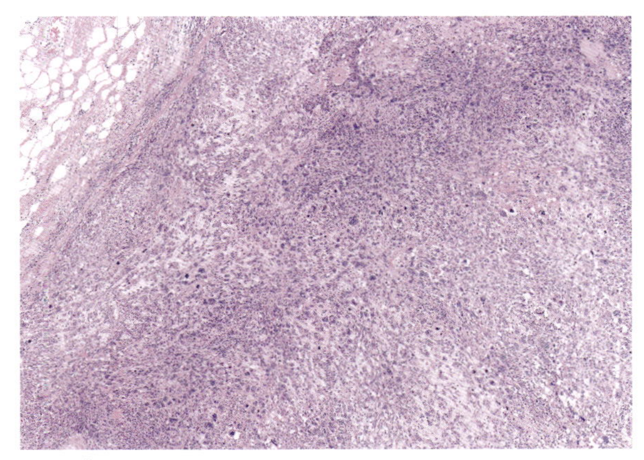

図 12 | pleomorphic pattern
弱拡大像．腫瘍の境界は比較的明瞭で圧排性に増殖する．

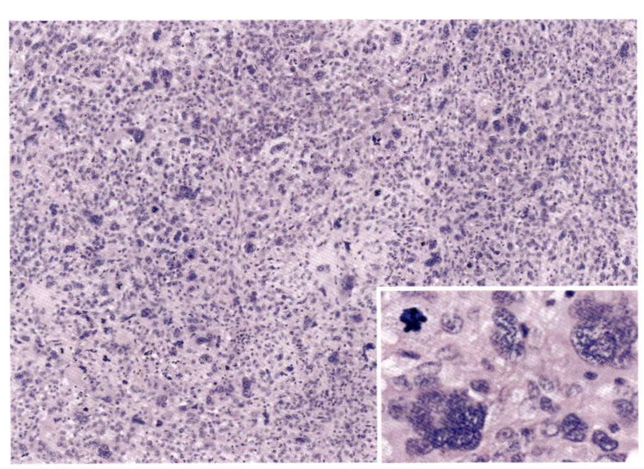

図 13 | pleomorphic pattern
中拡大像．多形性が目立つ腫瘍細胞が充実性に増殖する．多核腫瘍細胞が多数みられる (inset：強拡大像)．

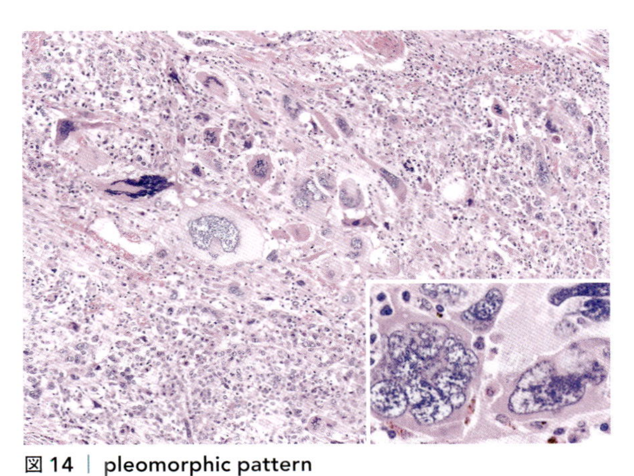

図 14 | pleomorphic pattern
中拡大像．奇怪な形態や多核の腫瘍巨細胞がみられる．背景の腫瘍は非特異的な形態である (inset：強拡大像)．

は0.4％であった(2020年～2021年に手術した1,503例中6例)．腫瘍径の中央値は約4 cmである[14]．約半数にリンパ節転移がみられ，転移個数の中央値は4個である[15]．化生癌(紡錘細胞癌)の成分をもつものは，予後不良である[15]．

c) 組織学的所見

特徴的な組織構築はとらず，充実性に増殖することが多い(**図 11, 12**)．定義上，奇怪な形態や多核の腫瘍巨細胞が腫瘍の半分超を占める(**図 13, 14**)．分裂像が目立ち，細胞異型が強く，組織学的グレードは3になることがほとんどである．約40％に化生癌成分(多くが紡錘細胞癌成分)が部分的にみられる[15]．

診断の要 *Essential diagnostic criteria*

- 多形性があり奇怪な形態の腫瘍巨細胞
- ときに多核の腫瘍巨細胞

d) 免疫組織化学的特徴

CK陽性である．75％がホルモン受容体陰性，HER2陰性のトリプルネガティブ乳癌である[15]．

e) 鑑別診断

下記3つの組織型を鑑別する必要がある．

① 化生癌：扁平上皮や間葉系成分(紡錘形，骨・軟骨，軟骨基質)に分化を示す癌の総称である．それらへの分化が明瞭でない，奇怪な形態や多核の腫瘍巨細胞がみられる場合をpleomorphic patternとすべきである．

② 肉腫：腫瘍全体に明らかな上皮様結合がみられ

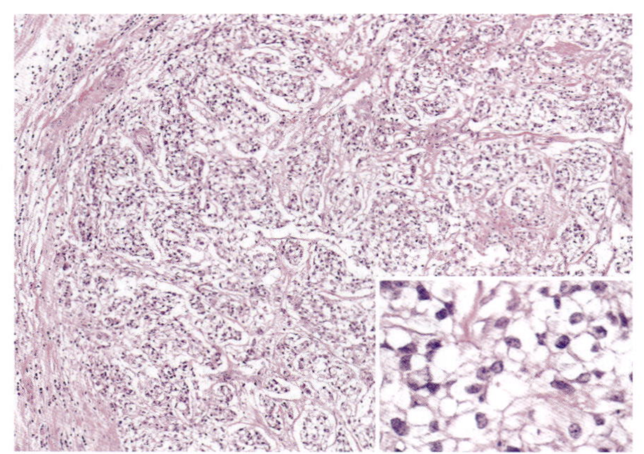

図15 | glycogen-rich clear cell pattern
中拡大像．淡明な細胞質をもつ腫瘍細胞が充実胞巣状に浸潤する（inset：強拡大像）．

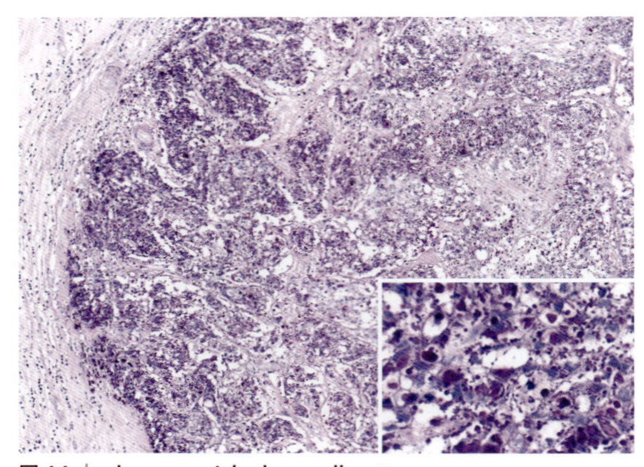

図16 | glycogen-rich clear cell pattern
図15と連続切片．PAS染色陽性で，ジアスターゼで消化されるグリコーゲンを細胞質内に含む（inset：強拡大像）．

ず，CKも陰性である点で鑑別できる．
③ carcinoma with osteoclast-like stromal giant cells：破骨細胞様巨細胞は，核異型が乏しく，免疫染色でCK陰性，CD68陽性である点で鑑別できる．また，随伴する癌も高分化〜中分化で，腺腔形成がみられることが多いことも鑑別点である．

5）glycogen-rich clear cell pattern

a）定義・概念

グリコーゲンを溜めた，豊かで淡明な細胞質をもつ腫瘍細胞が増殖する腫瘍（形態パターン）である．WHO分類 第4版および第3版では，glycogen-rich clear cell carcinoma（GRCC）という独立した組織型として掲載されていた．なお，同 第4版での独立した組織型としての定義は，上記の腫瘍細胞が占める割合が90％を超える浸潤癌であった．

b）臨床的事項

頻度は全乳癌の0.01〜2.8％である[16,17]．がん研究会有明病院での頻度は，浸潤性乳管癌の0.07％であった（2020年〜2021年に手術した1,503例中1例）．本腫瘍（形態パターン）は，悪性度が高く，病期が進行していて，トリプルネガティブである症例が多い．予後は，不良であるという報告[16]と通常の浸潤性乳管癌と変わりないという報告[18]がある．

c）組織学的所見

腫瘍細胞は細胞境界が明瞭な多角形細胞である．豊かで淡明な細胞質はPAS染色陽性でジアスターゼで消化されるグリコーゲンである．乳癌では淡明な細胞質をもたない腫瘍でも細胞質内グリコーゲンが証明されることがある．また逆に，淡明な細胞質をもつ腫瘍でも，グリコーゲン以外の物質を溜めていることがある．このことから，本腫瘍（形態パターン）と診断するためには，形態学的に淡明な細胞質と細胞質内グリコーゲンの証明の2つが必須である（**図15, 16**）．組織構築はシート状，胞巣状または索状であることが多い．

診断の要 *Essential diagnostic criteria*
- 豊かで淡明な細胞質
- 細胞質内に豊富なグリコーゲン（PAS染色陽性でジアスターゼで消化）

d）免疫組織化学的特徴

ERは35〜75％で陽性，PgRは28〜43％で陽性，HER2は20〜44％で陽性である[18]．別の報告では41％がluminal型，45％がトリプルネガティブ乳癌であった[16]．

e）鑑別診断

淡明な細胞質をもつ以下の腫瘍（形態パターン）が鑑別に挙がる．
① lipid-rich pattern：細胞質内に脂肪滴を溜める腫瘍（形態パターン）である．脂肪滴のため，adipophilinが陽性となる一方で，PAS染色は陰性となる．
② sebaceous pattern：皮脂腺への分化を示す腫瘍（形態パターン）である．脂肪滴を溜めた空胞状の細胞質を有する細胞と空胞が明瞭でない好酸性の細胞質をもつ細胞からなる．免疫染色で，脂肪滴にadipophilinが陽性となる．
③ 分泌癌：好酸性の分泌物を細胞内外に溜める浸潤癌である．形態学的には，細胞内だけでなく細胞外

にも分泌物がみられる．*ETV6-NTRK3* 融合遺伝子を有することが知られており，それを反映して pan-Trk 免疫染色が核に陽性となる．また，α-lactalbumin や adipophilin が陽性となる[19]．

④ 他臓器がんの乳腺転移（淡明細胞型腎細胞癌など）：以下の 3 点は，転移を支持する所見である[20]．他臓器がんの既往歴や画像診断で乳腺以外の病変がある．*in situ* 病変（乳管内癌，小葉内癌）がない．免疫染色で乳腺原発マーカーが陰性，他臓器原発マーカーが陽性である．

6）その他の極めてまれな形態パターン

a）choriocarcinomatous pattern

絨毛癌に類似した形態パターンである．臨床的には血清ヒト絨毛性ゴナドトロピン human chorionic gonadotropin（hCG）が上昇することがある．組織学的には，多核の合胞体栄養膜細胞に類似した腫瘍細胞と，淡明な細胞質を有する細胞性栄養膜細胞に類似した腫瘍細胞の 2 細胞性を呈する．免疫染色では hCG 陽性となる．

b）melanotic pattern

メラノーマ（悪性黒色腫）に類似した形態パターンである．乳房皮膚もしくは乳腺原発のメラノーマや他臓器原発メラノーマの乳房転移を否定する必要がある．組織学的には，浸潤性乳管癌の成分や *in situ* 病変を確認することが重要である．

c）oncocytic pattern

オンコサイト（膨大細胞，好酸性細胞，好酸性顆粒細胞）への分化を示す形態パターンである．細胞質内にミトコンドリアが蓄積し，形態学的に好酸性で顆粒状の細胞質を呈する．免疫染色で anti-mitochondrial antibody（抗ミトコンドリア抗体）が強陽性となる．診断には，典型的な形態とミトコンドリア蓄積の証明（免疫染色もしくは電子顕微鏡）の 2 つが必須である．特に，形態的に類似するアポクリン癌を除外する必要がある．

d）lipid-rich pattern

著明な脂肪滴を細胞質内に溜めた形態パターンである．組織学的には，淡明で空胞状の細胞質を呈し，免疫染色で adipophilin 陽性となる．形態的に類似する glycogen-rich clear cell pattern は，PAS 染色陰性となることで鑑別できる．多くの症例で，組織学的グレード 3 で，ホルモン受容体陰性である．

e）sebaceous pattern

皮脂腺への分化を示す形態パターンである．乳房の皮膚付属器原発を否定する必要がある．組織学的には，脂肪滴を溜めた空胞状の細胞質を有する細胞と空胞が明瞭でない好酸性の細胞質をもつ細胞からなる．免疫染色で，脂肪滴に adipophilin が陽性となる．

2. tall cell carcinoma with reversed polarity

1）定義・概念

tall cell carcinoma with reversed polarity（TCCRP）は，核の極性が反転した高円柱状細胞が充実性ないし充実乳頭状の構築で増殖する浸潤癌である．

本腫瘍は，breast tumor resembling the tall cell variant of papillary thyroid carcinoma（「高細胞型甲状腺乳頭癌類似の乳腺腫瘍」）として 2003 年に提唱された[21]．その後，solid papillary carcinoma with reverse polarity（「極性反転を伴う充実乳頭癌」）などの名称も使われるようになった[22]．WHO 分類では第 5 版で初めて採用され，組織型名は過去に提唱された名称の一部を取って組み合わせたものに落ち着いた．

2）臨床的事項

非常にまれな腫瘍で，過去に 77 例が報告されている[23]．がん研究会有明病院の約 37,000 例の乳癌手術症例中にはみつけられていない．平均年齢は 64 歳とやや高齢である[23]．予後は良好で，再発はまれである[23]．

3）肉眼・画像所見

肉眼的には，割面が白色～黄白色の境界明瞭な腫瘤で，腫瘤径の中央値は 1.4 cm である[23]．肉眼像を反映し，マンモグラフィや超音波では腫瘤像を呈する．

4）組織学的所見

腫瘍細胞が境界明瞭な胞巣状構築で，乳腺間質内に分布する（**図 17**）．胞巣内には，線維血管性の茎がみられ，充実乳頭状の構築を呈する（**図 18, 19**）．乳頭状や嚢胞状の構築を呈することもある（**図 20**）．癌胞巣内に泡沫細胞の集簇がみられることも多い（**図 21**）．各胞巣は周囲を毛細血管の薄い層に取り囲まれる（**図 21**）．胞巣周囲に筋上皮はみられず，浸潤癌である．腫瘍細胞は高円柱状で，豊かな好酸性の細胞質を有する．本腫瘍の一番の特徴は，核の配置である．一般的に乳癌では腺上皮の基底側に核が配列す

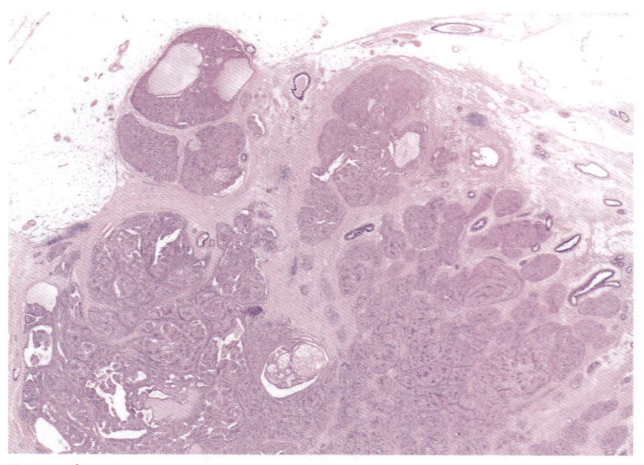

図 17 ｜ tall cell carcinoma with reversed polarity
ルーペ像．大小の腫瘍胞巣が集簇し，腫瘤を形成する．（図 17〜22：防衛医科大学校病態病理学講座 津田均先生・河野貴子先生，PCL 札幌病理・細胞診センター 藤田昌宏先生ご提供）

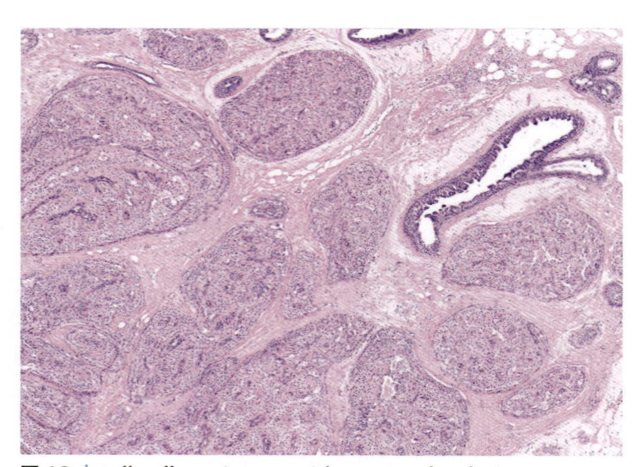

図 18 ｜ tall cell carcinoma with reversed polarity
図 17 と同症例．弱拡大像．充実乳頭状の境界明瞭な胞巣で浸潤する．

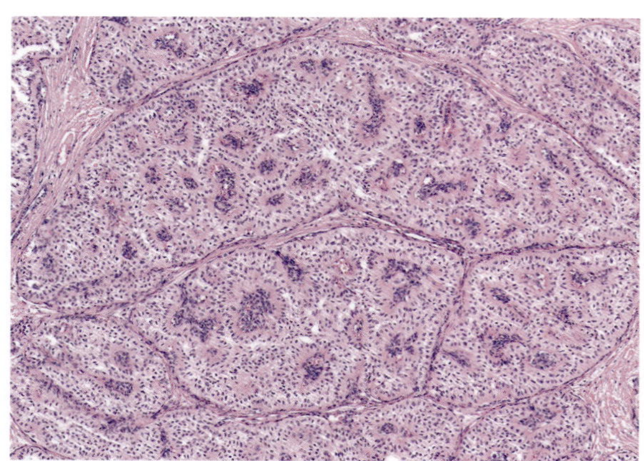

図 19 ｜ tall cell carcinoma with reversed polarity
図 17 と同症例．中拡大像．線維血管性の茎の周囲に腫瘍細胞が充実性に配列し，充実乳頭状の構築をとる．

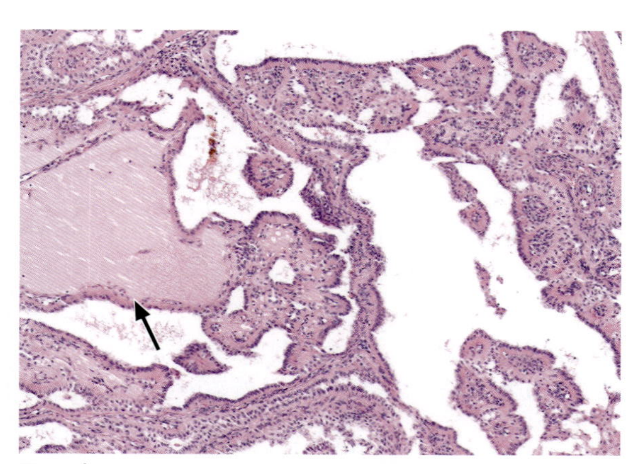

図 20 ｜ tall cell carcinoma with reversed polarity
図 17 と同症例．中拡大像．真の乳頭状構造や内部に好酸性の液体を溜めた嚢胞状の構築（矢印）がみられることもある．

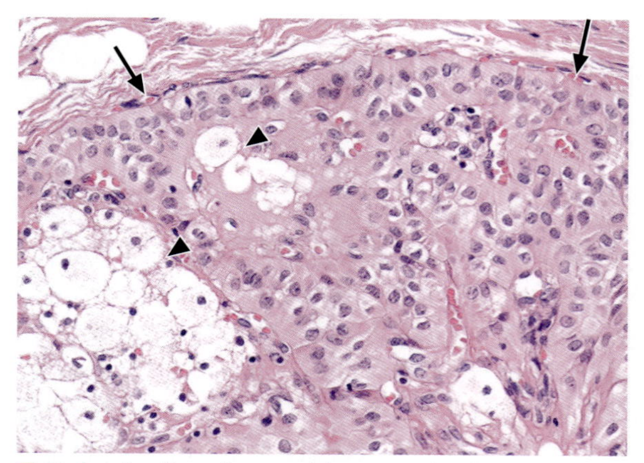

図 21 ｜ tall cell carcinoma with reversed polarity
図 17 と同症例．強拡大像．境界明瞭な癌胞巣の辺縁には筋上皮はみられず，毛細血管の薄い層に取り囲まれる（矢印）．胞巣内には泡沫細胞の集簇がみられることもある（矢頭）．

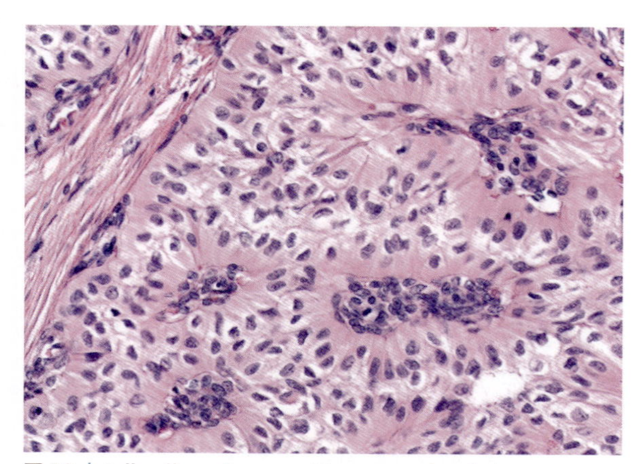

図 22 ｜ tall cell carcinoma with reversed polarity
図 17 と同症例．強拡大像．充実乳頭状を呈する部分では，腫瘍細胞は線維血管性の茎とは反対側に核が配列する．

るが，本腫瘍では分泌縁側に核が配列し，極性が反転している(**図 22**)．核は異型が乏しく，核溝や核内細胞質封入体がみられることもある．

診断の要 Essential diagnostic criteria

- 充実乳頭状の胞巣状構築
- 胞巣周囲に筋上皮が欠如(浸潤癌)
- 細胞内で核の極性が反転

5) 免疫組織化学的特徴

多くがトリプルネガティブであるが，一部はホルモン受容体が弱陽性となる[24)]．Ki67 ラベリングインデックスは低値である．低分子量 CK(CK7 など)と高分子量 CK(CK5/6 など)の双方に陽性となる[24)]．solid papillary carcinoma で陽性となることが多い，神経内分泌分化マーカー(synaptophysin，chromogranin A)は常に陰性である[24)]．形態学的に高細胞型甲状腺乳頭癌に類似する部分もあるが，乳腺原発マーカー(GATA3，GCDFP15，mammaglobin)が陽性で，甲状腺原発マーカー(TTF1，thyroglobulin)は陰性である[24)]．

6) 分子病理学的特徴

多くの症例で *IDH2* p.Arg172(R172)に hot spot 変異がみられる[22)]．genotype-phenotype correlation を示す乳癌の 1 つである[25,26)]．

7) 鑑別診断

① 乳管内乳頭腫：TCCRP では核異型が弱く，充実乳頭状～乳頭状の胞巣状構築を示すため，乳頭腫が鑑別に挙がる．乳頭腫では胞巣周囲に筋上皮がみられるのに対し，TCCRP では胞巣周囲に筋上皮がみられないことで鑑別できる．

② solid papillary carcinoma：TCCRP では充実乳頭状の組織構築を示すため，solid papillary carcinoma が鑑別に挙がる．TCCRP の形態的特徴(核の極性の反転)に加えて，solid papillary carcinoma では高頻度にみられる神経内分泌分化が TCCRP ではみられないことで鑑別できる．

③ 甲状腺乳頭癌の乳腺転移：過去に提唱されていた組織型名にあるとおり，TCCRP は甲状腺乳頭癌(高細胞型)に形態的に類似する部分がある．TCCRP では乳腺原発マーカーが陽性，甲状腺マーカーが陰性である点で鑑別できる．

(大迫　智)

文　献

1) Rapin V, Contesso G, Mouriesse H, et al：Medullary breast carcinoma. A reevaluation of 95 cases of breast cancer with inflammatory stroma. Cancer 61：2503-2510, 1988
2) Ridolfi RL, Rosen PP, Port A, et al：Medullary carcinoma of the breast：a clinicopathologic study with 10 year follow-up. Cancer 40：1365-1385, 1977
3) Rakha EA, Aleskandarany M, El-Sayed ME, et al：The prognostic significance of inflammation and medullary histological type in invasive carcinoma of the breast. Eur J Cancer 45：1780-1787, 2009
4) Martinez SR, Beal SH, Canter RJ, et al：Medullary carcinoma of the breast：a population-based perspective. Med Oncol 28：738-744, 2011
5) Pedersen L, Zedeler K, Holck S, et al：Medullary carcinoma of the breast, proposal for a new simplified histopathological definition. Based on prognostic observations and observations on inter- and intraobserver variability of 11 histopathological characteristics in 131 breast carcinomas with medullary features. Br J Cancer 63：591-595, 1991
6) Wargotz ES, Silverberg SG：Medullary carcinoma of the breast：a clinicopathologic study with appraisal of current diagnostic criteria. Hum Pathol 19：1340-1346, 1988
7) Vincent-Salomon A, Gruel N, Lucchesi C, et al：Identification of typical medullary breast carcinoma as a genomic sub-group of basal-like carcinomas, a heterogeneous new molecular entity. Breast Cancer Res 9：R24, 2007
8) Romero P, Benhamo V, Deniziaut G, et al：Medullary breast carcinoma, a triple-negative breast cancer associated with BCLG overexpression. Am J Pathol 188：2378-2391, 2018
9) Krawczyk N, Röwer R, Anlauf M, et al：Invasive breast carcinoma with neuroendocrine differentiation：a single-center analysis of clinical features and prognosis. Geburtshilfe Frauenheilkd 82：68-84, 2021
10) Holland R, van Haelst UJ：Mammary carcinoma with osteoclast-like giant cells. Additional observations on six cases. Cancer 53：1963-1973, 1984
11) Zhou S, Yu L, Zhou R, et al：Invasive breast carcinomas of no special type with osteoclast-like giant cells frequently have a luminal phenotype. Virchows Arch 464：681-688, 2014
12) Horlings HM, Weigelt B, Anderson EM, et al：Genomic profiling of histological special types of breast cancer. Breast Cancer Res Treat 142：257-269, 2013
13) Silver SA, Tavassoli FA：Pleomorphic carcinoma of the breast：clinicopathological analysis of 26 cases of an unusual high-grade phenotype of ductal carcinoma. Histopathology 36：505-514, 2000
14) Tang H, Liu F, Li H, et al：Pleomorphic carcinoma of breast：a case report and review of literature. Int J Clin Exp Pathol 7：5215-5220, 2014
15) Nguyen CV, Falcón-Escobedo R, Hunt KK, et al：Pleomorphic ductal carcinoma of the breast：predictors of decreased overall survival. Am J Surg Pathol 34：486-493, 2010
16) Zhou Z, Kinslow CJ, Hibshoosh H, et al：Clinical features, survival and prognostic factors of glycogen-rich clear cell carcinoma (GRCC) of the breast in the U.S. population. J Clin Med 8：246, 2019
17) Kuroda H, Sakamoto G, Ohnisi K, et al：Clinical and pathological features of glycogen-rich clear cell carcinoma of the

breast. Breast Cancer 12：189-195, 2005
18）Kim SE, Koo JS, Jung WH：Immunophenotypes of glycogen rich clear cell carcinoma. Yonsei Med J 53：1142-1146, 2012
19）Osako T, Takeuchi K, Horii R, et al：Secretory carcinoma of the breast and its histopathological mimics：value of markers for differential diagnosis. Histopathology 63：509-519, 2013
20）Osako T：How can we better distinguish metastatic tumors from primary tumors in the breast? Expert Rev Anticancer Ther 21：913-916, 2021
21）Eusebi V, Damiani S, Ellis IO, et al：Breast tumor resembling the tall cell variant of papillary thyroid carcinoma：report of 5 cases. Am J Surg Pathol 27：1114-1118, 2003
22）Chiang S, Weigelt B, Wen HC, et al：IDH2 Mutations define a unique subtype of breast cancer with altered nuclear polarity. Cancer Res 76：7118-7129, 2016
23）Wei Y, Ding L, Song X, et al：Tall cell carcinoma with reversed polarity：case report with gene sequencing and literature review. Gland Surg 10：3147-3154, 2021
24）Foschini MP, Asioli S, Foreid S, et al：Solid papillary breast carcinomas resembling the tall cell variant of papillary thyroid neoplasms：a unique invasive tumor with indolent behavior. Am J Surg Pathol 41：887-895, 2017
25）大迫　智：乳がんにおける genotype-phenotype correlation. がん分子標的治療 17：101-104, 2019
26）Marotti JD, Schnitt SJ：Genotype-phenotype correlations in breast cancer. Surg Pathol Clin 11：199-211, 2018

Ⅱ．線維上皮性腫瘍（結合織性および上皮性混合腫瘍）

1 線維腺腫

1．定義・概念

線維腺腫 fibroadenoma は境界明瞭な良性腫瘍で，上皮成分と間葉系成分の両成分から構成される（biphasic），終末乳管小葉単位 terminal duct lobular unit（TDLU）由来の腫瘍，と定義される[1]．乳腺内のどの領域からも発生し，異時・同時に多発性あるいは両側性に発生することもある．

2．臨床的事項

一般的に線維腺腫は無痛性で可動性のある充実性腫瘤として発生し，増大速度は遅く，通常は 3 cm 以下である．初経前に発生することはまれで，その多くは思春期から 30 歳代半ばに発生するが，後述する complex fibroadenoma と呼ばれる亜型は，それよりも 20 年ほど発症ピークが遅い．線維腺腫はホルモン感受性腫瘍であり，妊娠中に急速増大することがある．

線維腺腫はマンモグラフィ上では，ときに石灰化を伴う結節性病変として描出される．5 cm を超える腫瘍は巨大線維腺腫 giant fibroadenoma と呼ばれ比較的まれだが，多くは思春期女性に発生し，乳腺の変形をきたすこともある．また線維腺腫は女性化乳房症 gynecomastia をきたした男性乳腺に発生することもある．後述する組織亜型の一つである若年性線維腺腫 juvenile fibroadenoma はその名のとおり思春期に多く，特にアフリカ系米国人に多いとされるが，他の世代にも発生する．この亜型は，ときに急速に増大し巨大化することがある．

ほとんどの線維腺腫は散発性 sporadic に発生するが，間質の粘液腫状変化が著しい粘液腫状線維腺腫 myxoid fibroadenoma については，全身の粘液腫多発などを特徴とする Carney 複合患者に特徴的に発生することが知られている[2]．また，免疫抑制薬のシクロスポリンを服用中の若年女性には多発性で大型の線維腺腫が発生することがあるが，薬剤をタクロリムス（FK506）に変更することにより，これらの腫瘍は増大が止まるか，あるいは消退する．

3．肉眼・画像所見

円形～類円形の境界明瞭な黄白色～灰白色調充実性腫瘍で，割面上は弾性軟の分葉状外観を呈することが多く，スリット状の間隙を伴っている（**図 1**）．ときに点状石灰化がみられることもある．

4．組織学的所見

代表的な組織学的所見は，管周囲パターン pericanalicular pattern と呼ばれる導管周囲を取り巻くように間質細胞が増生する組織パターンと，管内パターン inracanalicular pattern と呼ばれる間質細胞が導管を外から圧迫するように増生する組織パターンである．これらは単独でみられる症例もあるし，両者が混在する症例もある．各々のパターンが優勢の線維腺腫をそれぞれ管周囲型 pericanalicular type（**図 2**），管内型 intracanalicular type（**図 3**）と呼び，この両者を総称して usual type，あるいは後述する若年性線維腺腫と区別するために，usual/adult type と呼

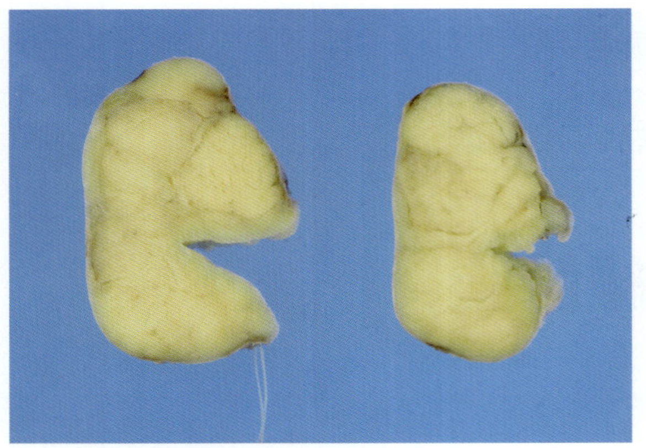

図１ ｜線維腺腫の固定後割面像
出血や壊死を伴わない黄白色調均一の充実性病変で，内部にはスリット状の間隙を認める．

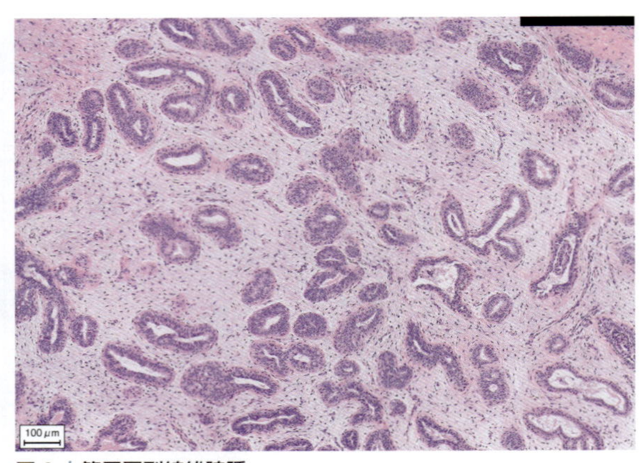

図２ ｜管周囲型線維腺腫
円形に開口している管腔周囲に間質細胞が存在する．

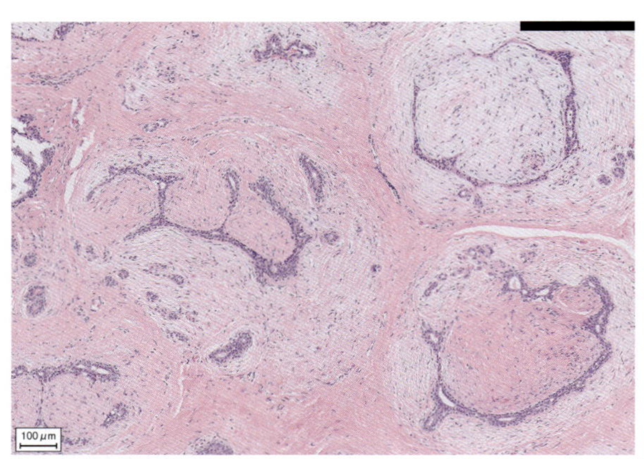

図３ ｜管内型線維腺腫
間質細胞増生により管腔が細いスリット状となっている．

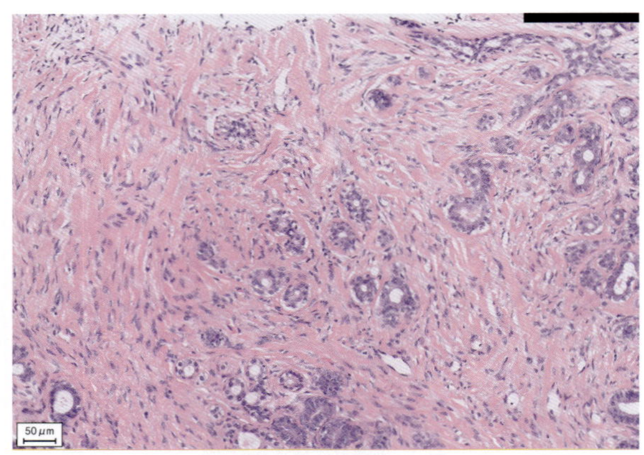

図４ ｜線維腺腫（usual type）にみられる PASH 様の硬化像
線維腺腫の間質が PASH 様の硬化像を呈している．

ぶこともある[3]．間質細胞は通常分布密度が低く，核異型や核分裂にも乏しい．ただし，組織像はときに多彩で，特に 20 歳以下の若年者では細胞密度が部分的あるいは全体に高い症例があり，また奇怪な多核巨細胞が混在する症例，粘液腫状変化を伴う症例，偽血管腫様間質過形成 pseudoangiomatous stromal hyperplasia（PASH）様の硬化像（**図 4**）や石灰化を伴う症例，さらに間質細胞が平滑筋や脂肪，骨・軟骨への化生を伴う症例もある．

前述のとおり間質細胞の核分裂像は通常はごくわずかだが，若年者や妊娠患者ではそれなりの密度でみられる場合もある（後述）．ただし葉状腫瘍にみられる間質細胞の局所的増生（stromal overgrowth）は原則として線維腺腫にはなく，また同じく葉状腫瘍に特徴的な上皮下領域の間質細胞密度上昇（subepithelial stromal accentuation or condensation）も，線維腺腫では一般にみられない[4]［“stromal overgrowth”の定義は論文により若干異なるが，WHO 分類 第 5 版（2019 年）においては「接眼レンズ×10 および対物レンズ×4 の弱拡大 40 倍で観察した際に，視野中に上皮成分が含まれず間質成分のみである状態」と定義されている］．

一方，上皮細胞成分は扁平上皮化生やアポクリン化生などの化生性変化，硬化性腺症などの良性増殖性変化を伴うことがある．また，ADH/DCIS（異型乳管過形成 atypical ductal hyperplasia/非浸潤性乳管癌 ductal carcinoma *in situ*）や ALH/LCIS（異型小葉過形成 atypical lobular hyperplasia/非浸潤性小葉癌 lobular carcinoma *in situ*）などの非浸潤性病変がまれにみられるが（**図 5**），線維腺腫内にとどまっていれば，その後の癌の発生リスクを高めることはないとされている[1]．浸潤癌を認める場合もあるが，多く

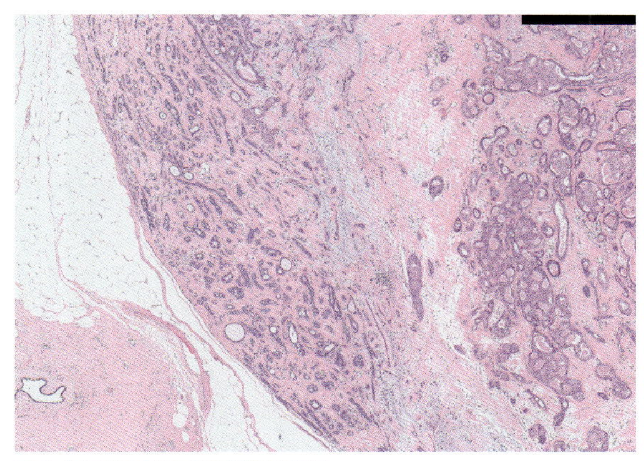

図 5 ｜線維腺腫内の非浸潤性病変
境界明瞭な線維腺腫内に，篩状構造を呈する DCIS を認める（図右）.

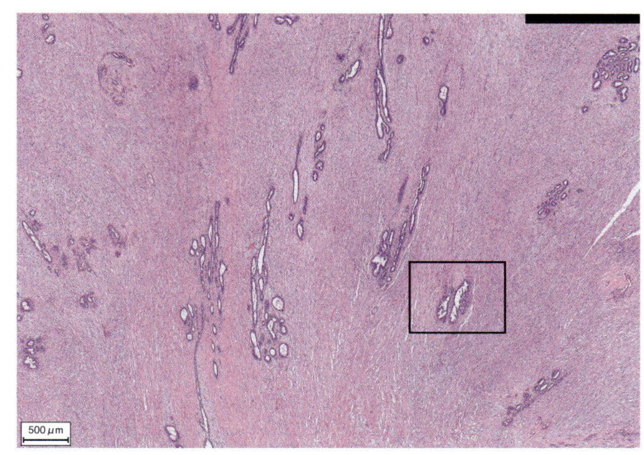

図 6 ｜若年性線維腺腫
間質成分優位な若年性線維腺腫.

は外部に発生した浸潤癌の線維腺腫内への浸潤である.

5．組織学的バリアント，および わが国の規約分類との対比

若年性線維腺腫は，管周囲パターンを有し間質細胞密度の軽度から中程度の増加を呈する腫瘍である．間質細胞増生はあるものの核異型には乏しく，核分裂像も概ね強拡大 10 視野中で 2 個，あるいは視野 1 mm^2 中に 1 個未満と少ない．また，上皮成分も良性の通常型乳管過形成 usual ductal hyperplasia（UDH）パターンの増生所見を呈し，特に gynecomastoid hyperplasia と呼ばれる特徴的な低乳頭状の像を呈することが多い（**図 6, 7**）.

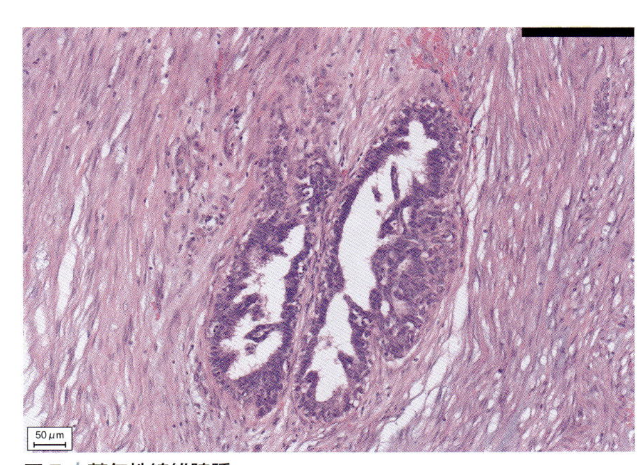

図 7 ｜若年性線維腺腫
図 6 の拡大像．gynecomastoid hyperplasia と呼ばれる上皮の過形成性変化を認める.

富細胞性線維腺腫 cellular fibroadenoma は，WHO 分類上では，管周囲パターンを有し，間質細胞密度の軽度から中程度の増加を呈し，核分裂像が強拡大 10 視野中で 2 個，あるいは視野 1 mm^2 中に 1 個未満の腫瘍で，かつ間質細胞異型や顕著な管内型増生や上皮直下の間質細胞増生（subepithelial stromal condensation）の所見がない腫瘍と定義されている．一読してわかるとおり，これらの組織学的所見には前述した若年性線維腺腫とのオーバーラップがかなりあり，両疾患概念の定義に若干の曖昧さが残ることは否めないが，診断の現場で重要なことは，これらを葉状腫瘍と誤診しないことである.

complex fibroadenoma には適当な日本語訳がないのでこのまま英用語を用いるが，この腫瘍は以下の 4 つの所見，すなわち，①3 mm を超える嚢胞形成，②硬化性腺症，③上皮成分の石灰化，④乳頭状のアポクリン上皮化生 papillary apocrine metaplasia のうちの 1 つ，あるいはそれ以上を有する線維腺腫と定義される．英語圏では古くから用いられている疾患概念であり，線維腺腫全体の 16〜23％を占め，他の線維腺腫タイプに比べて小型で，細胞異型を伴わない場合もその後の癌発生リスクが 2.27〜3.1 倍高いとされている.

間質の顕著な粘液腫状変化を伴った線維腺腫に対しては，前述した粘液腫状線維腺腫という用語が用いられる．ある程度の粘液腫状変化は通常型線維腺腫にも少なからずみられ（**図 8**），どの程度の変化や広さを閾値として myxoid type とするか本亜型にも若干の曖昧さが残るが，一般的には粘液腫状変化が極端に目立つ場合に限って用いられるべきであろう．診断の現場でそのような高度な粘液腫状変化に遭遇した場合は，病歴などから前述の Carney 複合の有

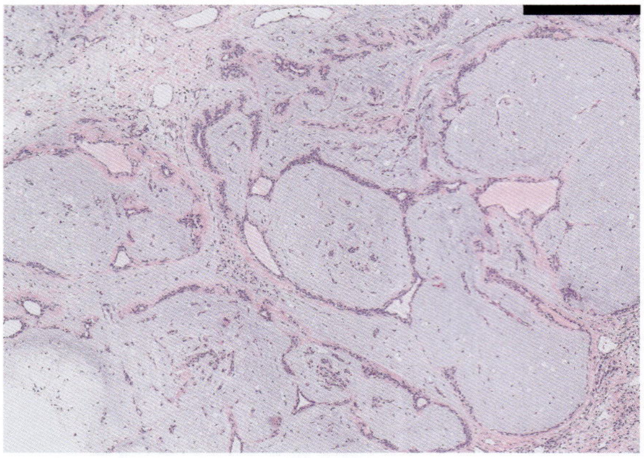

図 8 ｜粘液腫状変化が著しい線維腺腫
間質細胞密度は非常に低い．あえて myxoid type と呼ぶべきか否かは，意見が分かれるところであろう．

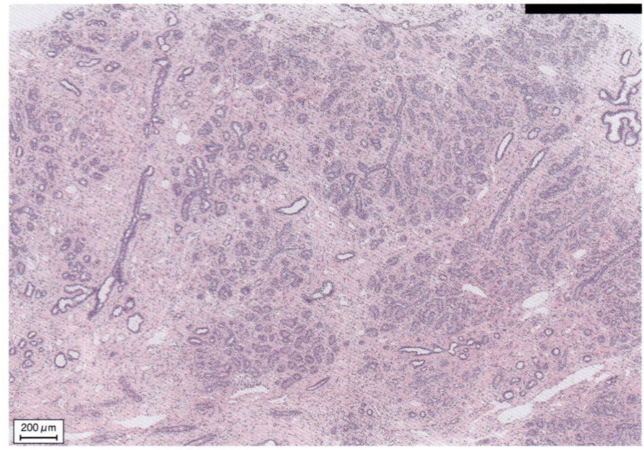

図 9 ｜類臓器型線維腺腫
乳腺の小葉構造がうかがえる．

無を確認し，臨床的にそれが疑われていない場合には同疾患の症状，すなわち皮膚色素斑や内分泌機能異常や他臓器の粘液腫などの有無を確認するよう指示する必要があるかもしれない．なお，高度な粘液腫状変化は，特に迅速診断や細胞診においては粘液癌との鑑別が問題となる場合があり，画像所見との整合性を考慮することが必要である．

ところで，線維腺腫はわが国の乳癌取扱い規約 第18版（2018年）では，①管内型，②管周囲型，③類臓器型，④乳腺症型の4亜型に分類されている[5]．①と②についてはWHO分類との齟齬がないが，③と④の亜型はWHO分類には存在しない．③類臓器型は，「上皮成分が小葉構造までの分化を示すもの」と定義されているが（**図 9**），筆者の海外病理医との症例検討や海外セミナーでの扱いをみると，類臓器型線維腺腫の少なくとも一部は，海外では管状腺腫 tubular adenoma と診断されるように思う．また④乳腺症型は，「上皮成分が乳腺症様構造を示すもの」とされており，前述の complex fibroadenoma（WHO分類 第5版）に重複する場合が少なからずあるが，乳腺症という用語の定義に病理組織学上の曖昧さがあるのに対し，complex fibroadenoma は前述のとおり比較的明瞭に定義されているので，両者は完全に同一の疾患概念ではない．観察視点によって分類方法が異なるのは当然なので，どちらが正しいか？　などという議論は成り立たないが，このような彼我の分類の違いは理解しておいたほうがよい．筆者の私見ながら，線維腺腫の用語に限らず国内分類を用いるときは日本語で記載すべきと思う．これらを mastopathic type とか organoid type などと直訳された英語で記載すると，臨床医や患者本人に国際的な分類用語であるとの誤解を与え，無駄な混乱の元となる可能性がある．外国人患者の国内での受診，あるいは海外渡航先の医療機関への日本人患者紹介などが珍しくない今日では，病理医もこの点を留意すべきと考える．

診断の要　*Essential diagnostic criteria*

- 上皮と間質の両成分からなる境界明瞭な biphasic tumor
- 管内型，または管周囲型の組織構築を呈する増生パターン
- 葉状腫瘍に特徴的にみられる　① stromal overgrowth，② 顕著な leaf-like frond，③ 間質細胞の核異型，の欠如
- 間質細胞成分の核分裂像はごく少数

6．免疫組織化学的特徴

現時点では線維腺腫の診断には免疫組織化学的検討は一般的に有用ではないが，上皮成分の過形成や増生がみられる場合には，その良悪性の判断のために高分子量 cytokeratin や ER の免疫染色が有用となることがある．また，硬化性腺症と浸潤癌の鑑別に，p63 や myosin heavy chain などの筋上皮マーカーが有用となる場合もある．

7．分子病理学的特徴

エストロゲン受容体を介したシグナル伝達に関わ

る分子の一つ，*MED 12*（mediator complex subunit 12）の変異が2014年に報告されて以来，この遺伝子変異に多くの注目が集まっている[6,7]．すでに膨大な症例の解析が行われてきているが，概ね線維腺腫の6割程度に変異がみられるとされ，そのほとんどがexon 2に集中している．この*MED 12*遺伝子変異を有するのは間質細胞のみであり，上皮成分には変異を認めない．なお，本遺伝子の異常は過去に子宮筋腫においても報告されているが，子宮筋腫における変異パターンと乳腺線維腺腫の変異パターンとはほとんど一致しており，共通のtumorgenesisが示唆されている．

この*MED 12*遺伝子変異は，前述の組織亜型のうち，管内型に多くみられ，管周囲型や，その管周囲型パターンを特徴的に有する若年型線維腺腫における頻度は低い．また前述のまれな粘液腫状線維腺腫にも，*MED 12*変異はほとんどみられない．一方でこの*MED 12*遺伝子変異は葉状腫瘍の一部にも共通しており，このことは線維腺腫から葉状腫瘍への段階的移行がある可能性，つまり葉状腫瘍の一部が線維腺腫を前駆病変として発生することを示唆している．ただし全ての線維腺腫が葉状腫瘍に移行するわけではないし，すべての葉状腫瘍が線維腺腫から発生するわけでもないことは理解しておく必要がある．

*MED 12*遺伝子以外では，まれではあるが*RARA*（ratinotic acid receptor alpha）遺伝子変異が報告されている[8]．この*RARA*遺伝子変異は葉状腫瘍にも検出されることがあるが，一方で葉状腫瘍においてしばしばみられる遺伝子変異，*TERT* promotorの変異や，*FLNA*，*SETD2*，*KMT2D*などの変異は，線維腺腫では非常にまれである[9]（ただし皆無ではないことは念頭に置く必要があろう）．

8．鑑別診断

1）良性葉状腫瘍

間質細胞密度が高い線維腺腫では，良性葉状腫瘍benign phyllodes tumorとの鑑別が問題となることが少なからずある．線維腺腫の特徴は，葉状腫瘍に特徴的なleaf-like frond（pattern）がないこと，間質細胞の核異型や核分裂像が少ないこと，病変部と周囲組織との境界が明瞭であること，間質細胞の局所的増生がないこと，上皮下領域の間質細胞密度上昇がないことなどである．しかし，ホルマリン固定の影響によって管内型線維腺腫のスリット状管腔が広がり葉状腫瘍に特徴的なfrond様の組織像を呈することがあり，あるいは線維腺腫でも周囲組織との境界がやや不明瞭化する症例があり，両者の鑑別に悩むことは少なくない．特に小さな生検組織では，fibro-epithelial lesion（FEL），またはfibro-epithelial tumor（FET）の判断にとどめざるをえない場合もあり，筆者もそういう症例に遭遇した場合は，“fibro-epithelial tumor, likely fibroadenoma（or likely benign phyllodes tumor）”などと記載している．

2）管状腺腫

管状腺腫は小型管腔の密な増生を特徴とし，線維腺腫と異なり間質細胞成分に乏しいのが特徴である．ただし，前述したとおり海外分類では多少の間質増生は管状腺腫でも許容されている印象があり，管周囲型線維腺腫と管状腺腫との区別にはやや曖昧さが残るし，また実際に線維腺腫と管状腺腫の併存症例があることも知られている．管状腺腫には*MED 12*変異が検出されておらず，この点でも同遺伝子変異の頻度が低い管周囲型線維腺腫との類似性が示唆されるかもしれない．これらの疾患概念間の線引きはまだ今後の課題と思うが，臨床的にはいずれも良性腫瘍なので，ほとんど問題にならない．

3）fibroadenomatoid mastopathy/change（sclerosing lobular hyperplasia）

乳腺小葉の間質が線維化をきたして小葉が拡大する病態で，一般に線維腺腫ほど明瞭な腫瘤形成はきたさないが，組織所見は線維腺腫に類似している[3]．少なくともその一部は線維腺腫の前駆病変と考えられており，線維腺腫の周辺組織にはほぼ半数に同病変がみられるとの報告もある．線維腺腫はTDLU由来で小葉中心性に発生するとされているので，ある程度発達したfibroadenomatoid mastopathyと小さな線維腺腫を厳密に区別することは難しいが，前述の管状腺腫同様に，これも臨床的には問題にならない．

4）乳管内乳頭腫

乳管内乳頭腫intraductal papillomaと線維腺腫は別疾患のようでありながら，組織像が類似することは珍しくない．間質の硬化が進行した乳頭腫は線維腺腫との区別に難渋することがあるし，逆に乳管内発生の線維腺腫の報告もある．ただし，組織形態的に両者の鑑別が困難な場合があってもいずれも良性腫瘍なので，上皮成分に異型がなければ臨床的にはほとんど問題とならない．

なお，乳頭腫には *MED12* 遺伝子変異が報告されていない一方で，線維腺腫にはほとんど報告のない PIK3CA/AKT 経路の異常が乳頭腫では報告されており[10]，両者のバックグラウンド，すなわち tumorgenesis が異なることを示唆している．興味深いことに前述した管状腺腫や乳管腺腫 ductal adenoma では PIK3CA/AKT 経路異常の報告があり[11]，これらと乳頭腫との類似性も示唆されている．これらの病変の病理組織像と遺伝子変異の関連については，今後の研究データの蓄積が待たれる．

9．その他の注意点

前述したとおり線維腺腫の間質細胞核分裂像は少ないが，それがどの程度まで許容されるかは難しい．一般には強拡大 10 視野中 2 個以下とされるが，若年者や妊娠時の線維腺腫では，ときにそれを上回る核分裂数（密度）を示すことがある[12]．間質細胞の核分裂密度は葉状腫瘍との鑑別において重要な所見ではあるが，これだけに頼ることなく，間質細胞の核異型や密度，さらには腫瘍辺縁の増生パターンや stromal overgrowth の有無などを含めて総合的に判断すべきである．しかしそれでもなお良性葉状腫瘍と線維腺腫の区別が難しい症例があり，そのような症例では過剰治療を避けるために線維腺腫と診断しておくほうがよいとする意見が多い[3]．4 cm 以下の線維腺腫（富細胞性線維腺腫）と良性葉状腫瘍の切除症例を平均 27 年間もの長期にわたって追跡した結果，全例断端距離が 1 mm 以下にもかかわらず，再発例はいずれの群においてもほとんどなかったとの報告がある[13]．葉状腫瘍を疑わせる所見があっても，それが良性葉状腫瘍か線維腺腫かを迷う程度のレベルであれば，臨床的意義はさほど高くないのかもしれない．

MED12 遺伝子変異の発見はエポックであったが，前述したとおり変異がみられるのは線維腺腫全体の 6 割程度で，また若年型や粘液腫状線維腺腫では *MED12* 遺伝子変異の頻度が低く，これだけで線維腺腫の tumorgenesis を説明することはできない．次世代シークエンサーの登場以来世界各国で膨大な遺伝子解析データが蓄積されてきており，今後の研究成果が待たれる．

（原田　大）

文　献

1）Thike AA, Brogi E, Harada O, et al：Fibroadenoma. in WHO Classification of Tumours Editorial Board（ed）："WHO Classification of Tumours, Breast Tumours"（5th ed.）, IARC, Lyon, 2019, pp168-171
2）Carney JA, Toorky BC：Myxoid fibroadenoma and allied conditions（myxomatosis）of the breast. A heritable disorder with special associations including cardiac and cutaneous mxyomas. Am J Surg Pathol 15：713-721, 1991
3）Brogi E：Fibroepithelial neoplasms. in Hoda SA, Brogi E, Koerner FC, et al（eds）："Rosen's Breast Pathology"（5th ed.）, Wolters Kluwer, Philadelphia, 2020, pp227-289
4）Tse G, Koo JS, Thike AA, et al：Phyllodes tumour. in WHO Classification of Tumours Editorial Board（ed）："WHO Classification of Tumours, Breast Tumours"（5th ed.）, IARC, Lyon, 2019, p174
5）日本乳癌学会（編）：臨床・病理 乳癌取扱い規約，第 18 版，金原出版，2018
6）Lim WK, Ong CK, Tan J, et al：Exome sequencing identifies highly recurrent MED12 somatic mutations in breast fibroadenoma. Nat Genet 46：877-880, 2014
7）Tan J, Ong CK, Lim WK, et al：Genomic landscapses of breast fibroepithelial tumours. Nat Genet 47：1341-1345, 2015
8）Loke BN, Md Nasir ND, Thike AA, et al：Genetics and genomics of breast fibroadenomas. J Clin Pathol 71：381-387, 2018
9）Md Nasir ND, Ng CCY, Rajasegaran V, et al：Genomic characterisation of breast fibroepithelial lesions in an international cohort. J Pathol 249：447-460, 2019
10）Troxell ML, Levine J, Beadling C, et al：High prevalence of PIK3CA/AKT pathway mutations in papillary neoplasms of the breast. Mod Pathol 23：27-37, 2010
11）Volckmar AL, Leichsenring J, Flechtenmacher C, et al：Tubular, lactating, and ductal adenomas are devoid of MED12 exon2 mutations, and ductal adenomas show recurrent mutations in GNAS and the PI3K-AKT pathway. Genes Chromosomes Cancer 56：11-17, 2017
12）Ross DS, Giri DD, Akram MM, et al：Fibroepithelial lesions in the breast of adolescent females：a clinicopathological study of 54 cases. Breast J 23：182-192, 2017
13）Yasir S, Nassar A, Jimenez RE, et al：Cellular fibroepithelial lesions of the breast：a long term follow up study. Ann Diagn Pathol 35：85-91, 2018

Ⅱ．線維上皮性腫瘍（結合織性および上皮性混合腫瘍）

2 葉状腫瘍

1．定義・概念

葉状腫瘍 phyllodes tumor は，まれな線維上皮性腫瘍（結合織性および上皮性混合腫瘍）とされる．線維上皮性腫瘍は，上皮と間質成分の両者の増殖からなる腫瘍であり，頻度の高い良性の線維腺腫とは，間質の拡大と細胞密度の増加，葉状構造によって区別される．線維腺腫は経過観察が可能だが，葉状腫瘍では外科的な完全切除が標準となる．局所再発や遠隔転移のリスクは葉状腫瘍のグレードで異なり，WHO 分類では，主に間質の特徴を評価して 3 段階にグレーディング（良性，境界病変，悪性）する[1]．分類は，6 つの組織学的特徴（①腫瘍境界，②間質の細胞密度，③間質細胞の異型，④間質における核分裂像の数，⑤間質の過剰増殖，⑥悪性異所性成分）に基づく．悪性異所性成分の存在は，それだけで，他の病理組織学的特徴に関係なく，悪性に分類される．ただし最近の診断上の変更点としては，WHO 分類 第 5 版（2019 年）で，悪性異所性成分から高分化型脂肪肉腫が除外された[1]．

2．臨床的事項

葉状腫瘍の頻度は，全乳腺腫瘍の 0.3～1%，乳腺線維上皮性腫瘍の 2.5％と低い[1]．40～50 歳代の女性で多く発生するが，これは線維腺腫の好発年齢より約 15～20 歳ほど高い[1]．人種では，アジア系やヒスパニック系では頻度がより高く，若い傾向があり，中南米のヒスパニック系では悪性が多いとされる[1,2]．

多くは，可動性良好，無痛性の腫瘤として触知される．サイズは様々で，小さいものから乳房全体を占めるものまでみられる（平均は 4～5 cm）[3]．大きな腫瘍の場合は，表在静脈の拡張，皮膚潰瘍，乳頭のひきつれがみられることもある．短期間で急速な増大を示すこともある．

3 段階のグレーディング（良性，境界病変，悪性）では，良性が約 65～70％と大半を占め，境界病変が 20％程度，悪性が 10％程度である[3]．すべての葉状腫瘍は，局所的に再発する傾向があり，グレードが上がるほど局所再発率は高くなる（良性 10～17％，境界病変 14～25％，悪性 23～30％）[4]．また，局所再発病変では，初期腫瘍より高いグレードに変化する可能性がある[1,5]．遠隔転移は境界病変で 1.6％，悪性では 16.7％と報告される[4]．血行性で肺や骨転移が多く，上皮成分を欠く間質成分がみられる[4]．腋窩リンパ節転移は非常にまれであり，通常，腋窩リンパ節郭清は行われない[1,6]．

葉状腫瘍における標準治療は，外科的な完全切除である[1,6,7]．悪性葉状腫瘍では，少なくとも 10 mm の正常組織を含む切除マージンが望まれ，境界病変も同様に広く切除される傾向にある[6,7]．一方，良性では局所再発と切除マージンにあまり関連がないとされる[8]．切除マージンが近いために追加切除を行うこともあるが，適切な切除マージンについては，葉状腫瘍のグレードや悪性所見を含め，現在も議論されているところである．適切な切除マージンが確認された場合，基本的に放射線療法は推奨されておらず，悪性葉状腫瘍における術後の補助放射線療法または化学療法の役割は確立されていない[6]．

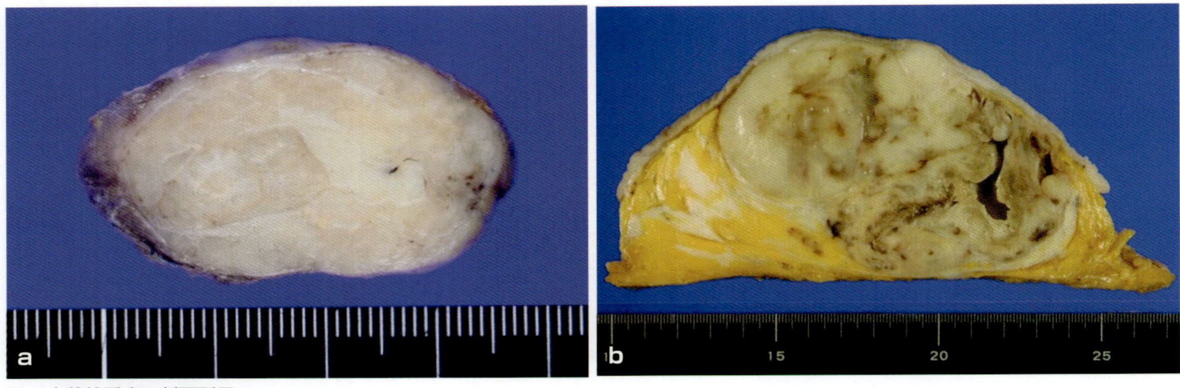

図１｜葉状腫瘍の割面所見
a：良性葉状腫瘍．不規則な裂け目を伴う充実性の境界明瞭な腫瘤を形成する．b：悪性葉状腫瘍．多結節状の充実性腫瘤で，葉のような腫瘍突起のある嚢胞性空間，出血や壊死がみられる．一部は境界明瞭だが，不明瞭な部分もみられる．

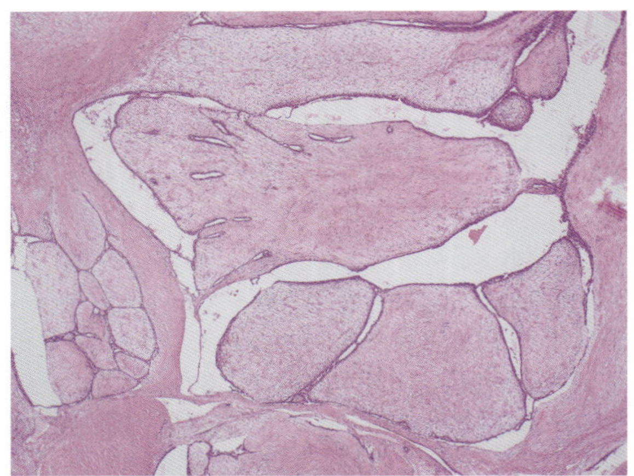

図２｜葉状構造を有する良性葉状腫瘍
嚢胞状に拡張した腺腔内に，間質塊が突出して広く不規則な葉状の突起を形成する．

3．肉眼・画像所見

通常，限局性の境界明瞭な黄褐色〜灰白色の充実性腫瘤を形成する（**図 1a, b**）．葉のような腫瘍突起のある嚢胞性空間（葉状構造）は典型的だが，多くの場合は完全なパターンはみられず，不規則な裂け目，裂隙状の嚢胞形成が一般的である．出血や壊死がみられることもある．線維腺腫における均一な割面と比較して，不均一さがある．

画像検査では，葉状腫瘍は線維腺腫と類似しており，鑑別が困難なことも多い．マンモグラフィ検査では，高濃度の境界明瞭な円形あるいは楕円形腫瘤として認識される[1]．超音波検査では，境界明瞭な低エコー腫瘤である[1]．線維腺腫よりも葉状腫瘍を考える所見として，分葉状の形状，内部の嚢胞や裂隙状の空間，内部の音響陰影による後方エコーの減弱がある[9]．また，境界不明瞭で不規則な形状，より大きなサイズ，嚢胞成分の存在は，良性よりも悪性の葉状腫瘍でみられることが多い[9]．MRI 検査では，T2 強調像で高信号，不均一な内部増強を示す[10]．

4．組織学的所見

腺構造を示す上皮成分と間質成分の増殖がともにみられ，間質の不規則な拡大と細胞密度の増加を特徴とする．特に，二相性（乳管/筋上皮細胞）上皮で覆われた葉状に拡大した間質が，嚢胞腔内に突出する像は，葉状構造として認識される（**図 2**）．よく発達した葉状構造の存在は本質的に葉状腫瘍の診断を促すが，葉状構造が不明瞭な症例もある．その場合，腺構造の変化や間質の細胞増殖パターンに着目する．顕著な側枝を伴って拡張した不規則な腺構造は，葉状腫瘍でよくみられる．間質が拡大している領域では，束状や流れるような配列を示す間質細胞の増殖が目立つ（**図 3a**）．一方，線維腺腫でみられるような腺構造を取り巻くような増殖は乏しい．間質細胞の密度は，上皮下において増加する傾向がみられる（**図 3b**）．形態学的不均一性は葉状腫瘍の特徴であり，葉によって細胞密度や細胞異型の程度が異なることも多い（**図 4**）．

間質は，粘液腫状変化や膠原線維の増加を示す[11]．また，偽血管腫様間質過形成 pseudoangiomatous stromal hyperplasia（PASH），あるいは，骨肉腫や軟骨肉腫，脂肪肉腫などの像を示す症例もある[1,3,11]．まれに，多核巨細胞の出現を認めるが，これは悪性の所

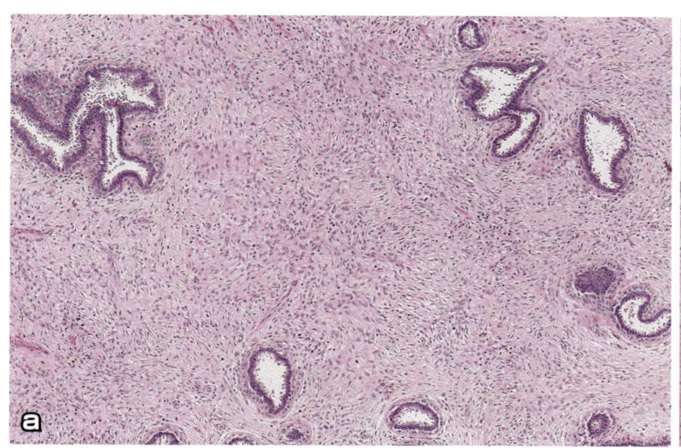

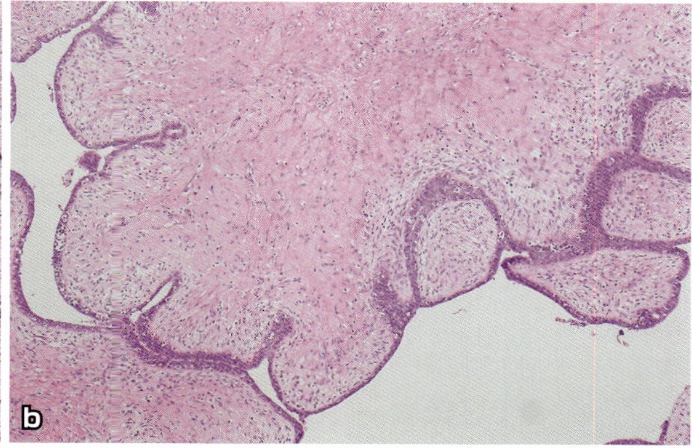

図 3 ｜葉状腫瘍における間質の増殖パターン
a：間質が拡大している部分では，束状や流れるような配列が目立つ．腺構造を取り巻くような構造には乏しい．b：上皮下で細胞密度が増加する傾向にある．

見ではない[1,11]．壊死は梗塞性や腫瘍性で起こり，腫瘍性壊死は悪性に限定される．上皮成分では，しばしば乳管上皮の過形成がみられる[1,3,11]．このほか，乳管上皮の扁平上皮化生やアポクリン化生，筋上皮細胞の増殖，および，腺症などの変化がみられることもある[1,3,11]．葉状腫瘍内での非浸潤癌や浸潤癌（小葉癌か乳管癌）の合併の報告もあるが，上皮成分からの癌腫の発生は非常にまれである[1]．

葉状腫瘍のグレーディング

前述したように WHO 分類 第 5 版では，葉状腫瘍を 3 段階にグレーディング（良性，境界病変，悪性）する[1]．これは 6 つの組織学的特徴（①腫瘍境界，②間質の細胞密度，③間質細胞の異型，④間質における核分裂像の数，⑤間質の過剰増殖，⑥悪性異所性成分）に基づく[1]（**表 1**）．評価は，腫瘍の最も所見が強い領域で行う[4]．細胞境界は，圧排性の明瞭な境界と浸潤性境界に分かれる（**図 5 a, b**）．間質の細胞密度は，正常な小葉周囲間質が基準となり，軽度増加では核の重なりはみられず，高度増加では多くの核が重なり合う（**図 6 a～c**）．間質細胞の異型は，軽度では比較的均一な核だが，高度異型では核の多形や大小不同，核小体が目立つ（**図 7 a～c**）．

最終的なグレーディングでは，腫瘍が，すべての悪性所見（①腫瘍境界：浸潤性，②間質の細胞密度：高度，③間質細胞の異型：高度，④間質における核分裂像の数：強拡大 10 視野（0.196 mm^2×10 視野）で 10 個以上（または 1 mm^2 あたり 5 個以上），⑤間質の過剰増殖：あり）を満たす場合に悪性とし，これらすべての悪性所見が揃わない場合は境界病変に分類する[1]．良性は，いずれの悪性所見もみられない[1]．ただし，⑥悪性異所性成分：ありの場合，①～⑤での悪性所見の有無に関係なく，その腫瘍を悪性に分類する[1]．悪性異所性成分には，脂肪肉腫（高分化型脂肪肉腫は除く），軟骨肉腫（**図 8**），骨肉腫，横紋筋肉腫，血管肉腫，平滑筋肉腫などが含まれる[1]．

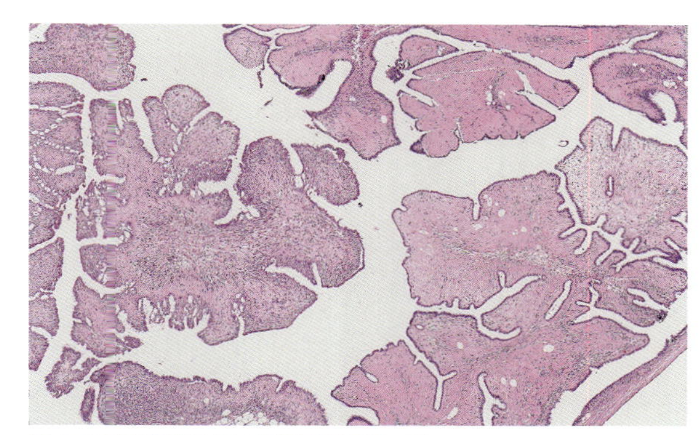

図 4 ｜葉状腫瘍における腫瘍内不均一性
よく発達した葉状構造がみられ，葉によって細胞密度や細胞異型の程度が異なる．

5．免疫組織化学的特徴

葉状腫瘍の間質成分は，CD 34 陽性となる．その陽性率は悪性度が高くなるにつれて低下するが，それでも悪性葉状腫瘍の大部分が CD 34 陽性である[12]．上皮マーカーである種々の cytokeratin（AE1/AE3，CAM5.2，34βE12，CK5/6，CK14 など）は，特に悪性葉状腫瘍で間質成分が局所的・限局的に陽性となる[11]．注意すべきは，上皮マーカーのびまん性陽性像は，化生癌，特に葉状腫瘍との鑑別として

表1 | 線維腺腫と葉状腫瘍のグレーディングにおける組織学的特徴（文献1より改変）

組織学的特徴		線維腺腫	葉状腫瘍		
			良性	境界病変	悪性
腫瘍境界		境界明瞭	境界明瞭	境界明瞭で，局所的な浸潤性を認めることあり	浸潤性
間質の細胞密度		多様であるが，一般に低細胞性，まれに軽度から中等度の増加，分布は病変内で均一	軽度の増加，分布は病変内で不均一，あるいは，びまん性	中等度の増加，分布は病変内で不均一，あるいは，びまん性	高度の増加，分布は病変内でびまん性
間質細胞の異型		なし	軽度，あるいは，なし	軽度，あるいは，中等度	高度
間質における核分裂像の数	per 10 HPFs	なし，あっても少数	<5	5〜9	≧10
	per 1 mm^2		<2.5	2.5〜4	≧5
間質の過剰増殖*		なし	なし	なし，あるいは，かなり局所的	しばしばあり
悪性異所性成分**		なし	なし	なし	症例によってあり

HPF：high power field（強拡大視野）
*上皮成分のない間質領域が，少なくとも弱拡大1視野（対物レンズ4倍で接眼レンズ10倍）で認められる．**脂肪肉腫（高分化型脂肪肉腫は除く），軟骨肉腫，骨肉腫，横紋筋肉腫，血管肉腫，平滑筋肉腫などを含む．

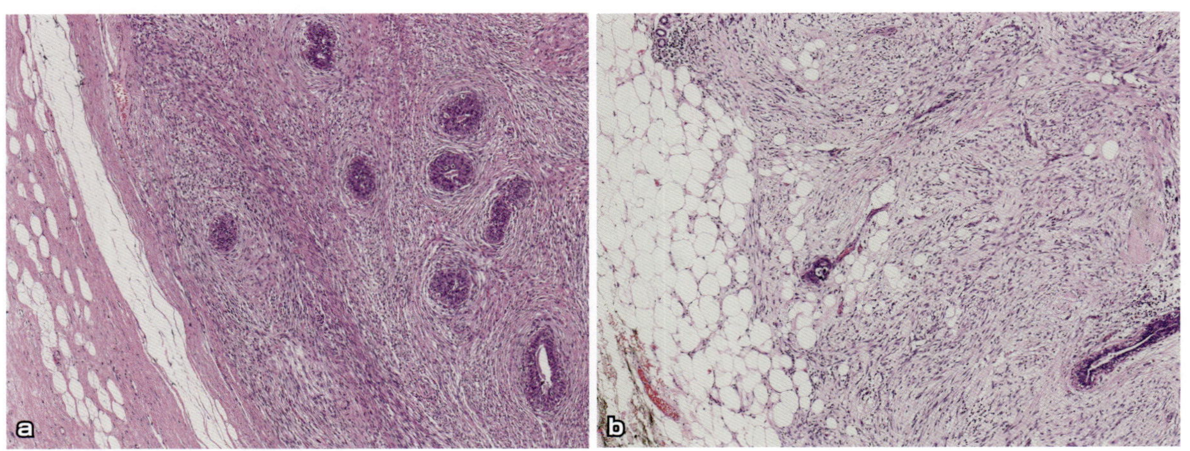

図5 | 葉状腫瘍における腫瘍境界
a：境界明瞭．腫瘍辺縁は，圧排性で明瞭である．b：浸潤性境界．腫瘍辺縁で，脂肪細胞間に浸潤する間質細胞を認める．

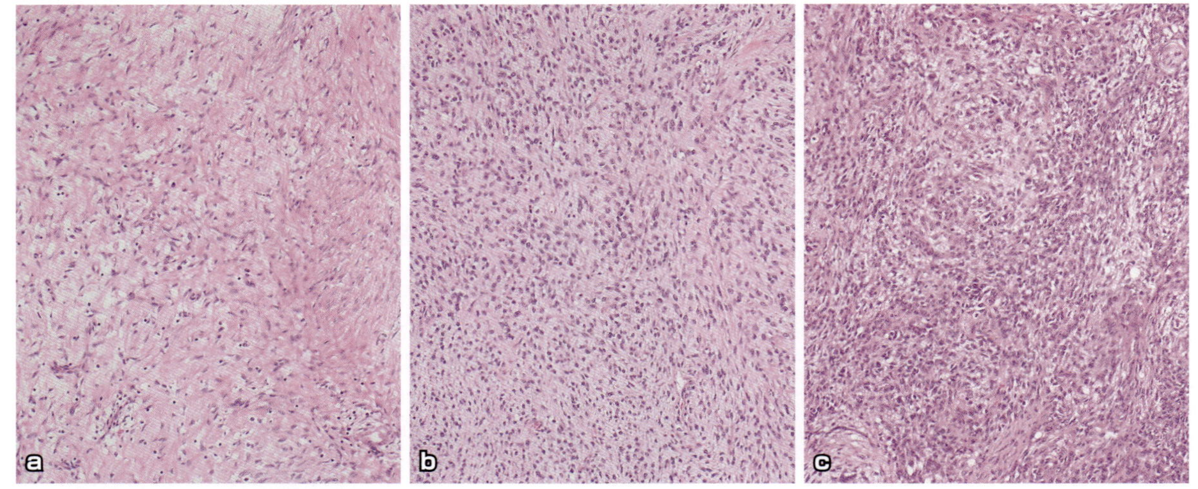

図6 | 葉状腫瘍における間質の細胞密度
a：軽度増加．正常な小葉周囲間質と比較してわずかに間質細胞が増加し，核が接触または重なっていない．b：中等度増加．間質細胞のいくつかの核が重なる程度で，軽度と高度の中間的な所見を示す．c：高度増加．間質細胞の多くの核が重なっており，明らかな細胞過多を示す．

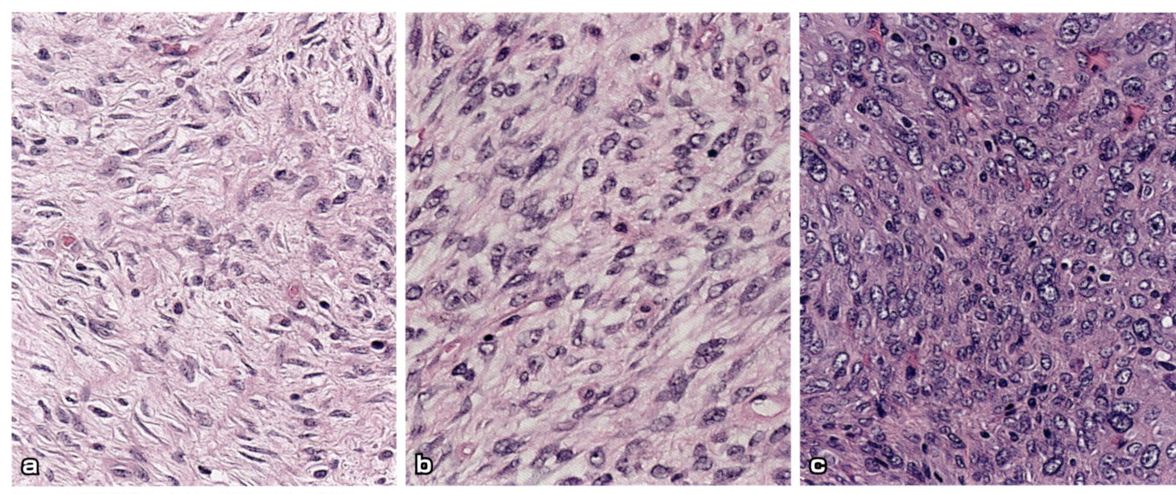

図 7 ｜葉状腫瘍における間質細胞の異型

a：軽度異型．核サイズの変化がほとんどなく，核の輪郭が滑らかである．b：中等度異型．核サイズはいくらかの変動を示し，軽度異型を超えるが，高度異型には達しない．c：高度異型．核の多形とサイズの変動が目立ち，核の輪郭は不整で，粗いクロマチン，および著明な核小体を認める．

紡錘細胞癌 spindle cell carcinoma でみられることがある[11]．p63 や p40 も同様であり，紡錘細胞癌でびまん性に陽性となるが，局所的で，弱い陽性像は悪性葉状腫瘍でもみられる[11]．

診断の要 *Essential diagnostic criteria*

- 間質の拡大と細胞密度の増加
- 特に，管内型の増殖パターン（間質の増殖で圧排された腺管が樹枝状を示す）が優勢で，二相性（乳管/筋上皮細胞）の上皮で覆われた葉状に拡大した間質を伴う
- 良性と悪性の鑑別は以下の 6 つの組織学的特徴に着目する
  ①腫瘍境界
  ②間質の細胞密度
  ③間質細胞の異型
  ④間質における核分裂像の数：強拡大 10 視野（0.196 mm^2×10 視野）で 10 個以上（または 1 mm^2 あたり 5 個以上）
  ⑤間質の過剰増殖：上皮成分の欠如が少なくとも弱拡大 1 視野で認められる
  ⑥悪性異所性成分（高分化型脂肪肉腫は除く）

6．分子病理学的特徴と発生メカニズム

MED 12 変異は，線維腺腫と葉状腫瘍において，間質成分の X 染色体上の共通の変異として同定された[13,14]．両者で最も頻繁にみられる変異であり，グレードが高い葉状腫瘍ではその頻度が低くなるため，線維上皮性腫瘍の発生と初期の進行に関与しているとされる[15,16]．*MED 12* 変異経路では，正常乳腺間質細胞における *MED 12* および *RARA* 異常を介して線維腺腫が発生し，さらなる遺伝子異常の獲得で葉状腫瘍へ進展する[15,16]．*MED 12* 変異のない葉状腫瘍では，他の癌関連遺伝子の変異の獲得を通じた *de novo* による発症が考えられている[15,16]．葉状腫瘍は 3 個以上の変異を有する割合が高く，*TERT* promoter，*NF 1*，*RB 1*，*TP 53*，*PIK 3 CA*，*ERBB 4*，*EGFR* の変異は，良性よりも境界病変や悪性葉状腫瘍で頻度が高い[15,17,18]．

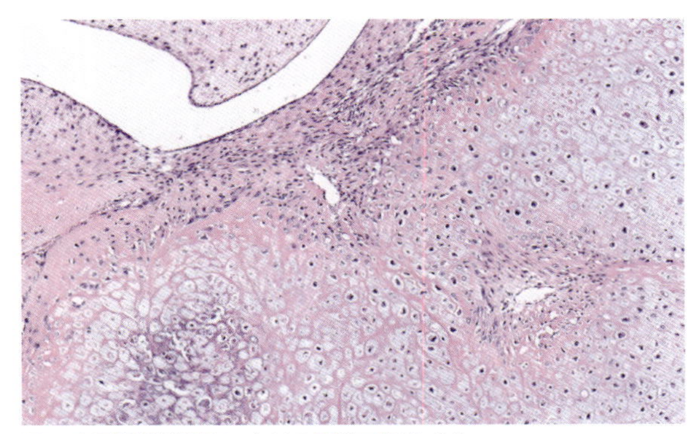

図 8 ｜悪性葉状腫瘍における悪性異所性成分

間質成分に軟骨肉腫を認める．

WHO分類 第5版では，悪性異所性成分から高分化型脂肪肉腫が除外された[1]．これは，葉状腫瘍内に存在するこれらの異常な脂肪細胞集団は，他の部位で高分化型脂肪肉腫を特徴づける *MDM2* 遺伝子の増幅を示さず，さらに，この異所性成分には転移の可能性がないと認識されたことに基づく[19,20]．

7．鑑別診断

良性葉状腫瘍は管内型線維腺腫 intracanalicular fibroadenoma，富細胞性線維腺腫 cellular fibroadenoma や若年性線維腺腫 juvenile fibroadenoma との鑑別，悪性葉状腫瘍は化生癌（中でも紡錘細胞癌），原発性あるいは転移性肉腫との鑑別が問題となることが多い．

1）葉状腫瘍と線維腺腫

管内型線維腺腫は間質の増生による樹枝状の腺管を示すため，葉状構造の不明瞭な良性葉状腫瘍との鑑別が問題となる．管内型線維腺腫では，間質の細胞密度は病変内で均一であり，病変内での不均一な細胞密度や上皮下での細胞密度の増加は葉状腫瘍でみられる[3,11]．腺構造に着目すると，顕著な側枝を伴って拡張あるいは延長した不規則な腺構造，裂隙状の腺管は，葉状腫瘍でよくみられる[1]．

富細胞性および若年性線維腺腫は，間質の細胞密度および核分裂像の増加を示すため，良性葉状腫瘍との鑑別が問題となる．通常，富細胞性および若年性線維腺腫では，間質の核分裂像が強拡大10視野あたり5個を超えることはないが[11]，強拡大10視野あたり7個までみられることもある[1]．また，富細胞性および若年性線維腺腫では，腺管を取り囲むような管周囲型の間質の増殖パターンが主体である．

線維腺腫の範疇を超える特徴がみられた場合，例えば，中等度以上の間質の細胞密度や異型，著明な核分裂像，浸潤性増殖，葉状構造，不規則な間質の拡大があるときは，葉状腫瘍を考える[1,3,11]．

針生検検体における診断困難例では，「良性線維上皮性腫瘍」との診断にとどめ，診断確定のために外科的完全切除を検討することが望ましい[1,6]．

2）葉状腫瘍と紡錘細胞癌，肉腫

一部の悪性葉状腫瘍は，紡錘細胞癌，原発性あるいは転移性肉腫 sarcoma との鑑別が問題となる．葉状腫瘍は，腫瘍内不均一性を示すため，適切なサンプリングが重要であり，特に，間質の異常増殖が顕著な症例では，葉状構造や不規則な腺構造を示す上皮成分を見逃さないよう，広範囲の切り出しが必要である[3,11]．組織学的検索の結果，判断が難しい場合は追加の切り出しも検討する．紡錘細胞癌では，非浸潤癌や浸潤癌（腺癌）成分がみられ，紡錘形細胞と腺癌成分の移行像は重要な所見である[12]．肉腫では，上皮成分が同定できない[3,11]．また，転移性肉腫の場合は，臨床経過が参考となる[3,11]．

免疫組織化学的検討では，上皮マーカーである種々の cytokeratin（AE1/AE3，CAM5.2，34βE12，CK14 など）のびまん性の陽性像は紡錘細胞癌を支持するが，限局的な陽性像は葉状腫瘍の間質成分でもみられる[11]．p63 や p40 も同様で，びまん性の陽性像は紡錘細胞癌，限局的な陽性像は葉状腫瘍でみられる[11]．CD34 陽性像は葉状腫瘍でみられ，通常，紡錘細胞癌では陰性である[12]．

針生検検体で組織量が限られ，上皮成分をとらえることができない場合，高悪性度の乳腺紡錘形細胞病変として検討することになる．各マーカーの陽性像の解釈に注意して鑑別する必要がある．

（片山彩香，小山徹也）

文　献

1）WHO Classification of Tumours Editorial Board（ed）：WHO Classification of Tumours, Breast Tumours（5th ed.），IARC, Lyon, 2019
2）Pimiento JM, Gadgil PV, Santillan AA, et al：Phyllodes tumors：race-related differences. J Am Coll Surg 213：537-542, 2011
3）Tan PH：Fibroepithelial lesions revisited：implications for diagnosis and management. Mod Pathol 34：15-37, 2021
4）Tan BY, Acs G, Apple SK, et al：Phyllodes tumours of the breast：a consensus review. Histopathology 68：5-21, 2016
5）Tan PH, Thike AA, Tan WJ, et al：Predicting clinical behaviour of breast phyllodes tumours：a nomogram based on histological criteria and surgical margins. J Clin Pathol 65：69-76, 2012
6）日本乳癌学会（編）：乳癌診療ガイドライン1 治療編 2022年版，金原出版，2022
7）Toussaint A, Piaget-Rossel R, Stormacq C, et al：Width of margins in phyllodes tumors of the breast：the controversy drags on?-a systemic review and meta-analysis. Breast Cancer Res Treat 185：21-37, 2021
8）Wen B, Mousadoust D, Warburton R, et al：Phyllodes tumours of the breast：outcomes and recurrence after excision. Am J Surg 219：790-794, 2020
9）Resetkova E, Khazai L, Albarracin CT, et al：Clinical and radiologic data and core needle biopsy findings should dictate management of cellular fibroepithelial tumors of the breast. Breast J 16：573-580, 2010
10）Hirose M, Hashizume T, Seino N, et al：Atlas of breast magnetic resonance imaging. Curr Probl Diagn Radiol

36：51-65, 2007
11) Lerwill MF, Lee AHS, Tan PH：Fibroepithelial tumours of the breast-a review. Virchows Arch 480：45-63, 2022
12) Rakha EA, Brogi E, Castellano I, et al：Spindle cell lesions of the breast：a diagnostic approach. Virchows Arch 480：127-145, 2022
13) Lim WK, Ong CK, Tan J, et al：Exome sequencing identifies highly recurrent MED12 somatic mutations in breast fibroadenoma. Nat Genet 46：877-880, 2014
14) Ng CCY, Tan J, Ong CK, et al：MED12 is frequently mutated in breast phyllodes tumours：a study of 112 cases. J Clin Pathol 68：685-691, 2015
15) Sim Y, Ng GXP, Ng CCY, et al：A novel genomic panel as an adjunctive diagnostic tool for the characterization and profiling of breast fibroepithelial lesions. BMC Med Genomics 12：142, 2019
16) Md Nasir ND, Ng CCY, Rajasegaran V, et al：Genomic characterisation of breast fibroepithelial lesions in an international cohort. J Pathol 249：447-460, 2019
17) Nozad S, Sheehan CE, Gay LM, et al：Comprehensive genomic profiling of malignant phyllodes tumors of the breast. Breast Cancer Res Treat 162：597-602, 2017
18) Chang HY, Koh VCY, Md Nasir ND, et al：MED12, TERT and RARA in fibroepithelial tumours of the breast. J Clin Pathol 73：51-56, 2020
19) Bacchi CE, Wludarski SC, Lamovec J, et al：Lipophyllodes of the breast. A reappraisal of fat-rich tumors of the breast based on 22 cases integrated by immunohistochemical study, molecular pathology insights, and clinical follow-up. Ann Diagn Pathol 21：1-6, 2016
20) Lyle PL, Bridge JA, Simpson JF, et al：Liposarcomatous differentiation in malignant phyllodes tumours is unassociated with MDM2 or CDK4 amplification. Histopathology 68：1040-1045, 2016

Ⅲ．乳頭部の腫瘍

1．乳頭・乳輪部の正常組織

乳房のほぼ中央に位置する乳頭 nipple・乳輪 areola 部は，1つの複合体“nipple-areola complex（NAC）”と捉えることができる[1]．組織学的に，NAC は基底側にメラニンとやや密なメラノサイトの増生を伴う表皮（重層扁平上皮）で覆われる．真皮には平滑筋と弾性線維に富む間質を背景に，乳管系，脂腺，および汗腺が分布する（毛包は乳輪部辺縁を除いて存在しない）．乳頭部間質の太い乳管（集合管，主乳管）は，乳頭表面より 1〜3 mm 深側にて腺上皮細胞，筋上皮細胞の二相性を示す上皮から重層扁平上皮に移行し，最終的に乳頭部表皮に開口する．開口部付近の表皮には，乳管上皮由来と考えられている淡明細胞「Toker 細胞」が一定頻度で観察される．脂腺は NAC の表皮下に発達し，一般の皮膚のものとは異なり毛包を介さず表皮に直接開口，ないしは主乳管に連続する．また，乳輪部には脂腺と乳管洞（主乳管深部の拡張した導管）からなる腺構造があり，Morgagni 結節（Montgomery 結節）と呼ばれる乳輪表面の小隆起に開口部をもつ[2]．同結節は妊娠〜授乳期により目立ち，ここからの乳汁分泌もみられうる．Montgomery 腺に関しては，上記腺領域を構成する特殊な脂腺や乳腺，あるいは汗腺の一種などと記載され，一定の見解が得られていない[2,3]．

以上のように，NAC は乳腺と皮膚の特徴を併せもつ特異な解剖学的部位といえ，両者の発生学的な近縁性をよく反映している．ここには，乳腺由来および皮膚由来の疾患が生じるが，互いに類似もしくは共通した組織像を呈するものもある．本項では，乳腺由来の代表的な腫瘍性病変の乳房 Paget 病と乳頭部腺腫について主に取り上げる．なお，汗管腫様腫瘍，乳管内乳頭腫（中枢型）については，乳頭部腺腫の鑑別診断の項目の中で触れる．

2．乳房 Paget 病

1）定義・概念

乳房 Paget 病 Paget's disease of the breast は，乳頭・乳輪部表皮内における大型淡染性の腺癌細胞「Paget 細胞」の増殖と，同部位の湿疹様皮疹を特徴とする悪性腫瘍であり，大部分の症例で同側乳腺に癌が認められる[1,4]．乳癌の一型とされ[5]，その名称は 1874 年に乳頭・乳輪の皮疹と乳癌との関連について初めて記載した，英国の外科医 James Paget の名前に由来している[6]．

乳癌取扱い規約 第 18 版（2018 年）には，随伴する乳癌が非浸潤癌あるいは微小浸潤癌（1 mm 以下の浸潤）のものを乳房 Paget 病とし，浸潤癌（1 mm を超える浸潤）の場合はその組織型に分類するよう記載されている[5]．一方，WHO 分類 第 5 版（2019 年）では乳癌の間質浸潤の程度にかかわらず，乳頭・乳輪部表皮内に上記成分をもつ病変はいずれも乳房 Paget 病に含めている[1]．このため，発生頻度や予後などのデータは，両者の違いを認識して解釈する必要がある．なお，真皮からの直接的な表皮向性浸潤による癌細胞の表皮内増殖例は，二次性乳房 Paget 病と呼称し区別される[7]．

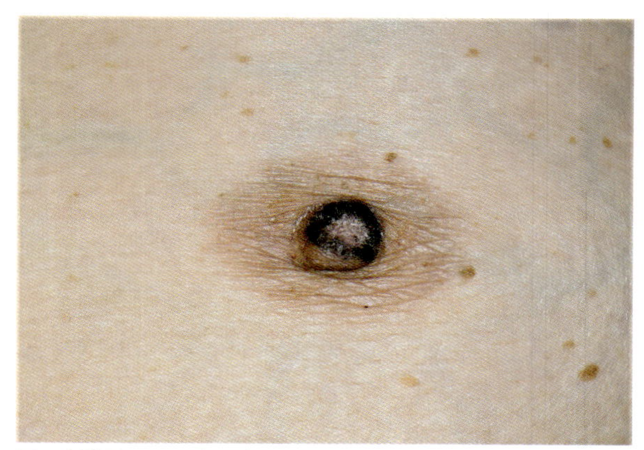

図 1 | 乳房 Paget 病の臨床像
乳頭に色素沈着，鱗屑・痂疲，びらんを認める．

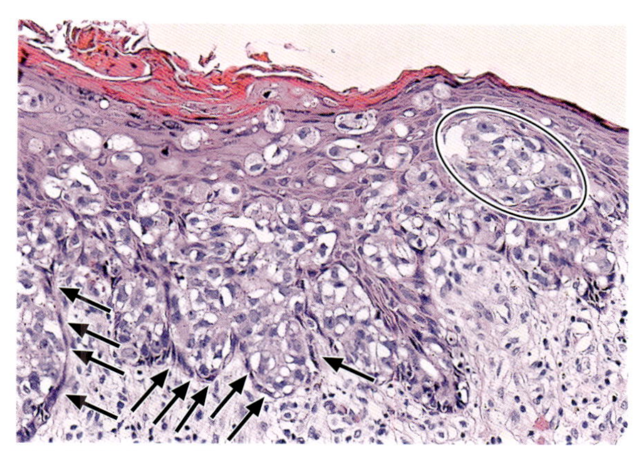

図 2 | 乳房 Paget 病
Paget 細胞が buckshot pattern を示しつつ表皮内に増殖する．また，圧排された表皮基底細胞（矢印）と，メラニン色素を取り込んだ Paget 細胞（囲み）も観察される．

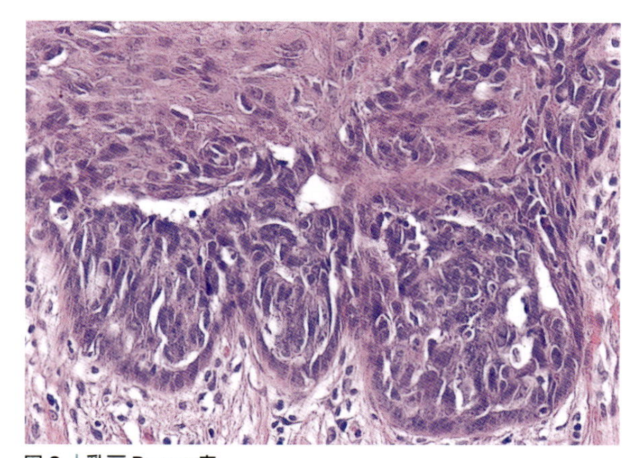

図 3 | 乳房 Paget 病
細胞質の淡染性に乏しい Paget 細胞．

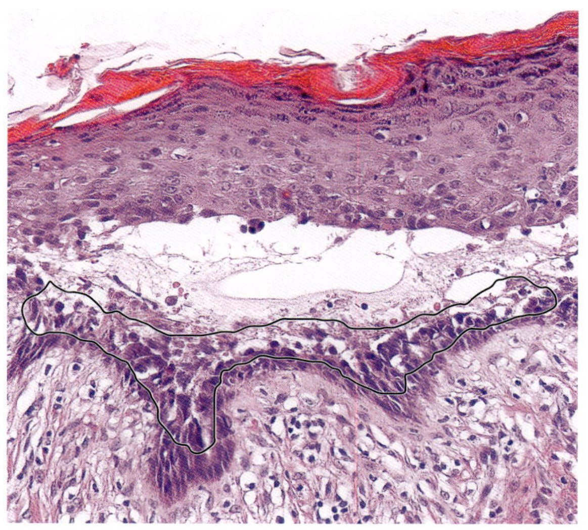

図 4 | 乳房 Paget 病
Paget 細胞の棘融解様変化（囲み）による表皮内裂隙．

2）臨床的事項，肉眼所見

乳房 Paget 病は全乳癌の約 0.3％（本邦），1～4％（欧米）を占め，50～60 歳代の女性に好発する[1,2,4]．臨床的に，乳頭を主体として紅斑，丘疹，局面が認められ，湿潤，鱗屑・痂疲，びらん，潰瘍，出血，腫脹，色素沈着などを伴う（**図 1**）．瘙痒感が加わることもあり，一見湿疹や乾癬を思わせるが，この領域の炎症性皮膚疾患が両側に生じやすいのに対し，乳房 Paget 病では通常片側性にみられる．また，乳輪・周囲皮膚への広がりや乳頭異常分泌も呈しうる．乳腺実質の癌は，乳頭・乳輪部など中央部の領域に付随する傾向にある．

3）組織学的所見

明瞭な核小体を伴う腫大核と豊かな淡染性細胞質からなる異型細胞「Paget 細胞」が，乳頭・乳輪部の表皮に孤立性，胞巣状，腺管状，あるいは表皮全層性に増殖する（**図 2**）．ことに，表皮の基底側で胞巣状，表層では孤立散在性の分布様式 “buckshot pattern” が特徴的とされる[8]（**図 2**）．進行とともに Paget 細胞が表皮内を占めるようになり，皮膚付属器上皮へも進展しうるが，基底細胞は比較的保たれる（**図 2**）．また，メラニン色素の取り込み（**図 2**），淡染性の不明瞭化（**図 3**），そして棘融解様変化（細胞間解離）（**図 4**）も種々の頻度で認められ，それぞれ悪性黒色腫，Bowen 病（表皮内扁平上皮癌），天疱瘡などの水疱症が鑑別対象となる．

WHO 分類 第 5 版に基づけば，乳房 Peget 病の予後は随伴する乳癌の性状，病期に依存し，その多く

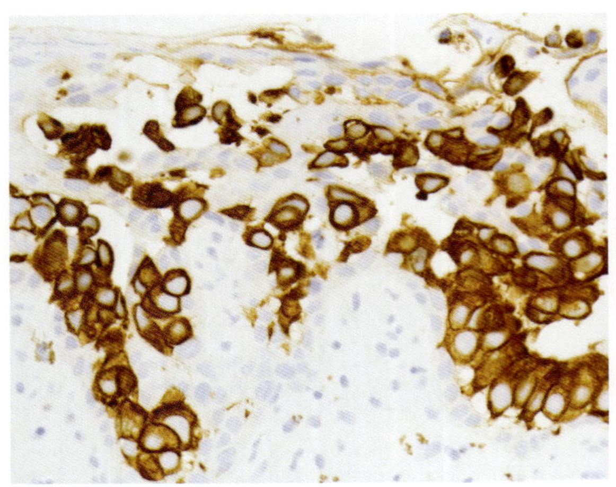

図5 | 乳房 Paget 病の免疫染色
Paget 細胞：CK7 陽性.

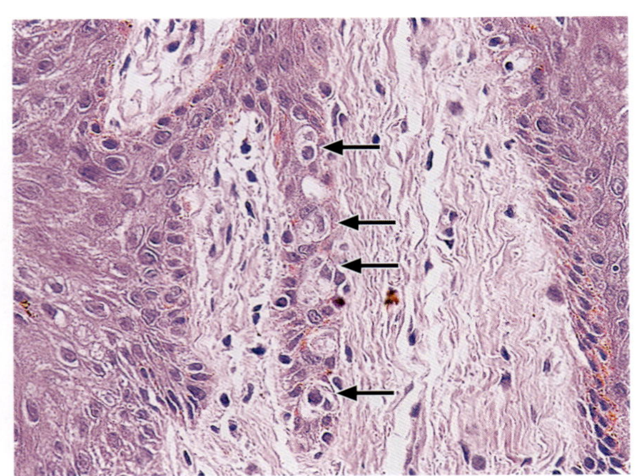

図6 | Toker 細胞
乳頭部表皮内の異型性に乏しい淡明細胞（矢印）.

は高異型度の非浸潤性乳管癌，もしくは浸潤性乳管癌の組織型をとる[1]（乳癌取扱い規約 第18版に準じると，前述のように付随する乳癌は非浸潤癌か微小浸潤癌であるため，予後良好となる）．なお，まれに観察される Paget 細胞の表皮基底膜を越える真皮浸潤は，予後不良に影響しないと考えられている[7]．

4）免疫組織化学的特徴，特殊染色所見

免疫組織化学的に，Paget 細胞は付随する乳癌細胞と原則同様の性質をもつ．cytokeratin（CK）7（**図5**），CAM5.2 が代表的な陽性マーカーであり，CK20，34βE12 は陰性となる[1,4]．CEA，EMA，GCDFP15，GATA3 は種々の程度に陽性を示す．ER，PgR は 60～70％で陰性，HER2 は 80～90％で陽性である[1,4]．また，細胞質内粘液（頻度は 40％程度[4]）の検索に，mucicarmine 染色，alcian blue 染色，PAS 染色などが用いられる．

診断の要 *Essential diagnostic criteria*

- 大型淡染性の腺癌細胞「Paget 細胞」の乳頭・乳輪部表皮内増殖，同部位の皮疹
- Paget 細胞：CK7 陽性，CAM5.2 陽性，HER2 陽性
- 乳癌の随伴

5）分子病理学的特徴，組織発生

Paget 細胞とそれに随伴する乳管癌（非浸潤癌，浸潤癌）の細胞において，多くの例で共通の分子生物学的変化が認められるのに対し，一部のものでは両者に違いがあるとも報告されている[9]．乳房 Paget 病の組織発生に関しては，①乳癌細胞の乳管を介した乳頭・乳輪部表皮への進展，②乳頭部の表皮に存在する Toker 細胞の悪性化，などの説がある[4]．

6）鑑別診断

乳房 Paget 病，Bowen 病，そして悪性黒色腫（特に表在拡大型）は，互いに細胞像，分布様式が類似しうる[8]．これらの鑑別に免疫染色を用いる際，Bowen 病：34βE12，p63，p40，悪性黒色腫：S100，HMB45，melan A などがそれぞれの陽性マーカーの候補に挙げられる．ただし，S100 や HMB45 はまれに Paget 細胞にも染色性を示すことがある．

CK7，p40，melan A を基本パネルとすると，定型的には乳房 Paget 病：CK7 陽性，p40 陰性，melan A 陰性，Bowen 病：CK7 陰性，p40 陽性，melan A 陰性，悪性黒色腫：CK7 陰性，p40 陰性，melan A 陽性となる[9]．ときに，乳房 Paget 病：CK7 陰性あるいは Bowen 病：CK7 陽性の場合があり，必要に応じ他のマーカーも加える．また，melan A 陽性細胞の増加をみる例では，悪性黒色腫のほか，メラノサイトの反応性増生を伴う乳房 Paget 病や Bowen 病の可能性も考慮され，腫瘍細胞の正確な同定が求められる．なお，棘融解様変化～表皮内裂隙を呈する乳房 Paget 病と天疱瘡などの水疱症の鑑別には，乳房 Paget 病の陽性マーカー（CK7，CMA5.2 など）が有用である．

淡明（細胞）化した表皮角化細胞，そして Toker 細胞（**図6**）は通常異型性が目立たず，これら自体の病的意義は乏しい．Paget 細胞との区別は一般に異型

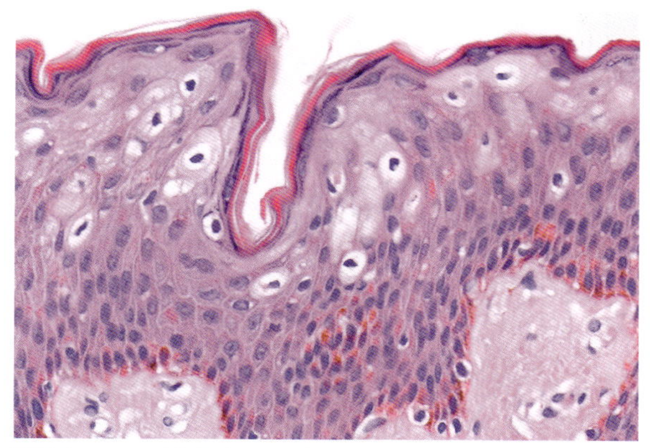

図7 | pagetoid dyskeratosis
細胞質中央に位置する小型核と核周囲明庭を伴う表皮角化細胞.

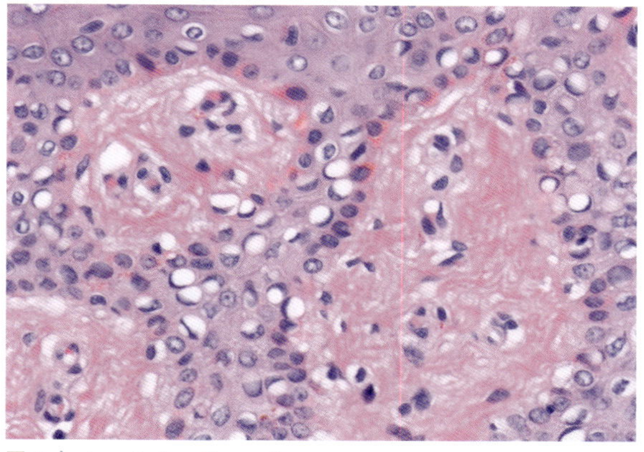

図8 | signet-ring-like cell
印環細胞様の表皮角化細胞.

の程度(HE染色標本)によりなされるが，確定に苦慮する際は免疫染色を用いる．淡明化角化細胞はCK7陰性，p40陽性，melan A陰性で，細胞質中央の小型核と核周囲明庭を伴うpagetoid dyskeratosis(**図7**)，および印環細胞様のsignet-ring-like cell(**図8**)がある．前者は外的刺激，後者はアーチファクトによると考えられている．また，Toker細胞(CK7陽性，p40陰性，melan A陰性でPaget細胞と同様)はまれに細胞増生や軽度の異型性を示し，Toker細胞：HER2陰性，p53陰性，CD138陰性，Ki67陰性，Paget細胞：HER2陽性，p53陽性，CD138陽性，Ki67陽性にて鑑別される[9]．

3. 乳頭部腺腫

1) 定義・概念

乳頭部腺腫nipple adenomaは良性上皮性腫瘍の一つであり，乳頭・乳輪のびらん，乳頭異常分泌，そして多彩な組織所見などの臨床病理学的特徴をもつ[1,5]．1955年にDavid B. Jonesが一連の症例をflorid papillomatosis of the nipple ductsとして詳細に記載し[10]，その後，同一病変が多数の疾患名で報告されてきた．また，皮膚付属器腫瘍である乳頭状汗管嚢胞腺腫，乳頭状汗腺腫との組織学的な類似性もうかがわれる．

2) 臨床的事項，肉眼所見

40歳代，女性に好発し，通常片側の乳頭部付近に乳房Paget病を思わせる臨床所見や腫瘤を認める[1,11]．

3) 組織学的所見

組織学的に，乳頭・乳輪下の被膜を有しない境界明瞭な結節性病変であり，下記のように多彩性に富む．二相性の保たれた上皮の増生から主に構成され，乳頭・乳輪部間質における腺症様の腺管分布，通常型乳管過形成(ときに管内壊死巣もみられる)，そして血管結合織性の茎をもつ乳頭状成分が種々の割合で混在する(**図9**)．加えて，腺管拡張，アポクリン化生，扁平上皮化生，筋上皮過形成，および間質の線維化や硬化も伴いうる(**図9**)．また，上記病変が表皮や開口部付近の主乳管上皮を置き換え表面に露出することがあり(**図9**)，このような例は臨床的に乳頭・乳輪のびらん，乳頭異常分泌として認識される．

診断の要 *Essential diagnostic criteria*

- 二相性の保たれた上皮成分の増生
- 多彩な組織所見
- 乳頭・乳輪のびらん，乳頭異常分泌

4) 免疫組織化学的特徴

免疫染色にて，腺管の二相性の保持(筋上皮マーカー陽性)，通常型乳管過形成と同等の多彩な管内細胞像(高分子量CKモザイク状陽性)が確認される．

5) 鑑別診断

乳頭・乳輪部に前述のような賑やかな組織像を認めた場合，まずは乳頭部腺腫の可能性を念頭に置き，過剰診断に注意を払う姿勢が求められる．特に，硬化性間質を背景とした腺管分布領域，管内に著明な

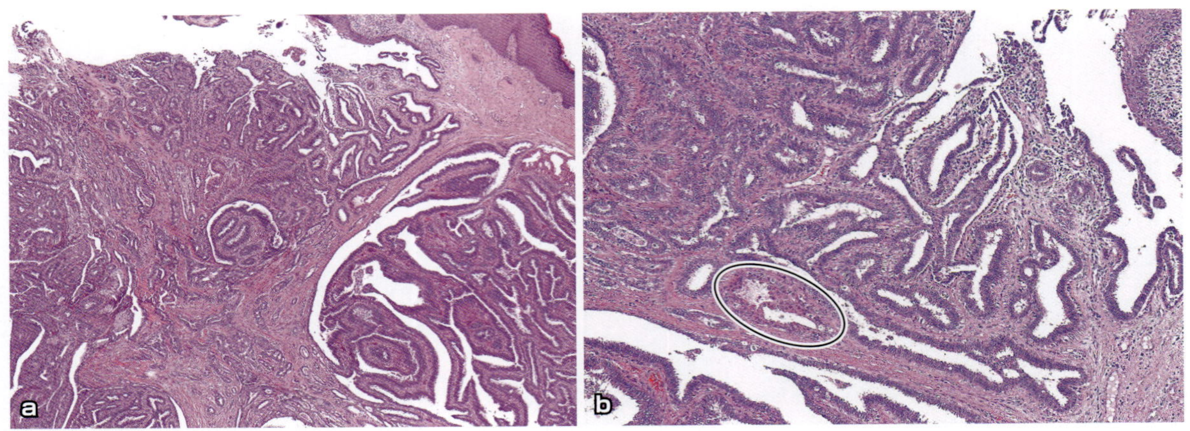

図9　乳頭部腺腫
a：弱拡大像．b：中拡大像．乳頭部皮膚の表面へも及ぶ腺管の増生がみられ，部分的に乳管過形成，乳頭状成分，腺管拡張，アポクリン化生（囲み），そして間質の線維化を伴う．

上皮増生や壊死巣をみる箇所は，それぞれ浸潤癌，非浸潤癌との鑑別に留意する．一方，Paget細胞の存在は悪性の診断を支持する有用な所見であるため，表皮内の丁寧な観察，確認も望まれる．

乳頭・乳輪部には，汗管腫様腫瘍，乳管内乳頭腫（中枢型）など別の良性上皮性腫瘍も生じる．汗管腫様腫瘍は，乳頭・乳輪部間質の上層に角化嚢腫様構築の分布，中層～下層では汗管腫様小胞巣・小腺管の単調なびまん性浸潤を示し，乳頭部腺腫の多様性に富む結節状パターンと異なった増生様式をとる．なお，この病理学的特徴には，皮膚汗腺系腫瘍の微小嚢胞性付属器癌との共通性が見出されるが，不十分な切除の際に局所再発しうるものの，これまでに汗管腫様腫瘍の確証的な転移例の報告がなく，良性腫瘍の範疇と考えられている[1,12]．また，中枢型の乳管内乳頭腫は本質的に主乳管（～乳管洞）内に限局する病変であり，乳頭部腺腫では上皮増生が主乳管内に限らない点で鑑別される．

（塩見達志）

文献

1）WHO Classification of Tumours of Editorial Board（ed）：WHO Classification of Tumours, Breast Tumours（5th ed.）, IRAC, Lyon, 2019
2）森谷卓也，堀井理絵，大井恭代，他：乳癌の基礎知識．日本乳癌学会（編）：乳腺腫瘍学，第3版，金原出版，2020，pp2-7，11-41
3）Montagna W, Yun JS：The glands of Montgomery. Br J Dermatol 86：126-133, 1972
4）Elder DE, Massi D, Scolyer RA, et al（eds）：WHO Classification of Skin Tumours（4th ed.）, IARC, Lyon, 2018
5）日本乳癌学会（編）：臨床・病理 乳癌取扱い規約，第18版，金原出版，2018
6）Paget J：On disease of the mammary areola preceding cancer of the mammary gland. St Bartholomew's Hosp Rep 10：87-89, 1874
7）Sanders MA, Dominici L, Denison C, et al：Paget disease of the breast with invasion from nipple skin into the dermis：an unusual type of skin invasion not associated with an adverse outcome. Arch Pathol Lab Med 137：72-76, 2013
8）塩見達志：病理形態学キーワード．病理と臨床 28（臨時増刊）：410-411, 2010
9）Roy M, Teshome M, Damodaran S, et al：Male mammary Paget disease：a tale of 2 contrasting cases. Am J Dermatopathol 42：981-985, 2020
10）Jones DB：Florid papillomatosis of the nipple ducts. Cancer 8：315-319, 1955
11）Spohn GP, Trotter SC, Tozbikian G, et al：Nipple adenoma in a female patient presenting with persistent erythema of the right nipple skin：case report, review of the literature, clinical implications, and relevancy to health care providers who evaluate and treat patients with dermatologic conditions of the breast skin. BMC Dermatol 16：4, 2016
12）Ichinokawa Y, Ohtuki A, Hattori M, et al：A case of syringomatous adenoma of the nipple. Case Rep Dermatol 4：98-103, 2012

Ⅳ. 間葉系腫瘍

はじめに

乳腺における非上皮性腫瘍はまれな病変であり，乳腺腫瘍全体の1％にも満たない[1]．悪性（肉腫）と境界悪性病変でおよそ3/4を占めており，悪性が60.6％，境界悪性が13.6％，良性（含腫瘍類似病変）が18.2％である[2]．乳腺由来の肉腫のうち1/3は葉状腫瘍であり，純粋な肉腫はおよそ2/3とされている．しかし，近年の乳房温存手術とそれに続く放射線治療の普及に伴い，乳腺原発の肉腫は増加傾向にある[3,4]．

悪性・境界悪性病変の多くは血管肉腫 angiosarcoma で，多形型未分化肉腫 undifferentiated pleomorphic sarcoma［以前の malignant fibrous histiocytoma（MFH）］，デスモイド型線維腫症 desmoid-type fibromatosis が続く．そのほか，平滑筋肉腫 leiomyosarcoma，脂肪肉腫 liposarcoma/atypical lipomatous tumor，粘液線維肉腫 myxofibrosarcoma，骨外性骨肉腫 extraskeletal osteosarcoma，乳房皮膚由来の隆起性皮膚線維肉腫 dermatofibrosarcoma protuberans など種々の腫瘍が発生しうるが，いずれも症例報告レベルの頻度にすぎない．

良性病変としては，乳腺型筋線維芽細胞腫 mammary-type myofibroblastoma，血管腫 hemangioma，血管脂肪腫 angiolipoma，神経鞘腫 schwannoma，神経線維腫 neurofibroma，平滑筋腫 leiomyoma などが挙げられ，頻度は低いが顆粒細胞腫 granular cell tumor（GCT），結節性筋膜炎 nodular fasciitis（NF）なども発生しうる[2〜4]．脂肪腫 lipoma の頻度が最多とされているが，臨床診断にとどまることが多いとされる[1]．

また乳腺特有の疾患として，偽血管腫様間質過形成 pseudoangiomatous stromal hyperplasia（PASH）が挙げられる．

2019年に改訂されたWHO分類 第5版では，骨軟部腫瘍のWHO分類 第4版（2012年）に準ずる記載がなされている．これに従い，代表的な疾患について言及する．

1．線維芽細胞・筋線維芽細胞系腫瘍

1）結節性筋膜炎[1,2,5,6]

自然消退する良性の病変で，以前に偽肉腫性筋膜炎 pseudosarcomatous fasciitis とも称されたように，ときに臨床的に乳癌などの悪性病変と鑑別が難しく，病理学的にも境界悪性〜悪性病変との鑑別を要することから，認識しておく必要のある疾患である．

NF は皮下組織や乳腺組織内に発生し，ときに疼痛や圧痛のある腫瘤を形成する．通常大きさは4 cm以下である．数週間程度の短期間に急激に増大することが特徴で，逆に増大スピードが速すぎる場合は本疾患を念頭に置くことが重要である．

組織学的にはやや粘液腫状を呈する線維性間質を伴い，紡錘形の筋線維芽細胞が錯綜し，ときに花むしろ状配列 storiform pattern を呈する（**図1**）．紡錘形細胞は「培養細胞様 tissue culture-like」や「羽毛状 feathery pattern」と称される様相を示す（**図2**）．陳旧化すると硝子様の膠原線維増加を呈する．増殖の強い時期では，紡錘形細胞は腫大した vesicular な核を

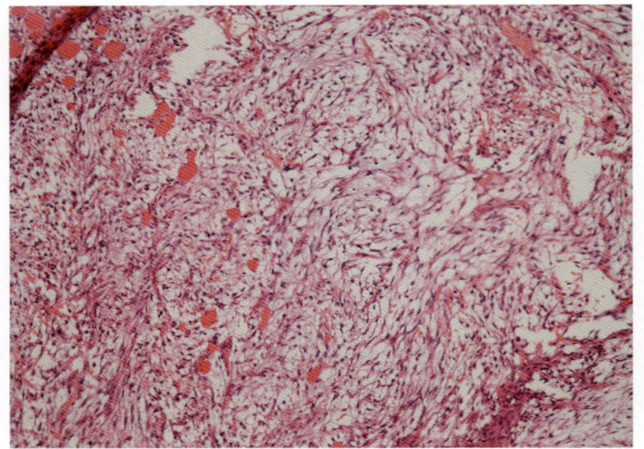

図１｜結節性筋膜炎（NF）
軽度粘液腫状～浮腫状の間質を伴い，紡錘形細胞が錯綜配列を示して増生．

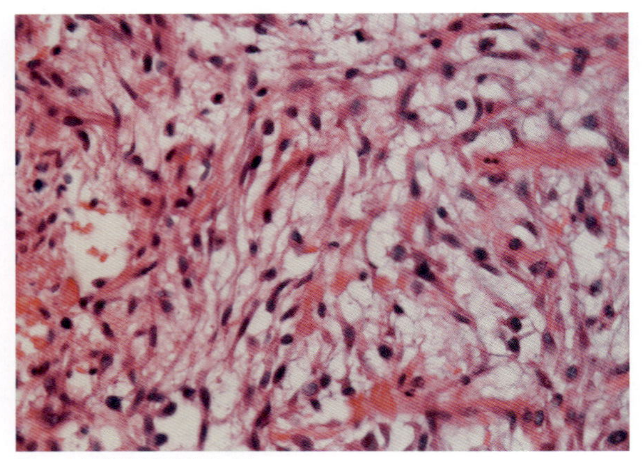

図２｜結節性筋膜炎（NF）
紡錘形細胞は核異型に乏しく，培養細胞様を呈する．

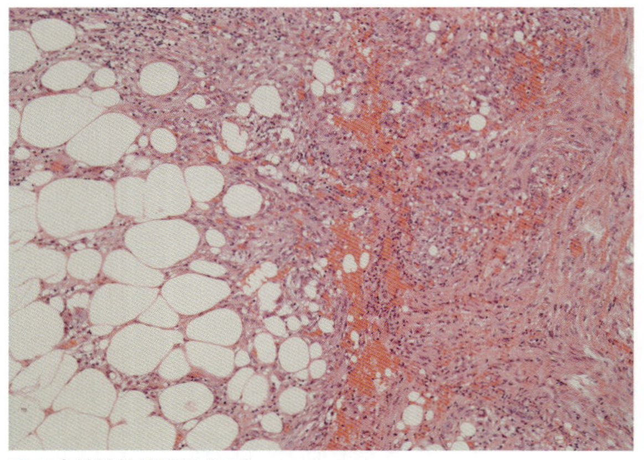

図３｜結節性筋膜炎（NF）
周囲に浸潤するように進展し，境界不明瞭な結節を形成する．

有し多数の核分裂像を認めるが，異常核分裂像は認められない．辺縁部では脂肪組織隔壁に沿って浸潤するような様相を示し，境界はやや不明瞭である（**図3**）．増殖の強い時期では粘液線維肉腫や線維肉腫などと，膠原線維増生の強い時期はデスモイド型線維腫症などと間違えられることがあるので注意を要する．臨床像や異常核分裂像の有無などが鑑別として重要である．免疫組織化学的にはαSMA が陽性となるが，desmin は通常陰性で，cytokeratin，CD34，S100 なども陰性となる．増殖マーカーの Ki67 は 30％から，ときに 50％を超える高値を示すこともあるので，注意する必要がある．乳房発生の NF は *USP6* 遺伝子の再構成を伴うことが知られている[1]．

2）筋線維芽細胞腫[1,6～10]

筋線維芽細胞の増殖よりなるまれな良性腫瘍で，乳腺腫瘍の 1％未満の発生頻度である．25～87 歳の広い年齢層に発生し，男性，女性ともに発生する．1～4 cm 程度の slow-growing の境界明瞭な腫瘤を形成し，多くは 3 cm を超えない．遺伝学的にいわゆる“13q/Rb family of tumors”と称されるものの一つに含まれ，13q14 の欠失や再構成による Rb 発現消失が示されている．

組織学的には紡錘形細胞が束状に増生し，細胞間には硝子様の膠原線維束を伴っている（**図4**）．多くの症例は脂肪細胞が病巣内に混在しており，紡錘形細胞脂肪腫 spindle cell lipoma（SCL）に類似した形態を示す（**図5**）．類上皮様・脱落膜様細胞の集簇，粘液腫状変化，ときに軟骨化生や骨化など様々な像を呈する．核分裂像はほとんどみられず，壊死を伴うことはない．

免疫染色では CD34（**図6**）と desmin に対して陽性像を示し（各々89％，91％），Rb 蛋白の免疫染色では核が陰転化を示す（92％）．ほかには種々の程度に actin や EMA に対し陽性を示す[9]．本疾患には *RB1*（13q14）の monoalleic あるいは bialleic loss が遺伝学的異常として証明されており，同様の遺伝子異常を示す SCL や cellular angiofibroma と類縁疾患と考えられている[9～11]．また CD34 陽性像や組織像から solitary fibrous tumor（SFT）との関連性も考慮されていたが，SFT には *RB1* 遺伝子の欠失が認められず，筋線維芽細胞芽腫 myofibroblastoma や SCL とは異なるものと報告されている[11]．なお SFT に関しては乳腺発生がほとんどなく，WHO 分類からは除外さ

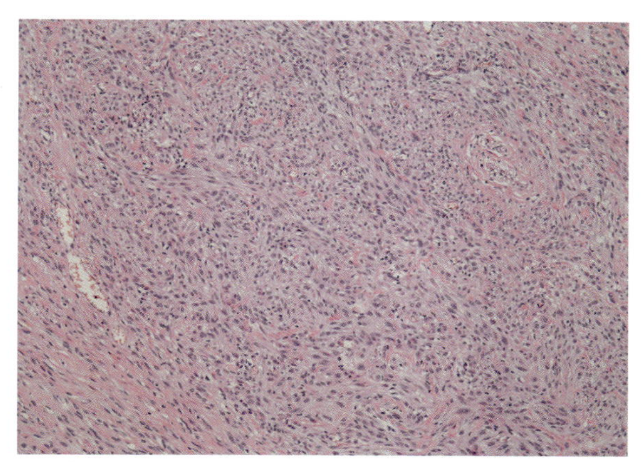

図 4 | 筋線維芽細胞腫
硝子様変化を示す膠原線維成分を背景として，紡錘形細胞が束状に増殖する．

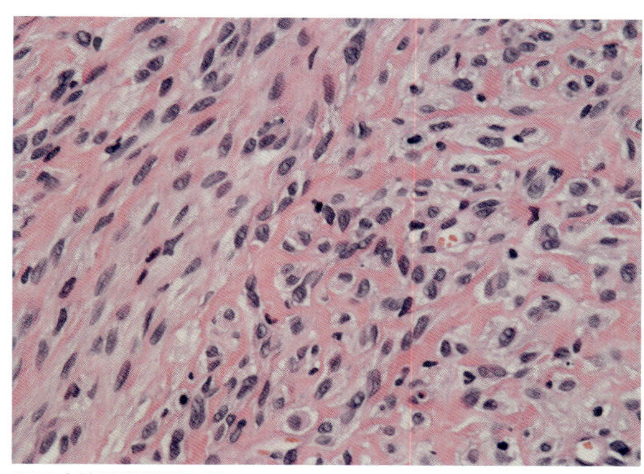

図 5 | 筋線維芽細胞腫
多くは核異型に乏しい細胞の増殖よりなる．

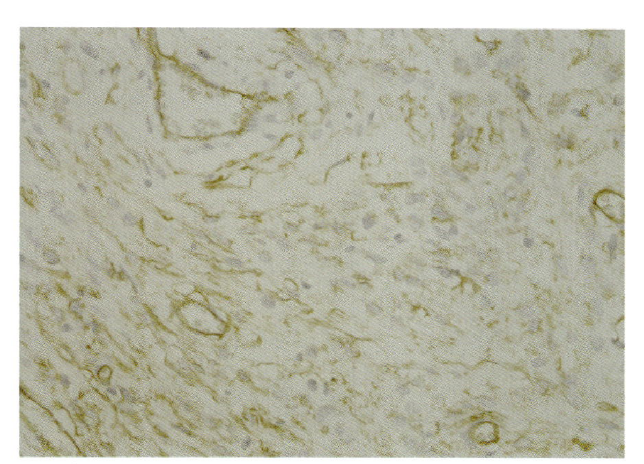

図 6 | 筋線維芽細胞腫の免疫染色
増殖している紡錘形細胞は CD 34 に陽性を示す．

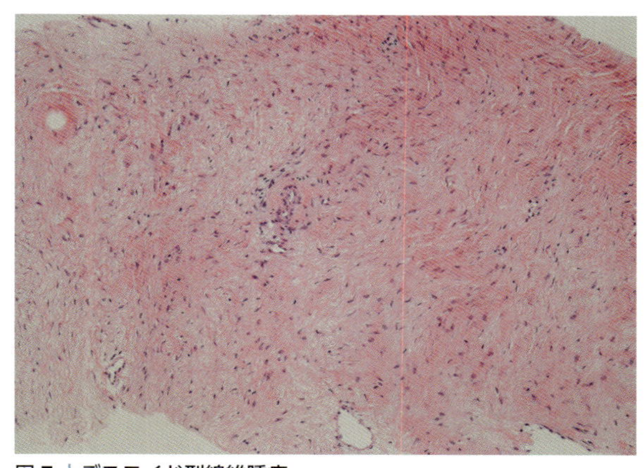

図 7 | デスモイド型線維腫症
太い膠原線維が増殖し，間葉系細胞を混在する．

れている[1,5]．

3）デスモイド型線維腫症[1,6,7]

筋線維芽細胞の増殖よりなる病変であるが，局所浸潤性増殖が強く，境界悪性病変に相当する．乳腺原発は乳癌の 0.2％の頻度で非常にまれで，女性に多い．境界不明瞭な腫瘤を形成し（0.3～15 cm），ときに皮膚陥凹を示しマンモグラフィでスピキュラを伴い，臨床的には乳癌との鑑別が問題となる．

組織学的には膠原線維束が錯綜する太い束状に増殖し，膠原線維束間に紡錘形細胞を伴う（**図 7**）．周囲の脂肪組織や横紋筋束間に浸潤性に増殖を示す．免疫染色では actin に陽性を示し，CD34 は陰性となる．またときに ER に陽性となることがある．80％の症例で β-catenin が核に陽性（**図 8**）となり，診断上有用であるが，特異的ではなく紡錘細胞癌や悪性葉状腫瘍でもしばしば陽性を示すので注意を要する．浸潤性増殖が強く切除しきれない場合も多いことから，局所再発率は 20～30％に及ぶ．

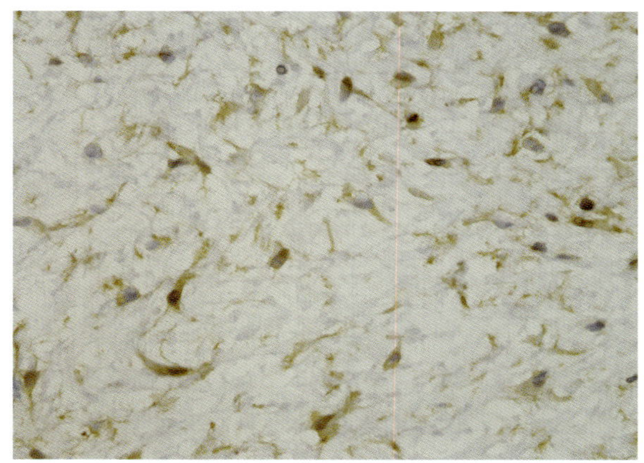

図 8 | デスモイド型線維腫症の免疫染色
β-catenin に対して核内陽性像を示す．

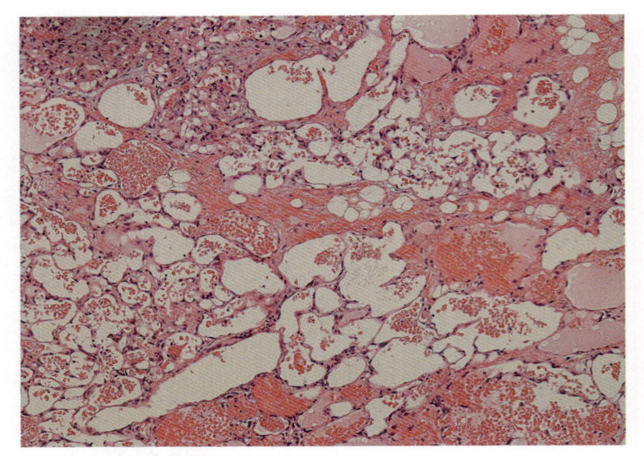

図 9 | 海綿状血管腫
薄い壁と吻合する拡張した内腔を有する．種々の程度に毛細血管様血管腫の部位を混在する．

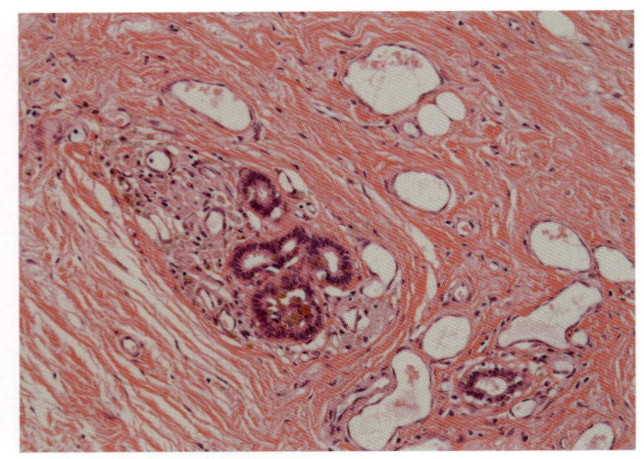

図 10 | 血管腫症（びまん性血管腫）
小葉間間質にびまん性に血管が増生するが，小葉の破壊性増生はみられない．

2．血管系腫瘍 [1,5〜7,12〜17]

1）血管腫および血管腫症

良性の血管系腫瘍で，全乳腺腫瘍の 0.4％とまれな疾患とされている．これまで乳腺に発生する血管系腫瘍の多くは血管肉腫と報告されてきたが，その後の種々の検討から良性に分類される血管系腫瘍も少なくないとされている．限局性のものを血管腫，乳腺全体にびまん性に血管増生を伴うものを，血管腫症 angiomatosis（別名：びまん性血管腫 diffuse angioma）と称する．乳腺における血管腫の亜型分類は不明瞭な点が多い．Rosen らは乳腺の良性血管系腫瘍を，乳腺実質発生の血管腫のほか，perilobular hemangioma，subcutaneous nonparenchymal hemangiomas，venous hemangioma に大分類し，実質発生の血管腫は海綿状 cavernous と非海綿状 noncavernous に分類している [13]．後二者の頻度は非常に低いため，ここでは割愛する．

perilobular hemangioma は 2 mm 未満の小さな非触知性腫瘤で最も頻度が高く，他病変で切除された乳腺組織内や剖検例などに偶発的にみつかる場合が多い．“perilobular” の名称がついているが，小葉辺縁に限局した病変ではなく，小葉間間質や乳腺内の乳管周囲などにも分布する．毛細血管様の小血管が集簇し，網目状 meshwork fashion を呈する．

乳腺実質発生の血管腫は腫瘤触知やマンモグラフィなどで臨床的に発見されうる大きさの腫瘤を形成したもので，大きさの平均は 1.2 cm（0.3〜2.5 cm）であらゆる年齢層に発生する．海綿状血管腫 cavernous hemangioma（**図 9**）が最も多く，暗赤色調で境界明瞭，割面スポンジ状の腫瘤を形成する．組織学的には拡張し吻合した内腔を有し，細い線維性組織に支持された血管より構成される．内腔に血栓形成による石灰化などを示し，マンモグラフィにて，ときに球状石灰化として描出される．血栓に対して内皮が増生し，しばしば乳頭状内皮過形成 papillary endothelial hyperplasia を示すことから，血管肉腫と誤らないことが重要である．毛細血管性血管腫様の部位が混在することも多い．非海綿状血管腫 noncavernous hemangiomas は種々の形態のものが混在しており，capillary hemangioma もその一つである．小型の毛細血管様の血管が集簇し，表層域では化膿性肉芽腫 pyogenic granuloma に類似した形態を示す．非海綿状血管腫の多くが血管内皮に核の腫大や濃染などの異型を伴うことから，高分化型の血管肉腫と誤らないことが重要である．

血管腫症は吻合する血管網が小葉間間質にびまん性に増生を示す病変（**図 10**）であるが，組織学的に高分化型血管肉腫と鑑別することが非常に困難であることから，本病変は全摘出することが必要で，広範な病変に対しては乳房摘出を行う必要性がある．

2）atypical vascular lesions [1,5]

WHO 分類 第 4 版に新たに追加された項目である．乳房温存手術および術後放射線照射療法後の乳房皮膚に発生する血管増殖性病変で，血管肉腫の前駆病変と考えられている．照射約 6 年後に発症し，照射野皮膚に褐色ないし紅色の斑状病変を形成する．組織学的には，真皮の表層〜深層にわたり，種々の大きさの拡張した複雑な分枝状血管がびまん性に増生

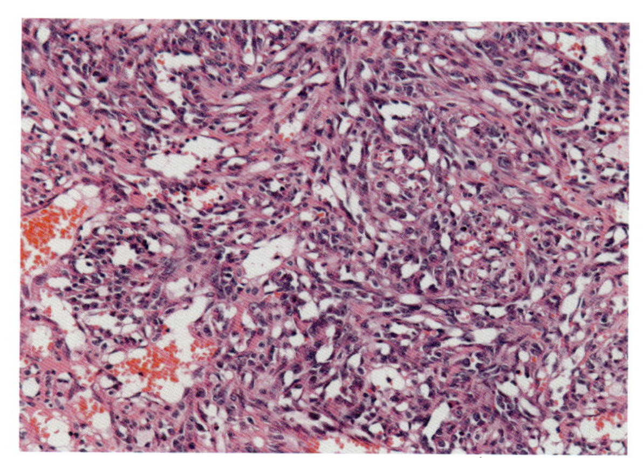

図 11 | 血管肉腫
核異型を示す腫大した内皮細胞が，不規則な血管腔を形成．

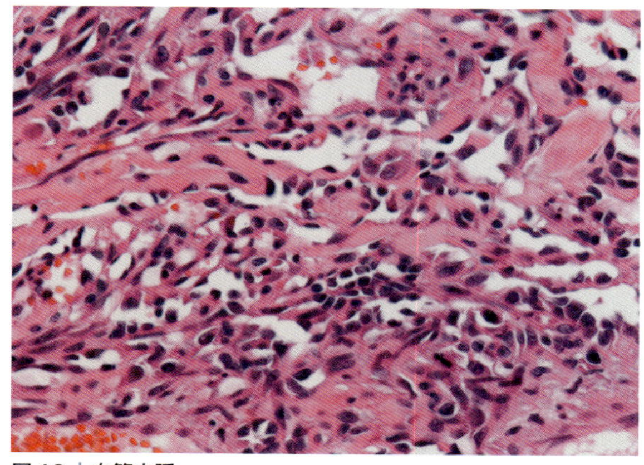

図 12 | 血管肉腫
内皮に異型が認められ，核分裂像が散見される．内腔に向かい乳頭状の増殖がみられる．

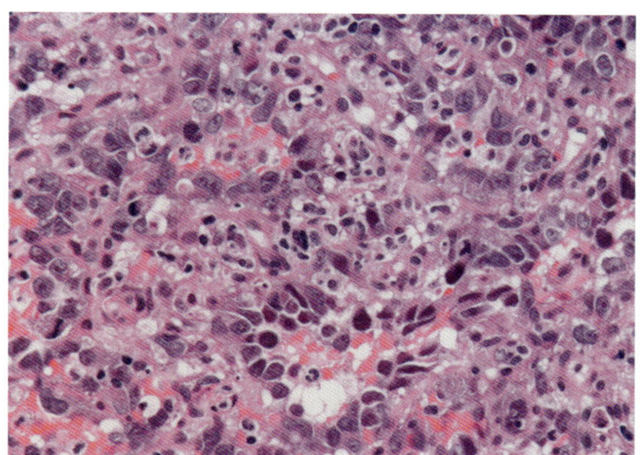

図 13 | 血管肉腫
赤血球を容れた小空隙がみられ，診断の一助となる．

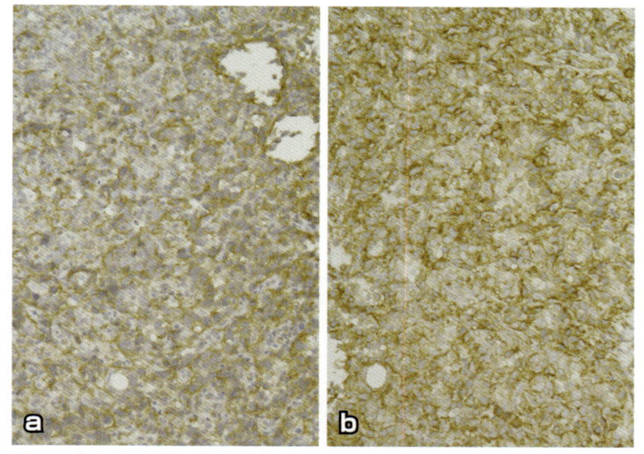

図 14 | 血管肉腫の免疫染色
a：CD31．b：CD34．血管内皮のマーカーに陽性像を示す．

する．血管内皮は腫大した核と明瞭な核小体を有し，核異型を伴う．血管内皮に覆われた結合織塊が，内腔に浮遊する像も散見される．良性の経過をたどることも多いが，頻度は確定されていないものの一部は血管肉腫に移行するとされており，厳重な経過観察が必要となる．

3）血管肉腫 [1,3]

血管肉腫は，血管内皮に分化を示す悪性腫瘍で，原発性 primary と二次性 secondary に大きく分類される．原発性血管肉腫はまれで，乳腺の全悪性腫瘍の 0.05％の頻度にすぎないが，葉状腫瘍を除く乳腺原発肉腫では最も頻度が高い．広い年齢層に発生し（15〜75 歳，平均 40 歳），乳腺実質内に無痛性の腫瘤を形成する．二次性血管肉腫は乳癌に対する放射線療法後に皮膚や胸壁，乳腺内などに発生するものであり，温存手術の普及によりその頻度は増加している．原発性より年齢層が高く（60〜80 歳），照射 4〜10 年後に発生する．乳房全摘術後の胸壁や部分切除後の皮膚に発生することが多く，乳腺実質内発生はむしろ少ない．

組織学的には高分化型，低分化型とその中間型に分けられる．高分化型血管肉腫は吻合する血管網を形成し，血管内皮に核濃染や核小体明瞭化などの異型がみられるが，核分裂像の頻度は非常に低く，通常多層化は示さない．低分化型血管肉腫は紡錘形や類上皮様の異型の強い細胞が密に増殖した充実性部分が混在し，強い核異型と多数の核分裂像，壊死の存在などを示す（**図 11〜13**）．中間型では充実性部分を欠如するが，内皮の多層化や乳頭状増殖，核分裂像の頻度の増加などを示す．免疫染色では CD31，CD34（**図 14**），factor Ⅷなどの血管内皮マーカーと，

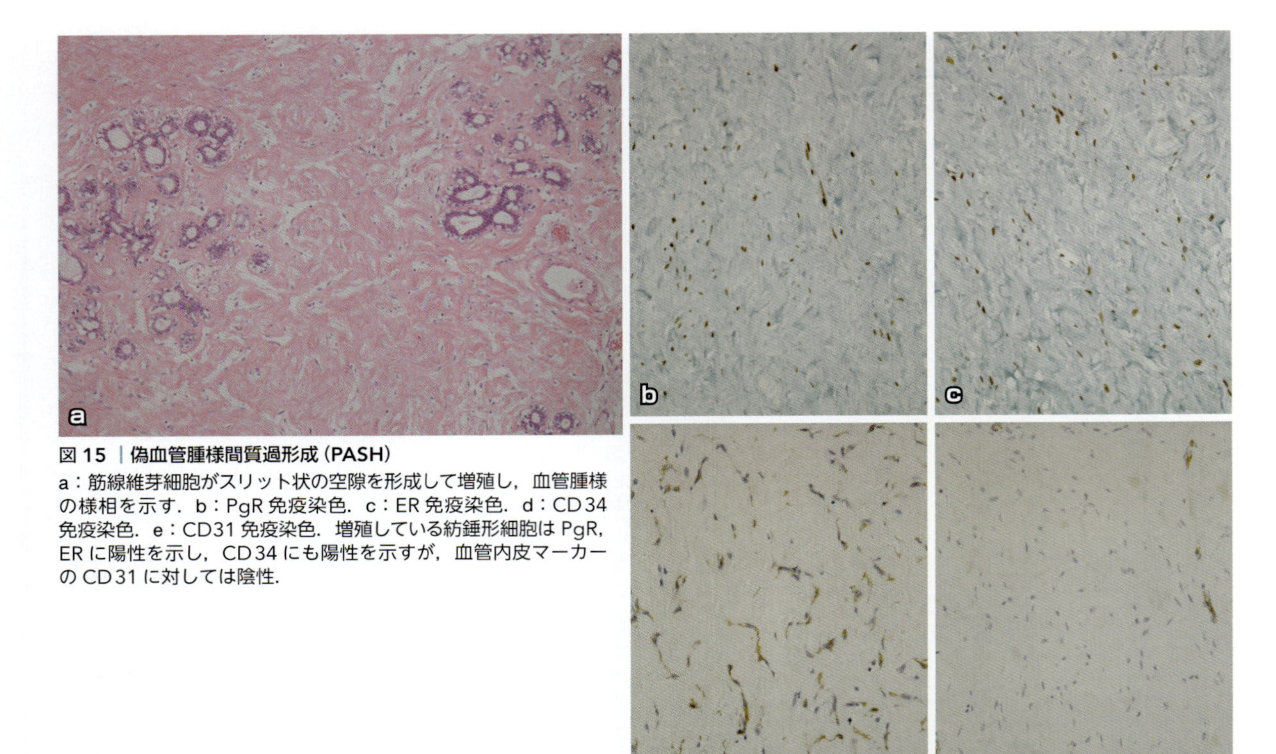

図 15 | 偽血管腫様間質過形成（PASH）
a：筋線維芽細胞がスリット状の空隙を形成して増殖し，血管腫様の様相を示す．b：PgR 免疫染色．c：ER 免疫染色．d：CD34 免疫染色．e：CD31 免疫染色．増殖している紡錘形細胞は PgR，ER に陽性を示し，CD34 にも陽性を示すが，血管内皮マーカーの CD31 に対しては陰性．

ときにリンパ管内皮マーカーの D2-40 に陽性を示すこともある．

高分化型血管肉腫は血管腫や血管腫症，後述の PASH などとの鑑別がときに難しい．大きさは一つの目安となり，血管腫は多くが 2 cm 以下であるのに対し，血管肉腫で 2 cm 以下であることは少ないとされる．血管腫症との鑑別には，血管腫症が小葉圧排性に増殖するのに対し，血管肉腫は小葉を浸潤破壊性に増殖する点が重要とされる．低分化型血管肉腫はむしろ癌腫や他の肉腫との鑑別を要する．単個ないし数個の細胞で赤血球を取り囲む像を示し，血管腔を形成する傾向を示す像は重要な鑑別点の一つである．

免疫染色では，血管肉腫はかなりの頻度で cytokeratin に陽性を示すことから，特に癌腫との鑑別には注意を要する．血管内皮マーカーに対する陽性像やその他のマーカーと組み合わせて判断することが必要である．

3．偽血管腫様間質過形成 [1,7)]

乳腺間質の筋線維芽細胞の女性ホルモンに刺激され増殖した良性病変である．

PASH は女性ホルモンのアンバランスに関係するとされており，閉経前の女性（平均 37 歳）に好発し，特に経口避妊薬を服用している女性に多い．ホルモン補充療法を行っている閉経後の女性や，男性の女性化乳房症 gynecomastia に発生することもある．

腫瘤は 1～12 cm 大（平均 6 cm）で，無痛性であり，マンモグラフィなどで偶発的に発見される．石灰化は認められない．

組織学的には，筋線維芽細胞が吻合するスリット状の空隙を形成して増殖し，一見血管腫様の様相を呈する（**図 15a**）．空隙の周囲は dense な硝子様の膠原線維性間質を伴う．増殖している細胞は核異型に乏しく，核分裂像は認められない．乳腺実質の破壊性増殖や脂肪組織への浸潤は認められず，血管肉腫との鑑別として重要である．

免疫染色では vimentin とともに，actin，desmin などに種々の程度に陽性を示し，CD34 には陽性を

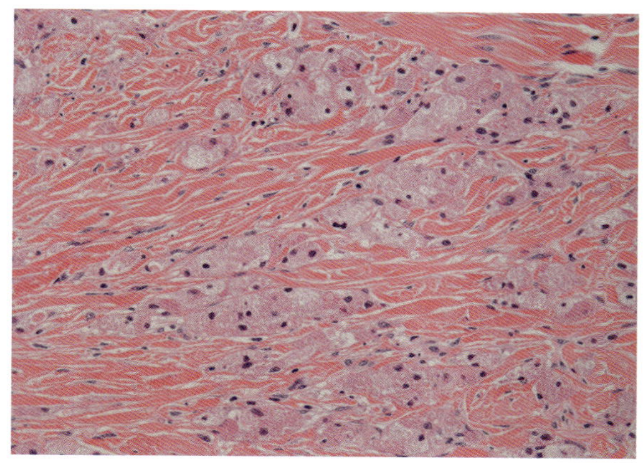

図 16 | 顆粒細胞腫（GCT）
好酸性顆粒状胞体を有する多稜形細胞が，胞巣形成性に浸潤性に増殖し，良性病変であるが境界不明瞭な病巣を形成する．

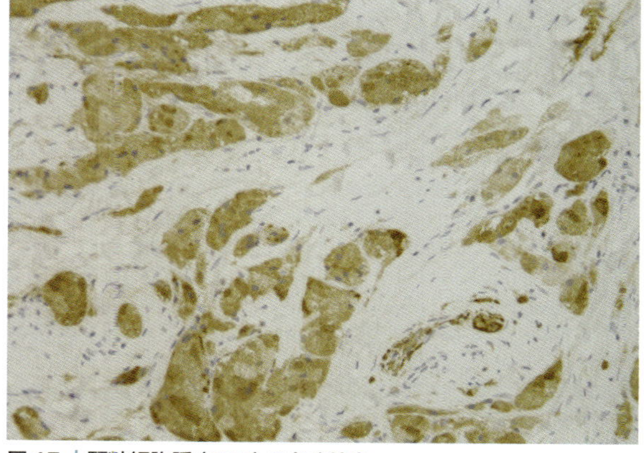

図 17 | 顆粒細胞腫（GCT）の免疫染色
Schwann 細胞由来の腫瘍であり，S100 に強陽性を示す．

示すが，CD31，factor Ⅷ，D2-40 などは陰性である．また PgR に対して陽性を示すことが多く，頻度は低いが ER に対して陽性を示すこともある（**図 15b〜e**）．

4．末梢神経鞘系腫瘍

乳房発生の孤発性の神経鞘腫，神経線維腫は非常にまれで，乳腺腫瘍の 1％未満である．

GCT は Schwann 細胞由来の腫瘍細胞の増殖よりなり，神経鞘腫の類縁疾患である[1,6,7]．全 GCT のおよそ 6〜8％が乳腺発生とされる．ときに皮膚陥凹を伴う不整形で硬い腫瘤を形成し，臨床的に悪性と間違われることがある．およそ 18％は多発性に発生する．組織学的には好酸性顆粒状胞体を有する多稜形細胞が，シート状，胞巣状，索状などに配列し，浸潤性に増殖する（**図 16**）．胞体内顆粒は PAS 陽性，ジアスターゼ抵抗性を示す．免疫染色では S100 に強陽性を示し（**図 17**），CD68 に対しても陽性を示すが，cytokeratin や筋系マーカーには陰性である．

5．平滑筋系腫瘍（平滑筋腫・平滑筋肉腫）[1,6]

乳腺実質内発生の平滑筋系腫瘍は非常にまれであり，浅層の乳頭〜乳輪領域に発生するものがほとんどである．これらは皮膚の立毛筋に由来する piloleiomyoma（piloleiomyosarcoma）に相当する．良性病変であっても真皮内に境界不明瞭な浸潤性腫瘤を形成し，境界明瞭な場合はむしろ少ない．組織学的には豊富な弱好酸性胞体を有する紡錘形細胞よりなり，葉巻状核を有するのが特徴とされる．平滑筋肉腫では核異型の増加，核分裂像の増加や壊死を伴うようになる．

6．脂肪系腫瘍

脂肪腫，血管脂肪腫，脂肪肉腫などが含まれるが，発生頻度は低い．

腺脂肪腫 adenolipoma は純粋な脂肪腫より頻度が高く，成熟脂肪細胞の増殖部分に既存の乳腺組織が介在した境界明瞭な腫瘤で，過誤腫の一種である．

7．その他[1,3,4,6]

種々の肉腫が発生するが，いずれも頻度は低い．骨肉腫 osteosarcoma は乳腺由来肉腫の 12％を占めるが，純粋な骨肉腫の頻度は非常に低く，悪性葉状腫瘍や化生癌の部分像であることがほとんどである．上皮成分が非常に微量な場合があるので，診断には腫瘍全体を広範に詳細に検索することが必要である．乳腺発生の横紋筋肉腫 rhabdomyosarcoma はほとんどが胞巣状横紋筋肉腫 alveolar rhabdomyosarcoma であり，小円形細胞腫瘍の様相を呈することから，リンパ腫や浸潤性小葉癌，小細胞癌などと鑑別する必要がある．desmin，myoD1，myogenin，myoglobin などの免疫染色や *FKHR*（fork head in rhabdomyosarcoma）遺伝子の転座および融合遺伝子形成の同定により診断が可能である．

（渡辺みか）

文　献

1）WHO Classification of Tumours Editorial Board（ed）：WHO Classification of Tumours, Breast Tumours（5th ed.）, IARC, Lyon, 2019
2）Nitsche K, Günther B, Katenkamp D, et al：Thoracic neoplasms at the Jena reference center for soft tissue tumors. J Cancer Res Clin Oncol 138：415-424, 2012
3）Voutsadakis IA, Zaman K, Leyvraz S：Breast sarcomas：current and future perspectives. Breast 20：199-204, 2011
4）Confavreux C, Lurkin A, Mitton N, et al：Sarcomas and malignant phyllodes tumours of the breast-a retrospective study. Eur J Cancer 42：2715-2721, 2006
5）Tan PH, Ellis IO：Myoepithelial and epithelial-myoepithelial, mesenchymal and fibroepithelial breast lesions：updates from the WHO Classification of Tumours of the Breast 2012. J Clin Pathol 66：465-470, 2013
6）Porter GJ, Evans AJ, Lee AH, et al：Unusual benign breast lesions. Clin Radiol 61：562-569, 2006
7）Schickman R, Leibman AJ, Handa P, et al：Mesenchymal breast lesions. Clin Radiol 70：567-575, 2015
8）Mele M, Jensen V, Wronecki A, et al：Myofibroblastoma of the breast：case report and literature review. Int J Surg Case Rep 2：93-96, 2011
9）Howitt BE, Fletcher CD：Mammary-type myofibroblastoma：clinicopathologic characterization in a series of 143 cases. Am J Surg Pathol 40：361-367, 2016
10）Chen BJ, Mariño-Enríquez A, Fletcher CD, et al：Loss of retinoblastoma protein expression in spindle cell/pleomorphic lipomas and cytogenetically related tumors：an immunohistochemical study with diagnostic implications. Am J Surg Pathol 36：1119-1128, 2012
11）Fritchie KJ, Carver P, Sun Y, et al：Solitary fibrous tumor：is there a molecular relationship with cellular angiofibroma, spindle cell lipoma, and mammary-type myofibroblastoma? Am J Clin Pathol 137：963-970, 2012
12）Rosen PP：Vascular tumors of the breast. V. Nonparenchymal hemangiomas of mammary subcutaneous tissues. Am J Surg Pathol 9：723-729, 1985
13）Rosen PP, Jozefczyk MA, Boram LH：Vascular tumors of the breast. IV. The venous hemangioma. Am J Surg Pathol 9：659-665, 1985
14）Rosen PP：Vascular tumors of the breast. III. Angiomatosis. Am J Surg Pathol 9：652-658, 1985
15）Jozefczyk MA, Rosen PP：Vascular tumors of the breast. II. Perilobular hemangiomas and hemangiomas. Am J Surg Pathol 9：491-503, 1985
16）Tilve A, Mallo R, Perez A, et al：Breast hemangiomas：correlation between imaging and pathologic findings. J Clin Ultrasound 40：512-517, 2012
17）Funamizu N, Tabei I, Sekine C, et al：Breast hemangioma with difficulty in preoperative diagnosis：a case report. World J Surg Oncol 12：313, 2014

V. 血液・リンパ球系腫瘍

1. 定義・概念

本項では主にリンパ腫 lymphoma について扱う．乳腺にみられるリンパ腫は，乳腺原発性リンパ腫 primary lymphoma of the breast（PBL）と，他部位のリンパ腫が乳腺に波及する二次性リンパ腫 secondary lymphoma of the breast（SBL）がある．PBL は，「診断するのに適切な材料で十分な病理学的評価が行われる」，「乳腺組織とリンパ腫が密接に関係する」，「先行するリンパ腫を含めて同側の腋窩リンパ節以外に病変が認められない」，という定義があるが [1]，進行例ではステージングの時点で上記定義以外の部位に病変がありうるため，乳腺の病変を主腫瘤・主症候とし，既知のリンパ腫がない場合も乳腺原発として扱われることもある．PBL の発生頻度は乳腺悪性腫瘍の 0.5％未満，節外性リンパ腫の 2％程度とまれである [2]．

2. 臨床的事項

ほとんどが女性に発症し，好発年齢は中高年であるが若年女性にも生じる．初発症状の多くは無痛性の片側乳腺腫瘤の触知だが，画像診断で発見される場合もある（両側性で約 11％）．腫瘤が大きい（中央値 4 cm），とげ状の突起や石灰化，ゆがみやひきつれがないなど，リンパ腫を疑う画像所見の特徴もあるが，臨床像・画像所見は乳癌と類似している [3]．

3. 診断方法論・ピットフォール

基本的には針生検（場合により腫瘤摘出術）での検索となり（**図 1**），リンパ節生検のような十分量での検索は難しいが，臨床的にリンパ腫が示唆される場合や，先行する細胞診でリンパ腫の可能性が指摘される場合には，針生検でもフローサイトメトリーや染色体検査等のホルマリン固定材料以外での検索方法を併用することが重要である [4]．乳癌との鑑別が難しい場合もありうる点に注意が必要で，細胞診や針生検の HE 染色で癌が示唆された場合にはリンパ腫の診断は極めて難しくなり，ホルモン受容体や HER2 が陰性であった場合はトリプルネガティブ乳癌と誤認されうる [5,6]．リンパ腫でもホルモン受容体陽性のこともあり，マーカーのみを過信しないこと，複数マーカーでの検証を行うことなど，慎重に検索する姿勢が重要な点は他臓器発生の場合と同様である．

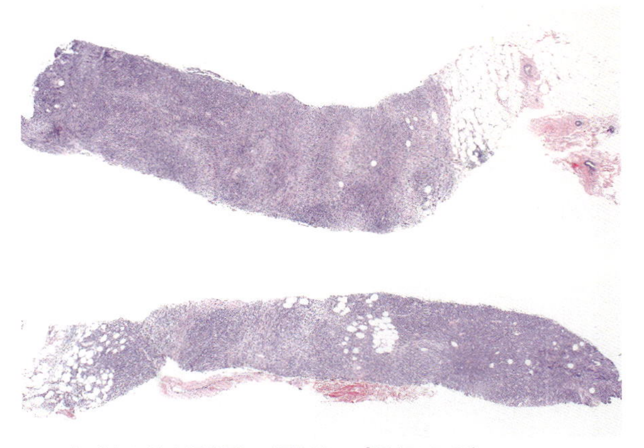

図 1 ｜びまん性大細胞型 B 細胞リンパ腫（DLBCL）
DLBCL の針生検材料．針生検材料であるが腫瘍成分が多く採取されており，複数個のサンプリングが可能な場合には，ホルマリン固定材料以外にフローサイトメトリーを併用したい．

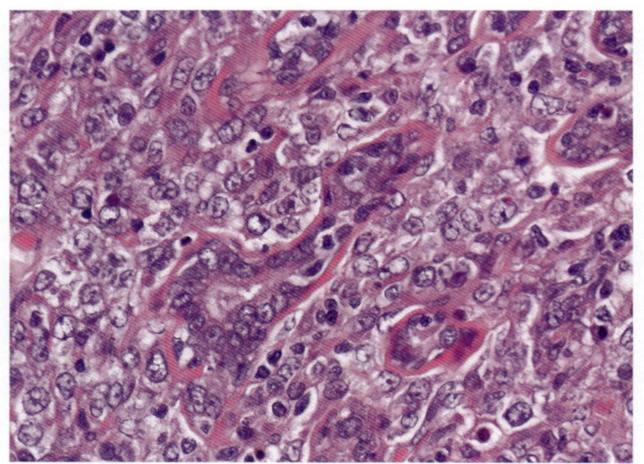

図2 | びまん性大細胞型B細胞リンパ腫（DLBCL）
DLBCLの拡大像．大型の腫瘍細胞の浸潤からなる．図中央部には既存の乳管がみられる．

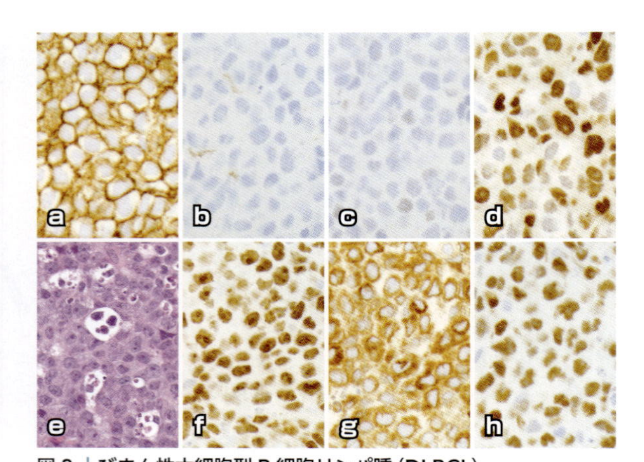

図3 | びまん性大細胞型B細胞リンパ腫（DLBCL）
DLBCL，non-GCB typeで，いわゆるdouble expresser lymphomaと思われる症例．CD20陽性(a)，CD10陰性(b)，bcl-6陰性(c)，MUM1陽性(d)．星空像様の所見を示し(e)，Ki67ラベリングインデックスが高く(f)，bcl-2陽性(g)，c-MYC陽性(h)であった．このような症例を一般病理検査室でどのように検索していくのかは今後の課題である．

4．組織学的所見，免疫組織化学的・分子病理学的特徴

WHO分類 第5版（2019年）記載の頻度の高い疾患について触れる．あらゆる組織型・造血器腫瘍が乳腺にみられるが，詳細はリンパ腫・血液病理の成書参照のこと．

1）びまん性大細胞型B細胞リンパ腫

びまん性大細胞型B細胞リンパ腫 diffuse large B-cell lymphoma（DLBCL）は，頻度は40〜73％で，PBLでは所属リンパ節病変を伴う場合もある．腫瘍は平均3〜4 cmで比較的境界明瞭な腫瘤を示す傾向があり，SBLでは浸潤性が強く硬化を示す場合が多い．リンパ球様大型異型細胞のびまん性浸潤からなるB細胞リンパ腫で，腫瘍細胞がびまん性に増殖する像や，乳腺小葉に浸潤し結節状を呈する像がみられる（**図2**）．リンパ腫細胞の核の大きさは組織球の核と同等，あるいは成熟リンパ球の2倍を超えるとされており，標本中のこれらの細胞と比較するとよい。B細胞マーカー（CD20，CD79a，PAX5など）陽性で，Ki67ラベリングインデックスは70〜80％と高い．CD5とCD30は通常陰性とされるが陽性例もある．胚中心型 germinal center B-cell（GCB）と活性化B細胞型 activated B-cell（ABC/non-GCB）に分類され，予後および治療方針の観点から非常に重要である．CD10，bcl-6，MUM1の3抗原の発現をみるHansの方法がよく用いられる（**図3**）．PBLでは50〜90％がABC/non-GCBで，*MYC*，*BCL2*，*BCL6*転座の頻度が低く，*MYD88*，*CD79B*の変異例が多いと報告されている[7]．

診断の要 *Essential diagnostic criteria*

- 乳房に限局した病変
- 所属リンパ節病変を伴う，あるいは伴わない
- B細胞マーカー陽性
- リンパ球様大型異型細胞がびまん性に浸潤

2）節外性辺縁帯リンパ腫

節外性辺縁帯リンパ腫（MALTリンパ腫）extranodal marginal zone lymphoma of mucosa-associated lymphoid tissue（MALT lymphoma）は，頻度は9〜25％，小型〜中型のリンパ球様異型細胞からなり，centrocyte-like cellあるいはmonocytoid B-cellの形態を示すことが多い．lymphoepithelial lesion（LEL）を示すが，他部位発生例と比べて明瞭なLELに乏しいことがある．B細胞マーカーが陽性となるが，市販抗体ではMALTリンパ腫に特異的なマーカー検索は困難である．免疫グロブリン軽鎖がmonotypeであることが証明される症例もあり，特に*in situ* hybridizationによる検索が有用である（クローナリティが証明できない症例もある）．他のB細胞リンパ腫，炎症性・反応性病変（乳腺線維症や何らかの乳腺炎など，リンパ球浸潤を示す非腫瘍性病変）が鑑別となる．針生検による検索では診断困難となりうる点に注意が必要で，病変がhitしているか否かを含め

て臨床サイドとの密な連携が重要である.

診断の要 Essential diagnostic criteria

- 乳腺実質への浸潤
- 辺縁帯細胞，小リンパ球のびまん性・結節性浸潤
- B 細胞マーカー陽性
- 細胞異型とクローナリティの証明
- 慢性炎症性病変や他の B 細胞リンパ腫の除外

3）濾胞性リンパ腫

濾胞性リンパ腫 follicular lymphoma（FL）は，頻度は 13〜19％，中型の濾胞中心細胞（centrocyte，small cleaved cell）と大型の胚中心芽細胞（centroblast，large non-cleavede cell）が種々の程度で混在する腫瘍性濾胞を示す．B 細胞マーカー，胚中心マーカー（CD10，bcl-6）陽性となり，胚中心は bcl-2 陽性を示す．CD21 等で濾胞樹状細胞の network がみられるが，節性 FL と比べて不明瞭とされる．他の B 細胞リンパ腫，炎症性・反応性病変（リンパ濾胞を伴う慢性乳腺炎など）が鑑別となる．乳輪部では皮膚偽リンパ腫としての病変が鑑別に挙がる．針生検では濾胞様構造を認識するのが困難な場合があり[4]，診断困難例となりうる．

診断の要 Essential diagnostic criteria

- 胚中心の細胞形態を示すリンパ球の増殖
- 異型を示すリンパ濾胞構造
- B 細胞マーカー，胚中心マーカー陽性

4）乳房インプラント関連未分化大細胞型リンパ腫

乳房インプラント関連未分化大細胞型リンパ腫 breast implant-associated anaplastic large cell lymphoma（BIA-ALCL）の頻度は 2％とされ，臓器特異的リンパ腫で乳房インプラント部に発生（挿入後 8〜9 年）し，リンパ節腫脹を伴うこともある（初発症状の場合もある）．形態的・免疫組織化学的特徴は他部位発生の ALK-negative ALCL と同様で CD30 陽性，CD4 陽性，ALK 陰性である．線維性被膜に囲まれ，その内腔面に壊死や核崩壊とともに大型腫瘍細胞がみられるが，貯留液のみに腫瘍が存在する場合もある．CD3 などの T 細胞マーカーが陰性となる点と，BIA-ALCL を含めた T 細胞リンパ腫の一部は GATA3 陽性となることがあるため，乳癌との鑑別時には注意が必要であり，慎重な検索が望まれるとともに，臨床像を含めた検討が重要である．BIA-ALCL を疑った場合，まずは貯留液を採取し，フローサイトメトリー/セルブロックにより CD30 について検索し，腫瘤や被膜の生検あるいは摘出後の組織を検索する[8]．該当例があれば日本乳房オンコプラスティックサージャリー学会に報告されたい（同学会ホームページに診断の手順等について情報が公開されている）[9]．なお，わが国での初症例が 2020 年に Ohishi らにより報告された[10]．

診断の要 Essential diagnostic criteria

- 乳房インプラントがある
- CD30 陽性大型リンパ腫細胞が被膜の内腔面に存在
- 1 つあるいはそれ以上の T 細胞マーカーが陽性

（西村広健）

文　献

1）Wiseman C, Liao KT：Primary lymphoma of the breast. Cancer 29：1705-1712, 1972
2）Chan JKC：Haematolymphoid tumours of the breast, Introduction. in WHO Classification of Tumours Editorial Board（ed）：“WHO Classification of Tumours, Breast tumours”（5th ed.）, IARC, Lyon, 2019, pp233-234
3）福原傑，飛内賢正：節外リンパ腫の臓器別特徴と治療，乳腺リンパ腫．日本臨牀 73（増刊号 8）：632-637, 2015
4）吉野正：疾患各論：病理レポートを理解するためのポイント．リンパ腫関連疾患．耳鼻咽喉科・頭頸部外科 93：250-255, 2021
5）Yoneyama K, Nakagawa M, Hara A：Primary lymphoma of the breast：a case report and review of the literature. Radiol Case Rep 16：55-61, 2020
6）Uenaka N, Yamamoto S, Sato S, et al：Primary breast lymphoma initially diagnosed as invasive ductal carcinoma：a case report. Clin Case Rep 9：e04189, 2021
7）高田尚良，谷口恒平，高田友子，他：乳腺原発 DLBCL の分子生物学的特徴．血液内科 74：121-125, 2017
8）Lyapichev KA, Piña-Oviedo S, Medeiros LJ, et al：A proposal for pathologic processing of breast implant capsules in patients with suspected breast implant anaplastic large cell lymphoma. Mod Pathol 33：367-379, 2020
9）日本乳房オンコプラスティックサージャリー学会：http://jopbs.umin.jp/index.html, http://jopbs.umin.jp/medical/guideline/docs/BIA-ALCL4-5_20220218.pdf（2022 年 8 月閲覧）
10）Ohishi Y, Mitsuda A, Ejima K, et al：Breast implant-associated anaplastic large-cell lymphoma: first case detected in a Japanese breast cancer patient. Breast Cancer 27：499-504, 2020

Ⅵ. 男性乳腺疾患

1．女性化乳房症

1）定義・概念

女性化乳房症 gynecomastia は，上皮，間葉系成分の非腫瘍性増生により，男性乳房が全体的あるいは部分的に肥大した状態である．

2）臨床的事項

思春期と高齢の男性において，圧痛を伴う乳頭下の腫瘤性病変として発見されることが多い．病変のサイズは概ね 2～6 cm 程度である．両側性の場合は，同時性あるいは異時性に発生し，びまん性病変を形成する傾向がある．片側性では左側に多く，腫瘤を形成する傾向がある．エストロゲンとアンドロゲンのホルモン不均衡により女性化乳房症をきたすと考えられており，その原因として生理的，二次性，薬剤，特発性などに分けられる．最も頻度が高いのは生理的要因あるいは特発性である．生理的要因による女性化乳房症は，新生児，13～15 歳の思春期，60～70 歳代に多く認められる．二次性要因として，性腺機能不全，甲状腺機能亢進症などのホルモン異常，肝硬変，慢性腎不全，肥満などが挙げられる．原因薬剤では，外因性エストロゲン，蛋白同化ステロイド，ジギタリスなどがある．女性化乳房症に癌が合併することはあるが，女性化乳房症中の異型乳管過形成 atypical ductal hyperplasia（ADH）が発癌リスクを増大させるというエビデンスはなく[1]，女性化乳房症と男性乳癌との関連は示されていない．

3）肉眼所見

灰白色調を呈する弾性軟あるいは硬い病変を示す．境界は明瞭な場合と不明瞭な場合とが認められる．

4）組織学的所見

発症からの時期により異なる組織像を呈するが，病因による違いはない．初期（florid gynecomastia）には乳管周囲に浮腫状の線維性結合織が介在しており，様々な程度のリンパ球・形質細胞浸潤や血管増生が認められる（**図 1**）．乳管上皮は内腔へ房状に増生する過形成性変化を示す（**図 2**）．偽血管腫様間質過形成 pseudoangiomatous stromal hyperplasia（PASH）もしばしばみられ，それに伴い間質に多核間質細胞を認める症例も存在する．1 年以上経過すると（fibrous gynecomastia）乳管周囲に線維増生，硝子化が目立ち，乳管上皮は萎縮性変化を呈する．上記 2 つの中間的な phase（intermediate gynecomastia）では両者の組織像が混在して認められる．また，乳管上皮が過形成を示す部では免疫組織化学的に乳管上皮の 3 層構造が認められる．筋上皮細胞および最内層の細胞は cytokeratin（CK）5/6 陽性，ER および AR に陰性を示す．一方，中間層の細胞は CK5/6 陰性，ER および AR に陽性を示す．

そのほかには，アポクリン化生，扁平上皮化生，columnar cell change を呈することもある．まれながら ADH を合併することもあるが，接線方向の薄切面では女性化乳房症に伴う乳管上皮の過形成性変化が ADH と類似することもあるため注意を要する．

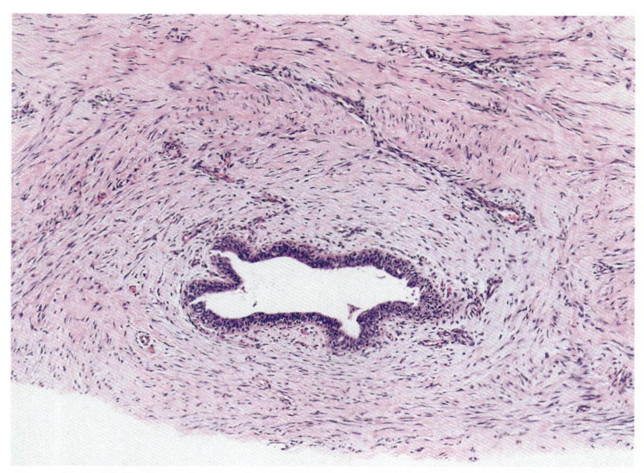

図 1 | 女性化乳房症
乳管上皮は平坦に増生しており，乳管周囲の間質には粘液腫状の変化が目立つ．毛細血管の増生，軽度のリンパ球浸潤を伴い間質の細胞密度が増大している．

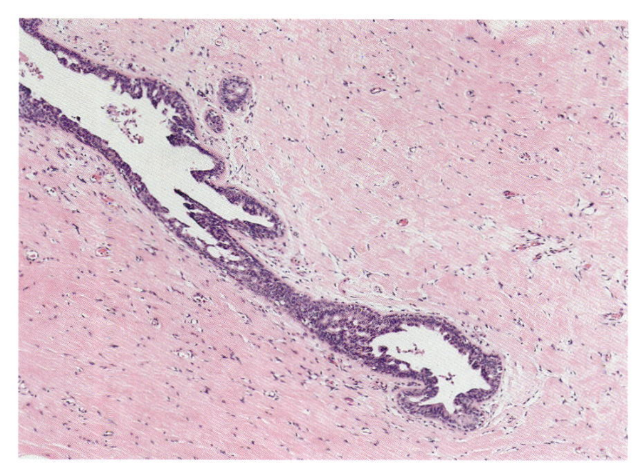

図 2 | 女性化乳房症
乳管上皮は低乳頭状過形成を呈する．間質には硝子化，軽度のリンパ球浸潤とともに PASH がみられる．

5）鑑別診断

偽女性化乳房症[2]，非浸潤性乳管癌 ductal carcinoma *in situ*（DCIS）などが鑑別に挙げられる．偽女性化乳房症は皮下組織に過剰に脂肪が蓄積する状態であり，乳管増生は伴わない．また，DCIS を鑑別するうえで女性化乳房症は乳管上皮の過形成と乳管周囲の浮腫状変化，あるいは乳管上皮の萎縮と乳管周囲の線維化といった特徴的な構築を示し，細胞異型および均一性が欠如する点が重要であり，ER および CK5/6 等の高分子量 CK の発現状態も参考になる．

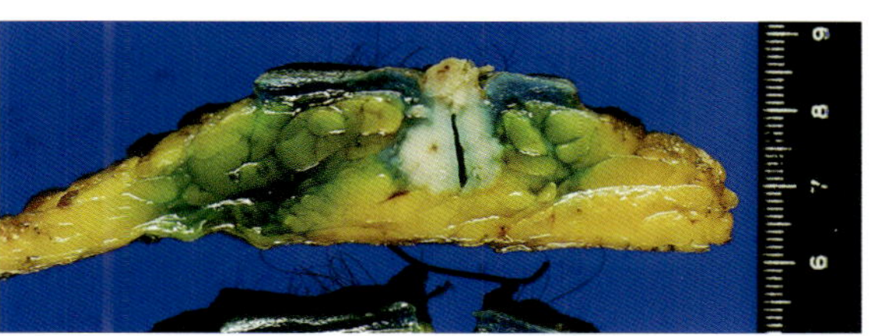

図 3 | 男性乳癌
肉眼的に，乳頭下に分葉状の白色充実性腫瘍を認める．腫瘍の浸潤に伴い乳頭はひきつれている．

2．男性乳癌

1）定義・概念

男性乳癌 carcinoma of the male breast は全乳癌の 1％未満を占めるまれな上皮性悪性腫瘍であり，女性乳癌と同様の組織型を示す．国立がん研究センターのがん統計（2018 年）によると，女性乳癌 93,858 例に対して男性乳癌は 661 例（0.7％）であった[3]．

2）臨床的事項

多くは片側の乳頭・乳輪下に無痛性腫瘤を形成するが，どの領域にも発生しうる．また，同時両側発生について症例報告が認められる．診断時年齢の平均は 60～67 歳であり，女性乳癌のそれより 5～10 歳年齢が高い．分泌癌，腺様嚢胞癌は若年男性にも発生することはあるが，浸潤性乳管癌 invasive ductal carcinoma（IDC）［非特殊型浸潤性乳癌 invasive breast carcinoma of no special type（IBC-NST）と同義］が 45 歳以下の男性に発生することはまれである．家族歴を有する男性乳癌の頻度は報告により異なるが，およそ 20％の男性乳癌患者で一親等血縁者に乳癌罹患歴があるとする報告も認められる[4]．マンモグラフィおよび超音波所見は，女性乳癌の特徴と類似しており，腫瘤や構築の乱れとして認識されることが多い．また，石灰化を伴う男性乳癌も 30％程度にみられる．

3）肉眼所見

女性乳癌と同様，浸潤癌では不整な星芒状もしくは灰白色腫瘤を形成する（**図 3**）．乳頭癌では，境界明瞭な腫瘤を形成し，嚢胞状を呈することもある．

4）組織学的所見・免疫組織化学的特徴

ほとんどが浸潤癌であり（**図 4**），DCIS の頻度は男性乳癌の 10％程度である[5]．IDC が最も多く（65～80％程度），次いで乳頭癌（乳頭型 DCIS），被包型乳頭癌，充実乳頭癌，浸潤性乳頭癌が多い．浸潤性小

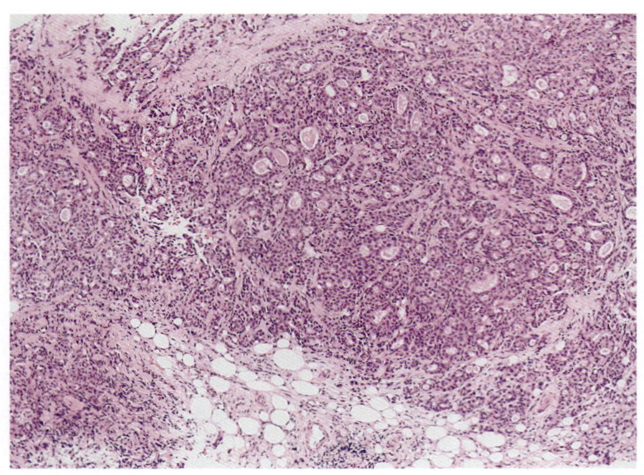

図４｜男性乳癌
組織学的に，小胞巣，腺管構造を呈して増殖・浸潤する浸潤性乳管癌．

葉癌はまれである．多くの浸潤癌は組織学的グレードのGradeⅡないしⅢを示す．免疫組織化学的には，90％を超える症例がホルモン受容体陽性を示し，HER2陽性の頻度は2～42％と報告により様々である[6]．ホルモン受容体陰性かつHER2陰性を示す頻度は低い．

5）発生メカニズム

リスク因子として性ホルモン，環境，遺伝的要因の関与が指摘されている．性ホルモン要因では，エストロゲン増加（肝疾患，肥満，抗アンドロゲン薬）または，アンドロゲン減少（Klinefelter症候群，精巣の機能障害，高温に曝露される職業）が挙げられる．環境要因としては，乳房局所への放射線治療が乳癌の発症リスクを増大させる．男性の遺伝性乳癌に関わる最も重要な因子は*BRCA2*遺伝子の胚細胞系列病的バリアント（変異）である．男性乳癌において*BRCA2*遺伝子の胚細胞系列病的バリアント頻度は3.7～40％と報告により様々であるが[7]，いずれの報告にも共通するのは，男性乳癌では*BRCA1*に比して*BRCA2*遺伝子変異が高頻度に認められることである．*BRCA*胚細胞系列病的バリアント保持者のうち生涯に男性乳癌を発症する割合は，*BRCA1*で1～5％，*BRCA2*で5～10％である[7]．また，男性では*CHEK2*遺伝子の胚細胞系列病的バリアント（*CHEK2* 1100delC）が*BRCA1/2*遺伝子変異を欠く遺伝性乳癌の９％にみられ，一般集団に比して発癌リスクを10倍増大させる[8]．そのほかに*PALB2*遺伝子の胚細胞系列病的バリアントと男性の遺伝性乳癌との関連が示唆されている．

6）鑑別診断

女性化乳房症，乳頭腫，間葉系腫瘍，線維上皮性腫瘍（結合織性および上皮性混合腫瘍），反応性病変，転移性腫瘍などが鑑別に挙がるが，多くの場合，臨床所見や針生検により診断の確定は可能である．ただし，DCIS成分を欠く症例において，ときに転移性腫瘍との鑑別を要する場合がある．転移性腫瘍の原発として前立腺，膀胱，大腸，肺が比較的多いが，そのほかにも皮膚（悪性黒色腫，Merkel細胞癌），甲状腺などの報告もある．特に前立腺癌は乳癌と類似した組織像を呈するため，免疫組織化学的検索が必要になる場合がある．その際，原発性乳癌のマーカーとしてGCDFP15，mammaglobin，GATA3が有用であり，前立腺癌のマーカーとしてはPSA（prostate specific antigen），NKX3.1が挙げられる．免疫組織化学的マーカーのピットフォールとして，長期ホルモン療法後ではPSAの発現が減弱ないし消失することや，浸潤性小葉癌にNKX3.1が陽性を示すという報告がある[9]．また，前立腺癌ホルモン治療施行例では，高率に女性化乳房症を呈するため，DCISとの鑑別が必要である．

（松本裕文）

文　献

1）Hoda SA：Benign proliferative lesions of the male breast. in Hoda SA, Brogi E, Koerner FC, et al (eds)："Rosen's Breast Pathology" (5th ed.), Wolters Kluwer, Philadelphia, 2021, pp1057-1072
2）Tan PH, Sahin AA：Male breast lesions. in "Atlas of Differential Diagnosis in Breast Pathology", Springer, Berlin, 2017, p579
3）国立がん研究センター：がん種別統計情報，乳房. https://ganjoho.jp/reg_stat/statistics/stat/cancer/14_breast.html（2022年９月閲覧）
4）Basham VM, Lipscombe JM, Ward JM, et al：BRCA1 and BRCA2 mutations in a population-based study of male breast cancer. Breast Cancer Res 4：R2, 2002
5）Elmi M, Sequeira S, Azin A, et al：Evolving surgical treatment decisions for male breast cancer：an analysis of the National Surgical Quality Improvement Program (NSQIP) database. Breast Cancer Res Treat 171：427-434, 2018
6）Ruddy KJ, Winer EP：Male breast cancer：risk factors, biology, diagnosis, treatment, and survivorship. Ann Oncol 24：1434-1443, 2013
7）Abdelwahab Yousef AJ：Male breast cancer：epidemiology and risk factors. Semin Oncol 44：267-272, 2017
8）Meijers-Heijboer H, van den Ouweland A, Klijn J, et al：Low-penetrance susceptibility to breast cancer due to CHEK2 (*) 1100delC in noncarriers of BRCA1 or BRCA2 mutations. Nat Genet 31：55-59, 2002
9）Gurel B, Ali TZ, Montgomery EA, et al：NKX3.1 as a marker of prostatic origin in metastatic tumors. Am J Surg Pathol 34：1097-1105, 2010

Ⅶ. その他の腫瘍様病変

1．過誤腫

1）定義・概念

過誤腫 hamartoma は境界明瞭な，多くの場合被膜に囲まれた腫瘤性病変で，内部は正常の乳腺組織によって構成される．腫瘤を構成する各組織成分は，正常乳房にみられる割合と異なるか，一部の成分を欠く．WHO 分類 第 5 版（2019 年）では fibroepithelial tumor（線維腺腫，葉状腫瘍）と同じ項に記載されている．

2）臨床的事項

大小様々な大きさの腫瘤を形成し，ときに 20 cm 程度に達していたり，まれに急速増大することがある[1]．診断は臨床像，画像診断によって行われる．それらにより診断が確定できれば経過観察が可能と思われるが，診断確定のために病理学的検査を組み合わせることを推奨する立場もある[2]．また，針生検を行っても特徴的所見が乏しく確定診断に至らない例があり，実際よりも出現頻度が低く見積もられている可能性が指摘されている[3]．過誤腫に癌を併存することはまれで，偶発的な合併症である．境界明瞭であるため，核出は容易で，再発はみられない．通常は単発だが，Cowden 症候群では多発腫瘤を形成する．

3）肉眼・画像所見

マンモグラフィでは境界明瞭な腫瘤影や，種々の程度に脂肪濃度を認める．超音波検査では，構成成分により内部は様々なエコー輝度を示す．肉眼的には，多くが被膜を有する腫瘤である．割面は，脂肪腫様，線維腺腫様，あるいは正常の乳腺組織に類似する（**図 1**）．

4）組織学的所見

過誤腫の多くが腺脂肪腫 adenolipoma の形態をとる（**図 2**）．最外側に線維性被膜を伴い，内部が分葉状を呈することもある．内部は乳管，小葉，膠原線維性間質，脂肪組織が，種々のバランスで混在して認められる（**図 3**）．乳管成分の上皮に異型はなく，二相性が保持されている．小嚢胞，アポクリン化生，軽い乳管過形成を示すこともある．小葉内間質に膠原線維の増生を伴う場合には，小葉が萎縮しているようにみえる．また，間質内に偽血管腫様過形成を伴うこともある．脂肪組織は成熟脂肪組織からなる．他のバリエーションとして，膠原線維が目立つ線維性過誤腫 fibrous hamartoma，間質に平滑筋成分の増生を伴う myoid hamartoma，硝子軟骨成分を伴う chondrolipoma が知られている．

診断の要　*Essential diagnostic criteria*

- 正常の乳腺組織にみられる組織成分が混在して腫瘤を形成する
- 診断のためには臨床像と画像診断を参考にする必要がある

5）鑑別診断

良悪性の鑑別が問題となることはないが，針生検では採取された成分によって正常乳腺，線維腺腫，脂肪腫，乳腺症，乳腺線維症との鑑別を要することがある．確定診断のためには臨床像や画像所見との

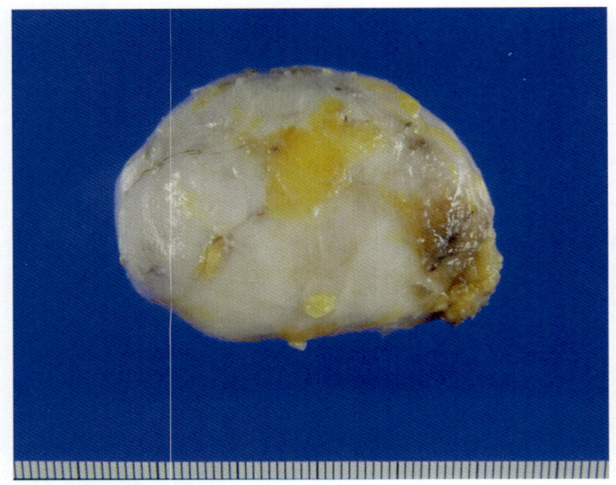

図１ ｜過誤腫の肉眼像
一部に線維性被膜様構造を伴う境界明瞭な腫瘤．割面では線維性間質と脂肪組織が混在している．

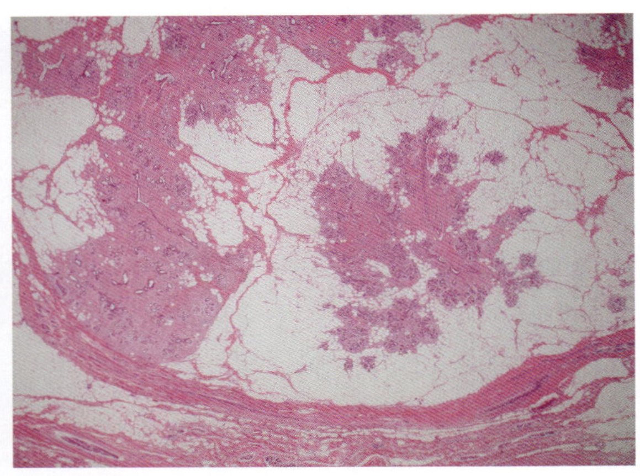

図２ ｜過誤腫
線維性被膜に囲まれた境界明瞭な充実性腫瘤である．

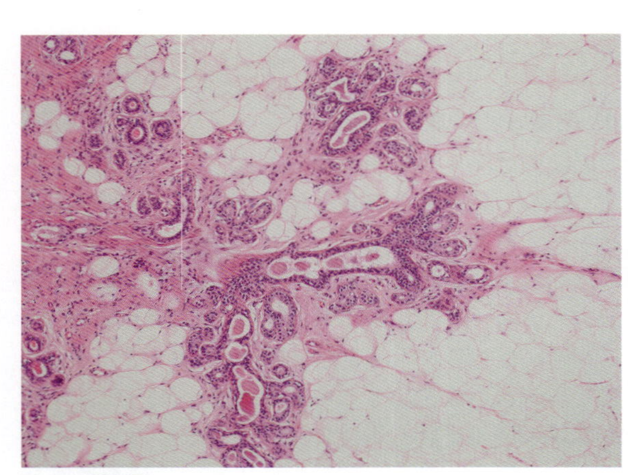

図３ ｜過誤腫
腺脂肪腫の形態をとり，上皮，線維性間質，脂肪組織が不規則に混在している．

対比が重要と思われる．

2．乳腺線維症

1）定義・概念

乳腺線維症 fibrous disease of the breast は，乳腺間質に線維化～硝子化を伴い，その中に萎縮性の乳管や小葉が介在する病変である．乳癌取扱い規約 第18版（2018年）では diabetic mastopathy をその中に含めているが，それらを含まないものを fibrous tumor（fibrous mastopathy）（注：solitary fibrous tumor とは別の疾患として）として区別する立場もある[4]．diabetic mastopathy は lymphocytic mastopathy（mastitis）などとも呼ばれる．本項では乳癌取扱い規約 第18版に沿って記載する．

2）臨床的事項

糖尿病性の病変は，もともとは1型糖尿病に伴い若年者に発症することが報告されていたが，2型糖尿病にも発症しうる．同じ組織像を示す病変が糖尿病と無関係にみられることも経験され，全身性エリテマトーデス systemic lupus erythematosus（SLE）や橋本病の患者に発症した症例や，種々の自己抗体を有する症例も報告されているが，基礎疾患の明らかでないものも少なからず存在する．海外の報告は閉経前の女性に好発するとしているが，経験的にはしばしば閉経後の女性にも発症する．

定型的な臨床像は，硬い無痛性の腫瘤形成で，境界は不明瞭である．両側乳房に出現することもある．臨床像，画像診断から癌（特に，硬性型浸潤性乳管癌や浸潤性小葉癌）が鑑別に挙がり，穿刺吸引細胞診や針生検が実施される．

1型糖尿病の場合は，罹病期間の長さが腫瘤形成に関連する[5]．糖尿病の存在が癌のリスクになっている可能性はあるが，本症の存在自体が直接的に乳癌発症のリスクを上昇させるとのエビデンスはない．また，組織学的にリンパ球浸潤が目立つ症例があるが，リンパ腫とは無関係である[6]．

3）肉眼・画像所見

マンモグラフィでは，濃度上昇を伴う乳腺腫瘤の形成を認める．超音波検査では低エコー腫瘤を認める．肉眼的には，灰白色調の均質な腫瘤性病変だ

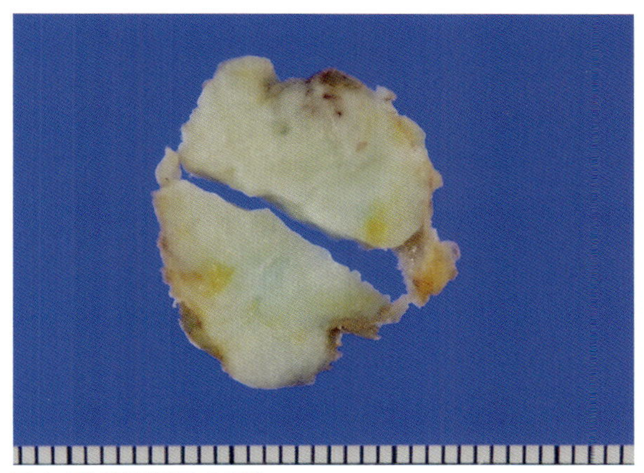
図 4 | 乳腺線維症の肉眼像
灰白色の結節性病変で，境界が不明瞭である（検体には緑のインクが塗布されている）．

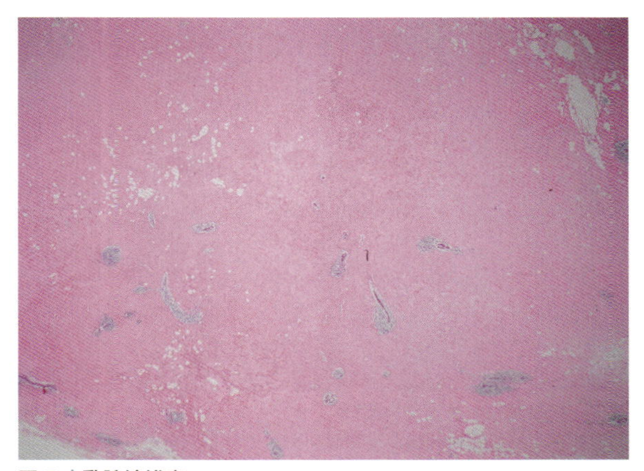
図 5 | 乳腺線維症
弱拡大像では明瞭な腫瘤形成を伴わない，膠原線維性間質の増生を認める．

が，病変の境界は不明瞭で，既存の乳腺実質との差は明瞭ではない（**図 4**）．また，通常，嚢胞や他の腫瘤性病変を伴わない．

4）組織学的所見

厚い，ケロイド様の膠原線維性間質と，萎縮傾向を呈する末梢乳管～小葉が認められる（**図 5**）．その際，乳管や腺房の基底膜が肥厚していることがある．また，しばしば乳管，小葉，あるいは血管の周囲にリンパ球浸潤を伴う（**図 6**）．さらに，間質内に核腫大を示す類上皮様の筋線維芽細胞が出現することがある[7]．組織像のバリエーションが病変形成の時期によるものか，基礎疾患の状況（特に 1 型糖尿病の存在による差）によるものか，現在まで十分に整理されていないように思われる．

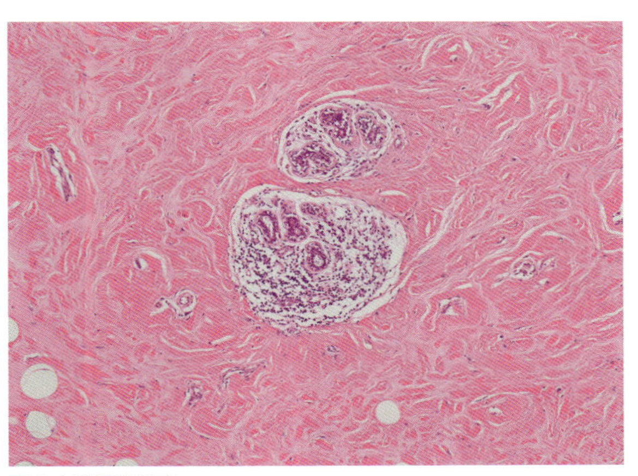
図 6 | 乳腺線維症
小葉は萎縮傾向にあり，上皮に異型はみられない．リンパ球浸潤と，厚い膠原線維の増生を特徴とする．

診断の要 *Essential diagnostic criteria*

- 乳管～小葉の萎縮性変化と，それらを取り巻く厚い膠原線維性間質がみられる

5）免疫組織化学的特徴

筋線維芽細胞は α-smooth muscle actin（αSMA）が陽性である．浸潤するリンパ球は B 細胞，あるいは T 細胞それぞれが優勢とする報告があるが[5]，基礎疾患も含めた病態によっても差があるものと推測される．

6）鑑別診断

臨床的にしばしば癌との鑑別を要するため，病理診断は重要である．穿刺吸引細胞診では，十分に細胞が採取されず，検体不適正になることが少なくない．したがって，本病変の存在を理解し，針生検で確定診断を行うことが肝要である．

鑑別すべきものとして，まずは癌の組織が十分に採取されなかった可能性の除外，浸潤性小葉癌の小型癌細胞をリンパ球と見誤らないことに加え，単なる萎縮性の実質との鑑別が問題になる．また，アミロイドーシス，MALT（mucosa associated lymphoid tissue）リンパ腫との鑑別を要する症例も存在する．まずは特徴的な組織像を理解し，それらが観察された際には，糖尿病や自己免疫性疾患の有無について問い合わせることが推奨される．

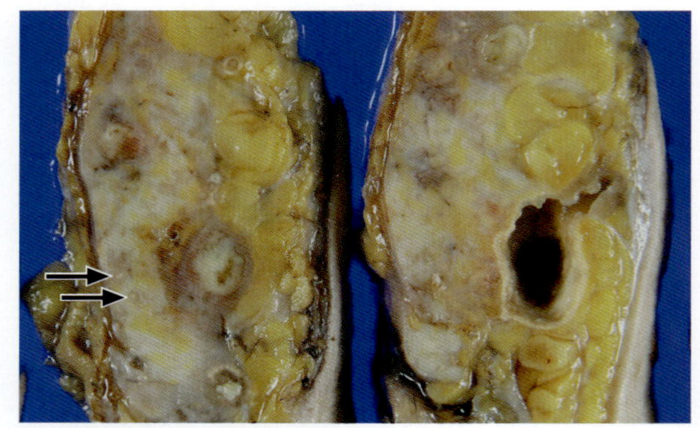

図7 | 肉芽腫性乳腺炎の肉眼像
境界が不明瞭な淡褐色調の病巣が多発している．ときに黄色調の小膿瘍を伴う（矢印）．

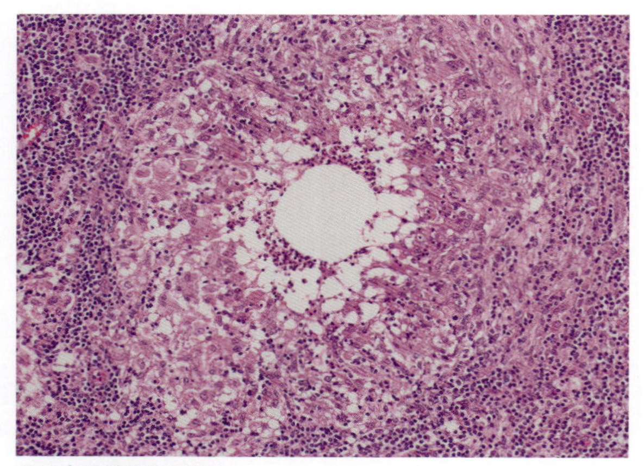

図9 | 肉芽腫性乳腺炎
組織球，好中球を含む結節性の病変を形成する．中心部に組織間隙を伴うことがある．

3．肉芽腫性乳腺炎

1）定義・概念

肉芽腫性乳腺炎 granulomatous mastitis は，乳腺に発生する非乾酪性肉芽腫性の炎症性病変である．臨床的に癌が疑われることがあり，針生検などで確定診断を下す必要がある．多くの症例は妊娠後に発症する．原因は明らかではないが，一部の症例においては細菌感染の可能性が指摘されている．

2）臨床的事項

性成熟期の女性に発症し，妊娠後5年以内（平均2年）に発症することが多いが，未経妊の女性や男性にも発症する[8)]．経口避妊薬や高プロラクチン血症の関与も指摘されている．通常は片側の乳腺の，末梢乳腺（乳頭近くを除く）に生じる．原則として乳頭

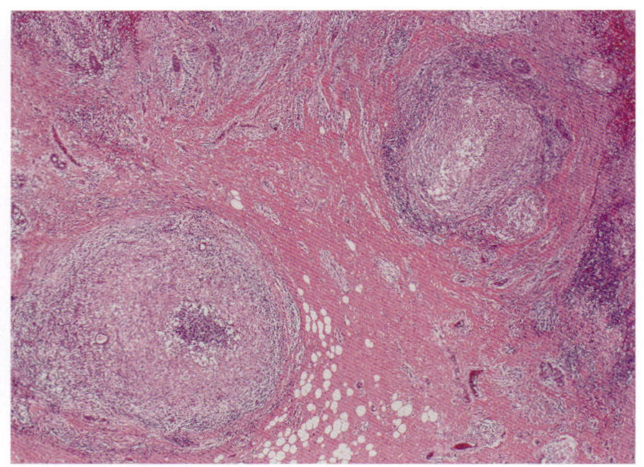

図8 | 肉芽腫性乳腺炎
小葉中心性に炎症が広がる．進行するとそれらが癒合する．

分泌を伴うことはない．ときに瘻孔の形成や，腋窩リンパ節の腫大を伴う．臨床的に炎症性乳癌に類似する例もある．

3）肉眼・画像所見

マンモグラフィでは，しばしば乳癌が疑われる．超音波検査では多発する低エコー域の集簇として描出される．肉眼的には境界不明瞭な硬い腫瘤形成を伴う．病巣内に小膿瘍が認められることがあるが，通常は大きな膿瘍形成には至らない（**図7**）．

4）組織学的所見

壊死を伴わない非乾酪性肉芽腫が，小葉中心性に多発して生じる（granulomatous lobular mastitis）（**図8**）．好中球，リンパ球，多核組織球（Langhans 型巨細胞）が混在して腫瘤状をなす．好中球が優勢で，微小膿瘍を形成することがある（**図9**）．また，好酸球や形質細胞も混在する．既存の乳管や小葉は破壊され消失していることが多い．肉芽腫内に壊死を伴うこともある．病巣の中心部に好中球によって囲まれる小さな空隙を伴うものがあり，病変の形成に伴って生じた変性脂肪と考えられている．その内部に Gram 陽性桿菌が見出される例があり，cystic neutrophilic granulomatous mastitis と呼ばれている[9)]．

診断の要 *Essential diagnostic criteria*

- 小葉中心性の腫瘤を形成する
- 好中球などを含む多彩な細胞からなる肉芽腫性の炎症がみられる

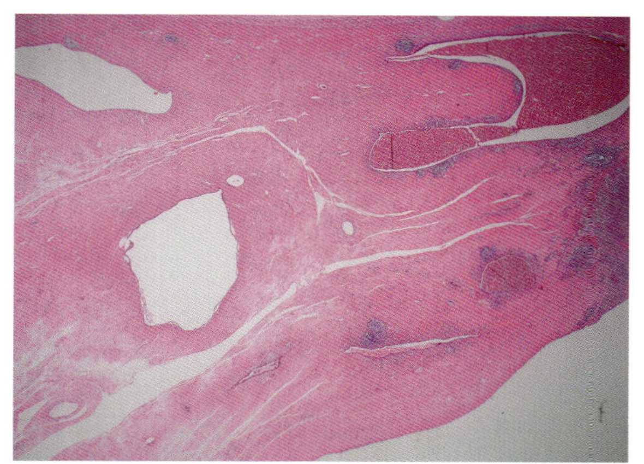

図 10 | 乳管拡張症
複数の乳管が拡張し，周囲に線維化と慢性炎症を伴っている．

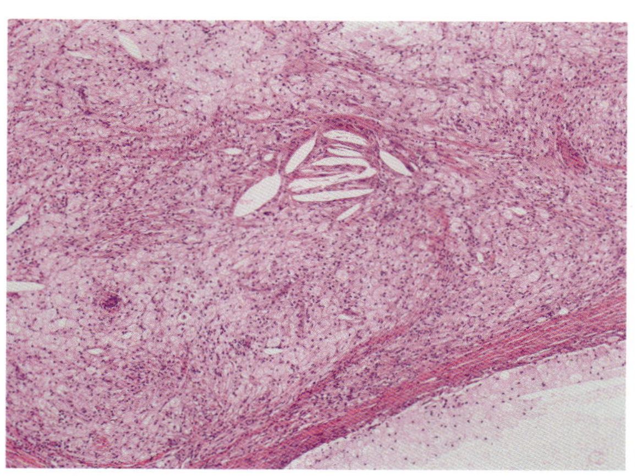

図 11 | 乳管拡張症
泡沫状組織球が集簇し，その一部にコレステリン結晶と異物反応を伴う．

5）鑑別診断

臨床的には，炎症性乳癌を含む癌との鑑別が重要で，針生検（や細胞診）により診断を確定する必要がある．組織学的には，肉芽腫を形成する疾患（結核を含む抗酸菌感染症，真菌感染症，サルコイドーシス，多発血管炎性肉芽腫症など）の可能性を除外する必要がある．実際には，本症に遭遇する機会はそれらの鑑別疾患に比してずっと多い．また，妊娠後という病歴も参考になりうる．好中球が目立つ場合は化膿性乳腺炎が鑑別に挙がるが，授乳期に発生する疾患で，授乳終了後しばらく経過したのちに発症する本疾患とは時期の違いがある．

6）発生メカニズム

明確な病因は明らかではない．一部の症例では *Corynebacterium* 属，特に *C. kroppenstedtii*（皮膚常在菌）の関与が指摘されている[9,10]が，全ての症例に当てはまるかは不明である．菌が証明されれば抗菌薬が用いられ，ほかの場合はステロイドの投与が考慮されるが，後者の使用に関してはいまだに賛否がある[11]．治療抵抗性，再発性の症例も存在し，病巣の摘出を要することがある．

4．乳管拡張症

1）定義・概念

乳管拡張症 duct ectasia は，乳頭に近い主乳管（major ducts）が拡張し，周囲に種々の程度の炎症や線維化をきたす疾患である．

2）臨床的事項

初期には乳頭異常分泌が現れ，やがて乳頭陥凹が認められる．分泌物は清明なものから，クリーム状～褐色，緑色調を呈する．乳房痛，腋窩リンパ節腫大，局所感染，瘻孔形成がみられることもある．

3）肉眼・画像所見

マンモグラフィでは微細石灰化，スピキュラ，分葉状腫瘤などの多彩な像を示し，乳癌との鑑別を要する．乳房超音波検査では拡張乳管が描出される．肉眼的には，拡張した乳管と周囲の線維化が認められる．分泌物の性状は前述のとおりである．また，石灰化や壊死性変化を伴う例がある．

4）組織学的所見

拡張した乳管がみられ，炎症反応と線維化を伴う（**図 10**）．炎症は拡張乳管の内腔や周囲の間質に認められる．しばしば泡沫状組織球が集簇し，それらが病変の主座となる場合がある（**図 11**）．また，形質細胞や好中球の浸潤，コレステリン結晶の沈着やそれに対する異物反応も混在する．上皮は剝脱し乳管の構造が不明瞭となったり，菲薄化を示す．周囲の間質には線維化，硝子化を伴う．一部の症例では，上皮に扁平上皮化生を伴ったり，炎症と線維化により内腔が狭小化する．

診断の要 *Essential diagnostic criteria*

- ◆大型乳管の拡張と，泡沫状組織球などの炎症反応，線維化がみられる

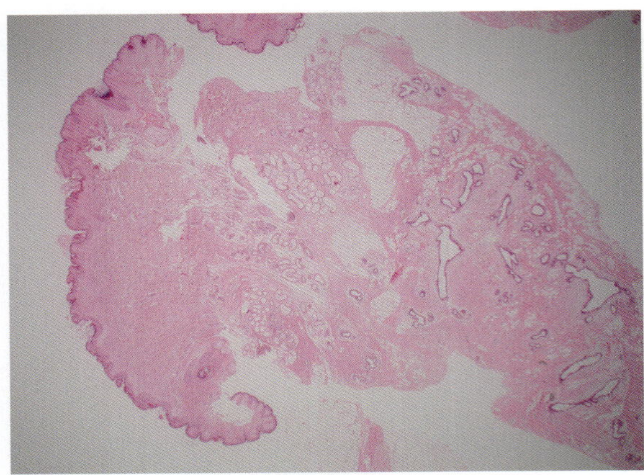

図 12 | 副乳
アポクリン汗腺を含む腋窩の皮下組織に乳管が集簇している．

5）鑑別診断

乳癌との鑑別が必要な際には生検を要する．臨床的には，肉芽腫性乳腺炎に類似することがあり，また両者が併存する症例の存在も指摘されている[12]．本疾患を乳管周囲炎 periductal mastitis と同義とする立場もあるが，乳管周囲炎を発症する患者の大半は喫煙者で，喫煙が乳管下部の損傷を引き起こし，組織の壊死や感染につながる別の疾患であるとの主張もなされている[13]．泡沫状組織球の集簇巣を，組織球性の疾患や癌（浸潤性小葉癌やアポクリン癌），顆粒細胞腫などと見誤らないようにする．特に，乳管上皮細胞と筋上皮細胞の間に組織球が入り込み，pagetoid 癌の進展に類似することがあり，注意が必要である．

6）発生メカニズム

小葉の退縮に伴って乳管が拡張するもの，炎症に伴うもの，乳汁のうっ滞によるものなどの可能性が考えられているが，詳細は不明である．

5．副乳

1）定義・概念

副乳 accessory mammary gland は，乳房の発達に伴って生じる先天性異常のうち最も頻度が高いものである．過剰乳腺 supernumerary mammary gland, polythelia とも呼ばれる．胎生期に，乳腺の原基は両側の腋窩から鼠径部にかけて左右一対の乳腺堤 milk line として生じるが，やがてそのほとんどが退縮し，前胸部の左右一対だけが正常乳房として残る．副乳は，退縮の過程が不十分であるため，生後にまで乳腺組織の全部または一部が残存した状態である．まれに，乳腺堤以外の部位に異所性の乳腺組織を認めることがあり，迷入乳腺 heterotopic mammary gland として区別している．

2）臨床的事項

発生頻度については，新生児を対象とした研究では，2,035 人の乳児のうち 49 人（2.4％）に異所性の乳頭 supernumerary nipple が認められたと報告している[14]．男女ともに発生しうる．腋窩から鼠径部までの乳腺堤に沿ってどの位置にも発生する可能性があるが，片側の腋窩に発生することが最も多い．妊娠および授乳期には，副乳房は腫脹し，関連する乳頭が存在する場合，乳汁を分泌することがある．副乳には，乳癌，良性腫瘍，乳腺症など，正所性の乳腺と同様の病変が起こりうる．乳頭のみの場合は色素性母斑等と誤認される可能性がある．

3）組織学的所見

乳頭，乳輪，乳管や小葉の構造を認めるものなど，構成成分は症例により様々である．正所性の乳房のように全ての成分が揃うことは極めてまれである．個々の成分は通常の乳腺組織と同じ細胞からなる（**図 12**）．

診断の要 *Essential diagnostic criteria*

◆腋窩など，乳腺堤上に乳頭，乳輪，乳腺実質に相当する組織の一部，または全部を認める

4）鑑別診断

腋窩近くの乳腺組織に発生した乳癌，腋窩近くに再発した乳癌と，腋窩の副乳に発生した癌との鑑別には，臨床所見や発生部位の確認を含めた検討を要する．組織学的には，副乳組織は皮膚の成分（毛包，皮脂腺，汗腺，立毛筋）と混在することがあり，それらが確認できれば既存の乳腺組織から逸脱した異所性成分であることの証拠にもなりうる．癌が副乳から発生したことを証明するためには，非癌部の副乳組織が存在することに加えて，非浸潤癌成分の存在を証明することが望ましい．

腋窩等，乳腺堤上に発生した汗腺癌は，luminal 型の形質を有し，組織形態も類似するため，副乳癌との鑑別は腫瘍そのものの検索のみでは困難である．既存の乳管～乳腺小葉が発見できれば，形態から汗

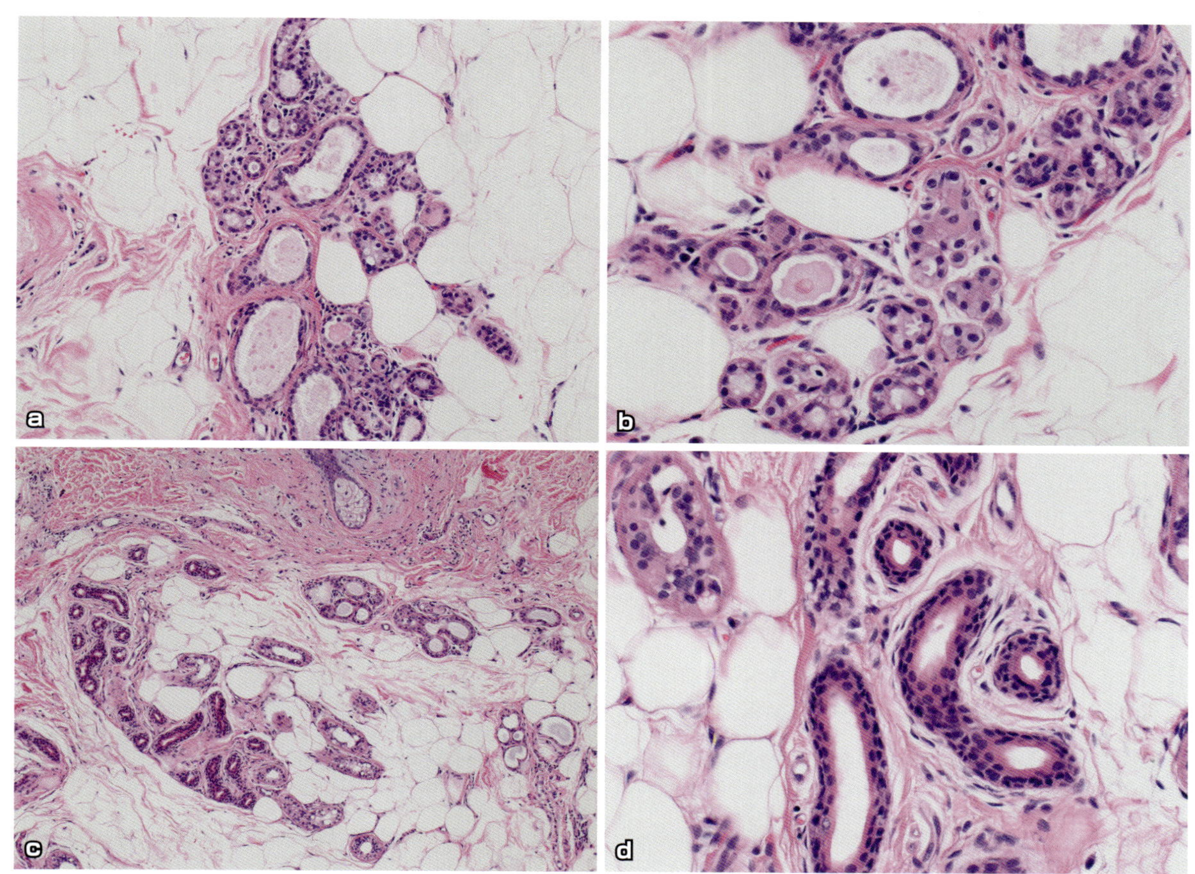

図 13 ｜副乳の乳腺組織とエクリン汗腺の鑑別
a, b：副乳腺，c, d：汗管〜汗腺．

腺（特にエクリン汗腺）と鑑別することは可能である（**図 13**）．

アポクリン汗腺と，副乳のアポクリン化生の鑑別は必ずしも容易ではないが，アポクリン化生のない乳腺組織の探索，あるいは汗腺としては説明がつかないほど深部に存在する組織であれば副乳の可能性を考慮することができる．

副乳腺組織が腋窩リンパ節に迷入することがあり，癌の転移との鑑別を要する．筋上皮の存在（二相性の証明）が診断に役立つ（**図 14**）．

5）発生メカニズム

副乳の6％程度に家族性発生があり，遺伝性の病態によって乳腺堤の退縮が阻害される可能性が推察されている．また，Simpson-Golabi-Behmel 症候群，Char 症候群では副乳が症候の一つになることが知られている．さらに，過剰乳頭は泌尿器系異常，悪性腫瘍，脊椎の分節欠損，Becker 母斑，およびその他の発育異常のリスク増加と関連するとも報告されている[15]．ただし，大半の症例の成因は不明である．

（森谷卓也，三上友香）

文　献

1）Mahmoud W, El Ansari W, Hassan S, et al：Giant mammary hamartoma in a middle aged female. Case report and review of literature of the last 15 years. Int J Surg Case Rep 78：145-150, 2021
2）Tazeoğlu D, Dağ A, Arslan B, et al：Breast Hamartoma：clinical, radiological, and histopathological evaluation. Eur J Breast Health 17：328-332, 2021
3）Sevim Y, Kocaay AF, Eker T, et al：Breast hamartoma：a clinicopathologic analysis of 27 cases and a literature review. Clinics（Sao Paulo）69：515-523, 2014
4）Pereira MA, de Magalhães AV, da Motta LD, et al：Fibrous mastopathy：clinical, imaging, and histopathologic findings of 31 cases. J Obstet Gynaecol Res 36：326-335, 2010
5）Chan CL, Ho RS, Shek TW, et al：Diabetic mastopathy. Breast J 19：533-538, 2013
6）Valdez R, Thorson J, Finn WG, et al：Lymphocytic mastitis and diabetic mastopathy：a molecular, immunophenotypic,

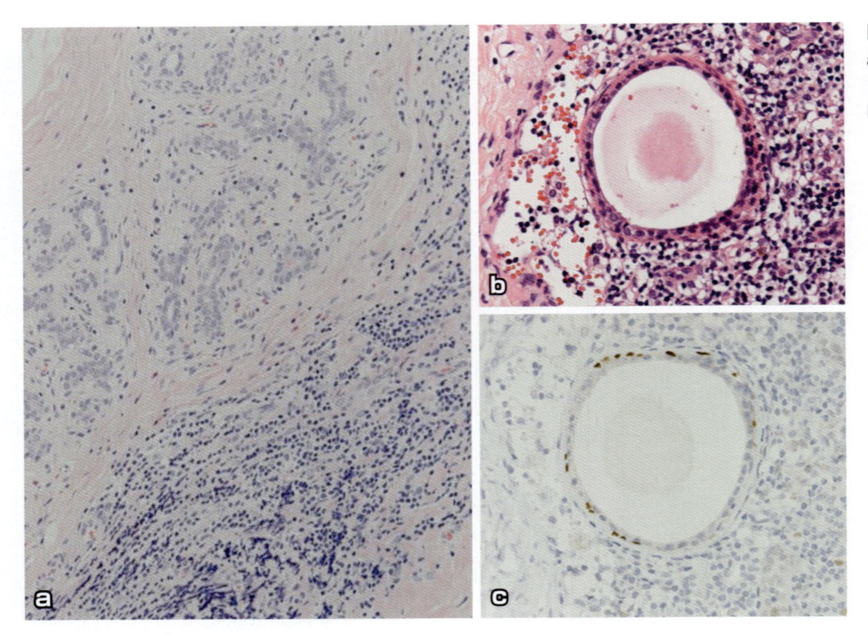

図14 | 腋窩の副乳腺
a は腋窩リンパ節に接し，b，c は腋窩リンパ節内に副乳腺が存在する（c：p63 免疫染色）．

and clinicopathologic evaluation of 11 cases. Mod Pathol 16：223-238, 2003

7）Ashton MA, Lefkowitz M, Tavassoli FA：Epithelioid stromal cells in lymphocytic mastitis--a source of confusion with invasive carcinoma. Mod Pathol 7：49-54, 1994

8）Barreto DS, Sedgwick EL, Nagi CS, et al：Granulomatous mastitis：etiology, imaging, pathology, treatment, and clinical findings. Breast Cancer Res Treat 171：527-534, 2018

9）Johnstone KJ, Robson J, Cherian SG, et al：Cystic neutrophilic granulomatous mastitis associated with Corynebacterium including Corynebacterium kroppenstedtii. Pathology 49：405-412, 2017

10）Troxell ML, Gordon NT, Doggett JS, et al：Cystic neutrophilic granulomatous mastitis：association with Gram-positive bacilli and Corynebacterium. Am J Clin Pathol 145：635-645, 2016

11）Yukawa M, Watatani M, Isono S, et al：Management of granulomatous mastitis：a series of 13 patients who were evaluated for treatment without corticosteroids. Int Surg 100：774-782, 2015

12）Jiang L, Li X, Sun B, et al：Clinicopathological features of granulomatous lobular mastitis and mammary duct ectasia. Oncol Lett 19：840-848, 2020

13）Dixon JM, Ravisekar O, Chetty U, et al：Periductal mastitis and duct ectasia：different conditions with different aetiologies. Br J Surg 83：820-822, 1996

14）Kenney RD, Flippo JL, Black EB：Supernumerary nipples and renal anomalies in neonates. Am J Dis Child 141：987-988, 1987

15）Ferrara P, Giorgio V, Vitelli O, et al：Polythelia：still a marker of urinary tract anomalies in children? Scand J Urol Nephrol 43：47-50, 2009

Ⅷ. 転移性乳腺腫瘍

はじめに

転移性乳腺腫瘍 metastatic breast tumor とは，乳腺原発腫瘍以外の乳腺腫瘍であり，乳腺に転移した他臓器悪性腫瘍である．乳腺を原発臓器とする乳癌では，通常，非浸潤癌成分を観察することができるが，乳腺に転移した他臓器悪性腫瘍病巣では，非浸潤性悪性腫瘍成分を認めることはない．転移性腫瘍の組織像に加え，この点が，乳腺原発か他臓器からの転移性乳腺腫瘍かの鑑別に役立つが，このような点を踏まえても，乳腺原発か他臓器からの転移性腫瘍か，判別に困る症例も経験することがある．また，転移性乳腺腫瘍自体，経験することがまれであり，乳腺悪性腫瘍の診断を行ううえで，転移性乳腺腫瘍の可能性は常に頭に入れておく必要がある．

今回は，転移性乳腺腫瘍の実態を少しでも明らかとするために，臨床病理学的側面に加え，疫学的な側面からもその実態解明を試みた．

1．転移性乳腺腫瘍症例報告論文収集および論文データ解析

2018年1月から2021年10月末までに報告(PubMed)された転移性乳腺腫瘍症例報告論文を基とし[1~40]，これら論文より以下の10項目を調べ，データを集積・解析するプール解析を行った．ただし，論文により下記項目の記載がない論文もあり，その場合，当該項目のデータは「欠」とした．

①国別症例報告数，②原発腫瘍判明症例・不明症例数，③性別，④年齢分布，⑤原発臓器別頻度，⑥原発臓器がん種別頻度，⑦転移性乳腺腫瘍の免疫組織化学的検討結果，⑧原発腫瘍治療後から乳腺転移再発までの期間［無病生存期間 disease-free survival (DFS)］，⑨転移性乳腺腫瘍患者が受けた治療種別頻度，⑩転移性乳腺腫瘍患者転帰［全生存期間 overall survival (OS)，原病死・他病死等よりなる］．DFS・OS 曲線は Kaplan-Meier 法により作成した．

2．データの解析結果

2018年1月から2021年10月末までの，ほぼ4年間における症例報告論文数は40(英文論文．抄録のみ，英文報告は除く．症例数＝43)であり，1年間における転移性乳腺腫瘍症例報告数は，およそ10例であった．国別報告数を調べると，日本，米国が同数で最も多く，ついでインド，中国，韓国・ギリシャ等の順であった(**図1**)．

転移性乳腺腫瘍が判明した時点において，当該腫瘍の原発臓器が既往歴などで推測され，明らかであった症例は35症例(81％)であった．対して，転移性乳腺腫瘍と診断確定時に，癌の既往がなく，転移性乳腺腫瘍の診断確定により原発臓器が明らかとなった原発臓器不明症例数は16症例(37％)であった．性別では，43症例中，男性例は2例のみであった．年齢別では，40～70歳代が最も多く，報告症例数の7割ほどを占め(30例，70％)，最少年齢は11歳，最高齢は82歳，年齢中央値は57歳であった．

転移性乳腺腫瘍の原発臓器として最多の臓器は卵巣であり，次いで，甲状腺，直腸，子宮，肺・耳下腺・皮膚・回腸・胃，その他臓器の順で(**図2**)，婦

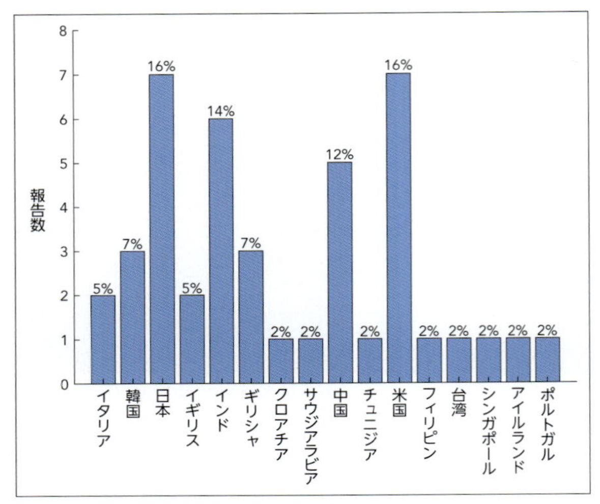

図 1 | **転移性乳腺腫瘍の国別症例報告数**

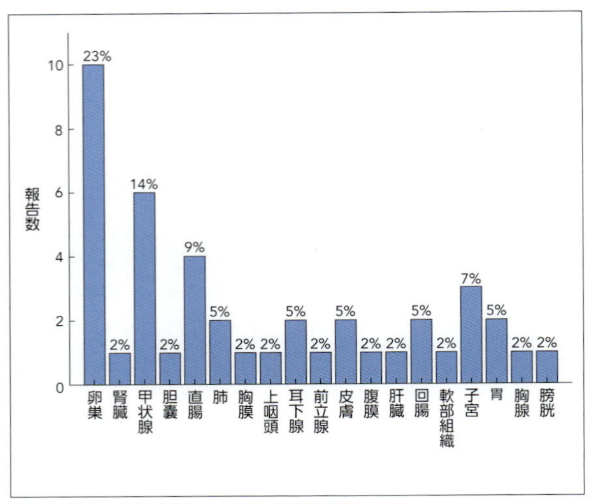

図 2 | **転移性乳腺腫瘍の原発臓器別頻度**

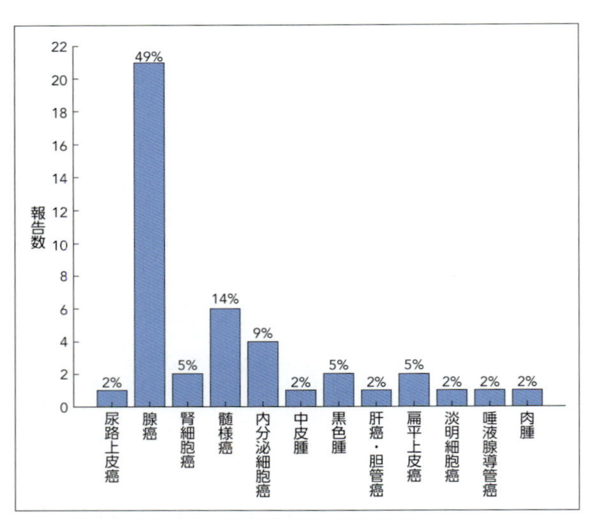

図 3 | **転移性乳腺腫瘍の原発臓器がん種別頻度**

人科領域，頭頸部および消化管原発癌が多い傾向にあった．がん種別では，腺癌が最も多く，髄様癌，内分泌細胞癌，腎細胞癌，黒色腫，扁平上皮癌，その他がん種の順であった（**図 3**）．

がん種，転移性乳がん臓器の解明等のために行われた免疫組織化学的検討結果を**表 1** に示す．原発乳癌において，ルーチンで行われている ER，PgR，HER2 免疫染色の検討は，軟部組織由来の肉腫（alveolar soft part sarcoma）以外のほぼ全臓器の癌組織において行われ，次いで，GCDFP15，GATA3，mammaglobin による検討が行われている．これら乳癌あるいは他臓器癌の特性を検討する以外にも，臓器特異性とは無関係な蛋白群の検討（E-cadherin, p53 等）およびミスマッチ修復蛋白（MLH1, MSH2 等）の発現検討も行われている．

転移性乳腺腫瘍の原発腫瘍治療から，転移性乳腺腫瘍が判明するまでの無病生存曲線を示す（**図 4a**．無病生存明：29 例，無病生存不明：14 例）．多くの症例が原発腫瘍治療後 5 年経過前後の時期に，転移性乳腺腫瘍として再発を認めていた．また，原発癌に対する治療（薬物療法，手術など）開始時点において，すでに乳腺転移が判明した例もあるのに対し，原発腫瘍治療後の 21 年後に乳腺腫瘍として再発した症例も報告されている．転移性乳腺腫瘍を形成した原発腫瘍に対して行われた治療としては，薬物療法のみが最多で（16 例，44％），次いで手術・薬物療法（14 例，39％）であり，手術のみ，放射線・薬物療法，無治療がそれぞれ 2 例（6％）であった．転移性乳腺腫瘍症例の転帰については，原発腫瘍診断確定・治療後から転移性乳腺腫瘍診断確定を経て，論文報告までの期間についての全生存率であるが，転移性乳腺腫瘍診断確定後，3 年未満に亡くなる症例が多いことが明らかとなった（**図 4b**．全生存明：25 例，全生存不明：18 例）．また，全生存曲線が原発治療から 1,300 日前後で平坦化している．これは 7 例の報告例で生存が確認されている症例があるからであるが，報告例では患者転帰が記されていない論文も含まれ，当該報告例は生死解析からは除外されている．これはバイアスが加わっていることとなり，プール解析の限界と思われる．

表 1 | 転移性乳腺腫瘍免疫組織化学的解析結果

	免疫組織化学結果		
臓器名	陽性	陰性	陽性・陰性
卵巣	AE1/AE3, CA125, CD34, CK5/6, CK7, CK20, cyclin D1, E-cadherin, EMA, MLH1, MSH2, MSH6, napsin A, PMS2	CD56, CDX2, chromogranin A, GCDFP15, glypican-3, mammaglobin	ER, GATA3, HER2, PAX8, p53, WT-1
腎臓	AE1/AE3, CD10, vimentin	ER, GATA3, HER2, PgR	
甲状腺	calcitonin, CD56, chromogranin A, E-cadherin, synaptophysin, TTF1	ER, GATA3, GCDFP15, HER2, napsin A, PgR, thyroglobulin	
胆嚢	CK7, CK20	CDX2, ER, GATA3, HER2, mammaglobin, PgR	
直腸	AE1/AE3, CA125, CEA, CK20, PAX8, SATB2, WT-1	CK7, ER, GATA3, GCDFP15, HER2, PgR, TTF1	CDX2
肺	CD56, chromogranin A, synaptophysin, TTF1	ER, PgR	
胸膜	calretinin, CK5/6, CK7, WT-1	Ber-EP4, CK20, ER, GATA3, GCDFP15, HER2, mammaglobin, napsin A, PAX8, PgR, S100, TTF1	
上咽頭	AE1/AE3	CD20, CK7, CK20, desmin, ER, GCDFP15, HER2, HMB45, LCA, myogenin, PgR, S100, TTF1, villin	
耳下腺	AR, GATA3, GCDFP15	ER, HER2, PgR, p53	
前立腺	PSAP	ER, HER2, PSA, PgR	
皮膚	E-cadherin, melan A	AE1/AE3, CAM5.2, CK7, ER, PgR	
腹膜	Ber-EP4, PAX8, p53, WT-1	calcitonin, GATA3, GCDFP15, mammaglobin	
肝臓	glypican-3, glutamine synthetase	arginase 1, ER, GATA3, GCDFP15, HER2, HEP-PAR1, mammaglobin, PgR	
回腸	CDX2, chromogranin A, synaptophysin	ER, HER2, PgR	
軟部組織	AE1/AE3, α-actin, CD5, desmin, HMB45, S100, TFE3, vimentin		
子宮	chromogranin A, PAX8, p15, p53, SMARCA4, SMARCB1, synaptophysin	CK7, CK20, GATA3, GCDFP15, mammaglobin	
胃	CA19-9, CEA, CK7, CK20	CDX2, ER, GCDFP15, HER2, PgR	
胸腺	CD5, CD117, CK5/6, CK8/18, CK19, p53	ER, GATA3, GCDFP15, HER2, PgR	
膀胱	CK7, CK20, E-cadherin, EMA, GATA3, uroplakin Ⅱ	ER, GCDFP15, HER2, mammaglobin, PgR	

3. まとめ

今回原稿を執筆するにあたり，過去10年をさかのぼり症例報告論文を収集し，それらのデータを解析することを予定していたが，思いのほか多くの転移性乳腺腫瘍の症例報告がなされており，紙面の制限により約4年とした．症例報告数は日本，米国がともに最多で，人口が多い中国，インドを上回ったが，これは学術的レベルを反映したものと示唆される．また，韓国，台湾も含めると東アジア系人種に多いようにも思われるが，米国，欧州，中東，アフリカ大陸等からも報告例があり，米国からは白人・黒人の報告例もある．したがって，人口に対する発生頻度を考えた場合，人種による差はさほど顕著ではないものと思われる．筆者はがん専門施設に長く勤務しているが，現施設においては，乳腺腫瘍として発見され，その後，リンパ節原発の diffuse transformation を示す濾胞性リンパ腫として診断が確定した症例，1例を経験しただけである（**図 5**）．全世界人口が症例報告数の母数であることを考えると，やはり転移性乳腺腫瘍はまれと思われる．

転移性乳腺腫瘍を診断するためには，当該腫瘍の組織形態像がその臓器の癌として一般的か否か，非浸潤癌成分（消化管：上皮内癌，乳腺：乳管内癌，

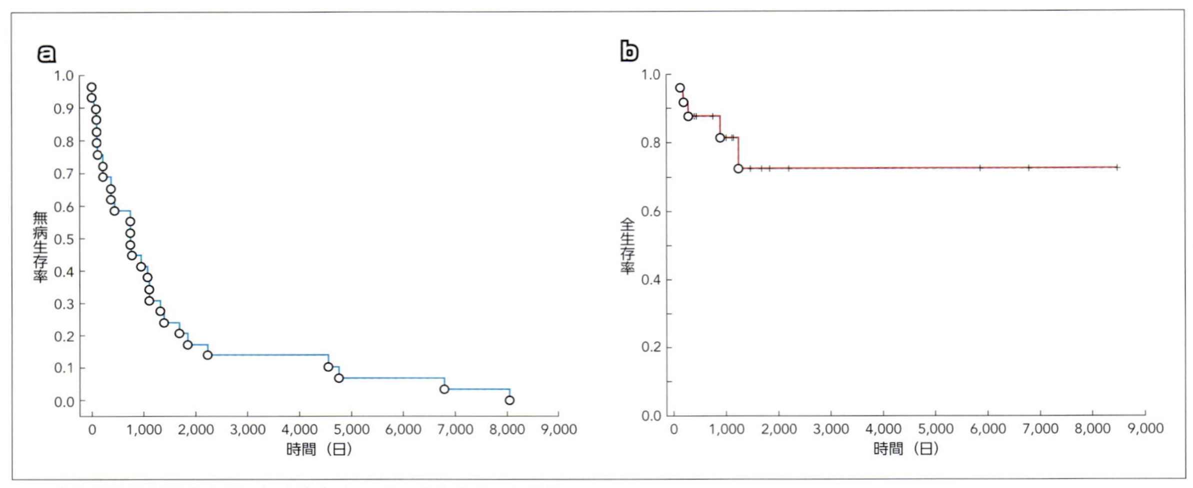

図 4 | 転移性乳腺腫瘍症例の無病生存（DFS）・全生存（OS）曲線

a：原発腫瘍治療後より乳腺転移再発までの期間．b：乳腺転移再発診断確定・治療開始から論文報告時点までの生存期間.

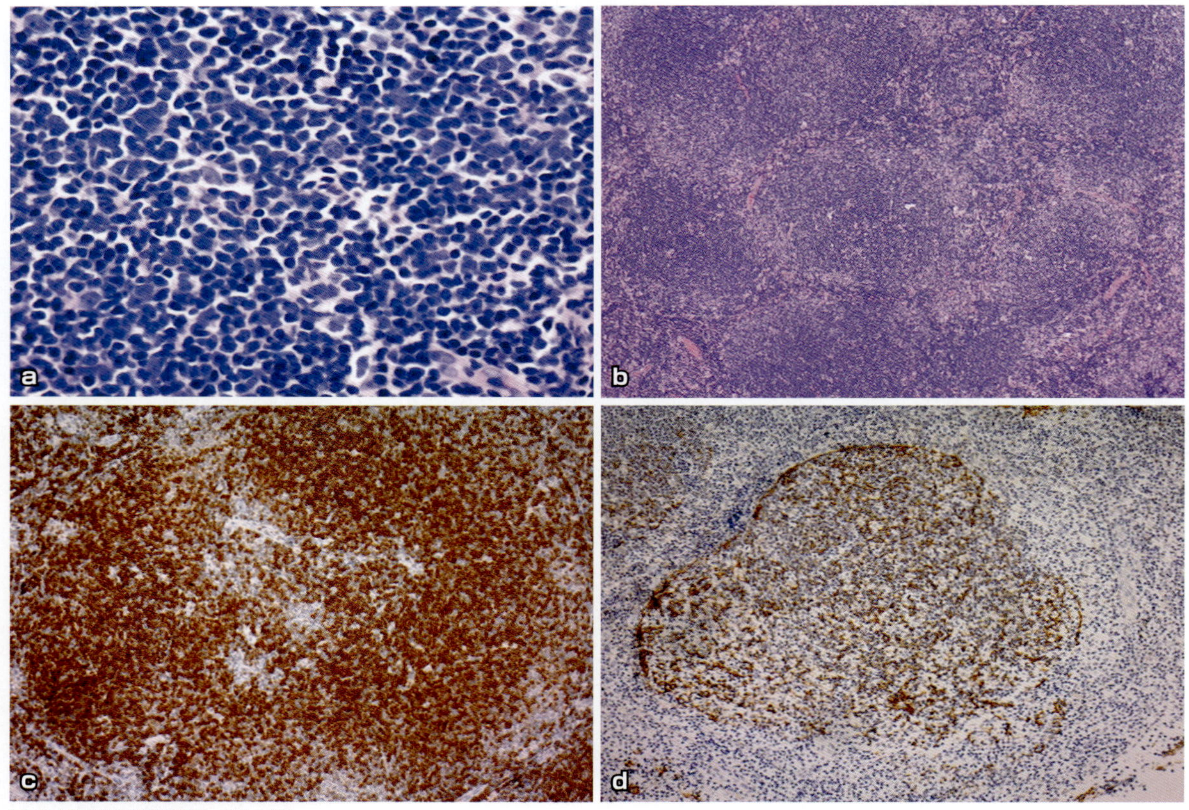

図 5 | 転移性乳腺腫瘍，リンパ腫

原発臓器：頸部リンパ節．濾胞性リンパ腫・B 細胞亜型・Grade 3A．免疫組織化学：陽性：bcl-2，bcl-6，CD10，CD20，CD21（FDC meshwork 像を示す），MUM1（結節周囲，少数）．陰性：CD3，CD5，cyclin D1，c-MYC，TdT．EBER-ISH 陰性．Ki67 ラベリングインデックス＝20〜30％．a：右乳腺生検標本．既存乳腺構造を破壊し，びまん性浸潤を示すリンパ腫細胞．b〜d：頸部リンパ節生検標本．不整形濾胞構造を呈し，増殖するリンパ腫細胞．腫瘍細胞は bcl-2（c）陽性像を示し，CD21 では FDC meshwork 像（d）を示す.

膵：膵管内癌など）が存在するか否か，この2点が，転移性乳腺腫瘍か否かを確定するうえで重要な組織形態因子と考えられる．転移性乳腺腫瘍であることが疑われ，その時点で癌の既往歴がない症例の場合，臓器別頻度から，婦人科領域，頭頸部，消化管等の癌疾患の有無の検索を臨床医に依頼することが望まれる．また，男性でも転移性乳腺腫瘍を認めることがあり，今回集積例に含まれた2例は，肺腺癌，前立腺癌の既往を有していた．筆者も兼業施設において，男性乳癌として手術された症例が，既往直腸癌（術後2年）の乳腺転移であった症例を経験している．

転移性乳腺腫瘍を診断するうえでは，免疫組織化学的検討が有用であるが，その場合は，乳癌でルーチンに調べられているER，PgR，HER2の発現の有無を調べることが必須であり，次いで，GATA3，mammaglobin，GCDFP15等，乳癌に比較的特異的とみなされている蛋白の発現を調べることが重要と思われる．臓器別に論文の著者らが使用した抗体を**表1**にリストアップしたが，これら抗体群の中には，臓器特異性ではない抗体（ミスマッチ修復蛋白，p53等）も含まれる．とかく病理医は原発巣の同定に執着しがちであるが，近年は遺伝子パネルに基づく癌患者の治療が始まっている．よって今後は，原発巣同定よりは，転移性乳腺腫瘍の遺伝子学的特性を明らかとし，当該担癌患者の標的治療に有効とされる核酸・蛋白発現を調べること，原発不明癌としての核酸・蛋白発現パネルの作成のほうが，より重要になると考えられる．

診断の要 *Essential diagnostic criteria*

◆ 転移性乳腺腫瘍を形成した，原発悪性腫瘍の生物学的特性

おわりに

今回は症例報告論文を対象としたが，転移性乳腺腫瘍の総説論文も報告されており，病理教本にも掲載されているので参考としていただきたい[41〜46]．

（長谷部孝裕）

文　献

1）Harada Y, Kubo M, Kai M, et al：Breast metastasis from pelvic high-grade serous adenocarcinoma：a report of two cases. Surg Case Rep 6：317, 2020

2）Dong F, Xie X, Wei X, et al：Metastatic serous borderline tumor with micro-invasive ovarian carcinoma presenting as a breast lump：a case report. Medicine（Baltimore）99：e19383, 2020

3）Lee MI, Jung YJ, Kim DI, et al：Metastasis to breast from ovarian cancer and primary ovarian cancer concurrently diagnosis. Gland Surg 10：1806-1811, 2021

4）Maeshima Y, Osako T, Morizono H, et al：Metastatic ovarian cancer spreading into mammary ducts mimicking an in situ component of primary breast cancer：a case report. J Med Case Rep 15：78, 2021

5）Shah VI, Morgan SE, Köbel M, et al：Dedifferentiation in breast metastasis of endometrial carcinoma：a diagnostic dilemma. Int J Gynecol Pathol 41：35-39, 2021

6）Wang Z, Zhao D, Liu R, et al：Ovarian cancer metastasis to the breast 18 years after the initial diagnosis：a case report. Medicine（Baltimore）98：e17577, 2019

7）Kridis WB, Sghaier S, Charfi S, et al：Ovarian cancer and breast metastases：a diagnostic dilemma. Arch Iran Med 23：53-55, 2020

8）Kazakou P, Simeakis G, Alevizaki M, et al：Medullary thyroid carcinoma（MTC）：unusual metastatic sites. Endocrinol Diabetes Metab Case Rep 2021：21-0063, 2021

9）Omi Y, Kamio H, Yoshida Y, et al：Breast metastasis from medullary thyroid carcinoma：a report of a case. Surg Case Rep 7：188, 2021

10）Economopoulou P, Chrysikopoulou A, Goula K, et al：Breast metastasis from neuroendocrine carcinoma of the lung：a case report and review of the literature. Case Rep Oncol 13：1281-1284, 2020

11）Verma V, Israrahmed A, Rao RN：Metastatic clear cell renal cell carcinoma presenting as breast lump：a rare case report. Diagn Cytopathol 49：E281-E285, 2021

12）Lievore E, Runza L, Ghidini M, et al：Micropapillary bladder cancer metastatic to the breast：a case report and brief literature review. In Vivo 35：453-459, 2021

13）Sahoo B Sr, Barik S, Mishra P, et al：Metastasis to breast from carcinoma gallbladder：a case report and review of literature. Cureus 12：e11307, 2020

14）Albasri AM：Nasopharyngeal carcinoma metastasis to the breast. Saudi Med J 41：1130-1134, 2020

15）Smith BM, Azouz V, Liu L, et al：Parotid adenocarcinoma metastasis to the breast：a case report. J Surg Case Rep 6：1-3, 2020

16）Jain A, Vijayakumar C, Kumbhar U, et al：Metastatic malignant melanoma mimicking mammary mass：a rare presentation. Cureus 12：e8354, 2020

17）Korša L, Lukač A, Kovačević L, et al：Breast metastasis as the initial presentation of malignant pleural mesothelioma. Breast J 26：2063-2064, 2020

18）Salivay C, Fadare O：High-grade endometrioid carcinoma of the endometrium with a GATA-3-positive/PAX8-negative immunophenotype metastatic to the breast：a potential diagnostic pitfall. Int J Surg Pathol 28：631-636, 2020

19）Liang MM, Teo SY, Gudi M, et al：Breast microcalcifications as the only imaging manifestation of metastatic serous peritoneal adenocarcinoma in the breast. J Radiol Case Rep 13：1-10, 2019

20）Lima V, Martinez-Lapus FG, Demegillo KJ：Breast metastasis from castrate-resistant prostatic adenocarcinoma mimicking as a second primary：a case report. World J Oncol 11：37-40, 2020

21）Devi CA, Stephen SN, Gochhait D, et al：Medullary carcinoma of thyroid metastasis to breast：a cytological experience. Diagn Cytopathol 48：169-173, 2020

22) Hasegawa H, Nagata Y, Sakakibara Y, et al：Breast metastasis from rectal cancer with BRAF V600E mutation：a case report with a review of the literature. Clin J Gastroenterol 13：153-157, 2020
23) Alzuhair AM, Gong G, Shin HJ, et al：Salivary duct cancer metastasis mimicking primary breast cancer：a case report and review. J Breast Cancer 22：653-660, 2019
24) Hsieh TC, Hsu CW：Breast metastasis from colorectal cancer treated by multimodal therapy：case report and literature review. Medicine (Baltimore) 98：e18016, 2019
25) Malek D, Buccheri S, Dey CB, et al：Lung cancer metastasis to the breast mimicking inflammatory breast carcinoma on imaging. Radiol Case Rep 14：1500-1505, 2019
26) McEachron J, Mendoza R, Lee YC, et al：Breast metastases：a rare manifestation of advanced uterine serous carcinoma. Gynecol Oncol Rep 30：100500, 2019
27) Silva M, Coelho R, Rios E, et al：Breast metastasis from a combined hepatocellular-cholangiocarcinoma. ACG Case Rep J 6：e00057, 2019
28) Tripathy S, Naswa N, Jha P, et al：Ileal neuroendocrine tumor with bilateral breast and ovarian metastases：findings on 68Ga-DOTANOC PET/CT scan. Clin Nucl Med 44：e532-e534, 2019
29) Galili Y, Lytle M, Bartolomei J, et al：Clear-cell carcinoma of the ovary with bilateral breast metastases. Case Rep Oncol Med 2019：8013913, 2019
30) Papalampros A, Mpaili E, Moris D, et al：A case report on metastatic ileal neuroendocrine neoplasm to the breast masquerading as primary breast cancer：a diagnostic challenge and management dilemma. Medicine (Baltimore) 98：e14989, 2019
31) Asano Y, Kashiwagi S, Takada K, et al：Alveolar soft part sarcoma metastatic to the breast：a case report. BMC Surg 19：30, 2019
32) Meng K, Chen W, Tian W, et al：Medullary thyroid carcinoma with breast metastasis：two case reports. Medicine (Baltimore) 97：e13193, 2018
33) Lucchetti J, Formica V, Giuliano G, et al：Case report of a patient with breast metastasis from gastric cancer treated with paclitaxel and ramucirumab plus regional hyperthermia. Anticancer Res 38：6561-6564, 2018
34) Asaad A, Abdalla SA, Idaewor P, et al：Breast metastasis as a presentation of malignant melanoma. Chirurgia (Bucur) 113：712-718, 2018
35) Deng YW, Li YW, Hao WJ, et al：A clinical observation of thymic epithelial tumor metastatic to breast. Breast Care (Basel) 13：136-139, 2018
36) Tanwar P, Gandhi JS, Sharma A, et al：Unusual metastasis of medullary thyroid carcinoma to the breast：a cytological and histopathological correlation. J Cytol 35：117-120, 2018
37) Kwak BS：Metastatic small cell carcinoma of the breast from cancer of the uterine cervix：a case report. Case Rep Oncol 11：38-42, 2018
38) Kubo H, Shimizu T, Sekido H, et al：Isolated breast metastasis from gastric cancer in a male patient. Clin J Gastroenterol 11：138-144, 2018
39) Panse G, Bossuyt V, Ko CJ：Metastatic serous carcinoma presenting as inflammatory carcinoma over the breast-report of two cases and literature review. J Cutan Pathol 45：234-239, 2018
40) Ahmad SS, Khalilullah K, McGowan K, et al：Unexpected destination! Rectal carcinoma metastasis to the beast. J Surg Case Rep 2019：1-6, 2019
41) Osako T：How can we better distinguish metastatic tumors from primary tumors in the breast? Expert Rev Anticancer Ther 21：913-916, 2021
42) Raj SD, Shurafa M, Shah Z, et al：Primary and secondary breast lymphoma：clinical, pathologic, and multimodality imaging review. Radiographics 39：610-625, 2019
43) Ma Y, Liu W, Li J, et al：Gastric cancer with breast metastasis：clinical features and prognostic factors. Oncol Lett 16：5565-5574, 2018
44) Ali RH, Taraboanta C, Mohammad T, et al：Metastatic non-small cell lung carcinoma a mimic of primary breast carcinoma-case series and literature review. Virchows Arch 472：771-777, 2018
45) Hoda SA：Metastases in the breast from nonmammary neoplasms. in Hoda SA, Brogi E, Koerner FC, et al (eds)："Rosen's Breast Pathology" (4th ed.), Wolters Kluwer, Philadelphia, 2014, pp 937-955
46) Kulka J, Varga Z：Metastases to the breast. in WHO Classification of Tumours Editorial Board (ed)："WHO Classification of Tumours, Breast Tumours (5th ed.), IARC, Lyon, 2019, pp 262-265

第3部

鑑別ポイント

Ⅰ. 上皮性病変における良悪性鑑別のための要点

はじめに

乳腺疾患の病理診断を行う際に，良悪性の鑑別が容易な症例もあれば，苦慮する症例にもしばしば遭遇する．生検検体において病変の採取量が少ない場合もこれに該当するが，本項では組織量が十分であっても良悪性の鑑別に頭を悩ますような病変を主に取り上げ，鑑別の要点についてまとめる．

どのような病変において良悪性の鑑別に苦慮するのか，日常の診断業務を思い浮かべていただくと，診断医によって様々な病変をイメージされると思われるが，乳管内における上皮増殖性病変や乳頭状病変を思い浮かべる場合が多いのではないだろうか．ほかには，平坦状病変やアポクリン病変，線維腺腫や葉状腫瘍内の上皮増生などが挙げられるかと思う．誤った診断に陥りやすいものとしては硬化性病変が挙げられる．硬化性変化を伴った非浸潤性の病変を浸潤癌と誤って診断することのないよう注意が必要である．乳腺疾患の病理診断においては，ときに粘液産生を伴った症例を診断することもあると思われるが，どのような病変でみられるかを認識しておくことも大切である．

上記のように様々な病変で良悪性の鑑別が求められる．本項では7つの組織パターンに分けて鑑別の要点などを説明する．日常診断業務においては，免疫組織化学的検討を行ったのちに最終的な診断を行うこともあると思われるが，本項ではHE染色での観察を中心として説明を行いたい．

1. 乳管内上皮増生

乳管内病変は診断に苦慮することが多い病変の一つである．画像診断技術の発展や検診の普及により難しい病変が生検される機会が増えたこともその一因と思われる．また，切除検体においては，非浸潤性乳管癌 ductal carcinoma *in situ*（DCIS）と診断できる病変はあるが，*in situ* 病変の進展はどこまでで，どこからが非腫瘍性の乳管であるのかを悩むような場合もあると思われる．

DCISは細胞の異型度，組織構築，生物学的な振る舞いなどが多様な病変であり，組織構築パターンとしては，充実型 solid type，篩状型 cribriform type，乳頭型 papillary type などが乳癌取扱い規約 第18版（2018年）（以下，規約分類）に記載されている[1]．WHO分類 第5版（2019年）（以下，WHO分類）では，組織構築による記載よりも生物学的な振る舞いを反映させた核異型度分類を推奨しているが，solid DCIS，micropapillary and cribriform pattern など組織構築を表現する用語も用いられている[2]．本項では，乳管内上皮増生病変を類似する組織構築に分けて良悪性の鑑別ポイントを説明していく．

1）充実性増生を示す病変　通常型乳管過形成，充実型非浸潤性乳管癌，充実乳頭癌，異型乳管過形成

乳管内で細胞が充実性増生を示す病変において，良悪性のいずれの病変においても筋上皮細胞は乳管を縁取るように存在する．小型の *in situ* 病変が back to back となって集簇してみられる場合，高分子量 cytokeratin（CK）の免疫組織化学を行うと筋上皮細胞

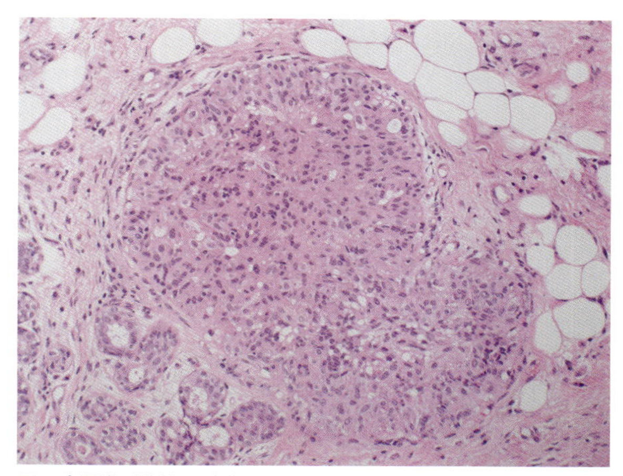

図 1 ｜通常型乳管過形成
増生する細胞は小型で多彩．細胞同士が重なるような部分もある．

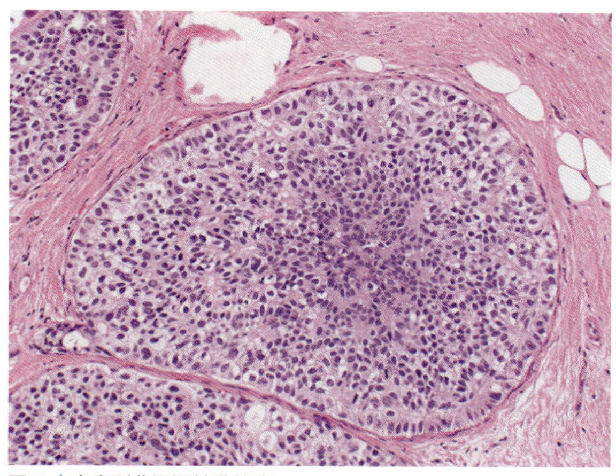

図 2 ｜充実型非浸潤性乳管癌
増生する細胞は軽度の異型があり，緊満感のある核を有する．細胞同士の重なりはなく，細胞 1 つずつが領域をもっているようにみえる．

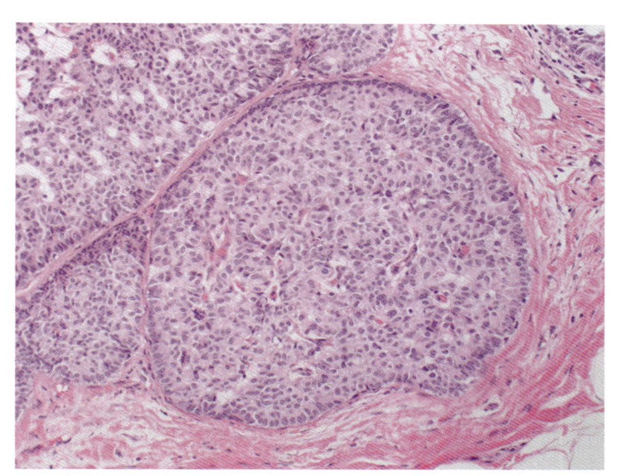

図 3 ｜充実乳頭癌
増生する細胞間に小さな線維血管性間質がみられる．増生する細胞には軽度の大小不同があり，核はやや偏在しているものもある．

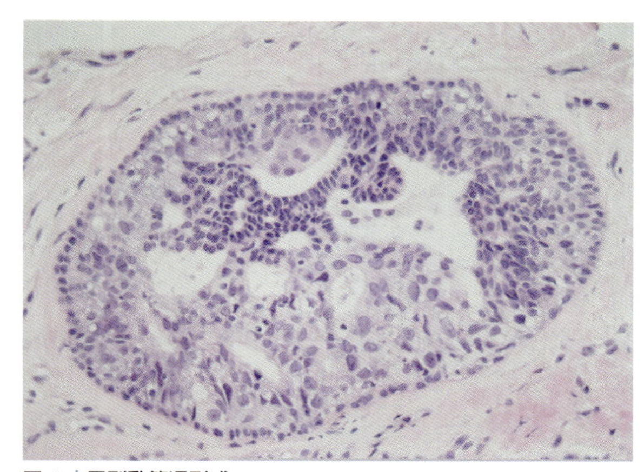

図 4 ｜異型乳管過形成
緊満感のある核を有する細胞が monotonous に増生する領域と小型核を有する細胞が増生する領域が混在している．

陽性像が多数みられることもある．しかしながら，ときに陽性細胞の分布が疎となってほとんどみられない場合もあるので，HE 標本でしっかりと観察することが大切である．次に増生する細胞について着目すると，通常型乳管過形成 usual ductal hyperplasia（UDH）（duct papillomatosis）では増生する細胞は多彩性を示し，紡錘形や類円形核を有する小型細胞が極性を有さず，不規則な配列や細胞同士の重積性を示す（**図 1**）．

一方，充実型 DCIS（DCIS，solid type）では monotonous な細胞増生を示すことが多く，緊満な核を有する細胞がそれぞれの領域を有するように敷石状に配列し，細胞境界は明瞭である（**図 2**）．UDH における細胞の多彩性と DCIS における細胞異型の違いについて留意していただきたい．

充実乳頭癌 solid papillary carcinoma は，細い線維血管性間質を有するために乳頭状病変に分類される．腫瘍細胞はほぼ充実性増生を示し，紡錘形や類円形の核を有することも多いために，UDH との鑑別が問題となる場合もあるが，細胞の核は偏在傾向を示すことが多い（**図 3**）．しばしば細胞外には粘液がみられる[3]．

異型乳管過形成 atypical ductal hyperplasia（ADH）は組織学的には乳管内に carcinoma 成分といいうるような細胞領域を認めるが，良性上皮細胞増生領域が混在することで全体を carcinoma とは診断しえない質的診断基準に該当する病変と（**図 4**），DCIS といいうる乳管はあるが量的に乏しい量的診断基準に該

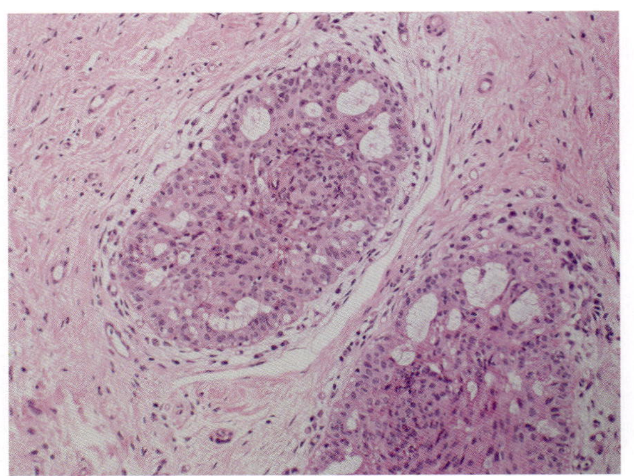

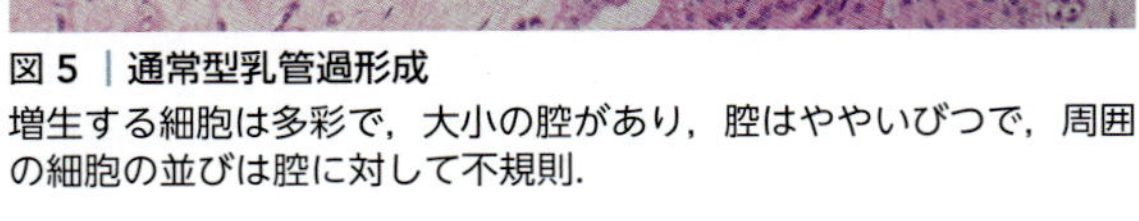

図5｜通常型乳管過形成
増生する細胞は多彩で，大小の腔があり，腔はややいびつで，周囲の細胞の並びは腔に対して不規則．

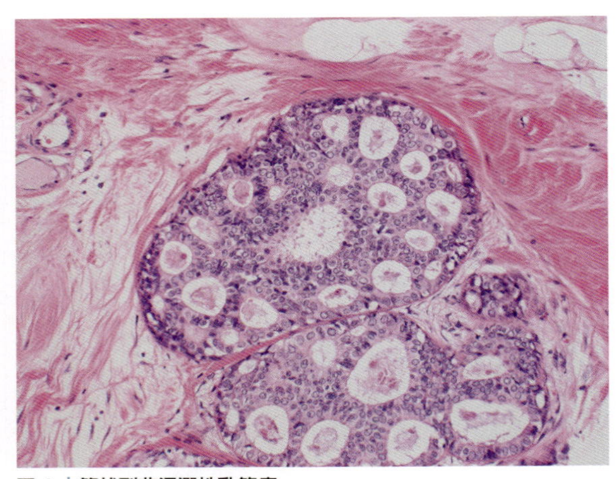

図6｜篩状型非浸潤性乳管癌
増生する細胞は monotonous．篩を形成する腔は滑らかでほぼ正円．周囲の細胞は腔に対して極性を有するように配列している．

当する病変がある．

免疫組織化学的検討においては，UDH は CK5/6 のモザイク状陽性像を示し，UDH との鑑別が必要となるような DCIS では陰性となる．充実乳頭癌では約半数の症例に chromogranin A や synaptophysin が陽性となる．

2）篩状増生を示す病変　通常型乳管過形成，篩状型非浸潤性乳管癌

増生する細胞については充実性増生を示す病変と同様，UDH では多彩性を示す一方（**図5**），DCIS では monotonous な細胞増生を示すことが多い（**図6**）．組織構築について篩状型 DCIS（DCIS，cribriform type）では，篩を形成する腔が滑らかでほぼ円形となる．さらには，腔側に面した apical 側に胞体があり，対側に核が並ぶような細胞極性を認めることが多い（**図6**）．一方，UDH では腔面が不規則で正円とはならず，細胞の並びも腔に対して不規則となることが（**図5**），良悪性の鑑別のポイントとなる．

良悪性の鑑別ポイントおよび注意点

ⅰ）充実性増生を示す場合

注意点 良性病変であっても上皮増生部分において筋上皮細胞が存在しないこともある一方，DCIS であっても乳管を縁取るような筋上皮細胞や上皮増生部に介在する細い線維間質に筋上皮細胞が伴うこともあるので，筋上皮細胞の有無を良悪性の判断基準としてはいけない．小型の *in situ* 病変が集簇するような場合や線維間質の介在がみられる場合には，注意が必要である．

良性 小型細胞が極性を有さずに増生し，細胞同士が重なるようにみえる．そのため，個々に細胞が占める領域は不明瞭となっている．増生する細胞は多彩．

悪性 緊満感のある核を有する細胞の monotonous な増生．細胞同士の重なりが目立たず，腫瘍細胞の1つずつが細胞領域をもっているようにみえ，細胞境界は明瞭．細胞は異型を有する．細い線維血管性間質を伴う場合は，充実乳頭癌を念頭に置きながら悪性を疑う．

ⅱ）篩状増生を示す場合

良性 篩を形成する腔に対して，細胞の極性がみられない．腔は不整形．

悪性 篩を形成する腔に対して，細胞の極性がみられ，腔は正円に近い．

2．乳頭状病変

乳頭状構造を示す病変も診断に苦慮することが多い病変の一つである．乳頭状構造とは，線維血管性間質を軸として上皮細胞が取り囲むように増生する組織構築をいう．乳頭状病変には，乳管内乳頭腫 intraductal papilloma，乳頭型 DCIS（DCIS，papillary type），被包型乳頭癌 encapsulated papillary carcinoma などがある．良性乳頭状病変の代表である乳管内乳頭腫は，太い線維血管性間質を軸に二相性が容易に確認できるような典型例では診断に悩むことも少ないが，病変内にやや monotonous な細胞増生領

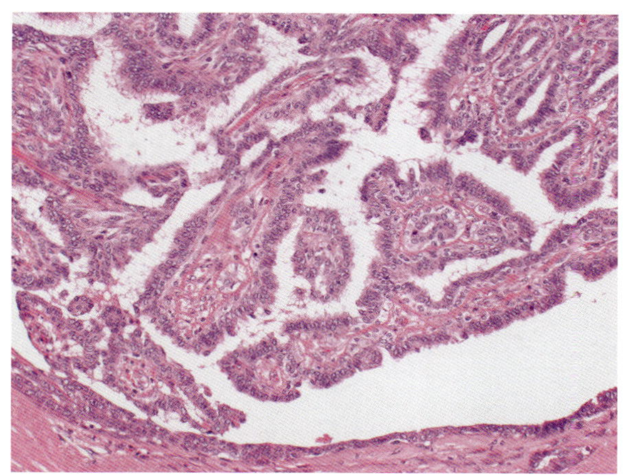

図 7 ｜乳管内乳頭腫
太い線維血管性間質を軸に筋上皮細胞と乳管上皮細胞の二相性を認める．線維血管性間質と筋上皮細胞の間には好酸性を呈する線状の基底膜が確認できる．

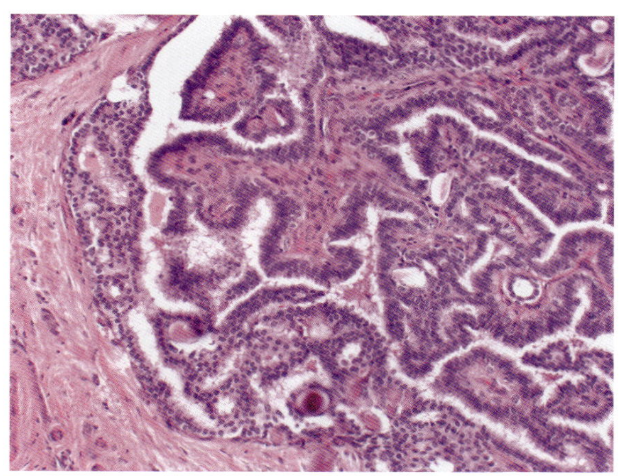

図 8 ｜異型上皮を伴う乳管内乳頭腫
乳管内乳頭腫の構造を認めるが，増生する上皮の一部（左部分）ではmonotonousな細胞増生があり，石灰沈着を伴っている．

域がみられる場合や，線維血管性間質が細く，上皮の二相性が不明瞭である場合などには良悪性の判断に苦慮することも多い．ここでは，線維血管性間質を有する乳頭状病変と間質を伴わない低乳頭状病変に分けて解説を行う．

1）乳頭状構造を示す病変　乳管内乳頭腫，異型上皮を伴う乳頭腫（papilloma with ADH or DCIS），乳頭型非浸潤性乳管癌，papillary DCIS

乳管内乳頭腫は，乳頭付近に発生する中枢性と末梢乳管に多発する末梢性の2つのタイプがある[4]．いずれのタイプにおいても太い線維血管性間質を軸に，間質側の筋上皮細胞と内腔側の腺上皮細胞による二相性が保たれた上皮成分を認める（**図 7**）．上皮増生が目立つ場合には注意が必要である．増生する上皮が，UDHにみられるような細胞の多彩性を有する過形成性変化であるのか，carcinoma成分といいうるようなmonotonousな異型細胞が増生しているのか（**図 8**）を注意深く観察することが大切である．上皮増生部では筋上皮細胞は確認できないことも多いが，この所見のみで安易に悪性を疑うべきではない．細胞の見方としては，充実性増生を示す病変で説明したものと基本的には同様であり，増生する細胞の配列や核の形態が良悪性を鑑別する判断材料となる．確認のための補助的手段として，CK5/6やCK14などの高分子量CKおよびERの免疫組織化学的検討を行うこともあり，高分子量CKがモザイク状陽性であれば過形成性変化であり，高分子量CKが陰性かつERが強いびまん性陽性像を示す場合には悪性病変の混在を考慮する．ただし，高悪性度の病変はときにCK5/6などの高分子量CKが陽性となることもあるので，免疫組織化学の結果解釈には注意が必要である[5]．乳管内乳頭腫内に生じる癌については，carcinoma成分が30％を占めることを閾値とされてきたりもしたが，WHO分類 第4版（2012年）では癌といいうる病変の大きさが3 mm未満であればpapilloma with ADH，3 mm以上であればpapilloma with DCISと便宜的に分類されている．ただし，この分類についての科学的根拠はやや乏しい[2]．また，上皮細胞が中～高異型度を示す場合は，carcinoma成分の大きさによらずDCIS within a papillomaとする報告もある．

HE染色標本を観察する際に，上皮増生領域にアポクリン化生上皮が混在する場合には，良性の上皮増生病変の可能性を考慮することが大切である．ちなみにアポクリン化生上皮は高分子量CK免疫組織化学で陰性となるので，悪性病変の混在とすることのないよう，判定の際には注意が必要である．乳管内乳頭腫は外傷などの影響によって，病変内に梗塞壊死巣や，梗塞後変化として上皮の扁平上皮化生を伴うことがある．病変の全体像が観察できれば，良悪性の判断を誤ることはないと思われるが，生検検体や細胞診検体の際には壊死や扁平上皮細胞などの所見に引っ張られて過大診断とならないよう注意が必要である．

針生検検体で，papilloma with ADHやpapilloma with DCISと診断する際には，異型上皮が乳頭腫内のみに限局するものであるのか，乳頭腫の近傍に

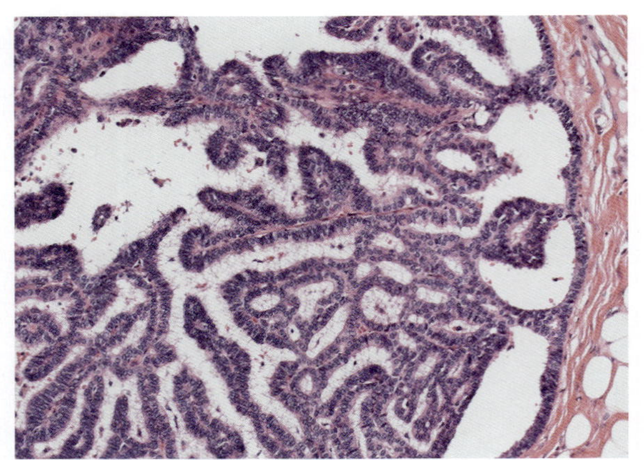

図9｜乳頭型非浸潤性乳管癌（papillary DCIS）
細い線維血管性間質を軸に増生しており，核はやや腫大したものが密に並び，二相性は不明瞭となっている．

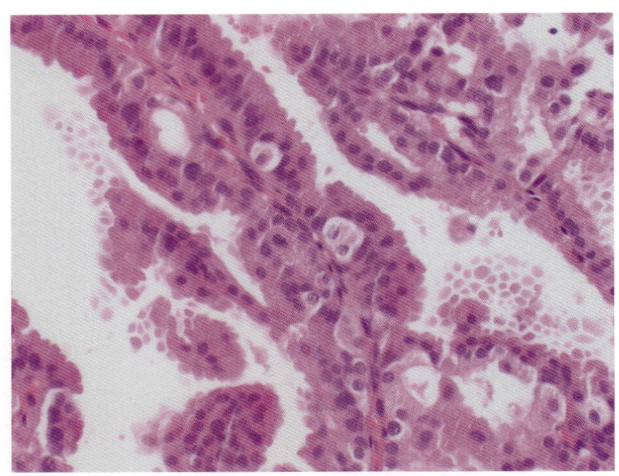

図10｜dimorphic pattern を示す非浸潤性乳管癌
細い線維血管性間質を軸にアポクリン分化のうかがえる上皮が増生している．淡好酸性のやや大型の胞体を有する細胞が線維血管性間質直上に1〜2個の細胞集塊としてみられる．これらの細胞はp63陰性であり，dimorphic pattern を示している．

carcinoma 成分があり，乳頭腫内へ進展してきたものであるのかの判断はつかない．したがって，推測される病変についての丁寧な所見記載を行うと同時に臨床医とコミュニケーションをとりながら診療を行っていくことが大切である．

規約分類における乳頭型 DCIS（DCIS, papillary type）と WHO 分類における papillary DCIS とされるものは同義であり，原則として乳管内乳頭腫の混在は認めない．線維血管性間質を軸として腫瘍細胞が増殖する．線維血管性間質は乳管内乳頭腫に比べて細い場合が多いが（**図9**）広い線維血管性間質を有することもある．次に筋上皮細胞による二相性に着目すると乳頭腫では二相性が保たれているが，一方 papillary DCIS では二相性が不明瞭となっていることが多い（**図9**）．しかしながら，これについても良悪の鑑別に決定的とはいいえず，ときに二相性が部分的にみられる papillary DCIS もある．papillary DCIS では高円柱状の腫瘍細胞が線維血管性間質に対して垂直に立ち並ぶ，いわゆる釘打ち状配列を示すものや，核には緊満感があり，軽度〜中等度の異型を示す monotonous な腫瘍細胞が増生するものもある．

診断の際に気をつけたい細胞として globoid cell あるいは clear cell と呼ばれる淡明な胞体を有する腫瘍細胞があり，この細胞は基底膜に接して疎に存在し，あたかも筋上皮細胞のようにみえることがある[6]．この細胞は筋上皮マーカーに陰性の腫瘍細胞であり，腫瘍細胞が見え方の異なる2つの形態（2形性）をとっていることから dimorphic pattern とも呼ばれる（**図10**）．globoid cell を筋上皮細胞であると見誤り，乳管内乳頭腫としてしまわないことが大切であり，筋上皮マーカーで確認することも，ときには必要である．線維血管性間質を軸として1層の上皮が立ち並ぶような病変では，良性病変でも高分子量 CK のモザイク状陽性像を示さない場合が多いので，良悪性の鑑別には役に立たない．

2）低乳頭状構造を示す病変　微小乳頭状あるいは低乳頭状構築を伴う通常型乳管過形成，低乳頭型非浸潤性乳管癌，micropapillary DCIS

上皮成分が乳管内で線維間質を有することなく，微小〜低乳頭状増生を示すことがあり，良性病変の UDH であるのか，悪性病変であるのかを鑑別する必要がある．WHO 分類には小さな乳頭状構造を呈する DCIS として micropapillary DCIS があり，規約分類には低乳頭型 DCIS（DCIS, low-papillary type）がある．両者は概ね同義のものとして使用されている．

低乳頭状構造を示す病変は，良悪性いずれの場合でも線維血管性間質を伴うことはない．良悪性の鑑別の手がかりとしては，良性の UDH の場合には，乳管の基底膜に接する側（基部）が広く，内腔側に向かって細くなる上皮増生パターンを示すことが多い（**図11**）．一方，低乳頭型の DCIS では基部のほうが細くなって，しゃもじ様を呈する傾向があり（**図12**），橋渡し様構造などの混在がみられることもある．低異型度 DCIS の診断に役立つが，診断にあたっては

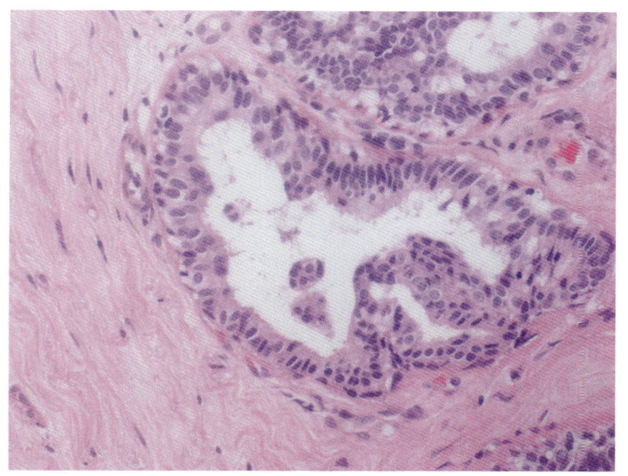

図 11 ｜低乳頭状増生を示す乳管上皮過形成
低乳頭状の細胞増生を示すが，基部は広く，増生する細胞は多彩である．

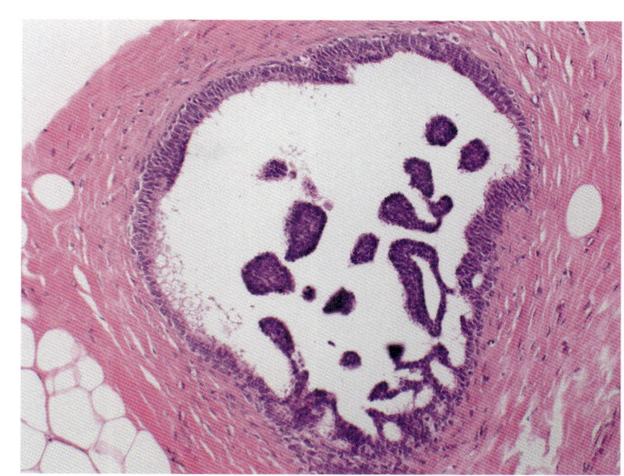

図 12 ｜低乳頭型非浸潤性乳管癌
低乳頭状の細胞増生を示し，基部は細く，しゃもじ状の構造を呈している．

病変の量なども考慮する必要があり，過大診断とならないように注意することも大切である．

良悪性の鑑別ポイントおよび注意点

注意点　筋上皮細胞の有無のみを良悪性の判断材料としてはいけない．

ⅰ）乳頭状構造の場合

上皮の二相性の有無，増生する細胞，線維血管性間質の幅，線維血管性間質に対しての細胞配列の様子，アポクリン化生の有無などを観察し，総合的に判断する．

papilloma with DCIS および papilloma with ADH の概念を理解する．周囲にある悪性病変が進展してきている可能性について，臨床医とディスカッションを行うことも必要．

ⅱ）低乳頭状構造の場合

良性は基部（乳管に対する付着部）が幅広く，低乳頭型の DCIS は基部の細いしゃもじ状であることが多い．

3．硬化性変化

硬化性変化は小葉間間質などに線維化が進むことによって硬化をきたすものであり，ときに硝子化を伴った線維増生や上皮成分の萎縮消失がみられる．硬化性変化は間質成分の変化であり，良悪性を含む種々の病変にみられる．硬化性変化を伴う良性病変としては陳旧化した線維腺腫，硬化性腺症や放射状瘢痕/複合型硬化性病変 radial scar/complex sclerosing lesion（RS/CSL）などが挙げられる．乳管内乳頭腫の乳管内外あるいは乳管腺腫 ductal adenoma などで偽浸潤像を呈することがしばしばあるが，これも硬化性変化によるものである．硬化性変化を伴う病変を診断する際に，良性病変や非浸潤癌を浸潤性病変として判断してしまう可能性が問題点として挙げられる．近年，乳癌に対する術前化学療法が行われることが多くなってきているが，加療後に間質の線維化をきたすこともあり，残存する *in situ* 病変や硬化性変化を伴った既存の小葉構造を浸潤癌の残存としないように注意する必要もある．硬化性変化が疑われた際には，よく観察すれば，上皮細胞集塊辺縁の筋上皮細胞に気づく．また，複数の筋上皮マーカーによる免疫組織化学的検討によって二相性を確認することで，誤った判断を避けることは可能である．以下に硬化性変化を伴った病変の HE 染色標本を観察する際の注意点をあげる．

1）硬化性変化を伴った小葉間間質

間質の硝子化によって小葉間距離は広がるが，小葉の分布には概ね変化がない．萎縮した小葉を観察すると二相性は保たれており，浸潤性病変ではないことがわかる．

2）陳旧化した線維腺腫

硝子化を伴った線維組織が小結節状となって集簇し，同部に萎縮した小塊状，小型不整腺腔状の上皮成分を認める．上皮増生を伴うこともしばしばあるが，上皮細胞集塊周囲には少数ながら間質の紡錘形

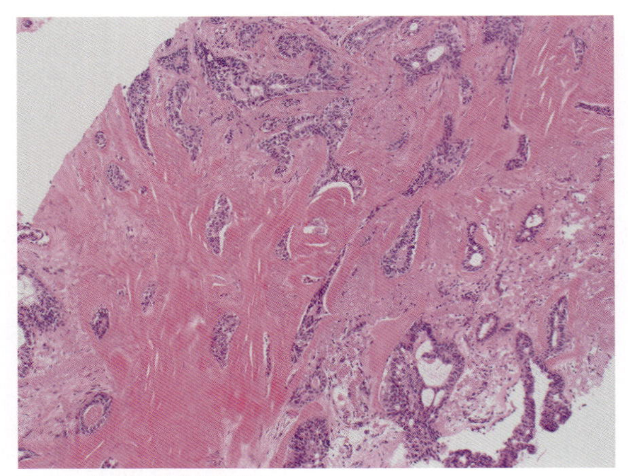

図13 ｜ 間質の硬化性変化1
硬化性変化を伴った間質の流れに沿うようにやや大型の上皮集塊を認める．硬化性変化を伴った上皮過形成の像．

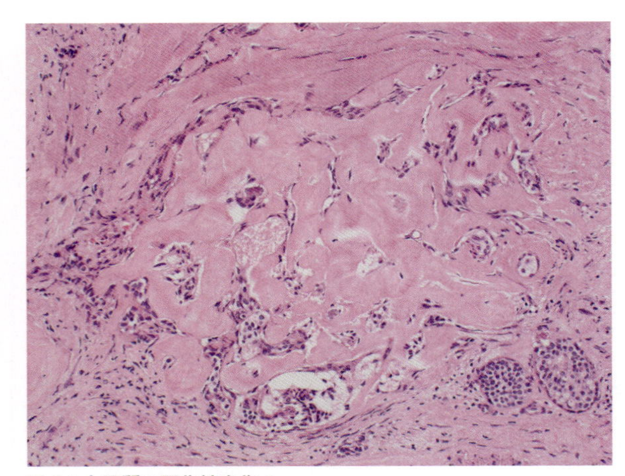

図14 ｜ 間質の硬化性変化2
硬化性変化を伴った間質の流れに沿うようにスリット状，小集塊状の細胞成分を認める．偽浸潤像であり，小さな *in situ* 病変（右下）の浸潤像としないよう注意を要する．

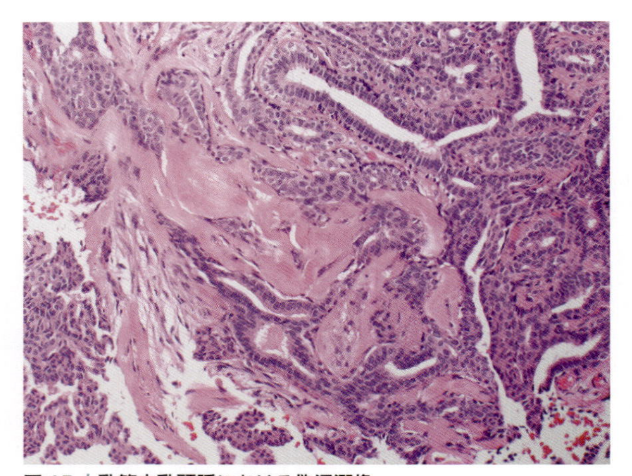

図15 ｜ 乳管内乳頭腫における偽浸潤像
二相性の保たれた乳管内乳頭腫内に生じた硬化性変化であり，偽浸潤像を呈している．

細胞の流れるような配列がみられることが多く，診断を誤ることは少ないと思われる．

3）しばしば遭遇する硬化性変化

硬化性変化は間質変化であり，種々の病変にみられる．日常診断においては，上皮過形成に硬化性変化を伴ったものにしばしば遭遇する．間質の流れに沿うように上皮集塊がみられることを手がかりとして浸潤性病変と判断してしまわないことが重要となる（**図13, 14**）．

4）乳管内乳頭腫や乳管腺腫における偽浸潤

いずれの病変においても病変内の間質の線維性結合織に硬化性変化が生じると，上皮成分が島状に取り残されることで浸潤様にみえる場合がある．上皮成分の周囲に筋上皮細胞による二相性を確認する（**図15**）．筋上皮細胞が確認できない場合には基底膜が存在するか否かを観察し，浸潤性病変でないことを判断することは可能な場合が多い．乳管内乳頭腫の乳管近傍で偽浸潤が生じることもあり注意が必要である[7]．

5）硬化性腺症および硬化性腺症内癌

硬化性腺症は，小葉間間質の硬化を伴いながら小葉中心性に流れるように腺管が配列する．腺管周囲に厚い基底膜様構造である fibrous band が形成されることもある．上皮成分の量が豊富な際には硬性型 scirrhous type あるいは腺管形成型 tubule forming type の浸潤性乳管癌としないように注意が必要である．硬化性変化によって硝子化を伴った膠原線維がみられるが，腺腔は膠原線維の流れに沿うように配列する．さらには，二相性および基底膜を確認することが浸潤性病変と誤らないための手がかりとなる（**図16**）．石灰沈着や腫瘤形成を示すこともあり，画像診断上でも癌との鑑別が問題となることがある．硬化性腺症内の上皮成分に異型を伴う場合には注意が必要である．周囲に浸潤性病変があり，腫瘍細胞が硬化性腺症内に進展してくる場合と，硬化性腺症内の上皮成分が悪性化する場合との2つがある．後者は硬化性腺症内癌 carcinoma in sclerosing adenosis と呼ばれ，良悪性の判断のみならず，浸潤の有無の判断にも注意が必要である[8]（**図17**）．

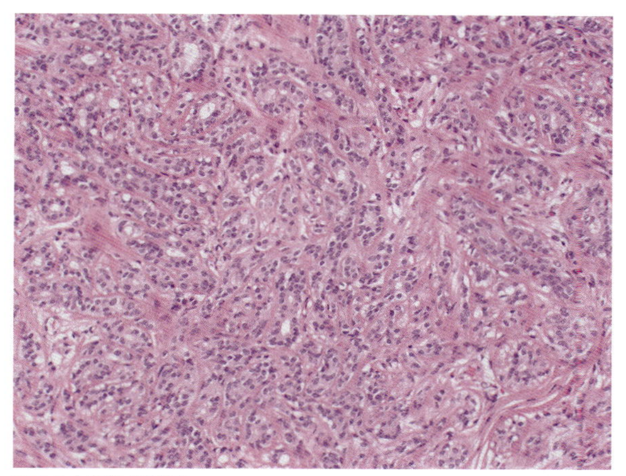

図 16 ｜硬化性腺症
上皮細胞の小集塊が散見され，好酸性の細い線維間質が介在している．筋上皮細胞がみられるものもある．軽度の硬化性変化を伴った腺症の像．

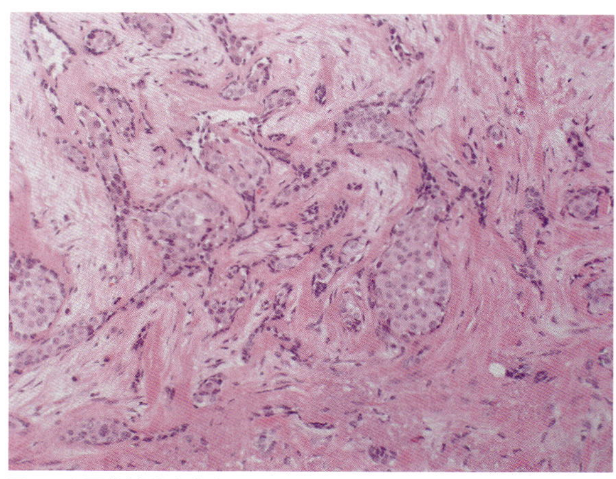

図 17 ｜硬化性腺症内癌
上皮細胞集塊を取り囲むように筋上皮細胞が確認できる．周囲の膠原線維の流れに添うように上皮細胞集塊がみられ，増生する上皮は monotonous で緊満感のある核を有する．

6）放射状瘢痕/複合型硬化性病変

組織学的には，線維性結合織や弾性線維の増生領域を芯 core として，その周囲に乳管拡張，上皮過形成，アポクリン化生などを伴った上皮成分を認め，それらが放射状配列を呈しながら増生する病変である（**図 18**）．中心部の線維結合織は組織修復による瘢痕ではなく，間質成分の増生であるという観点から複合型硬化性病変 complex sclerosing lesion（CSL）と呼ばれることも多い．画像診断上では構築の乱れを伴う病変であり，硬性型の浸潤性乳管癌などが鑑別となる．画像診断上の判断から臨床診断名で「乳癌疑い」と記載されることもあるので，臨床診断名に引っ張られて誤った判断をしないようにする必要がある．本病変は偽浸潤や異型アポクリン化生，強い上皮増生などがみられる場合もあり，病変の全体像を把握しにくい生検検体では注意が必要である．

良悪性の鑑別ポイントおよび注意点

ⅰ）二相性および基底膜様構造の確認

良性病変では疎ながら筋上皮細胞が確認できることも多い．筋上皮細胞が確認できない場合でも，好酸性を呈する細い線維としてみられる基底膜が細胞を取り囲むようにみられる．

ⅱ）偽浸潤を理解する

あくまで上皮成分が浸潤様にみえるが，硬化性変化を伴う症例では，偽浸潤像を呈する可能性を考慮しながら診断を行う．

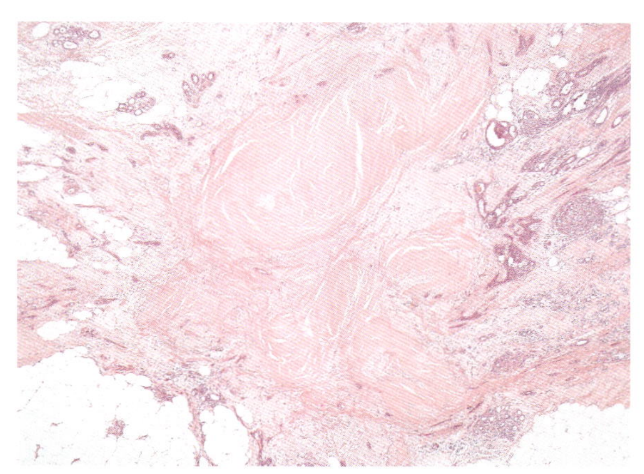

図 18 ｜複合型硬化性病変
硬化性変化を伴った線維性結合織を芯として，放射状に上皮成分が配列している．

ⅲ）周囲の線維組織の流れをみる

偽浸潤の場合には，硝子化を伴った膠原線維の流れ（走行）に沿うように上皮細胞集塊がみられることが多い．線維組織の流れに対して不規則に，例えば，線維組織に対して垂直方向や斜め方向に上皮胞巣がみられる場合には浸潤を疑う．

4．平坦状病変

平坦状病変は WHO 分類では，平坦型上皮異型 flat epithelial atypia（FEA）を含む columnar cell lesion（CCL）として取り上げられている[2]．CCL は終末乳管小葉単位 terminal duct lobular unit（TDLU）に生じ

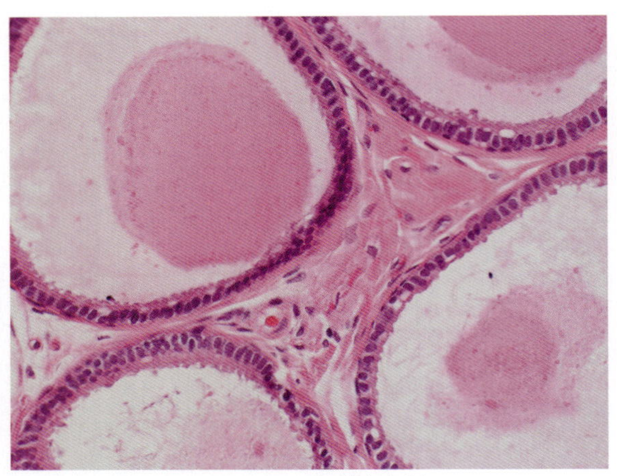

図19 | columnar cell change（円柱上皮化）
内腔がやや拡張した腺腔内に小型で異型の乏しい核を有する円柱上皮細胞が1層みられる．内腔には分泌物を容れており，微細な石灰沈着がうかがえる．

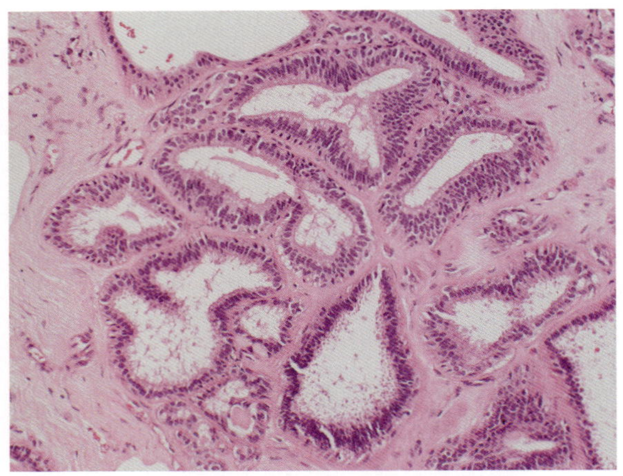

図20 | columnar cell hyperplasia（円柱上皮過形成）
内腔がやや拡張した腺腔内にやや細長い核が密に立ち並んでおり，偽重層化がみられる部分もある．細胞の極性は保たれており，異型は目立っていない．

る病変であり，種々の程度に拡張した細乳管（腺房）に円柱状の上皮がliningするクローナルな変化として定義されている．CCLの中で低異型度の核異型を有するものをFEAとして位置づけている．CCLと概ね同義の病変を表す用語としてcolumnar cell changeがあり，核の重層を示すものはcolumnar cell hyperplasiaとも呼ばれる．FEAについては，CCLに包括される病変であるという観点から，columnar cell change with atypiaやcolumnar cell hyperplasia with atypiaという用語が同義となっている．

CCLは分泌型石灰化を伴うことがあり，マンモグラフィ上で分泌型石灰化の集簇像として検出されることがある．画像技術の進歩や検診の普及によって生検されることが多くなってきており，monotonousな細胞増生からなる平坦状病変をみた際に，どのように診断するか苦慮する場合がある．良悪性の鑑別については，平坦状を呈する病変に匍匐癌clinging carcinomaと呼ばれるものがあったが[9]，現在はその用語の使用は推奨されていない．平坦状のDCISについては，WHO分類ではDCISの項において，high-grade DCISの中に頻度が低いタイプとして解説がされているのみで，low-grade DCISの中には記載されていない．したがって，flat typeのDCISと診断する場合には，核異型や核の大小不同が目立ち，明らかな癌細胞を有するもののみとするような慎重な診断が必要であると考える．

FEAはADH，low-grade DCIS，管状癌などの低異型度浸潤癌などと共通の遺伝子異常がみつかることが多く，low-grade breast neoplasia pathwayにおける初期病変，つまりADHやlow-grade DCISの前駆病変と考えられている[10,11]．しかしながらFEAは，癌へ進展する可能性はあるものの，その頻度はかなり低いので，臨床的には癌化のリスクがあるADHや異型小葉過形成atypical lobular hyperplasia（ALH）と同様に取り扱うべきではないとも指摘されている[2]．ただし，それはFEAが単独でみられる場合においてであり，ADHやALHなどの上皮増殖性病変が併存する場合にはその限りではない．針生検でFEAと診断した症例に対して切除を行うと，約30％程度の症例では悪性度の高い病変が存在しているとの報告もあるが，少数例での検討であることや検討によって頻度のばらつきがあることから，FEAの診断後に摘出生検が必要であるかどうかは定まっていない[12]．また，生検によって石灰化病変が消失した場合に，外科的切除が必要ではないかもしれないとする報告もあるが，これに関しても外科的切除を行うか否かについての一定の見解はない．

以下にCCLおよびFEAと診断する際の注意点について挙げる．

1）columnar cell lesion

拡張した細乳管の集簇からなり，しばしば管腔面に断頭分泌様となるapical cytoplasmic snoutsを認める．内腔に分泌物や石灰化を伴うことも多い．核は細長く，基底膜に直交するように配列する．CCLは細胞が1～2層のものをいい（**図19**），核の重積性がみられる場合にはcolumnar cell hyperplasiaとする（**図20**）．

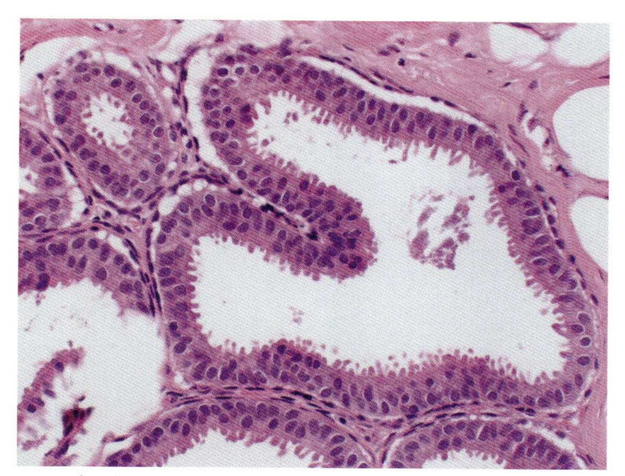

図 21 ｜平坦型上皮異型（FEA）
内腔がやや拡張した腺腔内には緊満感のある核を有する上皮細胞が増生している．核異型はさほど強くはないが，low grade DCIS の細胞所見と概ね同様である．

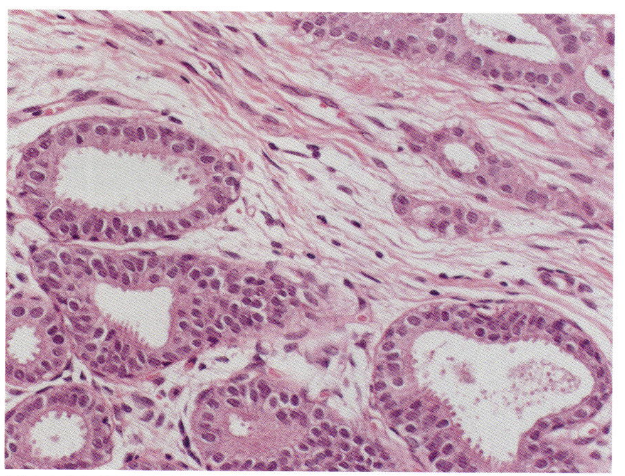

図 22 ｜平坦型上皮異型（FEA）＋ 浸潤癌成分
内腔がやや拡張した腺腔内には緊満感のある核を有する上皮細胞が増生し，近傍（右上）には概ね同様の核を有する浸潤癌成分を認める．腺腔面には apical snouts を認める．

2）平坦型上皮異型

CCL に核異型が加わった状態であり，low-grade DCIS と同程度の異型のある円形の均質な核を有する細胞が，TDLU 内において 1～数層重層している．apical snouts を有する点や内腔に分泌物や石灰化を伴う点は CCL と同様である（**図 21, 22**）．アーチ状，Roman bridge 状，微小乳頭状などの構造異型を示すものは含まない点が，診断名を FEA とするか DCIS とするかの基準となる．つまり，構造異型を有する病変を含む場合には FEA とはしない．ADH とは異なり，FEA を含む CCL には大きさの定義は設けられていない．したがって，広い範囲で異型のある CCL がみられる場合には FEA と診断することが可能である．

良悪性の鑑別ポイントおよび注意点

ⅰ）columnar cell lesion と平坦型上皮異型の概念をよく理解する

平坦状病変が CCL，そのうち異型を伴うものが FEA．FEA に量的なクライテリアは存在しない．

ⅱ）overtreatment にならないように診断に注意を払う

FEA は low-grade breast neoplasia pathway における初期病変と考えられているが，癌へ進展する頻度はかなり低い．したがって，針生検の際，FEA 単独でみられた場合には，その病変自体は石灰化などを指標とした経過観察で対応するのが望ましく，overtreatment にならないように気をつけることが大切である．

5．アポクリン化生を伴った病変

アポクリン化生上皮は，乳管から末梢の小葉に至るまでのあらゆる部位で観察され，良悪性のいずれにおいてもみられる [13]．通常のアポクリン化生上皮は，細胞質が豊富で好酸性を示す．いわゆる乳腺症の際にみられるように赤みの強いアポクリン顆粒によって鮮やかな色調の細胞質となり，細胞頂部に突出する snout がみられる．核は小型類円形で，クロマチン増量や核分裂像はみられない．しかしながら，アポクリン化生を伴った上皮増殖性病変では核の大小不同や異型性を有することもあり，良悪性の鑑別が問題となる場合がある．WHO 分類において，アポクリンという用語を用いた病変は apocrine adenosis and adenoma，carcinoma with apocrine differentiation のみである．しかしながら日常の病理診断では，アポクリン化生上皮が混在する病変，アポクリン化生上皮のみが増生する病変などを観察することもあり，診断する際の注意点や鑑別の要点について挙げる．

1）アポクリン化生上皮が混在する病変

乳管内乳頭腫や乳管腺腫などの上皮増殖性病変において，アポクリン化生上皮が部分的にみられることがある．アポクリン化生上皮の核は腫大や異型がみられることもあるが，背景となる病変内が異型上皮がない良性の像であれば（**図 23**），アポクリン化生上皮を含め全体を良性病変として理解するとよい．乳管腺腫に硬化性変化を伴った場合には，浸潤癌と

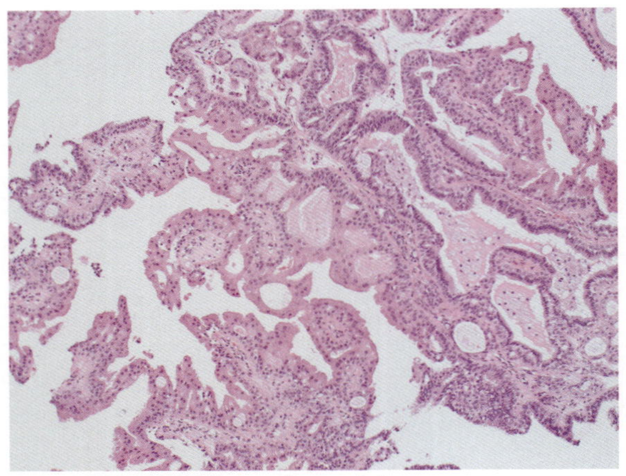

図 23 | 乳管内乳頭腫内のアポクリン化生
線維血管性間質を軸に二相性の保たれた上皮増生のみられる乳管内乳頭腫内にアポクリン化生を伴った細胞が増生している．

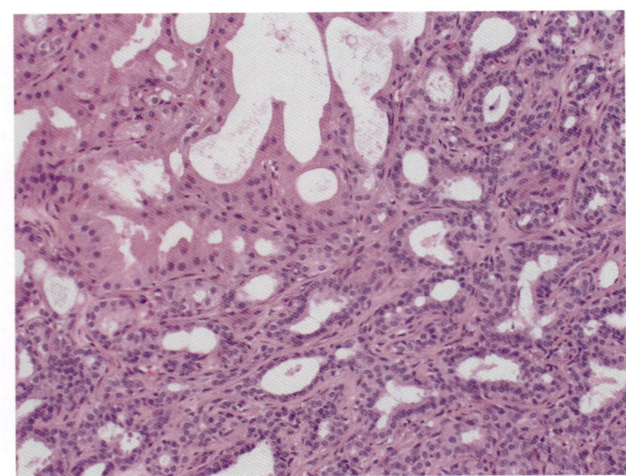

図 24 | 管状腺腫内にみられるアポクリン化生
二相性の保たれた腺管が密に増生し，一部にアポクリン化生を伴った細胞領域を認める．

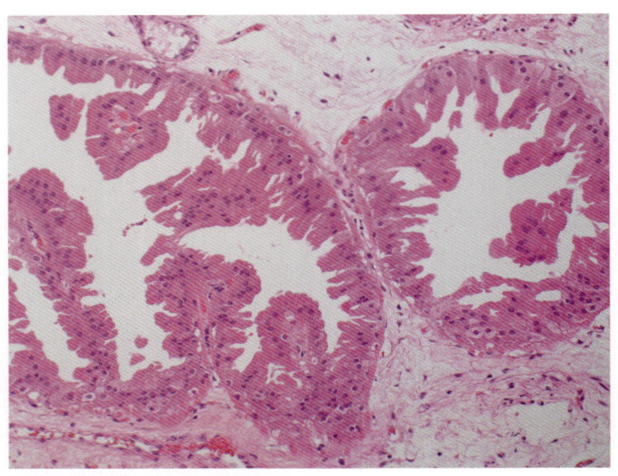

図 25 | アポクリン過形成
好酸性胞体を有する細胞の増生を認める．鮮やかな色調の細胞質を有し，頂部には snout がみられる．

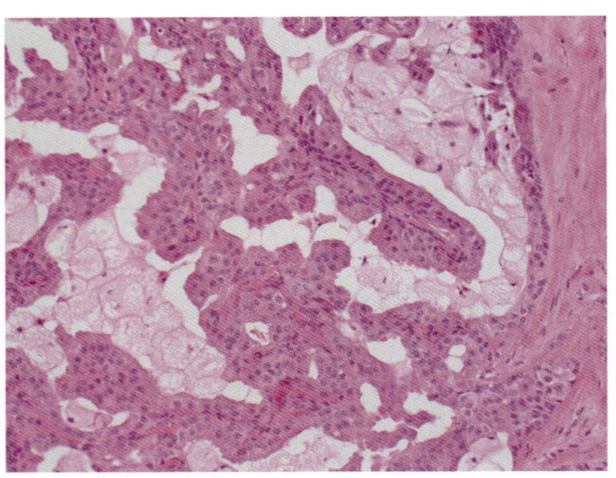

図 26 | アポクリン乳頭腫
線維間質を軸にアポクリン分化を伴った細胞が増生している．筋上皮細胞との二相性は保たれている．

誤りやすくなるが，アポクリン化生上皮の混在を確認することで(**図 24**)，「病変全体が良性病変なのでは」と踏みとどまることが大切である．免疫組織化学的検討では，アポクリン化生上皮は CK5/6 に陰性となる[14]．したがって，アポクリン化生上皮の集簇によって陰性細胞が領域的にみえることもあり，悪性細胞の混在と判断してしまわないよう，免疫組織化学的検討を評価する際には注意が必要である．

2）管内でアポクリン化生上皮のみが増生する病変

良悪性の鑑別が問題となる病変として，やや大きな乳管病変ではアポクリン化生を伴った上皮過形成，アポクリン乳頭腫 apocrine papilloma，アポクリン化生を伴った DCIS，小さな管内病変であるアポクリン腺症 apocrine adenosis が挙げられる．アポクリン化生を伴った上皮過形成，アポクリン乳頭腫では核は小型で異型に乏しく，細胞質は赤みの強い鮮やかな色調であることが多い(**図 25**)．アポクリン乳頭腫は上皮成分がアポクリン化生上皮のみで構成される乳頭腫である(**図 26**)．核は小型で均一であり，配列の乱れも少なく monotonous にもみえる．また，筋上皮細胞が減少，確認できないこともあり，癌との鑑別が問題となるが，核異型が乏しいこと，アポクリン化生を伴っていることなどに留意して，過大診断にならないようにするべきである．

日常の診断業務では，乳管内でアポクリン化生を伴った細胞が増生し，それらに核異型がみられた際にアポクリン化生を伴った DCIS と診断するかどう

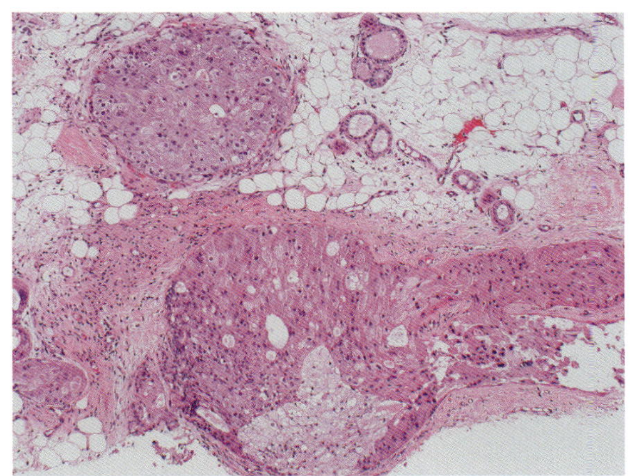

図27｜アポクリン分化を伴った非浸潤性乳管癌
細胞質はやや好塩基性のくすんだような色調を呈している．

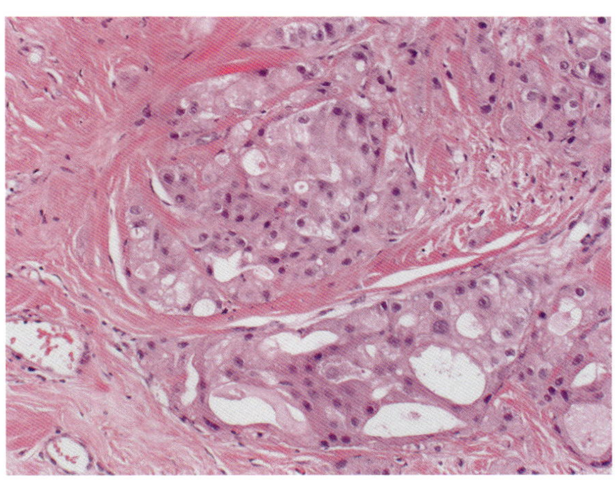

図28｜アポクリン分化を伴った浸潤癌
細胞質はやや好塩基性のくすんだような色調を呈している．浸潤癌成分および *in situ* 病変のいずれも同様の色調を呈している．

かといった場面で頭を悩ます．アポクリン化生は様々な状態の病変に生じるため，上皮過形成とDCISの間には中間病変としてアポクリン化生を伴った異型上皮が存在すると考えられ，診断を困難にしている．アポクリン化生を伴ったDCISでは細胞質が，良性病変に多くみられるような赤みのある鮮やかな色調に比べて，やや好塩基性の色調で泡沫状となる「くすんだような汚い」状態となることが多い（**図27, 28**）．しかしながら，単独の所見のみで鑑別できるものではなく，核所見や構造異型，さらには量的なものを含めて総合的に判断するべきである．

アポクリン腺症では核異型が目立つこともあり，良悪性の鑑別が問題となる．硬化性変化を伴った場合には，浸潤癌と間違いやすいので注意が必要である．アポクリン化生を伴った硬化性腺症内癌もあるが，乳腺を専門とする病理医間でも診断について意見が分かれることがある．病変がさほど大きくない場合には，過大診断にならないようにするのが望ましい．また，核の大小不同が3倍以上あるものを異型アポクリン腺症とする報告もあるが[15]，統一された判断基準がないのが現状である．

良悪性の鑑別ポイントおよび注意点

ⅰ）病変内に部分的にあるアポクリン化生上皮

病変全体を良性病変と考える手助けとなることが多い．

ⅱ）針生検で病変全体がアポクリン分化を伴っている場合

細胞異型，構造異型，病変量も考慮しつつ診断を行い，過大診断とならないように注意する必要がある．摘出生検などで病変全体をみることも必要である．摘出生検でも良悪性の判断が難しい症例もあり，その際には，病変が取りきれているようであれば，臨床医に経過観察を勧めるなどの対応が望ましい．

6．線維上皮性腫瘍における上皮増生

日常の診断業務において，線維腺腫や葉状腫瘍はしばしば遭遇する線維上皮性腫瘍（結合織性および上皮性混合腫瘍）である．そしてときに，上皮成分の増生が強く，かつmonotonousな細胞増生や篩状構造がみられた際には，どのように診断すべきか判断が難しい．

1）線維腺腫内の上皮増生

規約分類における乳腺症型線維腺腫 fibroadenoma, mastopathic typeでは，上皮成分が上皮過形成や腺症，アポクリン化生，嚢胞などの乳腺症性変化を示す（**図29〜31**）．WHO分類における複合性線維腺腫 complex fibroadenomaは，3 mm以上の嚢胞，硬化性腺症，石灰化，アポクリン化生などの乳腺症にみられる所見が1つ以上あるものと定義されており，通常の線維腺腫より癌化のリスクが高いとされている．

まれではあるが，線維腺腫内に癌成分を認めることがあり，その大部分がDCISである．結節内に

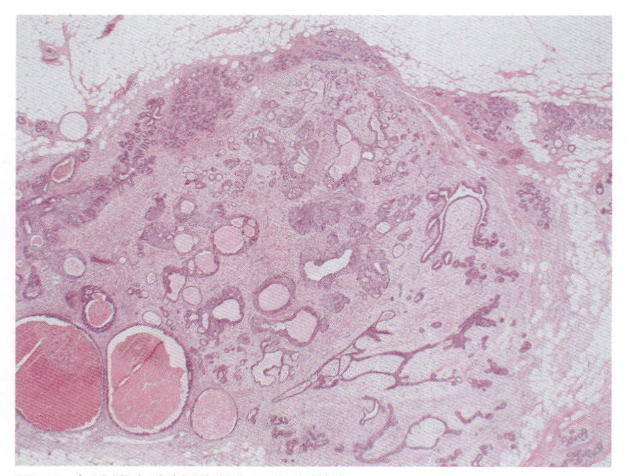

図 29 ｜線維上皮性腫瘍内の上皮増生
弱拡大像．概ね領域的に間質が myxoedematous となり，辺縁部(右下)には樹枝状を呈する上皮成分が散見される線維上皮性腫瘍の像．

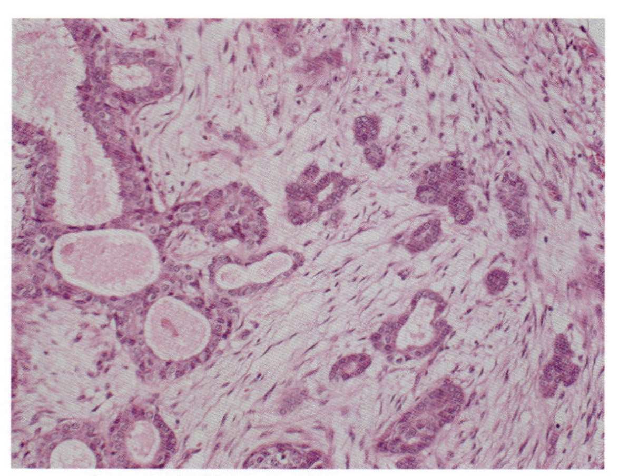

図 30 ｜線維上皮性腫瘍内の上皮増生
図 29 と同一症例の強拡大像．間質成分および上皮成分の増生があり，二相性の不明瞭な小集塊を認める．

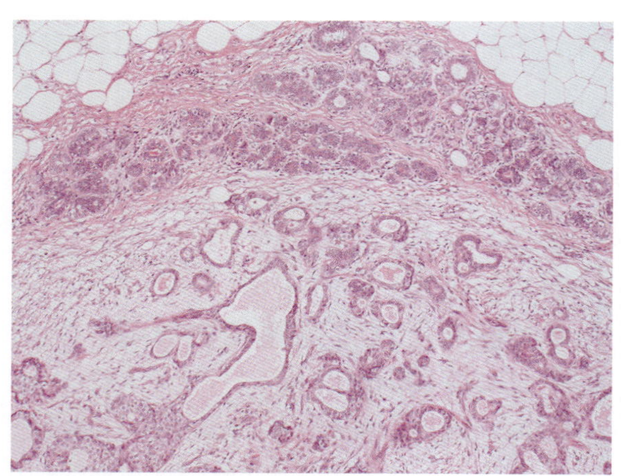

図 31 ｜線維上皮性腫瘍内の上皮増生
図 29 と同一症例の中拡大像．

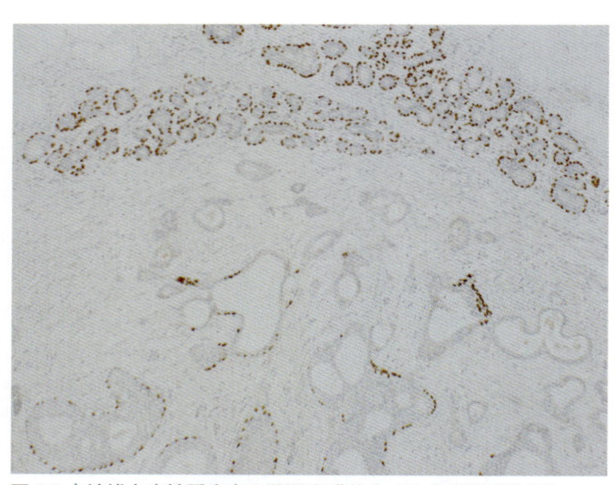

図 32 ｜線維上皮性腫瘍内の浸潤癌成分 (p63 免疫組織化学)
陽性細胞の取り囲みのない小腺腔がみられ，浸潤癌成分と判定．

DCISがみられた際には，線維腺腫内の上皮増生が結節内に限局している場合と，結節周囲のDCISが線維腺腫内に進展してきた場合を考慮する必要がある．約20％の症例が周辺乳房組織のDCISに関連しているとの報告がある[16]．画像所見との擦り合わせが必要ではあるが，針生検診断時に線維腺腫内にDCIS様の上皮増生がみられた場合には，筆者は少しマージンをつけた摘出生検を臨床医に推奨することが多い．また，結節内に異型上皮が限局している場合には，過大診断とならないよう慎重に診断を行っている．極めてまれではあるが，浸潤癌成分が線維腺腫内にみられることがある(**図 29～32**)．線維腺腫内の *in situ* 病変から浸潤した場合と，結節周囲にある浸潤癌が線維腺腫を巻き込んだことによる場合が考慮される．線維腺腫内に生じる癌はホルモン受容体陽性のDCISや早期乳癌がほとんどであるが，トリプルネガティブ乳癌が発生することも報告されている[17]．

2）葉状腫瘍内の上皮増生

葉状腫瘍の上皮成分は非常にまれに癌化することはあるが，それを除くと，上皮は異型に乏しく二相性は保たれている[18]．過形成性変化はしばしばみられるので，生検検体の診断を行う際には注意が必要である．悪性葉状腫瘍において上皮成分が癌化した場合には，肉腫成分と癌成分が共存する真の意味での癌肉腫 carcinosarcoma に分類される．

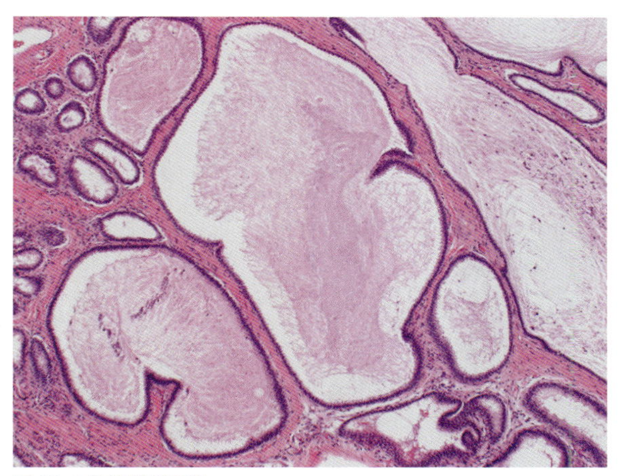

図 33 | 粘液貯留嚢胞
拡張乳管内腔にやや薄い粘液を容れている．上皮は小型単層．

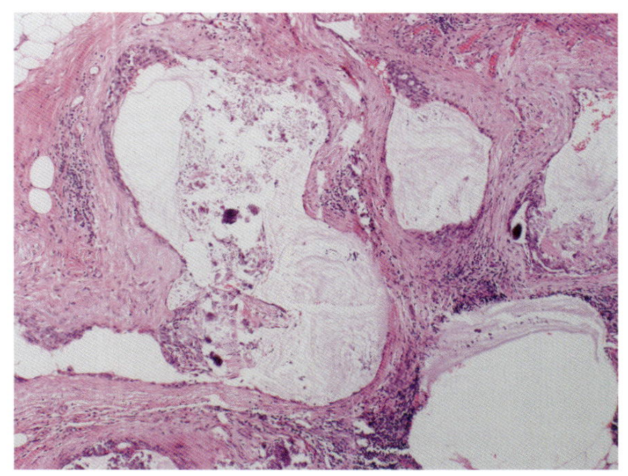

図 34 | mucocele-like lesion
乳管壁が破綻し，間質に粘液が漏出している．粘液内に石灰沈着を伴っている．

良悪性の鑑別ポイントおよび注意点

線維腺腫内の非浸潤性乳管癌

細胞の見方については大きく変わることはない．線維腺腫内の DCIS の大部分は線維腺腫内に限局する病変であり，約 20％の症例が周辺乳房組織の DCIS に関連する病変であることに留意しながら，overtreatment にならないように病変の組織像を臨床医に伝えることが大切である．

7．粘液産生を伴う病変

乳腺組織において粘液産生は通常みられないが，まれに粘液産生を伴うことがある．粘液には間質性のものと上皮性のものがある．間質性粘液は酸性粘液多糖類からなり，病理組織学的には alcian blue 染色で青染し，ヒアルロニダーゼ消化により消失する．一方，上皮性粘液は高分子糖蛋白からなり，PAS 反応陽性の中性粘液多糖と alcian blue 染色陽性の酸性粘液多糖が種々の程度で含まれている．間質性粘液は線維腺腫の間質や化生癌の間質にみられることがあるが，間質性粘液の有無によって良悪性の鑑別が問題となるようなことはほぼないと思われる．問題となるのは上皮性粘液のほうで，細胞質内のみならず細胞外粘液として存在することも多く，細胞診や生検検体の診断の際には十分な注意が必要である．

1）粘液貯留嚢胞

粘液貯留嚢胞 mucous retention cyst は，拡張乳管内に薄くやや清明な粘液を容れ（**図 33**），嚢胞状を呈する病変である．拡張乳管内の粘液は上皮性の細胞外粘液である．嚢胞はしばしば集簇してみられ，内腔に微細な石灰沈着を伴うことも多い．画像診断上，石灰化の集簇としてみえることもあり，生検検体で遭遇することも多い．嚢胞を裏打ちする上皮は小型単層でやや密に存在することが多い（**図 33**）．良悪性の鑑別が問題となることはほぼないと思われる．

2）mucocele-like lesion

mucocele-like lesion（MLL）は，上述の粘液貯留嚢胞の乳管壁が破綻することで，乳腺間質に粘液が漏出した状態のものをさす（**図 34**）．嚢胞壁の上皮成分がわずかながら剝離して粘液内に浮遊することもあるが，異型に乏しく二相性もうかがえるので，粘液癌と誤ってはいけない．MLL の大きさが 5 mm を超えるような大きな病変であることはまれであり，浮遊する上皮成分量は少ない．粘液癌における粘液は粘稠であり，顕微鏡下ではやや厚みがあるようにみえるが，MLL の場合は薄く清明であることが多い．粘液内に微細な石灰沈着を伴うこともある（**図 34**）．細胞診においても注意深く観察すれば，粘液の性状がやや異なってみえる．背景粘液に引っ張られて即座に粘液癌と判定することのないよう留意するべきである．逆に液状化検体細胞診 liquid-based cytology（LBC）では粘液が希釈されてしまい，MLL の診断は困難になると思われる．

MLL では，ときに病変の近傍に ADH，DCIS や粘液癌を合併することが問題となる[19]（**図 35**）．MLL の近傍にみられる DCIS は低乳頭状，Roman bridge

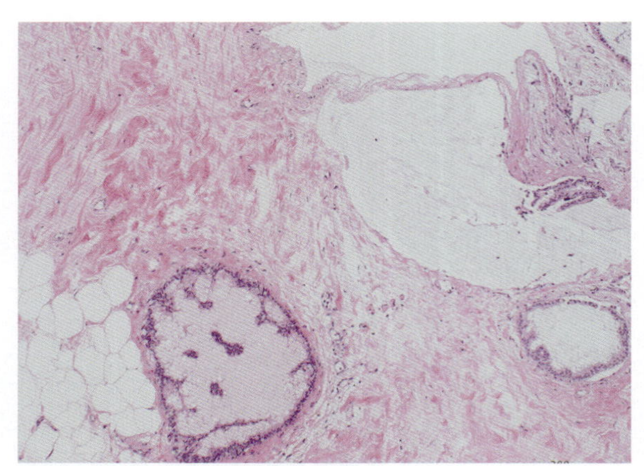

図 35 | 近傍に異型乳管過形成のある mucocele-like lesion
MLL の近傍（左下）に低乳頭状増生を示す異型乳管（ADH 相当）を認める．

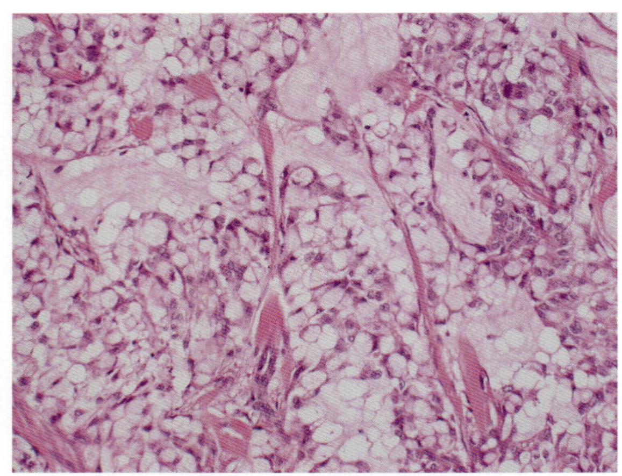

図 36 | 細胞質内粘液により印環細胞様となる腫瘍細胞
細胞質内粘液を伴って印環細胞様となる腫瘍細胞を認める．本例は E-cadherin 陽性であり，乳管癌由来である．

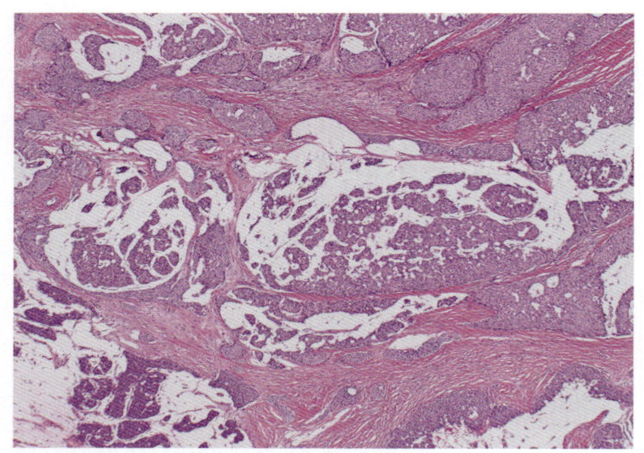

図 37 | 充実乳頭癌を由来とする粘液癌
粘液産生を伴った充実乳頭癌は，粘液量が豊富になると粘液癌の像を呈する．

状あるいは平坦状を呈する low-grade DCIS である．上皮に異型のない MLL は，その後の発癌リスクについては有意に増加しないという報告[20,21]や，粗い石灰化が経過観察後の生検における異型病変との関連を示唆する報告[22]もある．筆者は，生検検体で MLL と診断した際には，判定区分を鑑別困難相当とし，近傍に異型上皮が存在する可能性を考慮しつつマンモトーム生検などの組織量の豊富な検体採取，あるいは石灰化を指標とした経過観察などを臨床医に推奨している．

3）細胞質内粘液と細胞外粘液

乳腺良性病変において細胞質内粘液がみられることは極めてまれであり，多くの細胞に細胞質内粘液を認めた場合には乳癌の可能性を考慮すべきである．浸潤性小葉癌において，細胞質内粘液によって印環細胞様の像を呈することはよく知られているが，ときには浸潤性乳管癌の腫瘍細胞においても細胞質内粘液がみられることがある（**図 36**）．

「乳管内上皮増生」の項で記載したが，充実乳頭癌では細胞外粘液を認めることがしばしばあり（**図 37**），癌細胞の多い粘液癌との関連がある．細胞診で豊富な腫瘍細胞集塊，粘液成分，裸血管を認めた際には，充実乳頭癌を由来とする粘液癌を疑うとよい．

良悪性の鑑別ポイントおよび注意点

ⅰ）細胞外粘液の場合

MLL を十分理解，認識し，粘液の性状や異型細胞の有無などから粘液癌と区別する．MLL と診断する際には，近傍に ADH や DCIS などが存在する可能性もあるので，画像所見などと併せた臨床情報を臨床医と共有し，過大診断や過小評価とならないように注意すべきである．

ⅱ）細胞質内粘液の場合

多くの細胞に細胞質内粘液を認めた場合には，乳癌の可能性を考慮すべきである．

（坂谷貴司）

文　献

1）日本乳癌学会（編）：臨床・病理 乳癌取扱い規約，第 18 版，金原出版，2018
2）WHO Classification of Tumours Editorial Board（ed）：WHO Classification of Tumours, Breast Tumours（5th ed.）, IARC, Lyon, 2019
3）Saremian J, Rosa M：Solid papillary carcinoma of the breast：a pathologically and clinically distinct breast tu-

mor. Arch Pathol Lab Med 136：1308-1311, 2012
4）Hoda SA, Brogi E, Koerner FC, et al (eds)：Rosen's Breast Pathology (4th ed.), Wolters Kluwer, Philadelphia, 2014, pp95-152
5）Thike AA, Iqbal J, Cheok PY, et al：Ductal carcinoma in situ associated with triple negative invasive breast cancer：evidence for a precursor-product relationship. J Clin Pathol 66：665-670, 2013
6）Lefkowitz M, Lefkowitz W, Wargotz ES：Intraductal (intracystic) papillary carcinoma of the breast and its variants：a clinicopathological study of 77 cases. Hum Pathol 25：802-809, 1994
7）Ni YB, Tse GM：Pathological criteria and practical issues in papillary lesions of the breast-a review. Histopathology 68：22-32, 2016
8）Rasbridge SA, Millis RR：Carcinoma in situ involving sclerosing adenosis：a mimic of invasive breast carcinoma. Histopathology 27：269-273, 1995
9）Lakhani SR, Ellis IO, Schnitt SJ, et al (eds)：WHO Classification of Tumours of the Breast (4th ed.), IARC, Lyon, 2012
10）Aulmann S, Braun L, Mietzsch F, et al：Transitions between flat epithelial atypia and low-grade ductal carcinoma in situ of the breast. Am J Surg Pathol 36：1247-1252, 2012
11）Collins LC：Precursor lesions of the low-grade breast neoplasia pathway. Surg Pathol Clin 11：177-197, 2018
12）Dialani V, Venkataraman S, Frieling G, et al：Does isolated flat epithelial atypia on vacuum-assisted breast core biopsy require surgical excision? Breast J 20：606-614, 2014
13）Quinn CM, D'Arcy C, Wells C：Apocrine lesions of the breast. Virchows Arch 480：177-189, 2022
14）Moriya T, Kozuka Y, Kanomata N, et al：The role of immunohistochemistry in the differential diagnosis of breast lesions. Pathology 41：68-76, 2009
15）Asirvatham JR, Falcone MM, Kleer CG：Atypical apocrine adenosis：diagnostic challenges and pitfalls. Arch Pathol Lab Med 140：1045-1051, 2016
16）Diaz NM, Palmer JO, McDivitt RW：Carcinoma arising within fibroadenomas of the breast. A clinicopathologic study of 105 patients. Am J Clin Pathol 95：614–622, 1991
17）Shiino S, Yoshida M, Tokura M, et al：Locally advanced triple negative breast cancer arising from fibroadenoma with complete response to neoadjuvant chemotherapy：a case report. Int J Surg Case Rep 68：234-238, 2020
18）Widya RL, Rodrigues MF, Truong PT, et al：Malignant epithelial transformation in phyllodes tumor：a population-based case series. Cureus 9：e1815, 2017
19）Ohi Y, Umekita Y, Rai Y, et al：Mucocele-like lesions of the breast：a long-term follow-up study. Diagn Pathol 6：29, 2011
20）Rakha EA, Shaaban AM, Haider SA, et al：Outcome of pure mucocele-like lesions diagnosed on breast core biopsy. Histopathology 62：894-898, 2013
21）Sutton B, Davion S, Feldman M, et al：Mucocele-like lesions diagnosed on breast core biopsy. Am J Clin Pathol 138：783-788, 2012
22）Towne WS, Michaels AY, Ginter PS：Mucocele-like lesion of the breast diagnosed on core biopsy. Arch Pathol Lab Med 146：213-219, 2022

Ⅱ．針生検における組織型鑑別の注意点

はじめに

乳癌診療の薬物療法の dose escalation/de-escalation が模索される中，外科的切除での評価・確認なしに，針生検診断で治療方針が決定される場面が増えている．良性病変はもちろんのこと，一部の境界病変は，外科的切除を行わず経過観察が推奨されている．また，低異型度の非浸潤性乳管癌（DCIS）も，大規模後ろ向き試験で外科的切除の有無で予後に差がみられなかったことから，現在（2022 年），非切除の臨床試験が進んでいる．一方，浸潤癌は個別化治療の方針のもと，針生検診断結果に基づいて，まず，術前薬物療法が行われることが多くなった．また，遺伝性乳癌卵巣癌症候群では，針生検で癌の診断がつけば，対側乳房の予防切除も併せて選択されることもある．以上のように，針生検での診断のみで様々な治療方針が決定づけられていくため，正確で適切な針生検診断が求められている．

針生検で正確な診断を行うには，画像所見と併せて鑑別診断を進めることと整合性を確認することが最も重要である．代表的な画像所見ごとに針生検で鑑別すべき病変を**表 1** に示す．一般的に，病変の拾い上げは，腫瘤は超音波検査で，石灰化病変や構築の異常はマンモグラフィで，non-mass enhancement は MRI で行われる．画像所見は，悪性の可能性の程度により，カテゴリー分類される．悪性の可能性があると判断された病変に対して（例えば，BI-RADS4 以上），針生検を行う．また，悪性の可能性はなくても，その後のマネジメントを決定するために線維腺腫，葉状腫瘍，炎症などで針生検が行われる．

針生検にはコア針生検 core needle biopsy（CNB）と吸引式針生検 vacuum-assisted breast biopsy（VAB）の 2 つがある．組織採取は，目的病変の種類により，マンモグラフィステレオガイド下や超音波ガイド下，施設によっては MRI ガイド下に行われる．CNB と比較し，VAB は採取量が多いため，診断精度は高くなる．

本項では，適切に針生検診断を行うコツを HE 像を中心に述べるとともに，臨床的対応を紹介する．

1．針生検の報告様式

1）乳癌取扱い規約

針生検の診断は乳癌取扱い規約に準じて記載することが望まれる．乳癌取扱い規約 第 18 版（2018 年）における診断報告様式は判定区分と推定組織型からなる[1]．

「検体不適正 inadequate」は，微小な標本，微細な病変および圧挫などによる変性のため診断に適さない標本を指し，実際にはその頻度は極めて低い．

「検体適正 adequate」のうち，「正常あるいは良性 normal or benign」は乳腺や脂肪，結合織のみで病変を同定できないか，明らかに良性としての組織診断が可能な病変を指す．目的の病変が採取されていない場合は「検体不適正」ではなく，「検体適正・正常あるいは良性」に分類される．「鑑別困難 indeterminate」は，病変は確実に採取されているが，良悪性の鑑別が難しい病変を指し，所見とともに鑑別すべき組織型を明記する．また，「鑑別困難」は乳頭状病変や乳管内増殖性病変など，病変の一部のみを観察し

表１｜主な画像所見と鑑別が必要な乳腺疾患

画像所見	良性病変	悪性病変
鋸歯状腫瘤	瘢痕，硬化性腺症，放射状硬化性病変，炎症性病変，乳腺線維症，顆粒細胞腫	硬性型浸潤性乳管癌，浸潤性小葉癌，特殊型浸潤癌
充実性腫瘤	線維腺腫，葉状腫瘍，嚢胞，乳頭腫，偽血管腫様間質過形成，過誤腫，脂肪腫，乳房内リンパ節	充実型浸潤性乳管癌，粘液癌，髄様型浸潤性小葉癌，化生癌，悪性葉状腫瘍，乳頭型非浸潤性乳管癌，充実乳頭癌，被包型乳頭癌，悪性リンパ腫，転移性癌
構築の異常	放射状硬化性病変，硬化性腺症，瘢痕，脂肪壊死	浸潤性小葉癌，非浸潤性乳管癌
石灰化病変	アポクリン嚢胞，硬化性腺症，陳旧性線維腺腫，脂肪壊死，円柱状細胞病変（平坦型上皮異型を含む），異型乳管過形成，mucocele-like lesion	非浸潤性乳管癌，非浸潤性小葉癌（多形型，florid 型），浸潤性乳管癌
non-mass enhancement	アポクリン嚢胞，偽血管腫様間質過形成，乳管過形成，硬化性腺症，異型乳管過形成	非浸潤性乳管癌，浸潤癌

ているために良悪判断が困難となっている場合が多く，外科的生検や経過観察を勧めることも考慮する．一方，「悪性の疑い suspicious for malignancy」は悪性が強く疑われるが，病変の量が少なく悪性としての確定診断ができない標本を指し，再度の針生検またはさらなる生検を勧めることを考慮する．「悪性 malignant」は明らかに悪性としての組織診断が可能な病変を指す．

判定区分とともに乳癌取扱い規約組織分類に基づいた組織型を可能な限り推定して記載する．なお，浸潤性乳管癌の組織型分類は必ずしも必須とはされていない．

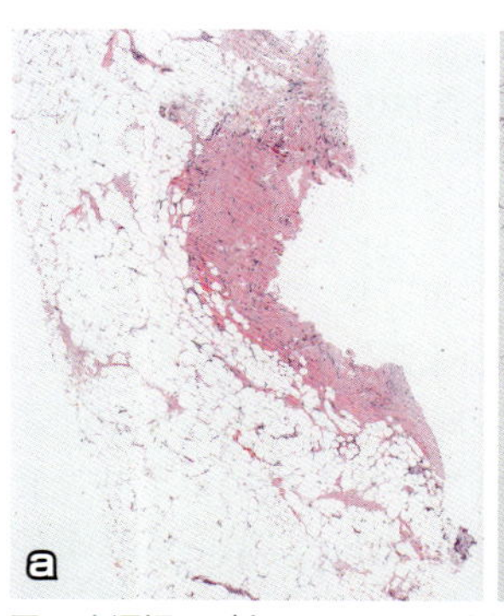

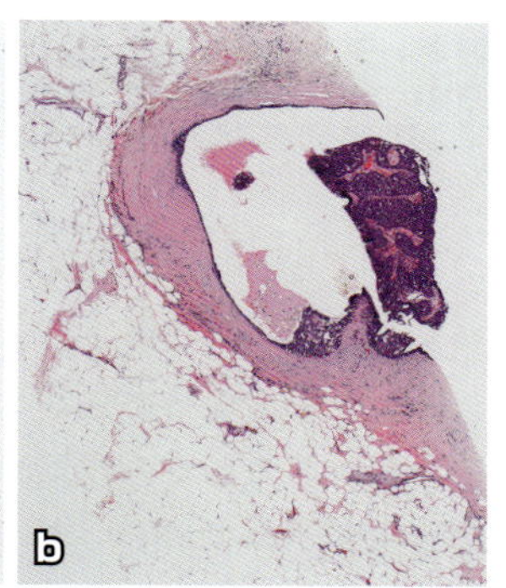

図１｜深切りが有用であった症例
当初病変が確認できなかったが (a)，深切り切片 (b) で病変が確認でき，悪性疑いと診断しえた．切除検体は DCIS の診断であった．

2）治療方針決定のために記載が望まれる事項

癌の場合，浸潤の有無の判断は重要である．確定しえない場合は，無理をせず，その旨を記載する．非浸潤癌では組織型，異型度，壊死の有無，ホルモン受容体の発現状況についての診断が求められる．一方，浸潤癌では組織型のほか，異型度，ホルモン受容体の発現，HER2 status，Ki67 ラベリングインデックスの評価が求められる．サブタイプによっては（特にトリプルネガティブ），腫瘍浸潤リンパ球 tumor-infiltrating lymphocyte（TIL）や PD-L1 の評価が求められることもある．

2．針生検における鑑別診断

1）針生検診断時の注意点

診断を始めるにあたっては，目的病変が採取されているかをチェックする．石灰化病変や乳頭状病変，充実性腫瘤，浸潤性腫瘤，乳管内病変などがターゲットとなる．目的病変が確認されない場合，特に石灰化病変や乳管内病変がみつからない場合には，深切りを試みたい（**図１**）．

針生検組織では，上皮が間質や脈管腔内に付着することや，細胞の挫滅を伴うことがある．また，病変の形状によっては（特に乳頭状腫瘍），断片化することも多い．これらの特性に注意しつつ，全体像を推定し，病変の形状に応じて鑑別診断を進める．

2）石灰化病変の鑑別診断

まず，石灰化の有無を切片上で確認し，病理診断報告書に記載する．採取検体の標本撮影を行い，石灰化部位を確認したうえで診断を行うと効率的である．

石灰化は様々な種類があることと，その特徴を知っておくことが必要である[2]．基本的には，分泌型の石灰化は良性病変でも悪性病変でもみられるが，壊死型石灰化は悪性病変，特に comedo necrosis に伴ってみられる．陳旧化した線維腺腫の間質に発生した石灰化は，壊死型石灰化との鑑別が問題となることがある．mucocele-like lesion では特徴的な顆粒

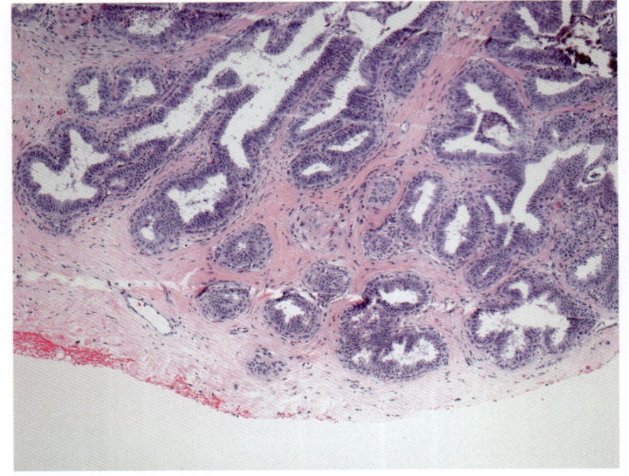

図 2 | 円柱状細胞過形成 (CCH)
円柱状の腺上皮細胞が密に増殖し，石灰化 (図右上) が確認される．細胞異型や構造異型は明らかでなく，「正常あるいは良性」と判定した．

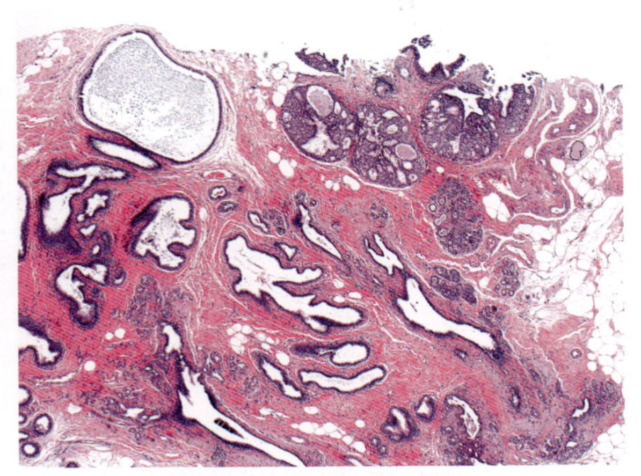

図 3 | 低異型度非浸潤性乳管癌が疑われた症例
CCH とともに低異型度非浸潤性乳管癌相当の病変がみられるが (図右上)，量的に少なく，「悪性の疑い」とした．切除検体には CCH のみみられ，DCIS の診断には至らなかった．

状の石灰化がみられる．乳癌温存術後の脂肪壊死にみられる異栄養性石灰化は局所再発との鑑別が問題となる．また，シュウ酸カルシウムはアポクリン嚢胞などでみられるが，hematoxylin に染色されないため，注意が必要である．なお，血管壁の石灰化は画像上明らかであり，通常，石灰化生検の対象とはならないため，その他の病変の有無を確認したい．

a）円柱状細胞病変 vs 平坦型上皮異型

円柱状細胞病変 columnar cell lesion（CCL）は 1〜数層の円柱状腺上皮細胞が平坦に覆う拡張した腺管の集簇であり，しばしば腺腔内に分泌型の石灰化を伴うため，石灰化生検の対象となることがある．腺上皮細胞が重層化したものは円柱状細胞過形成 columnar cell hyperplasia（CCH）と呼ばれ，細胞密度が高くても良性の範疇である（**図 2**）．上皮細胞に低異型度 DCIS 相当の腫大した緊満感のある円形核や核の極性がみられる場合，平坦型上皮異型 flat epithelial atypia（FEA）とする．CCL，FEA ともに低異型度腫瘍の前駆病変であり，異型乳管過形成や DCIS を合併することが多いため，腺腔に対して極性を示す構造異型（篩状構造や橋渡し構造）がみられないかを確認する．

CCL や FEA は画像との整合性が得られれば，経過観察される．異型乳管過形成や DCIS の合併が考えられる場合，現時点では，精査が推奨されている．

b）異型乳管過形成 vs 非浸潤性乳管癌

異型乳管過形成 atypical ductal hyperplasia（ADH）と非浸潤性乳管癌 ductal carcinoma *in situ*（DCIS）は，いずれも低異型度の単調な細胞の増殖からなり，正円形の腔を有する篩状構造や橋渡し構造，微小乳頭状構造，充実性構造などを有する．核は腺腔に対して極性を示す配列をとる．いずれも low-grade pathway をとる一連の病変で，ADH は DCIS とするには質的あるいは量的に不十分（2 腺管未満あるいは 2 mm 以下）なものを指す．よって，中等度以上の核異型がみられた場合，少量であっても DCIS と診断してよいが，低異型度の場合，質的に十分な異型であっても切除検体で量的に不十分な場合には，最終診断は ADH となる．したがって，針生検検体に低異型度 DCIS 相当の異型乳管がみられても，少量の場合には鑑別困難あるいは悪性の疑いにとどめ，最終診断は外科切除検体での検索に委ねるべきである（**図 3**）．なお，針生検で ADH と診断された病変が外科的切除でアップグレードする割合は約 23％とレビューされている [3]．

c）mucocele-like lesion（MLL）vs 粘液癌

MLL と粘液癌 mucinous carcinoma は，いずれも粘液が貯留する病変である．MLL は石灰化を伴う場合にはマンモグラフィ下の VAB，超音波検査で嚢胞集簇としてとらえられた場合には超音波ガイド下の針生検の対象となる．MLL は粘液を有する嚢胞状構造と間質への粘液の漏出が特徴であり，ADH や DCIS を伴うことがある．漏出した粘液内に腫瘍細胞がみられた場合は粘液癌を考えるが，MLL では断片化した上皮が粘液内に浮遊しているようにみえる場合もあるため，画像所見との整合性を確認しつつ，過剰診断に注意したい．

3）乳頭状病変の鑑別診断

乳頭状病変は針生検による組織の断片化が特に起こりやすい（**図 4**）．断片化した乳頭状組織から乳管内（あるいは嚢胞内）乳頭状病変を推定するが，断片化した乳管壁（あるいは嚢胞壁）があれば，全体像を推定しやすい．

a）乳頭腫 vs 乳頭型非浸潤性乳管癌（乳管内乳頭癌）

乳管内乳頭腫 intraductal papilloma，乳頭型 DCIS［papillary DCIS（DCIS, papillary type）］は，いずれも乳頭状構造がみられる乳管内病変でしばしば鑑別に難渋する．良性病変である乳頭腫は，乳管内に腺上皮細胞と筋上皮細胞の二相性の保たれた上皮が線維血管性間質を軸として増殖する病変である．乳管内乳頭腫では，筋上皮細胞の過形成やアポクリン化生が混在することが多く，多彩にみえる．一方の乳頭型 DCIS は線維血管性の茎を有し，緊満感のある均一な円形核を有する細胞が増殖し二相性は消失する．核は基底膜側や管腔の外側に配列し，単調にみえる．線維血管性間質の茎は細く繊細である．免疫染色による二相性の確認が鑑別に役立つ．

b）乳頭腫 vs 異型乳管過形成/非浸潤性乳管癌を伴う乳管内乳頭腫

乳管内乳頭腫に異型細胞の単調な増殖巣がみられることがある（**図 5**）．ADH/DCIS を伴う乳管内乳頭腫といい，乳管内乳頭腫に上皮過形成を伴う場合との鑑別を要する．上皮過形成の場合，増殖する上皮細胞は多彩であることが重要な鑑別点となる．また，小さな核内封入体がみられることもある[4]．HE 標本のみでの診断は困難な場合が多く，多彩な増殖像を示す乳管内乳頭腫内に異型細胞の単調な増殖部分を認めた場合は，免疫染色による確認が望まれる．

免疫染色では，上皮過形成では，増殖する細胞成分に cytokeratin（CK）14 あるいは CK5/6 陽性を示す細胞がモザイク状に混在し，ER，PgR はびまん性強陽性とはならない．一方，乳管内乳頭腫内の ADH/DCIS では，通常，CK14 あるいは CK5/6 陽性細胞の介在を欠いており，ER，PgR がびまん性に強陽性を示す（免疫染色についての詳細は第 3 部-Ⅲ「組織型鑑別のための免疫組織化学的検索の要点」を参照のこと）．ただし，免疫染色は良悪の鑑別に有用ではあるが過信はせず，必ず HE 所見と併せて判断することを心がける．HE 所見と免疫染色所見の結果が一致しない場合は，鑑別困難と報告し，画像や臨床所見と併せて検討し，切除生検や慎重な経過観察および再検査などの対応を臨床医に依頼する．

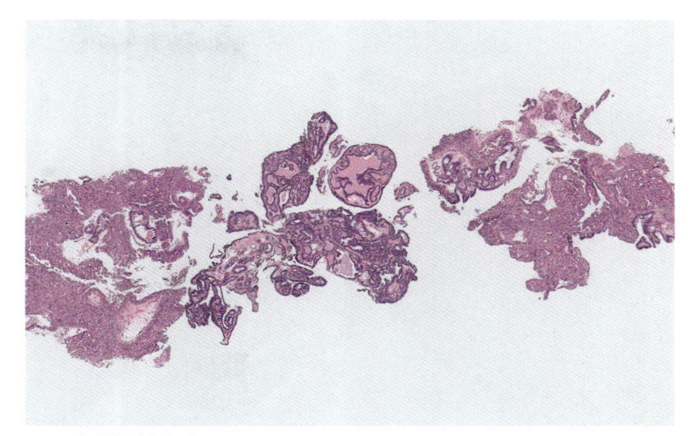

図 4｜乳頭状病変
弱拡大像．針生検では乳頭状病変は特に断片化しやすい．

c）浸潤の有無の判断

乳癌取扱い規約 第 18 版の DCIS は，WHO 分類第 5 版（2019 年）の DCIS のほか，充実乳頭癌 solid-papillary carcinoma，被包型乳頭癌 encapsulated papillary carcinoma を含んでいる．大型胞巣を形成する DCIS や充実乳頭癌では，免疫染色を加えても腫瘍胞巣辺縁に明らかな筋上皮細胞を同定できないことがしばしばある．被包型乳頭癌では通常，腫瘍を覆う線維性被膜に筋上皮細胞は認めない（**図 6**）．腫瘍胞巣辺縁に筋上皮細胞が同定されれば非浸潤癌といえるが，同定されないからといって浸潤癌と断定はできない．腫瘍胞巣辺縁がスムース，あるいは厚い線維性被膜様構造であり，いわゆる小胞巣状や索状の典型的な浸潤像がない場合は，乳管癌 ductal carcinoma の報告にとどめ，診断所見に，明らかな浸潤巣は含まれていない，との報告をすることが望まれる．一般的に，針生検で DCIS と診断された病変が，切除で浸潤癌にアップグレードする可能性は 15～30％程度である[5,6]．

4）充実性腫瘤の鑑別診断

採取検体のどの部分が腫瘤なのかを把握する．腫瘤境界部が含まれていれば，判断しやすい．嚢胞，特に濃縮嚢胞は超音波で早期浸潤癌との鑑別が問題となることがあり，嚢胞壁のみが採取される．また，画像上，明らかな境界明瞭な腫瘤から採取したにもかかわらず，一見正常にみえる乳腺組織が採取されている場合には，過誤腫の可能性がある（**図 7**）．臨床的に，前者は針生検後に画像で病変が消失し，後

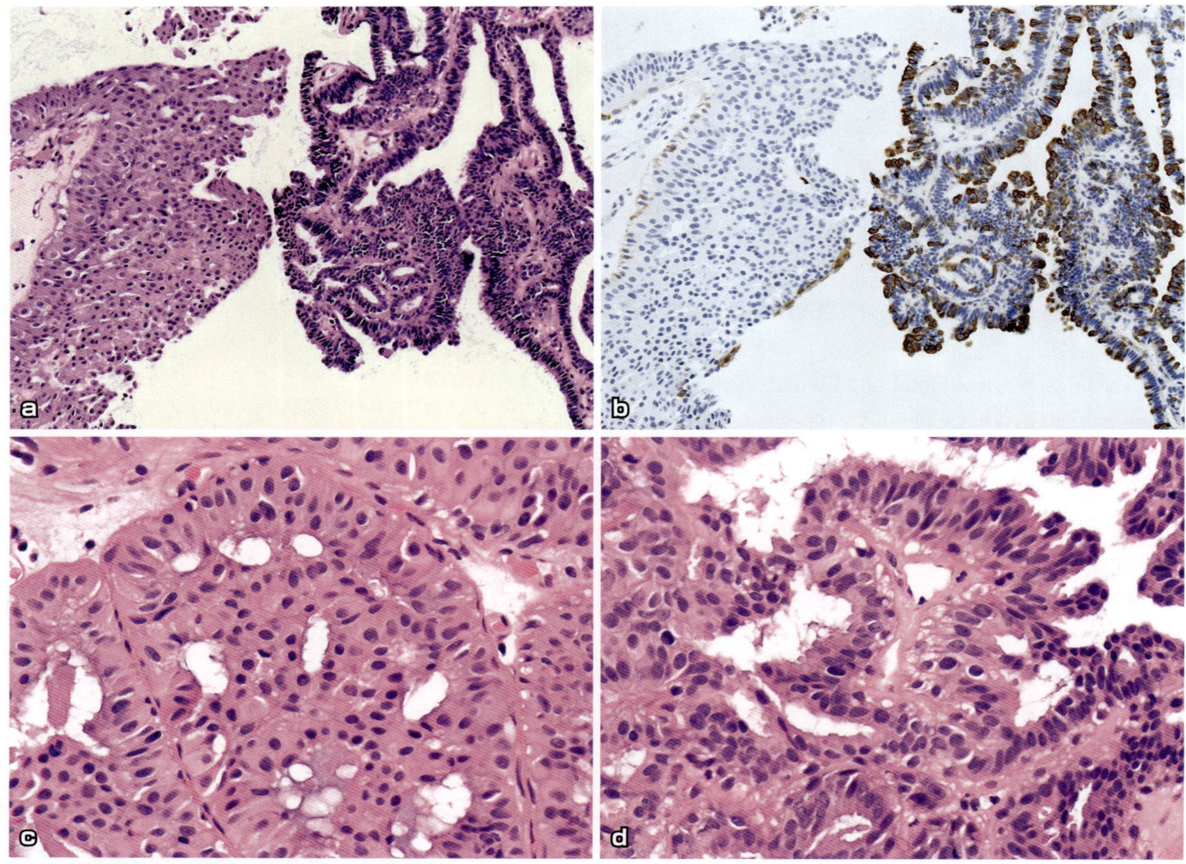

図5 ｜ 非浸潤性乳管癌（DCIS）を伴う乳管内乳頭腫

a：中拡大像．DCIS成分（図左）と乳管内乳頭腫成分（図右）．b：CK14免疫染色．c：DCIS成分の強拡大像．円形核を有する異型細胞が単調に増殖し，篩状構造もみられる．d：乳頭腫成分の強拡大像．線維血管性の茎を有し，多彩な腺上皮が乳頭状に増殖する．筋上皮細胞の介在がある．

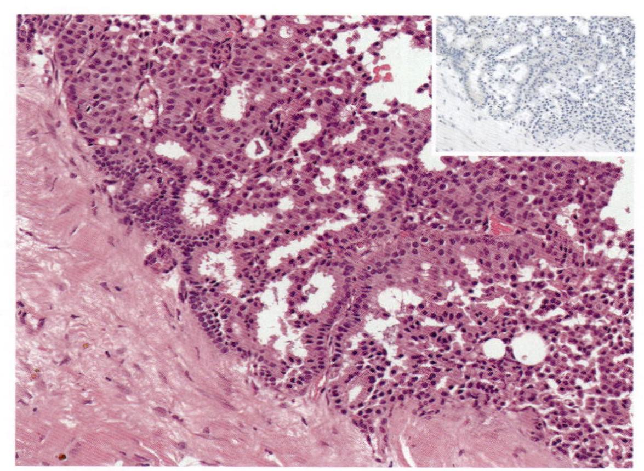

図6 ｜ 被包型乳頭癌

単調な円形核を有する腺上皮が乳頭状や篩状に増殖している．線維性被膜（図左下）との間に筋上皮細胞はみられないが，非浸潤癌として扱う．inset：p63免疫染色．

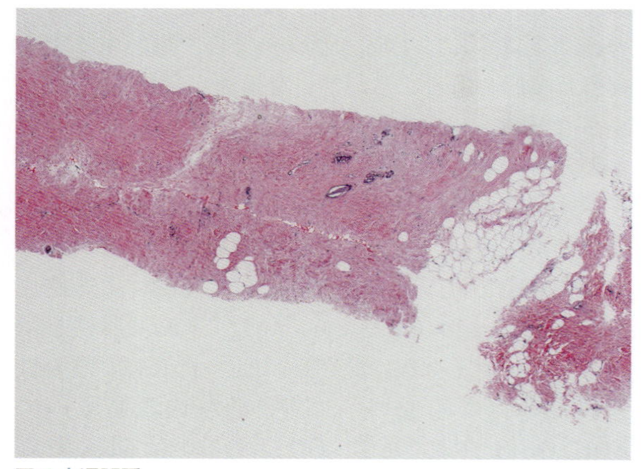

図7 ｜ 過誤腫

線維組織と脂肪組織および乳管からなる境界明瞭な腫瘤である．図右下は正常乳腺組織と思われる．

者は軟らかい境界明瞭な腫瘤であることから，担当医とのコミュニケーションで解決できる．

a）線維腺腫 vs 葉状腫瘍

線維腺腫 fibroadenoma（FA）と葉状腫瘍 phyllodes tumor（PT）は，いずれも腺成分と間質成分の両者の増殖からなる．PT を積極的に考える所見は，間質細胞の増殖が優勢，葉状構造を疑わせるスリットの存在や断片化，間質細胞の密度の増加や異型，核分裂像の増加などである（**図 8**）．しかし，針生検では FA と PT の鑑別が困難なことも多く，その場合，fibroepithelial tumor（lesion）と表現してもよい．臨床的には，FA では腫瘤のみの切除，PT では腫瘤周囲の乳腺組織をつけての切除が推奨される．若年者に発生する若年性線維腺腫 juvenile fibroadenoma や富細胞性線維腺腫 cellular fibroadenoma では間質細胞密度が高くなるため，針生検で安易に PT と診断することがないように注意したい．また，PT は組織学的判断基準に基づいて良性，境界病変，悪性に分類される．針生検においても可能な限り良悪判定を行うが，PT は部位により悪性度が異なることがあるため，特に腫瘍径の大きな PT では，腫瘤全体の組織学的な検索で悪性度が変わる可能性を伝える必要がある．

b）化生癌 vs 悪性葉状腫瘍

化生癌 metaplastic carcinoma と悪性葉状腫瘍 malignant phyllodes tumor（PT）は，いずれも異型の目立つ紡錘形細胞が密に増殖する．上皮性異型細胞がみられれば化生癌，良性の腺成分がみられれば悪性の PT が疑われるが，いずれも確認されない場合には，針生検での鑑別は困難である．いずれにしても，治療が急がれる状況である．近年では化生癌も悪性の PT と同様に化学療法の反応性が低いことから，早期の切除を考慮する臨床医も多い．どちらの腫瘍も組織学的に悪性度が高い場合には急速進行するため，いずれかが考えられることをまず臨床医に伝えることが重要であろう．

5）浸潤性腫瘤の鑑別診断

良性病変であっても，見かけ上浸潤性腫瘤を形成する．浸潤癌の誤診の多くは硬化性病変，特に硬化性病変内に進展したアポクリン化生や非浸潤癌であり，注意したい．

a）硬化性腺症 vs 腺症内の非浸潤性乳管癌/非浸潤性小葉癌 vs 硬性型浸潤性乳管癌

硬化性腺症 sclerosing adenosis は乳腺症の一病変であり，組織学的には小葉間質の硬化・線維化を伴って小型腺管が規則的に配列しながら増加する（**図 9**）．通常，上皮に異型はみられない．脂肪組織内に病変が及ぶこともあることから，硬性型浸潤性乳管癌 invasive ductal carcinoma（IDC），scirrhous type との鑑別が問題になる．硬性型 IDC では，硬化性腺症のような規則的な腺管配列がみられず，腺管配列がランダムな増殖を示す（**図 10**）．線維化巣や脂肪組織内に小型腺管が密にみられるからといって安易に浸潤癌と判断しないこと，p63，CK14 などの免疫染色で腺管周囲に筋上皮細胞を確認することが重要である．腺症は乳腺症の一病変であり，上皮のアポクリン化生や通常型乳管過形成を示す腺管が混在することも鑑別の際の助けになる．

腺症内に DCIS や非浸潤性小葉癌（LCIS）が進展すること，あるいは腺症内に発生することもあり，浸潤癌と過剰診断しないように注意が必要である（**図 11**）．腺症内の DCIS/LCIS でも規則的な腺管配列がみられること，および免疫染色での腺管周囲の筋上皮細胞の確認が鑑別に有用である．ここでも，脂肪組織内に腫瘍細胞がみられるからといって安易に浸潤癌としないよう注意が必要である．

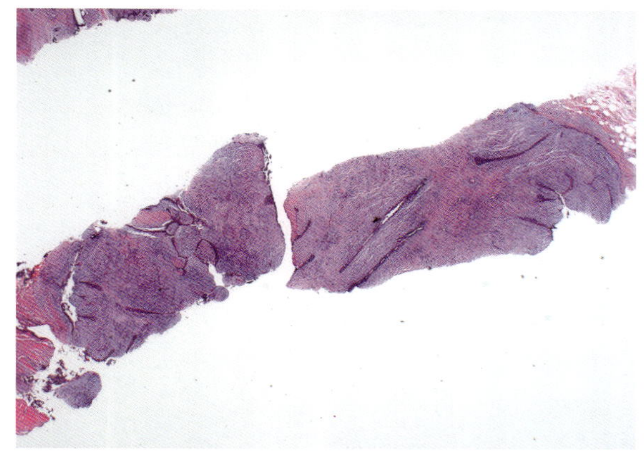

図 8 | 葉状腫瘍
針生検組織を横断するようなスリット状の裂隙と間質細胞密度の軽度増加から，PT を考える．

b）放射状硬化性病変 vs 放射状硬化性病変内の非浸潤性乳管癌 vs 浸潤性乳管癌

放射状硬化性病変 radial sclerosing lesion（RSL）は，中心に膠原線維や弾性線維がみられ，その周囲に上皮が放射状を呈して増加する病変で，上皮成分には嚢胞状拡張やアポクリン化生，腺症，通常型乳管過形成などがしばしば混在する（**図 12**）．放射状病変内の乳管内に上皮過形成が目立ち，中心に壊死を

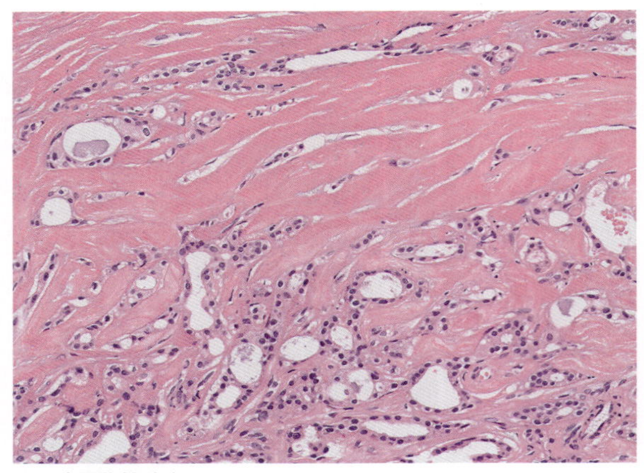

図 9 ｜硬化性腺症
不規則な腺管が硬化性線維性間質を伴って増生している．一見浸潤様であるが，膠原線維の流れに沿っている．

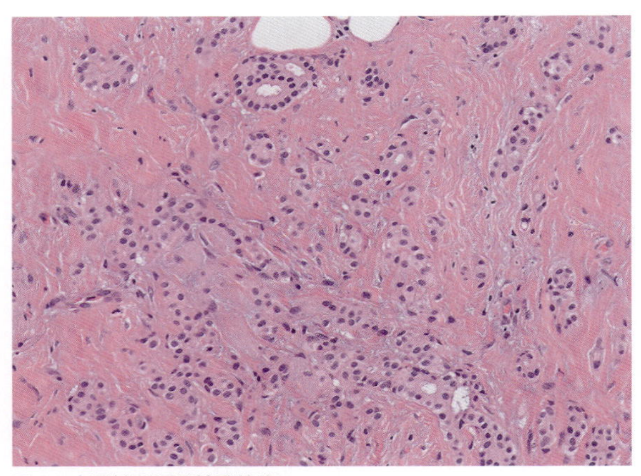

図 10 ｜硬性型浸潤性乳管癌
低異型度核を有する小型腺管や索状構造がみられる．配列の不規則さが特徴である．

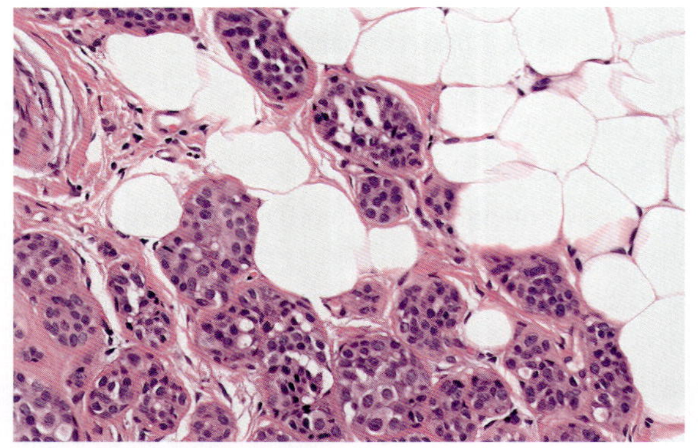

図 11 ｜腺症内非浸潤性乳管癌
低異型度の腫瘍細胞の小胞巣がみられる．脂肪浸潤様であるが，胞巣は膠原線維に縁どられており，注意深く観察すると筋上皮細胞が確認される．

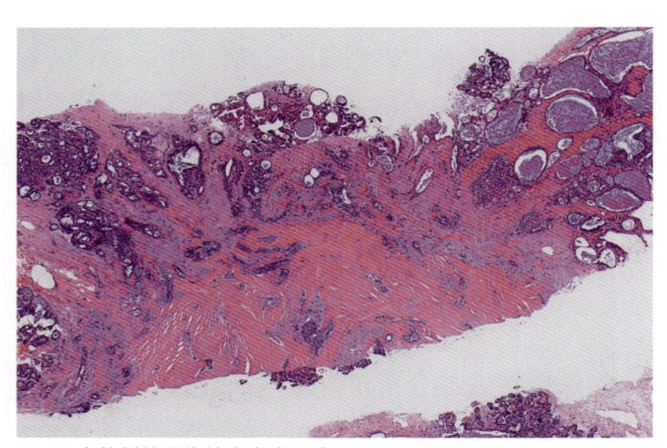

図 12 ｜放射状硬化性病変（RSL）
膠原線維と弾性線維からなる間質を中心に，様々な大きさや形状の乳管が放射状に配列する．

伴う場合や，神経線維が線維化巣内に取り込まれ，神経周囲侵襲のようにみえる場合があり[7]，良悪の鑑別が難しい．RSL 内の腺管は通常，二相性は保持されており，免疫染色による腺管周囲の筋上皮細胞の確認が IDC との鑑別に役立つ．RSL 内に DCIS がみられることもあり，DCIS の周囲の硬化性病変内の小型腺管を浸潤部と判断してしまわないよう注意が必要で，ここでも免疫染色による筋上皮細胞の確認が役に立つ．ただし，RSL 内の腺管では免疫染色でも筋上皮細胞が不明瞭となる場合があることから，注意を要する．

弱拡大で放射状を呈する線維化病変を認識することが重要で，放射状の線維化病変の場合は RSL の可能性を念頭に置き，過剰診断とならないよう慎重な判断が望まれる．

c）硬性型浸潤性乳管癌 vs 浸潤性小葉癌

硬性型 IDC と浸潤性小葉癌 invasive lobular carucinoma（ILC）は，豊富な線維性間質を背景に索状や直線状に腫瘍細胞が配列し，鑑別に難渋することが多い．ILC では相互接着性の乏しい癌細胞が個細胞性や一列に認められるのに対し，硬性型 IDC では，細胞同士の接着性がみられ，多列の索状構造をとるとされるが，悩ましい場合は，HE 標本のみで判断せず，E-cadherin や p120-catenin，β-catenin の免疫染色を利用するとよい．乳管癌では E-cadherin，p120-catenin，β-catenin が細胞膜に陽性になるが，小葉癌では通常，膜陽性像はみられない．正常乳管を腫瘍細胞が取り囲むような増殖像や，細胞質内小腺腔はいずれの組織型にも認められ，鑑別点とはならない．

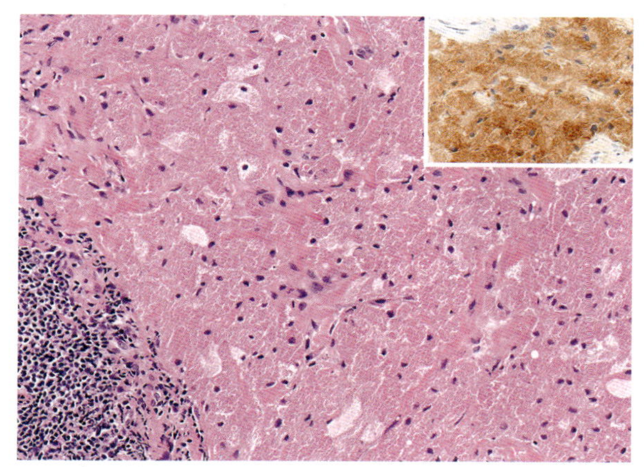

図 13 ｜顆粒細胞腫
小型核と好酸性顆粒状細胞質を有する腫瘍細胞が増殖している　腫瘍細胞は細胞境界不明瞭で，S100 陽性である（inset）．リンパ球の集簇を伴う．

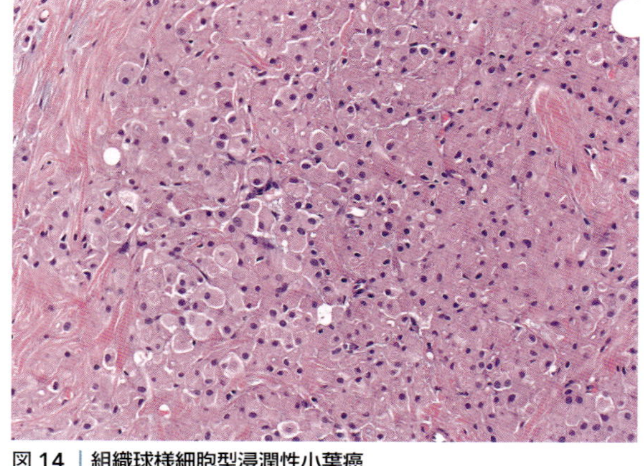

図 14 ｜組織球様細胞型浸潤性小葉癌
小型核と好酸性顆粒状細胞質からなり，アポクリン分化を伴っている．組織球様の形態を示している．

d）顆粒細胞腫 vs 組織球様細胞型浸潤性小葉癌

顆粒細胞腫 granular cell tumor（GCT）は Schwann 細胞由来とされる腫瘍で，通常は良性である．豊富な好酸性顆粒状細胞質を有する多稜形細胞が胞巣状や索状に増殖する（**図 13**）．皮膚のひきつれを伴う不整形で硬い腫瘤を形成し，多発性の場合があり，臨床的に悪性が疑われることがある．ILC の組織球様細胞型（ILC，histiocytoid type）では，アポクリン分化を伴い，好酸性の豊富な細胞質を有するため，GCT と鑑別を要する（**図 14**）．GCT は免疫染色で S100，CD68 にびまん性強陽性を示し，CK や ER は陰性である．他臓器同様，乳腺 GCT でもリンパ球の集簇巣はしばしばみられる所見である．

6）非腫瘤性病変の鑑別診断

超音波検査で不整形低エコーとして指摘されることが多く，乳管内増殖性病変であることが多い．末梢型の乳管内乳頭腫，乳管過形成，DCIS が代表的な病変である．乳管過形成は単独で画像所見を示すことは少なく，硬化性病変など，背景病変に乳管過形成が加わることにより画像に所見が現れることが多い．

乳管過形成 vs 非浸潤性乳管癌

乳管過形成と中等度核異型を示す DCIS との鑑別が最も難しい．両者ともに形や大きさの異なる細胞の増殖からなり，流れるような配列や渦巻き状の配列を示す．詳細は別項目に譲るが，主な鑑別点は乳管過形成のほうが，核の形，大きさに加え，クロマチンの形状がより多彩であり，中等度核異型の DCIS は核の形や大きさにはばらつきがみられるが，クロマチンパターンは似通っている点である．高分子量 CK（CK14 や CK5/6）と ER の免疫染色が有用であることはいうまでもない．

7）押さえておきたい組織型

a）非浸潤性小葉癌

針生検で incidental にみつかった古典型の非浸潤性小葉癌 lobular carcinoma *in situ*（LCIS）が外科生検でアップグレードする割合は極めて低く，NCCN ガイドラインでも外科切除は推奨されていない．よって，画像上，悪性所見のない古典型 LCIS は経過観察でよく，むやみに外科切除を推奨するべきではない．しかし，多形型 LCIS や，腫瘤を形成する LCIS，florid type のアップグレードする割合は 17〜46％であり，外科切除が推奨されている[8]．画像で良悪性が問題となった古典型 LCIS や，壊死を伴う LCIS についてはデータに乏しいため，現時点では外科的切除が望ましい．

b）偽血管腫様間質過形成

偽血管腫様間質過形成 pseudoangiomatous stromal hyperplasia（PASH）は，間質の筋線維芽細胞がスリット状の吻合する空隙を形成しながら増殖する（**図 15**）．腫瘤を形成する場合もあるが，様々な乳腺病変の一部に付随的にみられることも多い．よって，針生検切片上に PASH の所見がみられた場合，画像で指摘された目的病変なのかの判断が難しい．PASH の所見が複数の小葉に及んでいる場合は，PASH による腫瘤であることが多いとの報告もある[9]．PASH

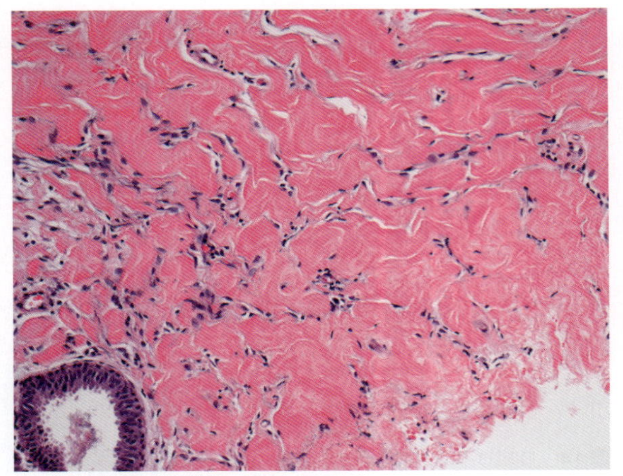

図 15 ｜偽血管腫様間質過形成（PASH）
乳腺間質に筋線維芽細胞がスリット状の空隙を取り囲むように増殖している．

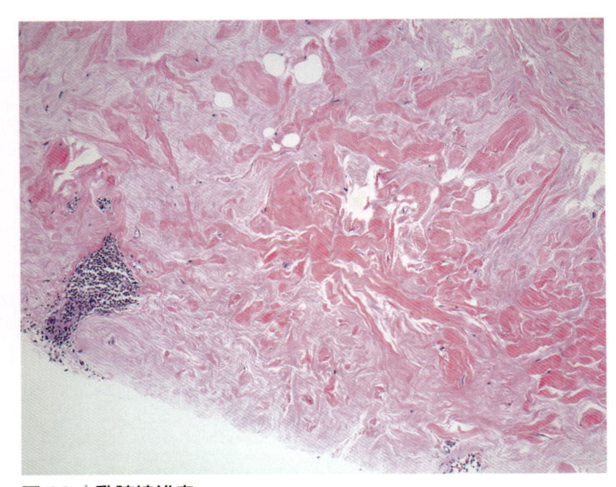

図 16 ｜乳腺線維症
厚い膠原線維が錯綜するように増加している．萎縮した乳管周囲にリンパ球が集簇している．

の所見が局所的である場合には，積極的な診断は避け，量的にどの程度PASHの所見がみられるかを記載し，臨床画像と併せての判断に委ねることが望ましい．

c）特発性肉芽腫性乳腺炎

特発性肉芽腫性乳腺炎 idiopathic granulomatous mastitis は，臨床的に乳癌との鑑別が問題となる腫瘤を形成する．小葉中心性の肉芽腫性の炎症が特徴であり，しばしば好中球浸潤を伴い，微小膿瘍がみられることもある．感染やサルコイドーシスなど，肉芽腫を形成する他疾患との鑑別を要する．臨床的には妊娠や授乳後が多く，原因は不明である．近年，オーバーラップする疾患概念として，好中球に縁どられた嚢胞状の腔を特徴とする cystic neutrophilic granulomatous mastitis が提唱されており[10]，しばしば嚢胞腔内にグラム陽性菌が確認され，*Corynebacterium* 感染との関連が示唆されている．

d）乳腺線維症

乳腺線維症 fibrous disease は，顕著な線維化と乳腺の萎縮，およびその周囲へのリンパ球の集簇を特徴とする疾患である（**図 16**）．臨床的に硬い腫瘤を触知し，画像上浸潤性腫瘤を形成することから，悪性が強く疑われる．しかし，特異的な所見に乏しいことから，針生検で確定診断を得にくく，何回も生検されることもある．強い線維化とリンパ球浸潤がみられた場合，臨床像と併せて本疾患が疑われることを記載したい．

e）転移性腫瘍

ときに他臓器からの転移がみられる．特にトリプルネガティブ乳癌や小さな浸潤径のわりに脈管侵襲が目立つ場合には，転移性腫瘍 metastatic tumor との鑑別を考える必要がある．乳管内癌成分があれば乳房原発といえるが，トリプルネガティブ乳癌では乳管内癌成分がみられないことも多い．形態学的に乳癌として違和感があれば，まず臨床経過を確認し，免疫組織化学的検索を行う．乳房への転移が多い腫瘍は，悪性黒色腫，卵巣癌，肺癌，悪性リンパ腫などである．乳癌のマーカーとして，ホルモン受容体や mammaglobin，GCDFP15，GATA3 などがあり，鑑別となる臓器の癌に特異的なマーカーと組み合わせて判断するが，詳細は次項を参照されたい．

3．針生検後切除検体での注意点

生検痕の確認

特に腫瘍径の小さな癌では，生検痕周囲を中心に腫瘍の遺残を詳細に検索する．針生検組織に腫瘍が含まれていたにもかかわらず切除検体に腫瘍組織がみられない場合，生検痕が確認されれば，針生検で腫瘍は完全に採取されたと判断できる．また，腫瘍がみられたとしても，浸潤径の小さな癌では針生検組織に浸潤部の大部分が含まれていることもあるため，浸潤径は針生検組織と併せて評価したい．

針の進入経路に上皮細胞や癌細胞の播種がみられることがある（**図 17**）．肉芽や線維化巣とともに上皮細胞や癌細胞の集塊がみられる．特に乳頭状病変で多く，良性病変や非浸潤癌を浸潤癌とすることのないように気をつけたい．播種の場合，良性病変や

DCISであっても筋上皮細胞はみられないことが多く，筋上皮マーカーの検索は鑑別には役立たない．また，リンパ管侵襲様にみえることがあることも知っておきたい．時間経過とともに観察される頻度は低くなることから，播種された癌細胞の多くは死滅すると考えられている．

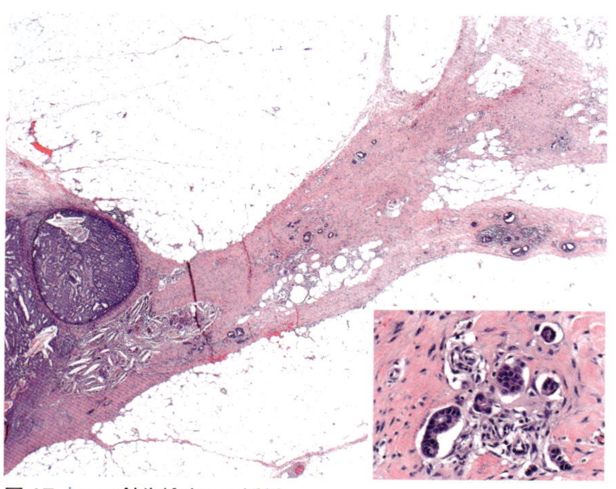

図17 | コア針生検痕への播種
DCISから皮膚へ向かって線維性肉芽組織が伸びており，ところどころに異型細胞が小集塊でみられる．リンパ管侵襲様にもみえる（inset）．

おわりに

組織診断および治療方針決定に必要な情報を得ることができる最も低侵襲な手段として，針生検が広く用いられている．限られた量の検体であり，ピットフォールと限界を認識し，正確で無理のない診断を行うことが重要である．

（北薗育美，大井恭代）

文　献

1）日本乳癌学会（編）：臨床・病理 乳癌取扱い規約．第18版．金原出版，2018，pp83-86
2）大井恭代：針生検．病理と臨床 36：952-959，2018
3）Mooney KL, Bassett LW, Apple SK：Upgrade rates of high-risk breast lesions diagnosed on core needle biopsy：a single-institution experience and literature review. Mod Pathol 29：1471-1484, 2016
4）Harada O, Hoe R, Lin J, et al：Intranuclear inclusions in epithelial cells of benign proliferative breast lesions. J Clin Pathol 64：776-780, 2011
5）Brennan ME, Turner RM, Ciatto S, et al：Ductal carcinoma in situ at core-needle biopsy：meta-analysis of underestimation and predictors of invasive breast cancer. Radiology 260：119-128, 2011
6）Virnig BA, Tuttle TM, Shamliyan T, et al：Ductal carcinoma in situ of the breast：a systematic review of incidence, treatment, and outcomes. J Natl Cancer Inst 102：170-178, 2010
7）Koerner FC：Papilloma and related benign lesions. in Hoda SA, Brogi E, Koerner FC, et al（eds）："Rosen's Breast Pathology"（4th ed.）, Wolters Kluwer, Philadelphia, 2014, pp110-119
8）Kuba MG, Murray MP, Coffey K, et al：Morphologic subtypes of lobular carcinoma in situ diagnosed on core needle biopsy：clinicopathologic features and findings at follow-up excision. Mod Pathol 34：1495-1506, 2021
9）Rosa G, Dawson A, Rowe JJ：Does identifying whether pseudoangiomatous stromal hyperplasia（PASH）is focal or diffuse on core biopsy correlate with a PASH nodule on excision? Int J Surg Pathol 25：292-297, 2017
10）Wu JM, Turashvili G：Cystic neutrophilic granulomatous mastitis：an update. J Clin Pathol 73：445-453, 2020

Ⅲ．組織型鑑別のための免疫組織化学的検索の要点

乳腺病理における免疫組織化学 immunohistochemistry (IHC) は，病理診断の確定補助と病理診断後の治療選択のために行われる．前者は良悪性の鑑別，症例によっては特殊型診断の裏づけに用いられ，後者は原発性の浸潤性乳癌の全例を対象に施行される．いずれも第2部「組織型と診断の実際」の各項，第4部-Ⅲ「乳癌のバイオマーカー検索」の項に詳細な解説がある．ここでは各組織型の IHC を解説するのではなく，乳腺病理で頻用される高分子量 cytokeratin (CK)，p63，ER を軸とする IHC を用いた鑑別の進め方，および解釈の注意点を解説する．なお，乳腺病理に限らないことであるが，IHC 用標本作製時に組織構築が変化することがある．IHC 標本と HE 標本を対比させるため，IHC を施行する同レベルの HE 標本を必ず作製しておくべきである．

1．筋上皮細胞および基底膜の IHC ―非浸潤性病変か浸潤性腫瘍かの判定―

筋上皮細胞の評価は乳腺病理の重要事項とされるが，非浸潤性病変であることを確定した後の良悪性の鑑別には，意外と無力である．しかし，非浸潤性小葉癌 lobular carcinoma *in situ* (LCIS) や悪性腺筋上皮腫などの例外を除くと，乳癌特殊型の多くは浸潤癌に属する．また HER2 や Ki67 の IHC，腫瘍浸潤リンパ球 tumor-infiltrating lymphocyte (TIL) の判定部位は浸潤癌領域に限局されるため，組織型の同定とその後の治療方針決定のためにも，筋上皮細胞の消失判定に基づく浸潤性病変の確診は重要である．浸潤の有無の判定には IHC での筋上皮細胞と基底膜の確認が有用であるが，その解釈にはいくつかの注意点がある．

病変を取り囲む筋上皮細胞の存在は，非浸潤性病変であることを示す最も説得力のある所見であり，診断に迷う場合 IHC で確認することが望ましい．ただし，各抗体の抗原反応性の多様性や病変における筋上皮細胞の抗原性変化を考慮する必要がある．HE 像で非浸潤性病変を疑ったにもかかわらず筋上皮細胞の陽性像が得られなければ，核が陽性となる抗原に対する抗体 (p63 など) と細胞質が陽性となるその他の2種類以上の抗原に対する抗体を組み合わせて用いることが推奨される[1~5]．血管平滑筋や線維芽細胞などの筋上皮細胞以外の間質細胞にも陽性となる抗原に対する抗体の判定は，慎重に行う (**表1**)．

複数の筋上皮マーカーが陰性であれば，通常は筋上皮細胞の欠如を意味する．しかし，大型拡張乳管内での非浸潤性乳管癌 ductal carcinoma *in situ* (DCIS) の筋上皮細胞は，IHC を施行しても確認できないことがある．筋上皮細胞の欠如自体が病理組織分類の浸潤癌を意味するわけではないことは，微小腺管腺症や乳頭状病変の被包型乳頭癌 encapsulated papillary carcinoma (EPC)，充実乳頭癌 solid papillary carcinoma (SPC) でも知られており，HE 所見と総合して判断する必要がある．

基底膜構成蛋白 (laminin，type Ⅳ collagen) の IHC も浸潤の判定に有用で，両者がともに陰性，かつ筋上皮細胞が欠如している場合は，浸潤癌が強く示唆される．laminin，type Ⅳ collagen の両方あるいは一方が菲薄化状態や断続的に陽性となり，筋上皮細胞

表 1 | 主要筋上皮細胞のマーカー

抗体，マーカー	抗原	筋上皮細胞の陽性部位	筋線維芽細胞の反応性	脈管の反応性
p63/p40	p63（p53 の homolog）/ deltaNp63 の deltaN ドメイン	核	陰性	陰性
αSMA	α-アクチンの アイソフォーム	細胞質	中等度陽性	血管平滑筋に陽性
calponin	平滑筋アクチン結合蛋白	細胞質	弱～中等度陽性	血管平滑筋に陽性
SMMHC（smooth muscle myosin heavy chain）	平滑筋ミオシン重鎖	細胞質	まれに陽性	血管平滑筋に陽性
h-caldesmon	アクチン結合性細胞 骨格関連蛋白	細胞質	陰性	血管平滑筋に陽性
CD10	CD10	細胞質	ときに弱陽性	陰性
D2-40	podoplanin	細胞質	陰性	内皮に陽性
S100	カルシウム結合性蛋白	核＋細胞質	様々に陽性	陰性
maspin	serine protease inhibitor	核＋細胞質	陰性	陰性
p75	nerve growth factor（NGF）受容体	細胞質＋細胞膜	様々に陽性	内皮に陽性
高分子量 CK（CK5/6，CK14）	上皮細胞の細胞骨格	細胞質（上皮細胞にも陽性）	陰性	陰性
GFAP（glial fibrillary acidic protein）*	グリア細胞線維性酸性蛋白	細胞質	陰性*	陰性
E-cadherin	カルシウム依存性上皮細胞接着分子	細胞膜（ドット状）（上皮細胞の膜にも陽性）	陰性	陰性
SOX10**	SOX（SRY-related HMG-box）ファミリーに属する転写因子	核	陰性*	陰性

*腫瘍性筋上皮細胞に陽性．**ER 陰性乳癌に陽性．上記のマーカーは化生癌でしばしば陽性となる．

が欠如する場合，非浸潤癌の可能性と浸潤癌が浸潤部で基底膜を形成した両者の可能性がある[6~9]．この場合も，IHC のみを根拠とすることなく，HE 所見と併せた総合的な判断が必要である．

2．乳管内病変の IHC

乳管内で増殖する上皮は，良性でも悪性でも乳頭状，微小乳頭状，篩状，充実状，平坦状の構築を取りうる．筋上皮細胞は原則として個々の病巣外縁の拡張乳管壁に認められ，乳頭状病変を除いて内部に増殖する上皮にはほとんど混在しない点は共通である．つまり，病変外縁に筋上皮細胞が存在する症例は，良性・悪性のいずれの可能性もある．平坦状構築を除く立体構築を示す上皮増殖の良性・悪性の鑑別には，高分子量 CK（CK5/6，CK14 など）と ER の発現状態の評価が有用で，高分子量 CK と ER がモザイク状に陽性であれば良性の乳管過形成あるいは筋上皮細胞の増殖，高分子量 CK が陰性で ER はびまん性強陽性であれば腫瘍性上皮［異型乳管過形成 atypical ductal hyperplasia（ADH）や DCIS，小葉性腫瘍］，高分子量 CK と ER の両者が陰性であればアポクリン上皮を示唆する（**表 2, 図 1～19**）．充実状増殖部を腫瘍性と判定した症例には，小葉性腫瘍が含まれている可能性がある．米国がん合同委員会 American Joint Committee on Cancer（AJCC）は異型小葉過形成 atypical lobular hyperplasia（ALH）だけでなく，LCIS も「癌」ではなく，治療不要なリスク病変と位置づけている．いまだ臨床像が不明な多形型の LCIS を DCIS と誤認することは許容されるかもしれないが，低異型度の LCIS を DCIS と誤認すると不要な治療につながる可能性があるため，小葉性腫瘍は常に念頭に置く必要がある．HE 標本で低異型度病変の鑑別に自信をもてない段階では，E-cadherin や p120-catenin の IHC を追加するとよい．小葉性腫瘍は，筋上皮過形成との鑑別も必要となることがある．筋上皮細胞は E-cadherin IHC で細胞膜がドット状陽性となり，小葉性腫瘍の E-cadherin の異常発現との区別が難しいことがあるため（**図 16**），筋上皮マーカーと併せて総合的に判断する（**図 15, 17**）．IHC による増殖上皮評価の例を**図 1～19** に示す．この増殖上皮の評価方法は，乳頭状病変の診断にも応用可能である．なお，非浸潤性アポクリン病変は良性，悪性にかかわらず ER と高分子量 CK が陰性となり，良悪性の鑑別には利用できない．

表2 | 乳管内増殖病変の免疫組織化学所見

乳管内病変	高分子量CK（辺縁/内部）	ER/PgR	筋上皮マーカー（辺縁/内部）	E-cadherin
通常型乳管過形成	辺縁陽性（筋上皮細胞に陽性）/内部モザイク状陽性（基底型上皮に陽性）	陰性〜強弱の陽性細胞が混在	辺縁陽性/内部陰性	陽性
筋上皮過形成/腫瘍性筋上皮	辺縁から内腔の重積細胞に陽性	陰性〜弱陽性	辺縁から内腔に向かって陽性	ドット状陽性
・異型乳管過形成 ・非高異型度非浸潤性乳管癌	辺縁陽性（筋上皮細胞に陽性）/内部陰性	びまん性陽性	辺縁陽性（減少傾向）/内部陰性	陽性
小葉性腫瘍	辺縁陽性（筋上皮細胞に陽性）/内部陰性	びまん性陽性	辺縁陽性（減少傾向）/内部陰性	陰性
基底細胞型非浸潤性乳管癌	辺縁陽性（筋上皮細胞に陽性）/内部陰性	陰性	辺縁陽性（減少傾向）/内部陰性	陽性
非浸潤性アポクリン病変（良性，悪性共通所見）	内部陰性	陰性	辺縁陽性（減少傾向）/内部陰性	陽性

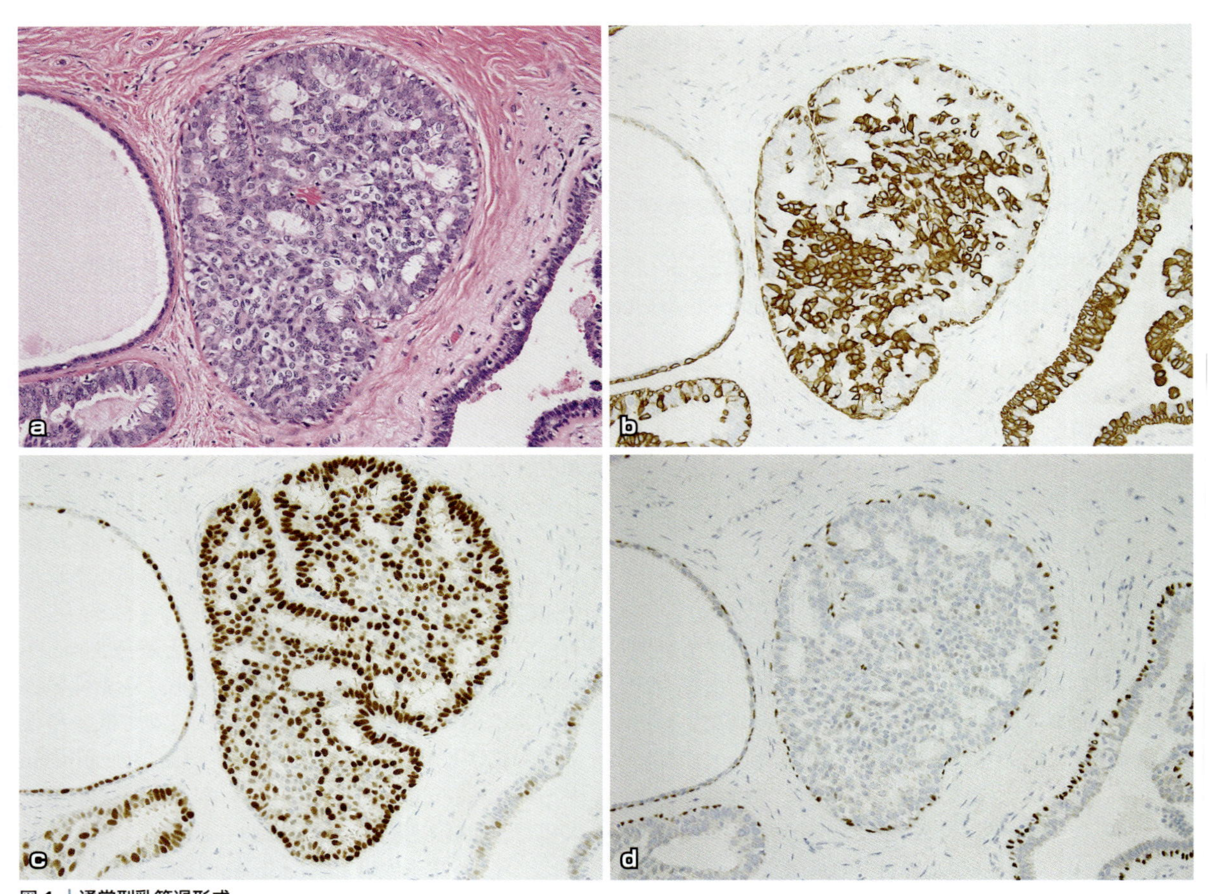

図1 | 通常型乳管過形成

a：HE染色．b：CK5/6免疫染色．c：ER免疫染色．d：p63免疫染色．拡張乳管内部で増殖する上皮はCK5/6がモザイク状に陽性である．ERに関しては陰性あるいは弱〜強陽性細胞が混在し，筋上皮細胞に反応するp63は陰性である．拡張乳管壁の筋上皮細胞はCK5/6とp63が陽性である．この筋上皮細胞の局在所見は，通常型乳管過形成とDCISや小葉性腫瘍等の腫瘍性上皮の増殖病変に共通であり，非浸潤性病変であることしか意味しない．

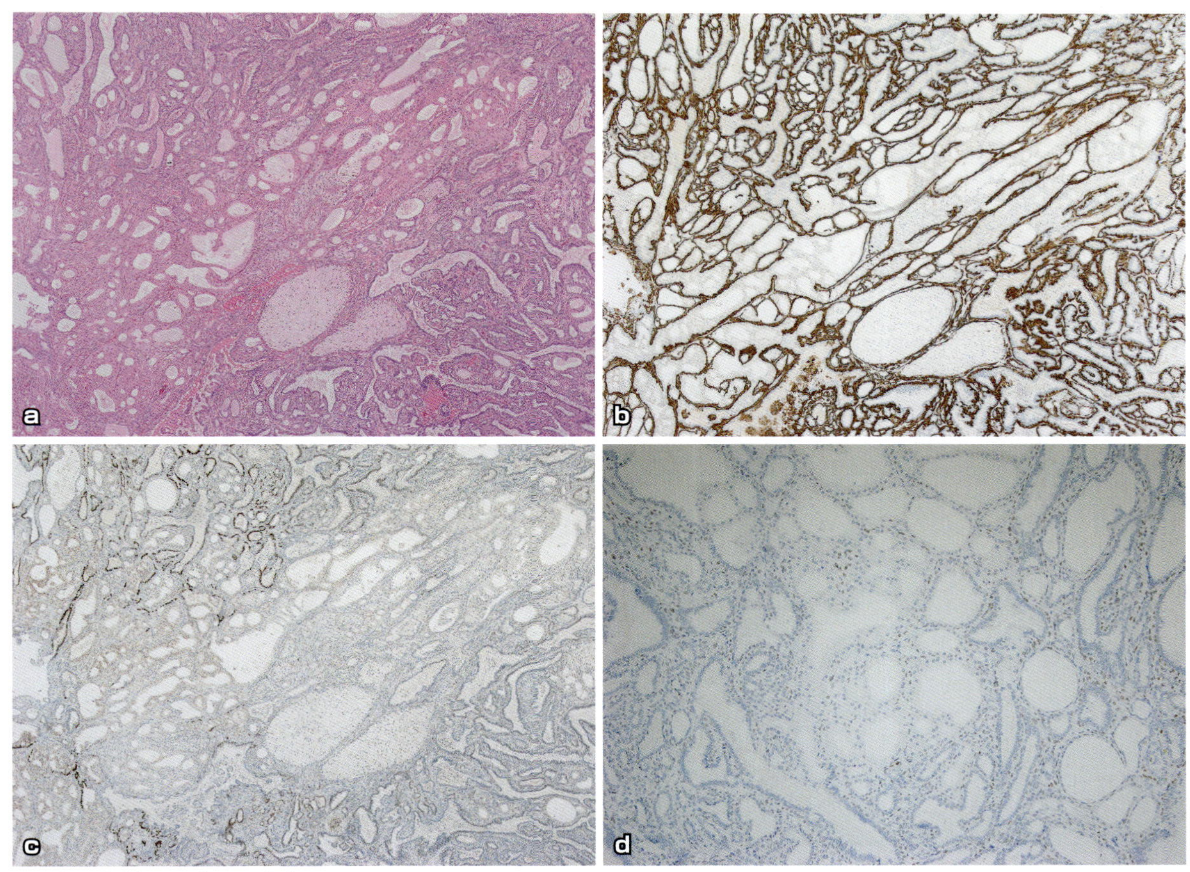

図 2 | 乳頭腫内のアポクリン上皮

a：HE 染色．b：CK5/6 免疫染色．c：ER 免疫染色．d：p63 免疫染色．アポクリン上皮は．高分子量 CK と ER が陰性となり，症例によっては p63 陽性の筋上皮細胞が確認しづらい．この所見は良性・悪性アポクリン上皮に共通であり，良性・悪性の鑑別には使えない．CK5/6 陰性を根拠に，ADH や DCIS と診断してはならない．

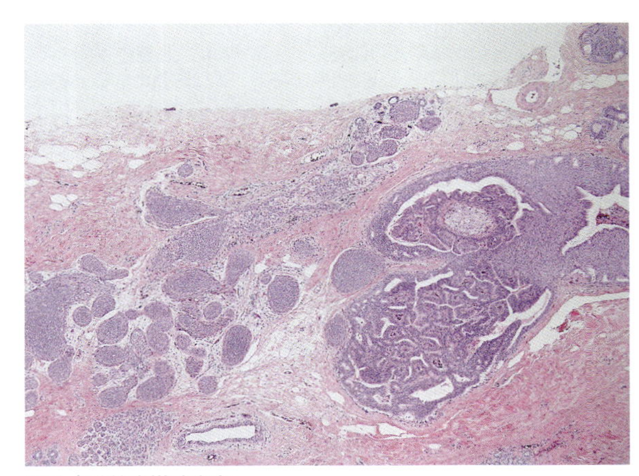

図 3 | 乳管内増殖病変

拡張乳管および小葉内に上皮の充実状や乳頭状，篩状増殖がみられる．

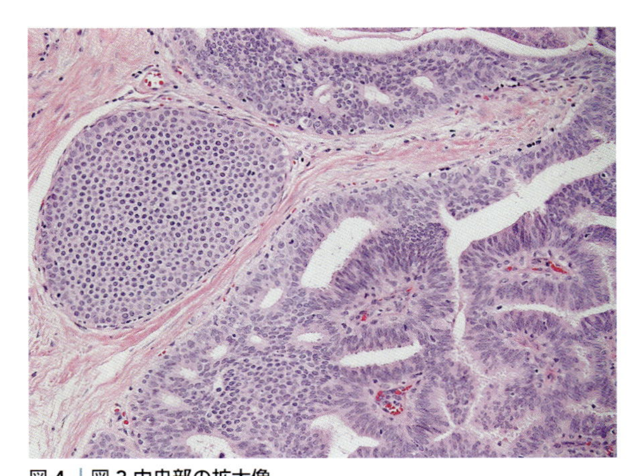

図 4 | 図 3 中央部の拡大像

図左方に小型上皮細胞の充実性増殖，図上方にやや核が腫大した上皮の篩状・橋渡し状増殖，図中央から右に高円柱状上皮の乳頭状増殖がみられる．

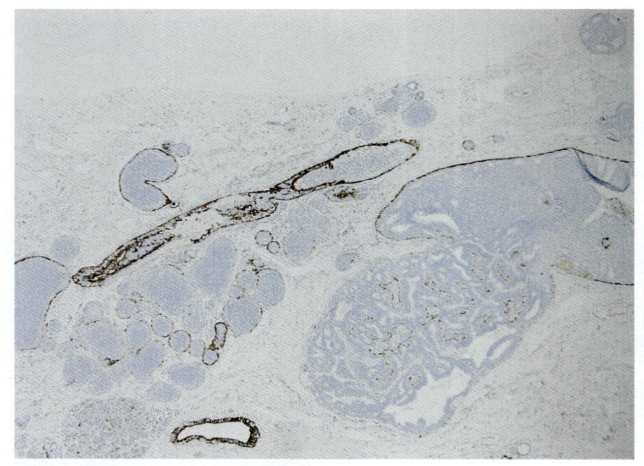

図5 | 図3のCK5/6免疫染色
拡張乳管壁と乳頭状構築部の血管茎に分布する筋上皮細胞が陽性で，拡張乳管・小葉内の増殖上皮は陰性である．腫瘍性上皮であることが示唆される．

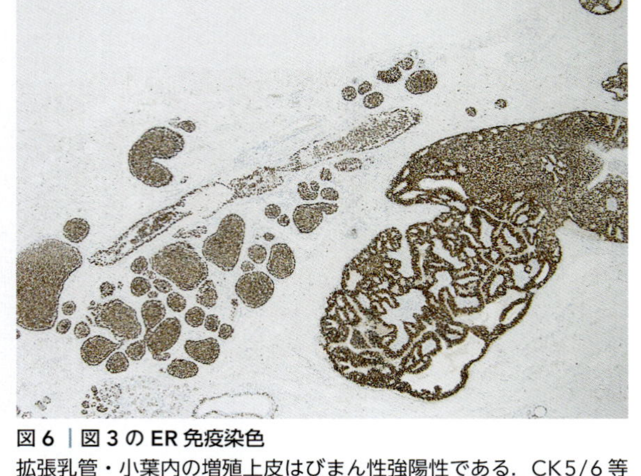

図6 | 図3のER免疫染色
拡張乳管・小葉内の増殖上皮はびまん性強陽性である．CK5/6等の高分子量CKとERの免疫染色を総合すれば，良性の乳管過形成ではなく低異型度の腫瘍性上皮（DCISや小葉性腫瘍）であると推定できる．図5と併せ図1と比較のこと．

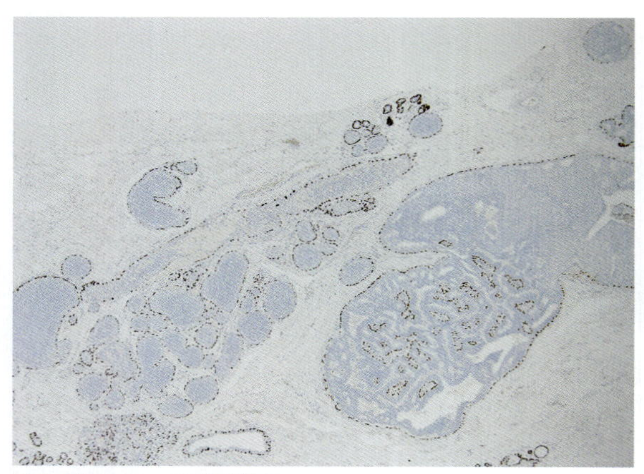

図7 | 図3のp63免疫染色
拡張乳管壁と乳頭状構築部の血管茎に分布する筋上皮細胞が陽性を示し，拡張乳管・小葉内の増殖上皮は陰性である．この所見は，通常型乳管過形成とDCIS等の腫瘍性上皮増殖病変に共通であり，非浸潤性病変であることしか意味しない．

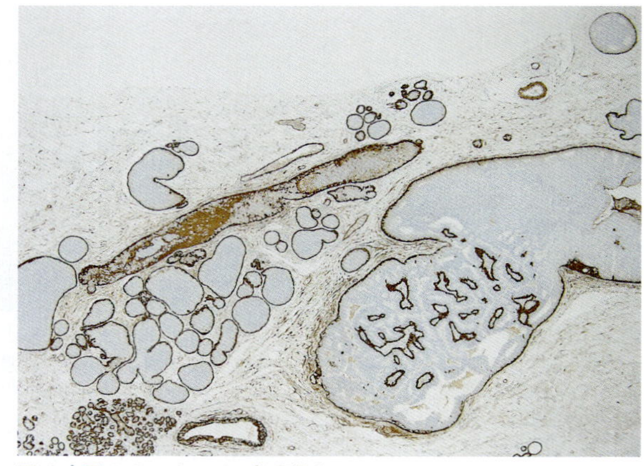

図8 | 図3のcalponin免疫染色
拡張乳管壁と乳頭状構築部の血管茎に分布する筋上皮細胞が陽性で，拡張乳管・小葉内の増殖上皮は陰性である．核に陽性となるp63と異なり，細胞質に陽性となるため筋上皮細胞の存在はより明瞭化している．

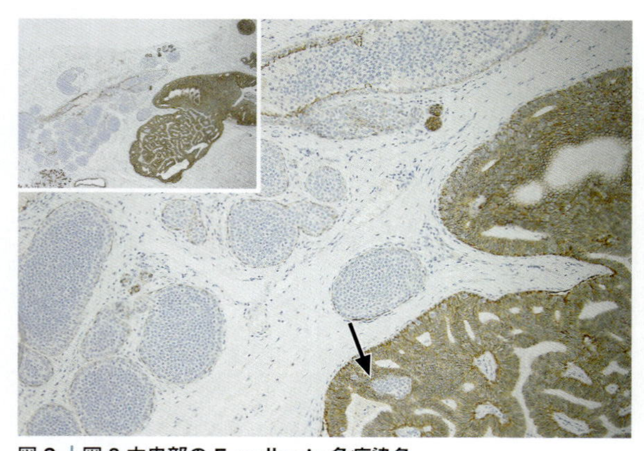

図9 | 図3中央部のE-cadherin免疫染色
図3, 4で認められた小型上皮はE-cadherin陰性であり，小葉性腫瘍である．乳頭状病変内にも小葉性腫瘍の小胞巣が存在する（矢印）．insetは図3と同拡大．

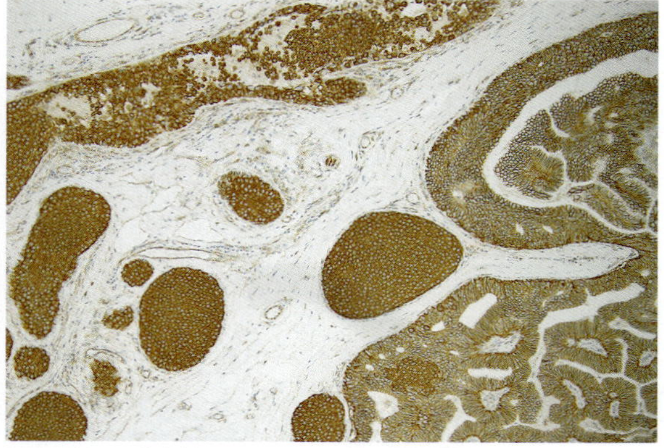

図10 | 図3中央部のp120-catenin免疫染色
小葉性腫瘍の細胞質が陽性となり，E-cadherinと比較して，小葉性腫瘍が少量の場合に局在を確認できる利点がある．乳頭状病変内の小葉性腫瘍の小胞巣が明瞭化している．

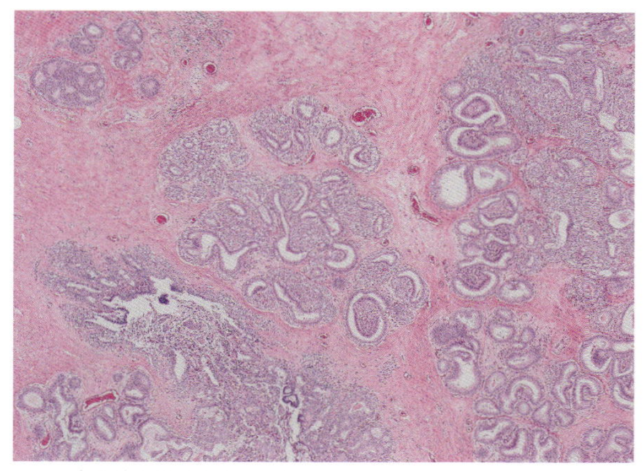

図 11 ｜乳管内増殖病変と篩状癌
図中央から右方の拡張乳管・小葉内に，淡明な細胞質を有する細胞の重積化がみられ，最内層は高円柱状上皮となっている．図左上方に篩状癌を認める．

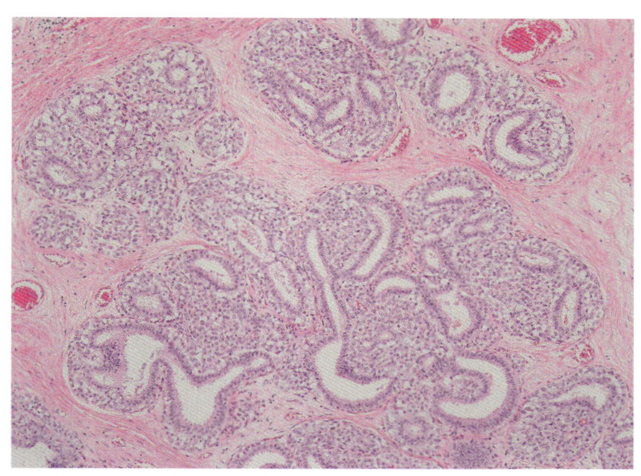

図 12 ｜図 11 中央部の拡大像
拡張乳管・小葉内に淡明な細胞質を有する細胞の重積化がみられ，最内層は高円柱状上皮である．

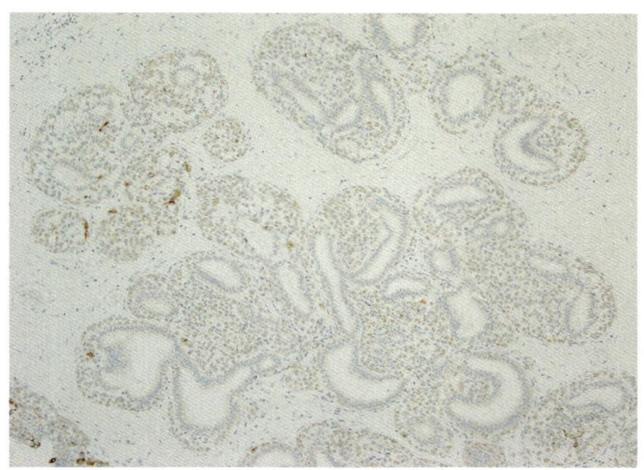

図 13 ｜図 12 の CK5/6 免疫染色
拡張乳管・小葉内の淡明な細胞は弱陽性を示し，最内層の上皮は陰性である．

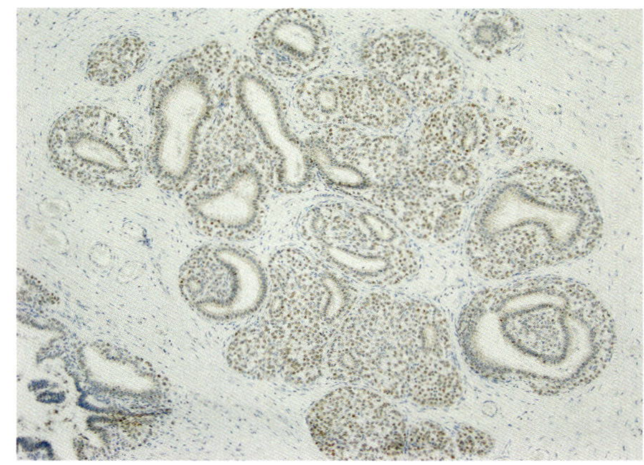

図 14 ｜図 12 の ER 免疫染色
拡張乳管・小葉内の淡明な細胞は大多数が陽性であるが，陰性〜強陽性細胞が混在する．最内層の上皮は少数が陽性である．図 13, 14 ともに DCIS や小葉性腫瘍としては非定型な所見である．

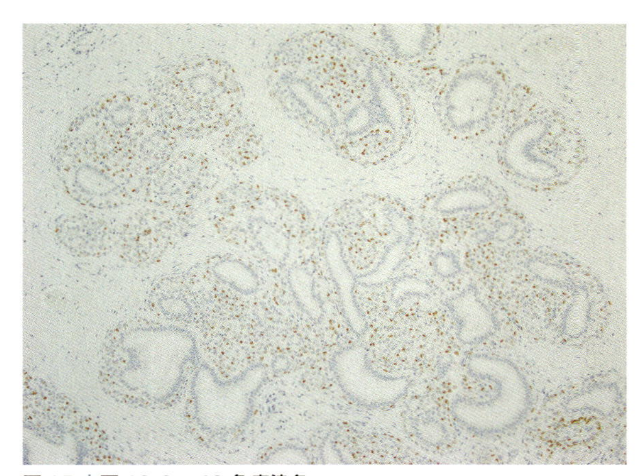

図 15 ｜図 12 の p63 免疫染色
拡張乳管・小葉内の淡明な細胞は陽性を示し，最内層の上皮は陰性である．増殖細胞は筋上皮細胞である．

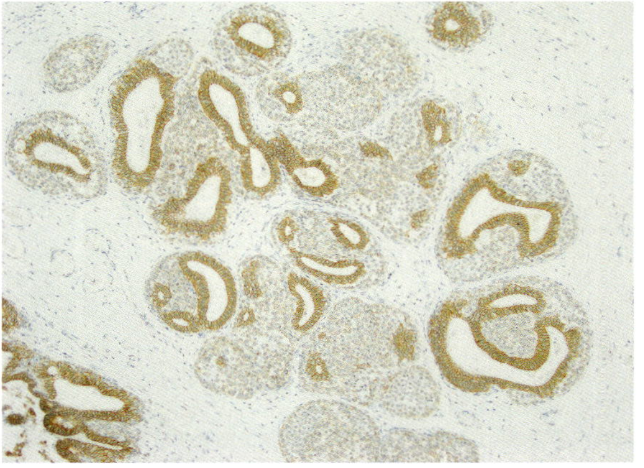

図 16 ｜図 12 の E-cadherin 免疫染色
拡張乳管・小葉内の淡明な細胞は細胞膜にドット状に弱陽性を示し，最内層の上皮は細胞膜に強陽性である．小葉性腫瘍の一部は E-cadherin を異常発現することが知られているが，筋上皮細胞も E-cadherin が細胞膜にドット状陽性となることに注意が必要である．

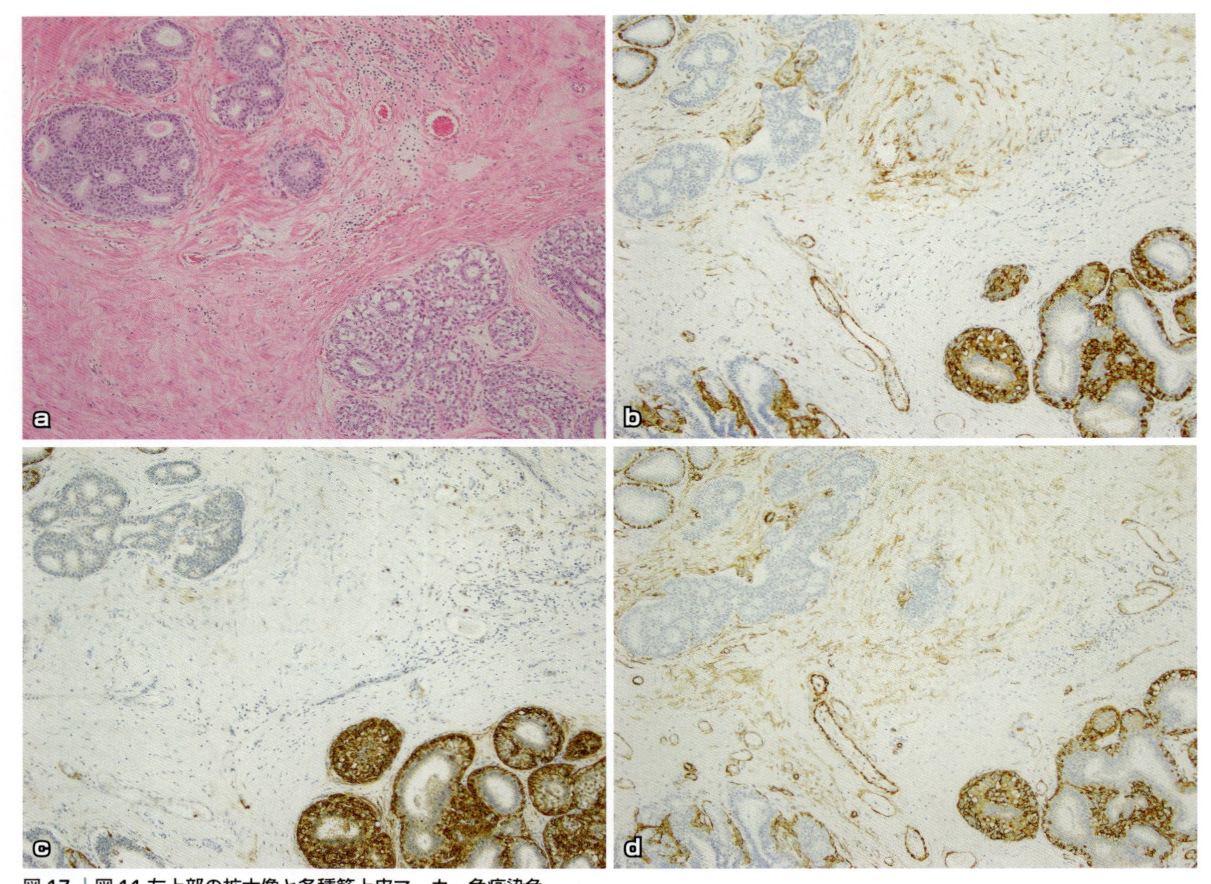

図 17 | 図 11 左上部の拡大像と各種筋上皮マーカー免疫染色
a：HE 染色．b：calponin 免疫染色．c：CD10 免疫染色．d：αSMA 免疫染色．図 15 の p63 陽性細胞は各種マーカー陽性で，この病変は筋上皮細胞過形成である．図左上方の篩状癌に筋上皮細胞は認められない．

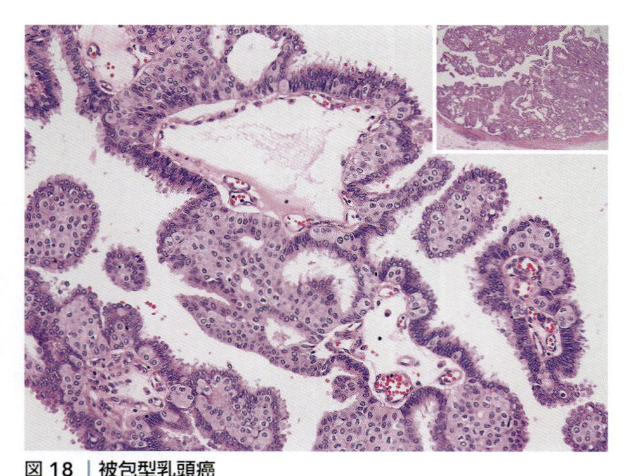

図 18 | 被包型乳頭癌
inset（全体像）中央部の拡大像．浮腫状の血管茎に対し，淡好酸性細胞質を有する細胞が多層化しつつ付着し，一部では高円柱状上皮がホブネイル状に配列している．淡好酸性細胞質を有する細胞は，筋上皮細胞，小葉性腫瘍，腺上皮が鑑別となる．

3．乳管内乳頭状病変の IHC

拡張乳管内の乳頭状病変（**表 3**）は，WHO 分類 第 5 版（2019 年）では病変辺縁と血管茎の筋上皮の有無で 5 型に分類される．アポクリン上皮から構成される乳頭状病変を除けば，血管茎に筋上皮細胞が消失していれば悪性と診断可能である．血管茎に加えて拡張乳管壁と思われる病変輪郭にも筋上皮細胞が消失している EPC や一部の SPC は，浸潤癌か否かが論争の対象となるが，非浸潤癌（pTis）と報告することが推奨されている（**図 18, 19**）．その他の非浸潤性の乳頭状病変は原則，病巣を縁どる筋上皮細胞が存在し，そこから連続して貫入する血管茎にも筋上皮細胞が減少・不連続な状態でしばしば残存する．そのため，外縁と血管茎のいずれにも筋上皮細胞が存在する症例では，それのみの評価で良性・悪性の鑑別は不可能である（**図 3〜8**）．その場合，増殖してい

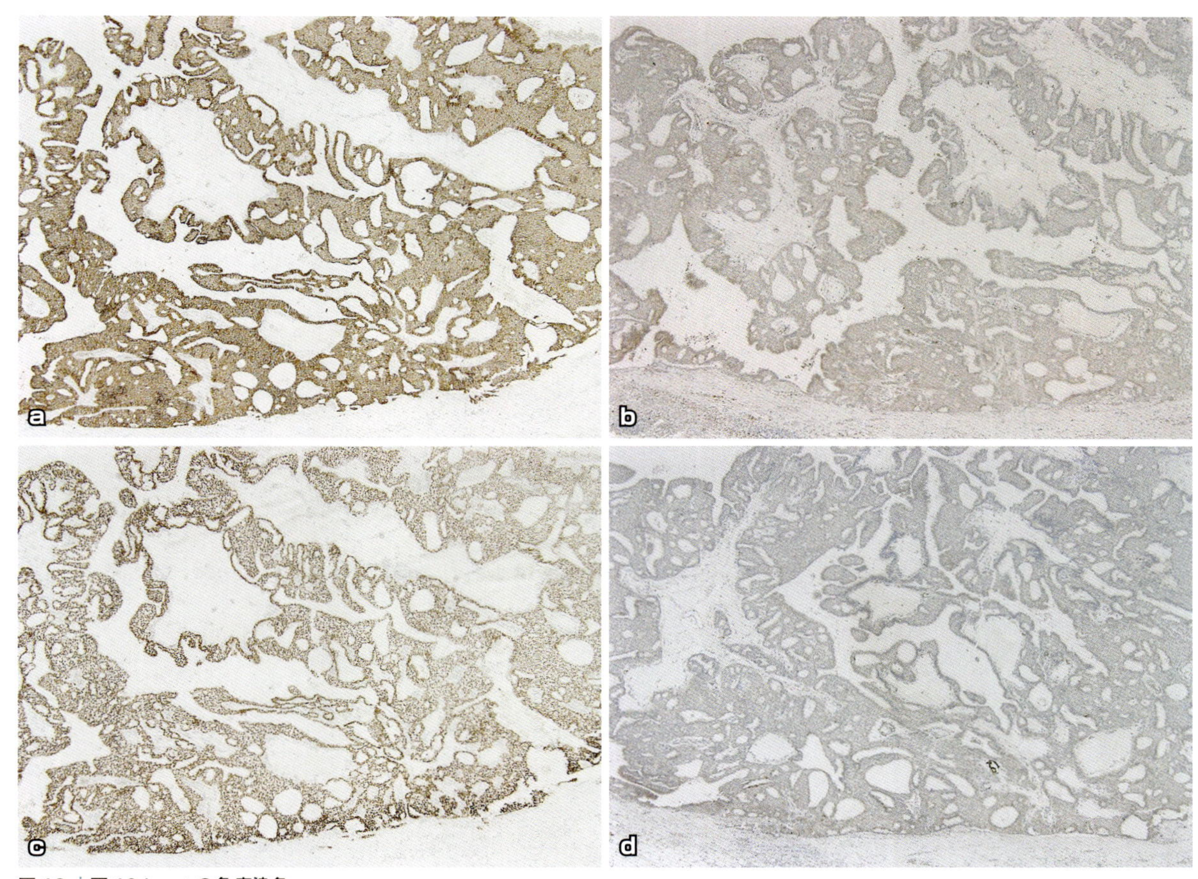

図 19 ｜図 18 inset の免疫染色
a：E-cadherin 免疫染色．b：CK5/6 免疫染色．c：ER 免疫染色．d：p63 免疫染色．淡好酸性細胞質を有する細胞と高円柱状細胞はいずれも E-cadherin が細胞膜に陽性，ER がびまん性に強陽性，CK5/6 と p63 は陰性である．淡好酸性細胞質を有する細胞は，小葉性腫瘍や筋上皮細胞過形成ではなく，腫瘍性の腺上皮である．乳頭状の血管茎と被包壁に筋上皮細胞は認めない．ここでは示さないが，calponin，CD10，αSMA 等も陰性である．この乳頭状病変は，dimorphic pattern を示す被包型乳頭癌である．

る上皮を対象とした高分子量 CK と ER の評価が，良性・悪性分類の助けになることは，上述の乳管内病変の IHC と同様である（**図 18, 19**）．浸潤性乳頭癌は乳頭状ではあるが，拡張乳管内の病変ではないことは HE 像で明白である．IHC で浸潤を確認することはありうるが，純粋に形態に基づく特殊型診断になる．乳頭状構築を形成する腺筋上皮腫の一部は，乳頭腫に類似した組織像，IHC 所見となる．腫瘍性筋上皮増殖に伴って筋上皮マーカー陽性細胞は増加するが，全てのマーカーが恒常的に陽性とならない傾向がある．逆にマーカーによっては陰性となる結果が，腫瘍性筋上皮を示唆することになる．

4．硬化性病変，管状・腺房状・篩状腺管病変の IHC

硬化性腺症や放射状硬化性病変 radial sclerosing lesion（RSL）などの良性病変と，硬性型浸潤性乳管癌や浸潤性小葉癌，腺管形成性の浸潤癌の鑑別には，筋上皮マーカーや基底膜マーカーの IHC は有用である（**図 20〜27**）．ただし，硬化性腺症や RSL 内に DCIS が発生した症例では，個々の胞巣外縁の筋上皮細胞は保持されており，筋上皮細胞の有無のみでは硬化性腺症や RSL と鑑別できない．特に硬化性腺症内の DCIS は狭小な空間内での腫瘍細胞増殖のため，細胞異型の評価や病変のフロント形成の有無判断など HE 所見に基づいた診断になることが多い．内腔の上皮が増殖していれば，高分子量 CK や ER の IHC 評価が診断の一助となる（**図 25〜27**）．対

表3 | 乳管内乳頭状病変の免疫組織化学所見

乳管内乳頭状病変	筋上皮細胞（HE所見）		p63，calponinなど（筋上皮マーカー）		高分子量CK（CK5/6，CK14）	ER	備考
	乳頭状部血管茎	病変乳管辺縁	乳頭状部血管茎	病変乳管辺縁	上皮増殖部を対象に評価	上皮増殖部を対象に評価	
intraductal papilloma	残存	残存	陽性	陽性	モザイク状陽性．アポクリン化生部は陰性	不均等に陽性	
papilloma with ADH/DCIS	残存（ADH/DCISの領域で菲薄化，減少傾向）	残存	陽性（ADH/DCISの領域で減少傾向）	陽性	既存の乳頭腫部はモザイク状に陽性．アポクリン化生部とADH/DCIS部は陰性	良性部は不均等に陽性．ADH/DCIS部はびまん性強陽性	
papillary DCIS	少数残存または消失	菲薄化状態で残存	陽性（少数）または陰性	陽性	陰性	びまん性強陽性	
solid papillary carcinoma (SPC)	消失（経験的に残存症例も存在する）	菲薄化状態で残存または消失	陽性（少数）または陰性	陽性（少数）または陰性	陰性	びまん性強陽性	約70%の症例で神経内分泌マーカー（chromogranin A, synaptophysin）が陽性
encapsulated papillary carcinoma (EPC)	消失	消失	陰性	陰性	陰性	びまん性強陽性	非浸潤癌（pTis）扱い
invasive papillary carcinoma	消失	消失	陰性	陰性	陰性	陽性	
tall cell carcinoma with reversed polarity	消失	消失	陰性	陰性	陽性	陰性	IDH2陽性（*IDH2* p.ARG172変異代替マーカー），トリプルネガティブ乳癌，CK7陽性，神経内分泌マーカー陰性
adenomyoepithelioma, papillary type	残存（増加）	残存（増加）	陽性（増加）	陽性（増加）	モザイク状陽性	不均等に陽性	筋上皮マーカーの全てが陽性になるとは限らない

ADH：atypical ductal hyperplasia（異型乳管過形成）．DCIS：ductal carcinoma *in situ*（非浸潤性乳管癌）．

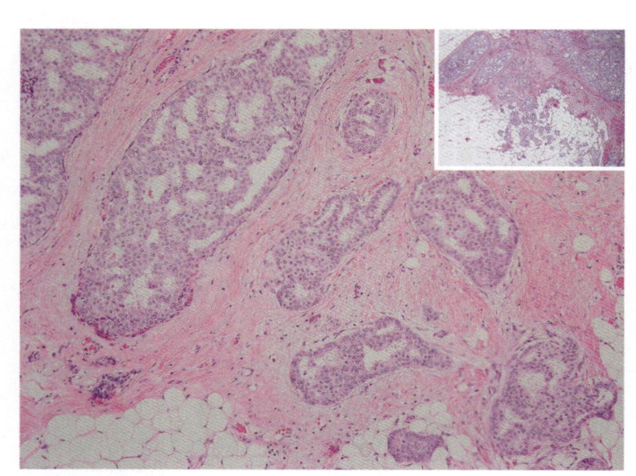

図20 | 篩状腺管
inset（全体像）中央部の拡大像．

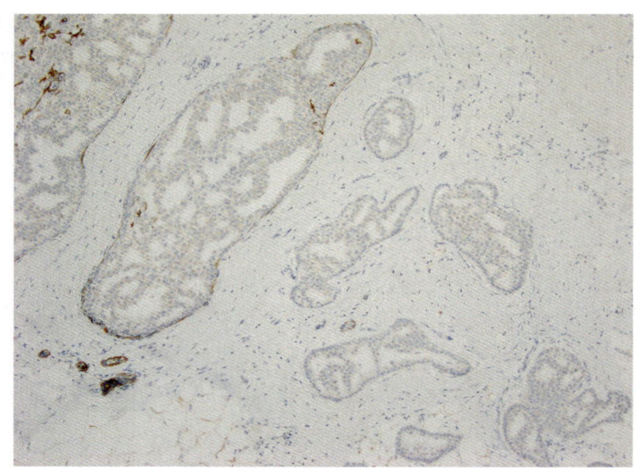

図21 | 図20のCK5/6免疫染色
図左方の篩状腺管の内部に少数の陽性細胞がみられ，最外層には細胞質が引き伸ばされたと思われる筋上皮細胞が陽性を示す．図右方の篩状腺管は内部，最外層とも陰性である．

象の腺管周囲に筋上皮マーカーが陰性であれば，microglandular adenosisか浸潤癌と推定できる．microglandular adenosisを疑う場合は基底膜マーカーやS100等のIHCを追加し，腺房細胞癌との鑑別も行う（**表4**）．篩状腺管病変のうち，IHCで筋上皮細胞の裏装からなる腺管が確認されれば，collagenous spherulosisか腺様嚢胞癌を疑う（**図28**）．腺管形成を伴う特殊型は，一見すると高分化でER陽性（lumi-

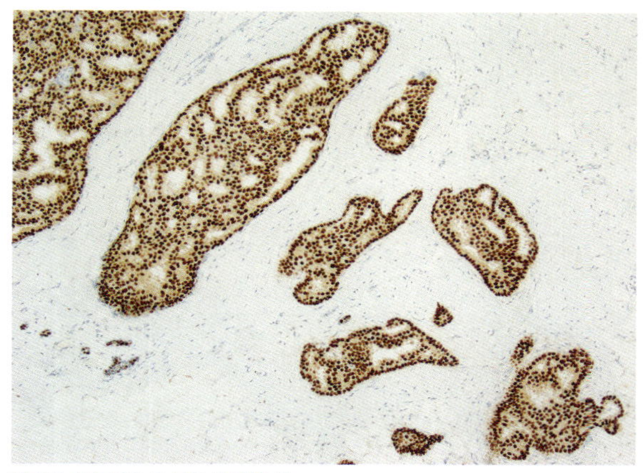

図 22 | 図 20 の ER 免疫染色
いずれの篩状腺管も強陽性である．図 21 と併せて腫瘍性上皮と確定できる．図 21 の CK5/6 所見から，図左方は乳管内の非浸潤性癌成分，図右方の篩状腺管は浸潤癌と考えられる．

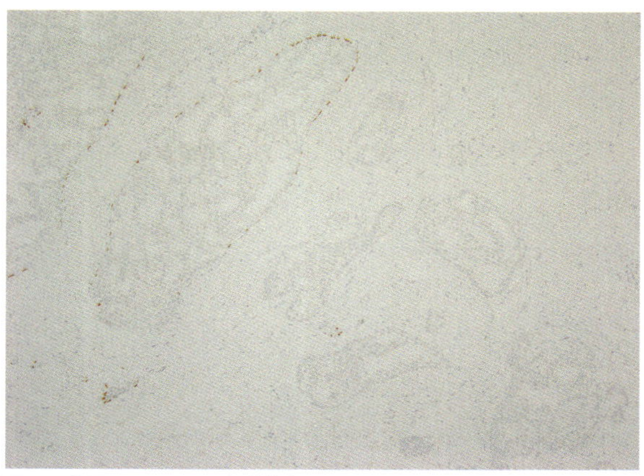

図 23 | 図 20 の p63 免疫染色
図左方の篩状腺管は最外層の筋上皮細胞が陽性，図右方の篩状腺管は陰性である．HE 所見で浸潤癌であることを疑っていなかったのであれば，複数の筋上皮マーカーを追加して検討してもよい．

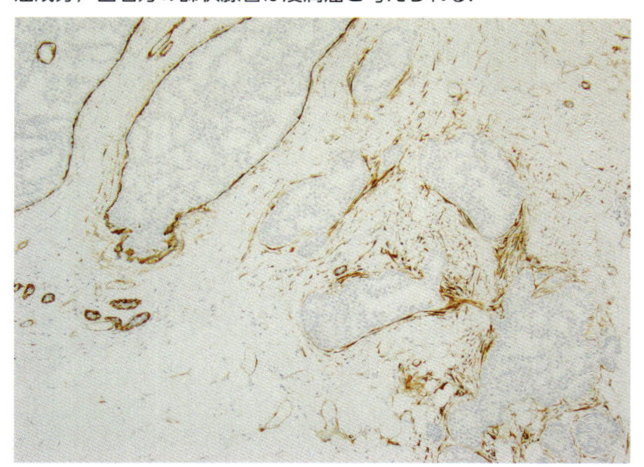

図 24 | 図 20 の calponin 免疫染色
図右方の篩状腺管周囲にも陽性紡錘形細胞が重層化して分布している．筋上皮細胞と反応性の筋線維芽細胞との区別が難しい．筋上皮マーカーが病変を単層に縁どるだけでなく，周囲間質にも陽性細胞が分布するときは，筋線維芽細胞の可能性を考える．特に浸潤癌を考えていたのであれば，複数の筋上皮マーカーを追加して検討するべきである．

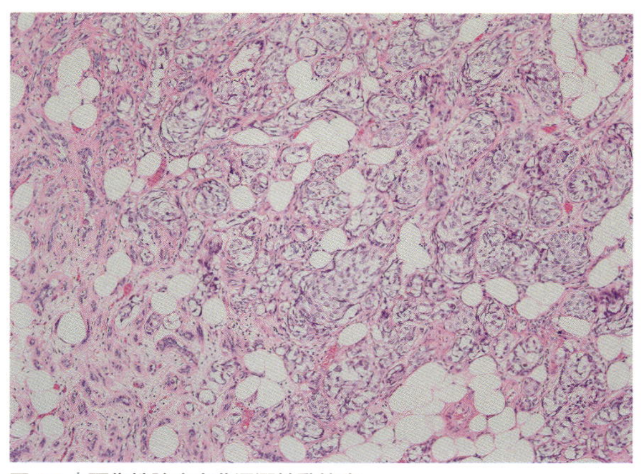

図 25 | 硬化性腺症内非浸潤性乳管癌
拡張乳管内で充実状に増殖する DCIS を認める．図左下方に背景病変の硬化性腺症がみられ，病変のフロント形成が明瞭である．

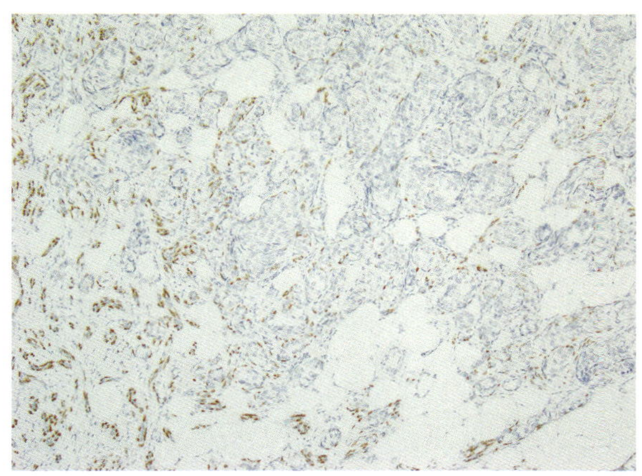

図 26 | 図 25 の p63 免疫染色
硬化性腺症内の DCIS 部では，密度は減少しているが，筋上皮細胞が残存している．この所見のみでは，非浸潤性病変を確認しただけであることに注意すること．

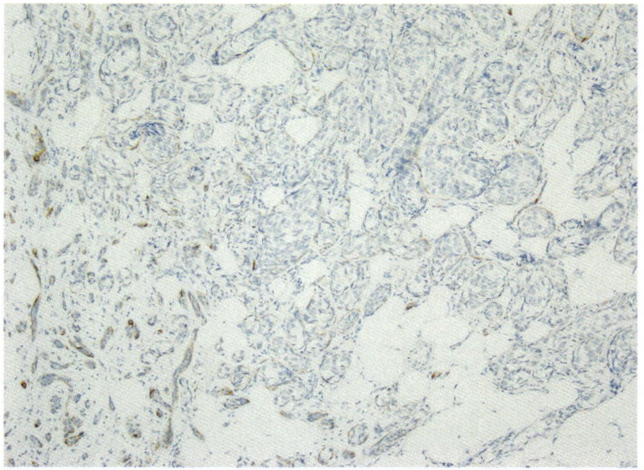

図 27 | 図 25 の CK5/6 免疫染色
全域の筋上皮細胞が陽性である．非浸潤性の病変であること，内部の増殖上皮が陰性であることから，DCIS の合併を確認できる．ここでは示さないが，DCIS 部は ER がびまん性強陽性を示した．

表 4 | 腺管形成病変の免疫組織化学所見

硬化性病変, 管状・腺房状・篩状腺管病変	筋上皮マーカー	ER/PgR	HER 2	備考
乳管過形成	外縁に陽性	モザイク状陽性	陰性	高分子量 CK モザイク状陽性
非高異型度非浸潤性乳管癌	外縁に陽性（減少）	陽性	陰性	高分子量 CK 陰性，高異型度基底細胞型非浸潤性乳管癌は高分子量 CK 陽性
篩状癌	陰性	陽性	陰性	高分子量 CK 陰性
collagenous spherulosis	陽性（外縁と偽腺腔部分）	陽性	陰性	筋上皮マーカーは c-kit 陰性，偽腺腔の筋上皮は CD 10，HHF 35 陽性
腺様囊胞癌	陽性（外縁と偽腺腔部分）	多くは陰性	多くは陰性	c-kit 陽性（一部の高異型度浸潤性乳管癌も陽性となる），MYB 陽性（*MYB-NFIB* 融合遺伝子の代替マーカー）
硬化性腺症，放射状硬化性病変	陽性	陽性	陰性	
microglandular adenosis	陰性	陰性	陰性	S 100, cathepsin D, EGFR (HER 1) 陽性, 基底膜マーカー（laminin，type Ⅳ collagen）陽性，EMA 陰性
腺房細胞癌	陰性	陰性	陰性	S100，α_1-antichymotrypsin，α-amylase，lysozyme 陽性，PAS 陽性（diastase resistant）
分泌癌	陰性	陰性	陰性	pan-Trk 陽性（*ETV6-NTKR3* 融合遺伝子代替マーカー），CEA (polyclonal)，mammaglobin，SOX10，MUC4，S100，α-lactalbumin，lactoferrin 陽性，PAS 陽性（diastase resistant）
管状癌	陰性	陽性	陰性	基底膜マーカー陰性
低異型度腺扁平上皮癌	陰性	陰性	陰性	扁平上皮・筋上皮マーカー陽性

DCIS：ductal carcinoma *in situ*（非浸潤性乳管癌）.

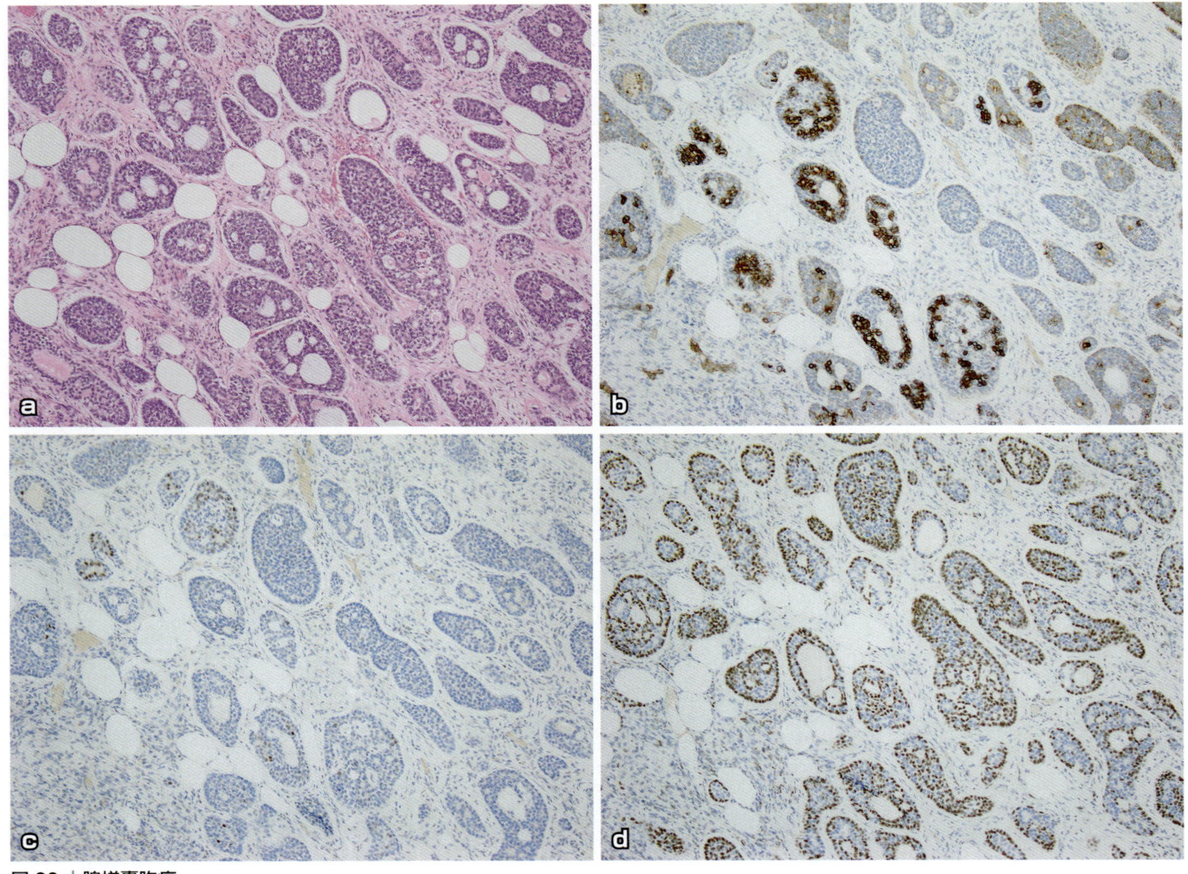

図 28 | 腺様囊胞癌

a：HE 染色．b：CK5/6 免疫染色．c：ER 免疫染色．d：p63 免疫染色．腺様囊胞癌の篩状腺管は真腔と偽腔から構成される．高分子量 CK や p63 陽性細胞に囲まれた腔を認める点が，篩状型 DCIS や篩状癌との違いになる．腺様囊胞癌の多くは ER，HER2 陰性とされるが，本例は少数の ER 陽性細胞がみられる．ER が陰性もしくは少数にのみ陽性である点も，ER がびまん性強陽性となる篩状型 DCIS や篩状癌との鑑別点である．

表 5 | 好酸性病変の免疫組織化学所見

好酸性腫瘍	panCK	ER/PgR	HER2	AR	S100	CD68	付記
アポクリン癌	陽性	陰性	様々	陽性	様々	陰性	GCDFP15，AR 陽性（他の組織型も陽性となるため特異性は低い）
多形型浸潤性小葉癌	陽性	様々	様々	様々	様々	陰性	E-cadherin 陰性
IC with oncocytic pattern	陽性	多くは陽性	様々	様々	様々	陰性	mitochondria 陽性
扁平上皮癌	陽性	陰性	陰性	陰性	陰性	陰性	高分子量 CK，p63 陽性
顆粒細胞腫	陰性	陰性	陰性	陰性	陽性	陽性	TFE3，MITF 陽性（核）．S100 は非特異反応
組織球	陰性	陰性	陰性	陰性	様々	陽性	

IC：invasive carcinoma（浸潤性乳癌）．

nal A 型）のような印象を受けるが，多くはトリプルネガティブ乳癌であり，治療選択のために行う ER，HER2 の結果が特殊型を疑う契機となりうる（**表 4**，後出**表 7** 参照）．

5．好酸性病変の IHC

好酸性細胞質を有する細胞から構成される病変には，上皮だけでなく間葉系細胞由来の腫瘍や炎症が含まれる．頻度の多いアポクリン分化を伴う癌を軸に鑑別を進め，*in situ* 病変を伴っていないなど違和感を感じる病変に対しては，pancytokeratin の IHC を施行して上皮か非上皮かを確認する．上皮性腫瘍が確認できれば，アポクリン癌とそれ以外のアポクリン分化を伴う通常型癌・特殊型癌との鑑別になる．現状では ER が陽性の癌は，HE 所見での典型例を除きアポクリン癌と診断しづらい．ER 陰性症例では，高分子量 CK や E-cadherin の IHC で，その他の特殊型と区分していく（**表 5，図 29，30**）．

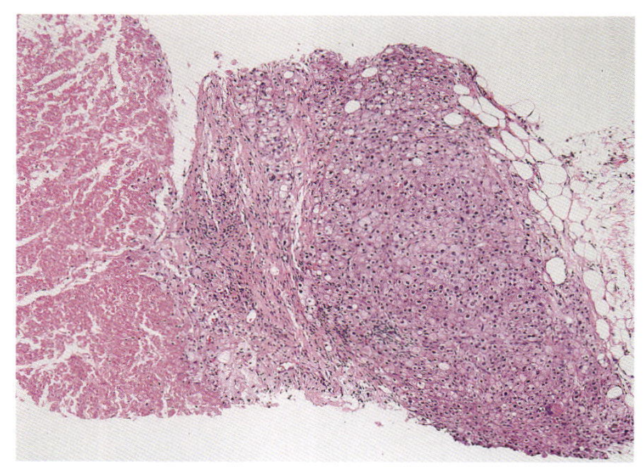

図 29 | 好酸性腫瘍
図左方の壊死に隣接し，泡沫状組織球の縁どりがあり，さらにその外側に豊富な好酸性細胞質を有する異型細胞が帯状・充実性に増殖している．

6．紡錘形細胞病変の IHC

病変が主に紡錘形細胞の増殖から構成される場合，外傷や既往検査に起因する反応性組織変化，良性間葉系腫瘍から悪性腫瘍まで様々な疾患を考慮する必要がある．まずはセンチネルリンパ節生検や薬物療法等の治療対応が異なる上皮性腫瘍（良性化生性病変，上皮・筋上皮二相性腫瘍，化生癌），上皮間葉系腫瘍（線維腺腫，葉状腫瘍），非上皮性腫瘍（他臓器でも認められる純粋な軟部腫瘍）の大枠を判断したのち，それぞれに属する疾患群に鑑別を進める．良性上皮成分と間葉系成分の分布状態（線維腺腫や葉状腫瘍，軟部腫瘍），癌成分の有無および癌と間質成分の移行像（化生癌）を評価するが，針生検等で上皮成分が含まれておらず間葉系成分のみが採取された場合，複数の CK や p63 の IHC を施行する．それらが陽性の場合は化生癌が疑われ，陰性の場合は葉状腫瘍や乳腺外にも発生する軟部腫瘍の可能性が高くなる（**図 31～36**）．葉状腫瘍の間質細胞が CK や p63 IHC に陽性となることも報告されているが，少数にとどまる．針生検や穿刺吸引細胞診に伴う良性上皮の播種巣，DCIS の医原性播種巣はしばしば筋上皮マーカーと交差性のある扁平上皮化生をきたし，刺入痕に沿ったものかどうかの評価も必要である．限られた針生検のような検体では，組織像によっては暫定的診断も許容される．

7．非特殊型浸潤性乳癌（浸潤性乳管癌）の亜型，その他の IHC

WHO 分類 第 5 版では，特殊な組織形態を示すが頻度が極めて低く，臨床像の特徴が明確でない浸潤

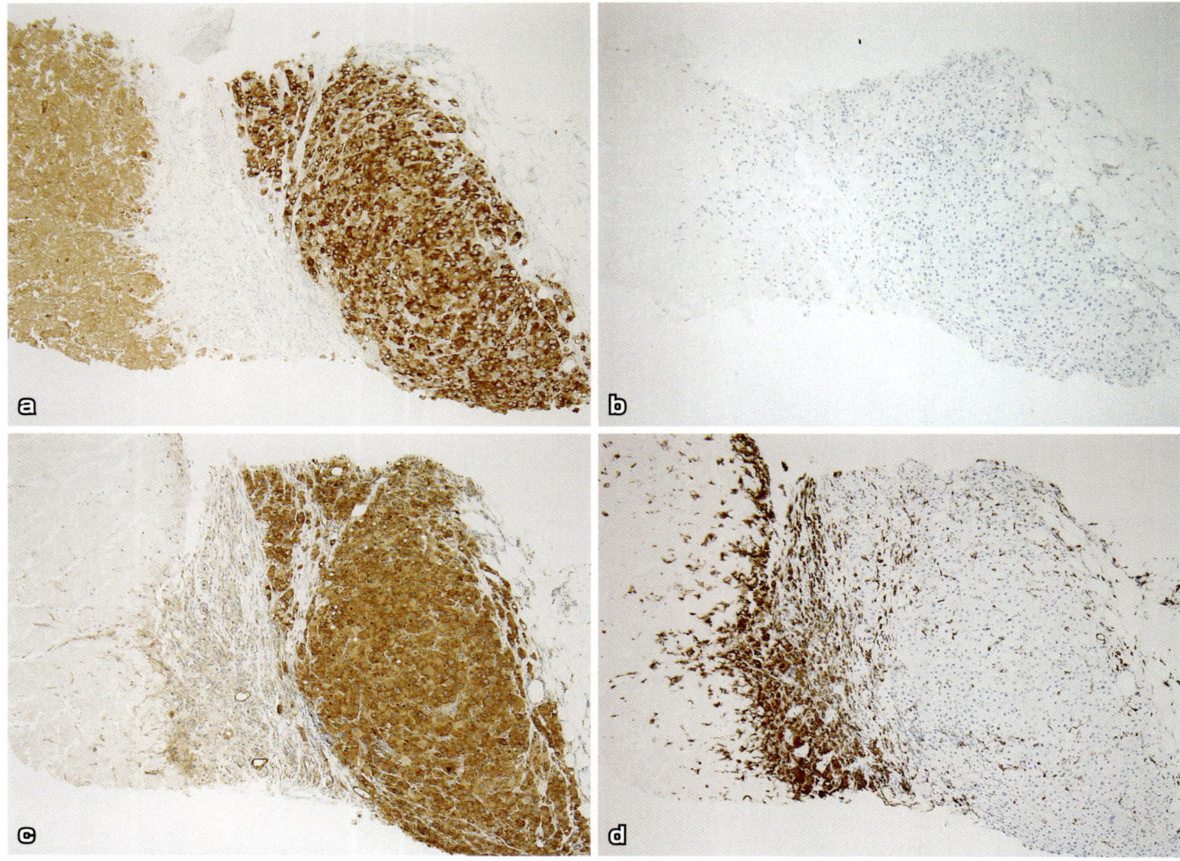

図 30 | 図 29 の免疫染色

a：GCDFP15．b：E-cadherin．c：p120-catenin．d：CD68．GCDFP15 陽性，E-cadherin 陰性，p120-catenin 陽性，CD68 陰性の所見から，アポクリン分化を伴う多形型浸潤性小葉癌と診断できる．ここでは示さないが，好酸性の腫瘍細胞は pancytokeratin 陽性である．

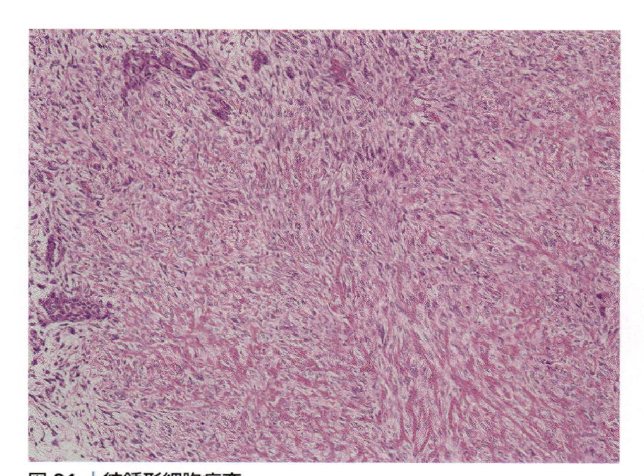

図 31 | 紡錘形細胞病変

図左方に悪性上皮胞巣を認めることから，紡錘細胞癌と推定できる．

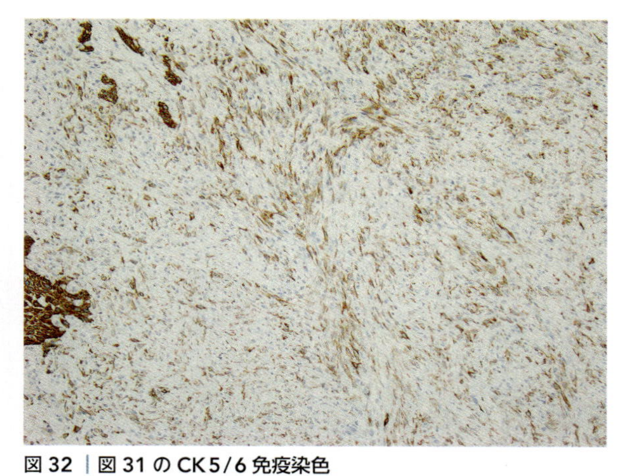

図 32 | 図 31 の CK5/6 免疫染色

乳腺領域では純粋な間葉系腫瘍も発生するが，まずは化生癌を疑い上皮系マーカーの免疫染色を行う．図左方の明らかな癌腫成分とともに紡錘形細胞も陽性を示し，上皮由来であることが確認できる．

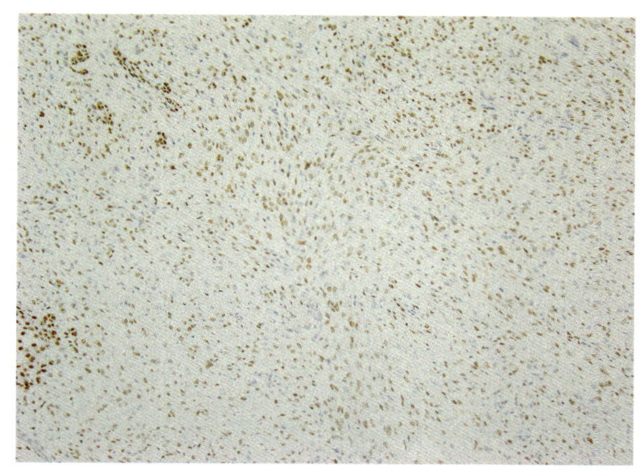

図 33 ｜図 31 の p63 免疫染色
図左方の明らかな癌腫成分とともに紡錘形細胞も陽性を示し，上皮由来であることが確認できる．化生癌を疑う症例では，複数の上皮と筋上皮マーカーで検討を行うことが望ましい．

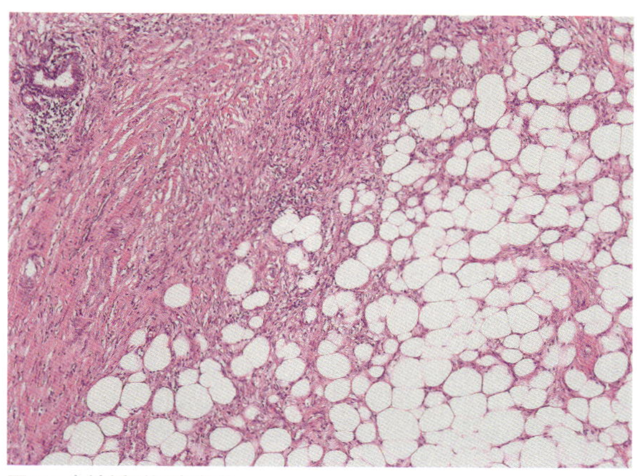

図 34 ｜紡錘形細胞病変
図 31 と異なり，細胞密度と異型に乏しい紡錘形細胞の増殖で，良性の間葉系腫瘍と化生癌の鑑別が問題となる．図左上方には病変に巻き込まれたと推定される良性上皮がみられる．

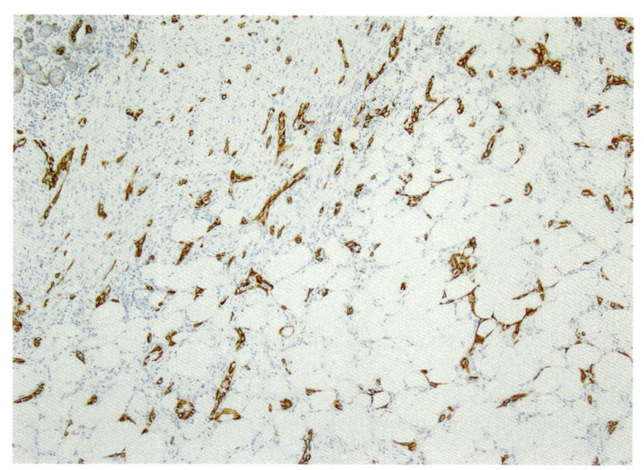

図 35 ｜図 34 の CK5/6 免疫染色
紡錘形細胞は脂肪組織内を含めて陽性で，上皮由来であることが確認できる．

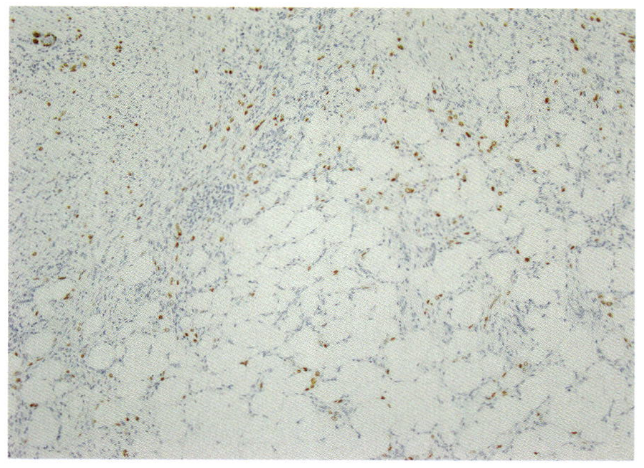

図 36 ｜図 34 の p63 免疫染色
紡錘形細胞は脂肪組織内を含めて陽性で，上皮由来であることが確認できる．化生癌を疑う症例では複数の上皮と筋上皮マーカーで検討を行うことが望ましい．

性乳癌は IBC-NST（invasive breast carcinoma of no special type）に分類される．これらは乳癌取扱い規約 第 18 版（2018 年）では「浸潤癌－特殊型－その他」の中で独立した特殊型として分類されるものが含まれる（多形癌，脂質分泌癌，好酸性癌，脂腺癌，グリコーゲン淡明細胞癌など）．**表 6** に IBC-NST に関連する免疫組織化学所見を示す．

8．ER，PgR，HER2 からの最終組織型チェック

特殊型は，大まかに ER 陽性で HER2 陰性（luminal A 型），ER 陰性で HER2 陽性（HER2 型），ER，PgR，HER2 全てが陰性（トリプルネガティブ型）に分類される．治療選択のために行う ER，PgR，HER2 の結果が自らの推定組織型のパターンと異なる場合，その組織型を再考，あるいは ER，PgR，HER2 の IHC を再度検証することが望ましい（**表 7**）．トリプルネガティブ型の充実型腫瘍で失念しがちな組織型としてリンパ腫があり，鑑別として常に念頭に置く必要がある．また，女性付属器の腫瘍（漿液性癌など）や他臓器の浸潤性微小乳頭癌は，乳腺原発の浸潤性微小乳頭癌と組織像，ER，PgR を含めた IHC 所見が類似しており，既往癌等の臨床情報の確認を怠ってはならない．転移と鑑別するための乳癌のマーカーとして GCDFP15, mammaglobin, GATA3, SOX10，S100 がある．筋上皮マーカーとしても知られる SOX10，S100 は，他マーカーが陰性となる傾

表6 | 非特殊型浸潤性乳癌（浸潤性乳管癌）亜型の免疫組織化学所見

HE 染色の特殊形態所見	免疫組織化学・特殊染色所見
medullary pattern	ER，PgR，HER2 陰性．基底細胞マーカー［CK5/6，CK14，EGFR（HER1），p53］陽性
neuroendocrine differentiation	ER 陽性．HER2 陰性．神経内分泌マーカー（synaptophysin，chromogranin A）陽性
osteoclast-like giant cells	間質多核細胞が CD68，acid phosphatase，NSE，lysozyme 陽性． EMA，ER，PgR，S100，actin，alkaline phosphatase 陰性
pleomorphic pattern	ER，PgR 陰性．HER2 は様々
choriocarcinomatous pattern	hCG 陽性
melanotic pattern	ER，PgR，HER2 は様々．melan A 陽性（局所的な発現は非特殊型浸潤性乳癌（浸潤性乳管癌）の約20％に認められる）
oncocytic pattern	ER，PgR，HER2 は様々．mitochondria 陽性
lipid-rich pattern	ER，PgR 陰性．HER2 は様々．α-lactalbumin，lactoferrin，adipophilin，EMA，CK7 陽性．CD10，基底細胞マーカー/筋上皮マーカー（CK5/6，CK14，p63 など）陰性．特殊染色：Sudan Ⅲ，Oil red O 陽性，PAS，Alcian blue，Mucicarmine 陰性
glycogen-rich clear cell pattern	ER，HER2 は様々．PgR 陰性．特殊染色：PAS 陽性．ジアスターゼ消化 PAS で消化
sebaceous pattern	ER，PgR，HER2 は様々．adipophilin 陽性．特殊染色：Oil red O 陽性

表7 | 代表的な特殊組織型の ER，HER2 発現パターン

ER，HER2 の状態	ありうる代表的な特殊組織型
ER 陽性，HER2 陰性	管状癌，篩状癌，浸潤性微小乳頭癌，粘液癌，神経内分泌癌，被包型乳頭癌，充実乳頭癌
ER 陰性，HER2 陰性	アポクリン癌，salivary gland-like carcinomas（腺様囊胞癌等），IC-NST* medullary pattern，化生癌，分泌癌
ER 陰性，HER2 陽性	アポクリン癌，好酸性癌（25％）

IC-NST：invasive carcinoma of no special type.
*遭遇頻度の高い IC-NST，浸潤性小葉癌は様々なパターンをとる.

向が高いトリプルネガティブ乳癌に感度が高い．第2部-Ⅷ「転移性乳腺腫瘍」を参照のこと．

（小塚祐司）

文　献

1）Hilson JB, Schnitt SJ, Collins LC：Phenotypic alterations in ductal carcinoma in situ-associated myoepithelial cells：biologic and diagnostic implications. Am J Surg Pathol 33：227-232, 2009
2）Hilson JB, Schnitt SJ, Collins LC：Phenotypic alterations in myoepithelial cells associated with benign sclerosing lesions of the breast. Am J Surg Pathol 34：896-900, 2010
3）Rohilla M, Bal A, Singh G, et al：Phenotypic and functional characterization of ductal carcinoma in situ-associated myoepithelial cells. Clin Breast Cancer 15：335-342, 2015
4）Cserni G：Lack of myoepithelium in apocrine glands of the breast does not necessarily imply malignancy. Histopathology 52：253-255, 2008
5）Tramm T, Kim JY, Tavassoli FA：Diminished number or complete loss of myoepithelial cells associated with metaplastic and neoplastic apocrine lesions of the breast. Am J Surg Pathol 35：202-211, 2011
6）Böcker W, Bier B, Freytag G, et al：An immunohistochemical study of the breast using antibodies to basal and luminal keratins, alpha-smooth muscle actin, vimentin, collagen IV and laminin, part I：normal breast and benign proliferative lesions. Virchows Arch A Pathol Anat Histopathol 421：315-322, 1992
7）Böcker W, Bier B, Freytag G, et al：An immunohistochemical study of the breast using antibodies to basal and luminal keratins, alpha-smooth muscle actin, vimentin, collagen IV, and laminin. Part Ⅱ：epitheliosis and ductal carcinoma in situ. Virchows Arch A Pathol Anat Histopathol 421：323-330, 1992
8）Leong FJ, Leong AS, Brady M, et al：Basal lamina visualization using color image processing and pattern recognition. Appl Immunohistochem Mol Morphol 13：273-276, 2005
9）Raymond WA, Leong AS：Assessment of invasion in breast lesions using antibodies to basement membrane components and myoepithelial cells. Pathology 23：291-297, 1991

第4部

臨床との連携

I．遺伝性乳癌の臨床病理

はじめに

2019年に出版されたWHO分類 第5版[1]では，遺伝性乳癌として*BRCA1/2*-associated hereditary breast and ovarian cancer（HBOC）syndrome（*BRCA1/2*関連遺伝性乳癌卵巣癌症候群），Cowden syndrome（Cowden症候群），ataxia-telangiectasia（毛細血管拡張性運動失調症），Li-Fraumeni syndrome（LFS）（Li-Fraumeni症候群），*CDH1*-associated breast cancer（*CDH1*関連乳癌），*PALB2*-associated cancers（*PALB2*関連乳癌），Peutz-Jeghers syndrome（Peutz-Jeghers症候群），neurofibromatosis type 1（神経線維腫症1型）が独立した項目として記載されている．ポリ（ADP-リボース）ポリメラーゼpoly（ADP-ribose）polymerase（PARP）阻害薬が認可されたことで，*BRCA*を調べる機会が大きく増えた．また，*BRCA1/2*関連HBOC症候群だけではなく，LFSなどを含め多様な遺伝性疾患のサーベイランスを行う施設も増加しつつある．

1．遺伝性乳癌のスクリーニング

日本遺伝性乳癌卵巣癌総合診療制度機構Japanese Organization of Hereditary Breast and Ovarian Cancer（JOHBOC）の乳癌患者に対する*BRCA*遺伝学的検査の適応を[2]**表1**に，NCCNの乳癌・卵巣癌関連遺伝子検査ガイドライン（*BRCA1*，*BRCA2*，*CDH1*，*PALB2*，*PTEN*，*TP53*など）を[3]**表2**に示す．なお，「家族歴がないから疑わない」というのは誤りであり，「家族歴があるから疑わしい」だけが正しいことに留意すべきである．また，*BRCA*以外の遺伝子については保険適応外でもあり（2022年6月時点），どの程度まで遺伝子を調べるかについては一定のコンセンサスがない．頻度は低くとも，PARP阻害薬の有効性が示唆されるDNA修復関連遺伝子（*ATM*，*CHEK2*，*PALB2*，*RAD51*など），あるいは放射線原性二次発癌のリスクがある遺伝子（*RB1*，*NF1*，*TP53*，*PTCH1*，一部の*ATM*）については，治療選択を考慮するうえで重要であり，マルチ遺伝子パネル検査（**図1**）として，調べられる環境が整うことが望まれる．

*TP53*病的バリアントを有するLFSは古典的には，発端者が45歳未満で肉腫になっていることなどが条件であり[4]（**表3**），実際に該当する症例は多くはないが，改訂Chompret基準[5]（**表4**）では，閉経前乳癌など多くの疾患が含まれている．

表1　日本遺伝性乳癌卵巣癌総合診療制度機構（JOHBOC）の乳癌患者に対する*BRCA*遺伝学的検査の適応（文献2より）

- 検査を検討している本人の乳癌の罹患状況を問わず，血縁者がすでに*BRCA1/2*に病的バリアントをもっていることがわかっている（わが国では乳癌・卵巣癌未発症の血縁者が遺伝学的検査を検討する場合は保険適用とならない．2020年12月末時点）
- 45歳以下で診断された乳癌
- 60歳以下でサブタイプがトリプルネガティブと診断された乳癌
- 両側または片側に2個以上の原発性乳癌を診断された
- 男性で乳癌と診断された
- 血縁者（第三度近親者以内*）に乳癌または卵巣癌，膵癌患者がいる
- HER2陰性の手術不能または転移再発乳癌でオラパリブの投与が検討されている
- がんゲノムプロファイリング検査の結果，*BRCA1/2*の病的バリアントを生まれつきもっている可能性がある

*第一度近親者：同胞，両親，子，第二度近親者：おじおば，祖父母，おいめい，第三度近親者：いとこ，孫，大おじ大おば．

PTEN 病的バリアントによる Cowden 症候群あるいは PTEN 過誤腫症候群 PTEN hamartoma tumor syndrome（PHTS）の NCCN 診断基準を[6]**表 5** に示す．

2．*BRCA1/2* 関連遺伝性乳癌卵巣癌症候群

BRCA1，*BRCA2* の病的バリアントを有する常染色体顕性遺伝（優性遺伝）の疾患である．乳癌（特に 50 歳未満），卵巣・卵管癌のリスクが高く，膵癌，前立腺癌などの他の悪性腫瘍リスクも有する．

BRCA1 および *BRCA2* 病的バリアント保持者の乳癌の累積罹患リスクは，それぞれ 70 歳で 57％，49％とされる．*BRCA1* 病的バリアントでは，乳癌，卵巣癌以外に，前立腺癌，膵癌，子宮内膜癌，肝内・肝外胆管癌，胃癌，結腸癌リスクも高いことが示唆されている．*BRCA2* 病的バリアントでは，前立腺癌と膵癌も高リスクであり，子宮頸癌，肝内・肝外胆管癌，胃癌，頭頸部癌，悪性黒色腫のリスクも示唆されている．また，男性での癌のリスクは，*BRCA1* では少ないかあるいはないと思われているが，*BRCA2* では確実に高リスクとされている．

BRCA1 は染色体 17q21 に，*BRCA2* は 13q13.1 に存在しており，いずれも *RAD51* とともに相同組換えによる DNA 損傷修復に関与しているが，蛋白自体の相同性はほとんどない[2]．なお，*BRCA* 病的バリアントでなぜ乳癌，卵巣癌が多いかは，いまだ明らかになっていない．*BRCA1* では，R ループ R-loop（DNA：RNA ハイブリッドとそれに結合した非鋳型一本鎖 DNA という 3 本の核酸鎖から構成される構造）の集積が乳癌発生に関与することが報告されている[7]．

日本人の *BRCA1/2* 病的バリアント保持者に発症した乳癌は，孤発性乳癌に比して若年発症（44 歳 vs 54 歳）であり，両側乳癌の頻度が高いこと（*BRCA1* で 32％，*BRCA2* で 29％，コントロール群で 6％）が報告されている[8]．また，日本での *BRCA1/2* 関連 HBOC 症候群で最多とされる病的バリアントは *BRCA1* p.L63X であり，日本人で初めて発見されたもの（Japanese founder variant）である（**図 1, 2**）．他の病的バリアントに比して，トリプルネガティブ乳癌の頻度が高く，核異型も強いことが報告されている[9]．

BRCA1 と *BRCA2* の乳癌を比較すると *BRCA1* では肉眼的には境界明瞭なことが多く，充実型が多い．

表 2 | NCCN 乳癌・卵巣癌関連遺伝子検査ガイドライン（文献 3 より改変）

検査適応

1．血縁者がすでに癌感受性遺伝子の病的バリアントや病的バリアント疑いをもっていることがわかっている
2．3 以下の基準を満たしており，以前に限定的な（例えば 1 遺伝子だけの）検査を受けていて，多遺伝子検査を希望する場合
3．癌の既往
　乳癌
　　●診断時年齢が 45 歳以下
　　●診断時年齢が 46～50 歳
　　　・家族歴が不明か限定的
　　　・2 個以上の乳癌
　　　・近親者に乳癌，卵巣癌，膵癌，前立腺癌罹患者．年齢は問わない
　　●診断時年齢 60 歳未満のトリプルネガティブ乳癌
　　●全ての年齢
　　　・アシュケナージ系ユダヤ人
　　　・近親者に 50 歳以下の乳癌，卵巣癌，膵癌，転移性癌，あるいは IDC-P や篩状パターンを有するまたは高～超高リスクの前立腺癌罹患者
　　　・自身あるいは近親者に 3 個以上の乳癌
　　●男性乳癌（全ての年齢）
　卵巣癌（上皮性），卵管癌，腹膜癌．全ての年齢
　膵癌（内分泌癌を除く）．全ての年齢
　前立腺癌．全ての年齢
　　●転移性癌あるいは IDC-P や篩状パターンを有するまたは高～超高リスク群の前立腺癌
　　●全ての NCCN リスク群
　　　・アシュケナージ系ユダヤ人
　　　・近親者に 50 歳以下の乳癌，卵巣癌，膵癌，転移性癌，あるいは IDC-P や篩状パターンを有するまたは高～超高リスクの前立腺癌罹患者
　　　・自身あるいは近親者に 3 個以上の乳癌
　　　・2 人以上の近親者に乳癌あるいは前立腺癌（すべてのリスク群）
　腫瘍の遺伝子診断で，生殖細胞遺伝子バリアントがみつかった場合
　Li-Fraumeni 症候群，Cowden 症候群/PTEN 過誤腫症候群が疑われる場合
　治療選択に有用な場合（HER2 陰性転移性乳癌での PARP 阻害薬など）
4．悪性腫瘍の家族歴
第一度もしくは第二度近親者が上記の診断基準を満たす場合（除：治療選択検索だけの場合）
　　●なお，膵癌，前立腺癌（転移性癌あるいは IDC-P や篩状パターンを有するまたは高～超高リスクの前立腺癌）の場合は，他の因子がなければ第一度近親者だけに検査を勧める
　　●確率モデル検査（Tyrer-Cuzick, BRCAPro, CanRisk）で，5％を超える *BRCA1/2* 病的バリアントリスクがあると判定された場合

検査を考慮してもよい症例

1．50～65 歳で診断された多発性乳癌症例
2．アシュケナージ系ユダヤ人
3．確率モデル検査（Tyrer-Cuzick, BRCAPro, CanRisk）で，2.5～5％の *BRCA1/2* 病的バリアントリスクがあると判定された場合

臨床的に意義のある病的バリアントがみつかる可能性が低い（＜2.5％）群

1．66 歳以上の乳癌で，近親者に乳癌，卵巣癌，膵癌や前立腺癌罹患者がいない場合
2．Gleason score 7 未満の前立腺癌で，近親者に乳癌，卵巣癌，膵癌や前立腺癌罹患者がいない場合

IDC-P：intraductal carcinoma of the prostate, PARP：poly（ADP-ribose）polymerase［ポリ（ADP-リボース）ポリメラーゼ］．

Integrated ONCOLOGY LabCorp Specialty Testing Group　Integrated GENETICS LabCorp Specialty Testing Group

VistaSeq® High/Moderate Risk Breast Cancer Panel

Specimen ID:
Control ID:

Acct#: XXXXXXXX　Phone: (505)438-1111
INTEGRATED GENETICS SANTA FE Reproductive
2000 Vivigen Way
SANTA FE　NM　87505

Patient Name .

Patient Details	Specimen Details	Physician Details
DOB: MM/DD/YYYY	Date collected: MM/DD/YYYY	Ordering: Physician Name
Age (yyy/mm/dd): YYY/MM/DD	Date received: MM/DD/YYYY	Referring:
Gender: Female	Date entered: MM/DD/YYYY	ID:
Patient ID: XXXXXXXX	Date reported: MM/DD/YYYY	NPI:

POSITIVE

At least one clinically significant variant was detected.

RESULTS AND INTERPRETATION

	GENE	CLASSIFICATION	ZYGOSITY	VARIANT DETECTED	AMINO ACID CHANGE	CANCER RISK
+	BRCA1	PATHOGENIC	Het	c.188T>A	p.Leu63X	HIGH

Variant Summary: A heterozygous c.188T>A (p.Leu63X) pathogenic variant was detected in exon 4 of BRCA1. This nonsense variant is predicted to result in a premature termination codon and has been previously reported as a Japanese founder variant that was observed to segregate with disease in individuals affected with hereditary breast and ovarian cancer syndrome. Therefore, this variant has been classified as associated with an increased risk for a diagnosis of hereditary breast and ovarian cancer syndrome. (NM_007294; hg19 chr17:g.41258497)

BRCA1 (Breast Cancer 1; OMIM 113705) is a tumor suppressor gene that plays a critical role in normal DNA repair, cell cycle control and cell growth. More than 1,000 mutations in BRCA1 have been identified and associated with familial cancers including breast, ovarian, pancreatic, and prostate cancer.

Clinical Significance: High Cancer Risk
NCCN Guidelines provide clinical management recommendations. Current guidelines may be found at www.NCCN.org. Modification of surveillance based on the patient's personal and/or family history of specific associated cancers should be considered, including initiation of earlier and/or more frequent screening, and consultation with a cancer genetics specialist. In addition to the increase in risk for this individual, other family members may also be at risk. There is a 50% (1 in 2) chance of a first-degree relative having this variant. To discuss if targeted analysis for other family members is appropriate, please call to speak to a Labcorp Genetic Counselor at (800) 345-4363.

This result is associated with the following cancer risks:

Lifetime High Risk	>60% Breast, 39-58% Ovarian
Lifetime Increased Risk	Up to 30% Prostate, <5% Pancreatic

*See table below for additional risk information

No additional sequence or copy number variants of clinical significance were detected.

RECOMMENDATIONS
Genetic counseling is recommended to discuss the clinical implications of this result. Genetic counselors are available for health care providers to discuss this result further at (800) 345-GENE. To refer your patient for genetic counseling through Integrated Genetics, please call the scheduling line at (855) 422-2557.

Date Issued: MM/DD/YYYY　**FINAL REPORT**　Page 1 of 3
This document contains private and confidential information protected by state and federal law.
If you have received this document in error, please call 800-222-7566
©1995-2021 Laboratory Corporation of America® Holdings
All Rights Reserved.

LCJ-22-14

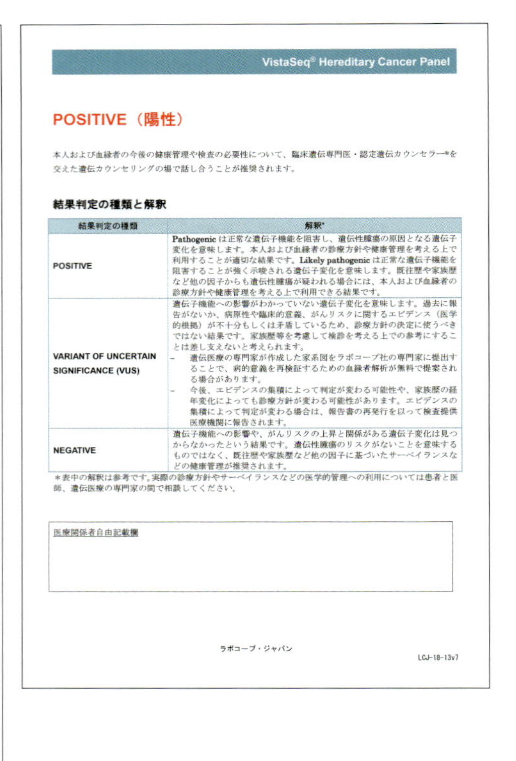

VistaSeq® Hereditary Cancer Panel

POSITIVE（陽性）

本人および血縁者の今後の健康管理や検査の必要性について、臨床遺伝専門医・認定遺伝カウンセラー®を交えた遺伝カウンセリングの場で話し合うことが推奨されます。

結果判定の種類と解釈

結果判定の種類	解釈*
POSITIVE	**Pathogenic** は正常な遺伝子機能を阻害し、遺伝性腫瘍の原因となる遺伝子変化を意味します。本人および血縁者の診療方針や健康管理を考える上で利用することが適切な結果です。**Likely pathogenic** は正常な遺伝子機能を阻害することが強く示唆される遺伝子変化を意味します。既往歴や家族歴など他の因子からも遺伝性腫瘍が疑われる場合には、本人および血縁者の診療方針や健康管理を考える上で利用できる結果です。
VARIANT OF UNCERTAIN SIGNIFICANCE (VUS)	遺伝子機能への影響がわかっていない遺伝子変化を意味します。過去に報告がないか、病原性や臨床的意義、がんリスクに関するエビデンス（医学的根拠）が不十分もしくは矛盾しているため、診療方針の決定に使うべきではない結果です。家族歴等を考慮して検診を考える上での参考にすることは差し支えないと考えられます。 – 遺伝医療の専門家が作成した家系図をラボコープ社の専門家に提出することで、病的意義を再検証するための血縁者解析が無料で提案される場合があります。 – 今後、エビデンスの集積によって判定が変わる可能性や、家族歴の経年変化によっても診療方針が変わる可能性があります。エビデンスの集積によって判定が変わる場合は、報告書の再発行を以って検査提供医療機関に報告されます。
NEGATIVE	遺伝子機能への影響や、がんリスクの上昇と関係がある遺伝子変化は見つからなかったという結果です。遺伝性腫瘍のリスクがないことを意味するものではなく、既往歴や家族歴など他の因子に基づいたサーベイランスなどの健康管理が推奨されます。

＊表中の解釈は参考です。実際の診療方針やサーベイランスなどの医学的管理への利用については患者と医師、遺伝医療の専門家の間で相談してください。

医療関係者自由記載欄

ラボコープ・ジャパン　LCJ-18-13v7

図1 ｜マルチ遺伝子パネル検査報告書の例

VistaSeq® High/Moderate Risk Breast Cancer Panel．*BRCA1/2* とともに，*ATM*，*CDH1*，*CHEK2*，*PALB2*，*PTEN*，*STK11*，*TP53* が含まれている検査である．Japanese founder variant である *BRCA1* L63X が陽性であった．画像提供：ラボコープ・ジャパン合同会社．報告書の詳細は同社ホームページ（https://www.labcorp.co.jp）を参照．

表3 ｜古典的 Li-Fraumeni 症候群診断基準（文献4より改変）

（以下の全てを満たす）
- 発端者が45歳未満で肉腫を発症
- 第一度近親者が45歳未満でがんを発症
- 第一，第二度近親者が45歳未満でがんと診断，あるいは年齢を問わず肉腫を発症

表4 ｜Li-Fraumeni（様）症候群，改訂版 Chompret 基準（文献5より改変）

①家族歴	発端者が46歳未満でLFS腫瘍（閉経前乳癌，軟部組織肉腫，骨肉腫，脳腫瘍，副腎皮質癌など）と診断され，かつ第一度もしくは第二度近親者が，LFS腫瘍（発端者が乳癌の場合は乳癌以外）を56歳未満で発症しているか多発性腫瘍がある
②多重がん	発端者に多発性腫瘍（多発性乳腺腫瘍を除く）があり，その2つがLFS腫瘍であり，かつ最初の発症が46歳未満である
③まれな腫瘍	家族歴にかかわらず，発端者が副腎皮質癌，脈絡叢腫瘍，横紋筋肉腫（胎児型あるいは退形成型）と診断された
④若年発症乳癌	31歳未満発症乳癌

LFS：Li Fraumeni syndrome（Li Fraumeni 症候群）

リンパ球浸潤（含む medullary pattern）が多く，壊死の頻度が高い．異型度および Ki67 ラベリングインデックスが高く，乳管内癌成分は少ない傾向である．免疫組織化学では，トリプルネガティブのことが多く，また，CK5/6，CK14，EGFR 陽性率が高く，CK8/18 は陰性のことが多い．*TP53* 病的バリアントの頻度が高い[1]．

前述のごとく，PARP 阻害薬が *BRCA1/2* 関連の乳癌，卵巣癌，前立腺癌で保険適応となっている．乳房温存手術は禁忌ではないが，JOHBOC の診療ガイドライン[2]では，「条件つきで行わないことが推奨」とされている．術後の放射線療法については，有害とする臨床的データはないものの，基本的には行わないという施設もある．対側乳房のリスク低減乳房切除術 risk-reducing mastectomy（RRM）は，単独での生存期間延長効果があるかどうかは不明だが，対側乳房での癌発生リスクを確実に低くできる．2020

表 5 ｜ Cowden 症候群/PTEN 過誤腫症候群の診断基準（文献 6 より改変）

- 家族が，*PTEN* 病的バリアントあるいは病的バリアント疑いと診断された
- Bannayan-Riley-Ruvalcaba 症候群と診断された
- Cowden 症候群/PHTS の診断基準を満たす
- Cowden 症候群/PHTS の診断基準は満たさない人で以下のいずれかを満たす
  - ・成人型 Lhermitte-Duclos 病（小脳腫瘍），または
  - ・自閉スペクトラム症と巨頭症，または
  - ・2 個以上の生検で診断された外毛根鞘腫，または
  - ・2 項目以上の大基準を満たす（巨頭症を含む），または
  - ・3 項目以上の大基準を満たす（巨頭症を含まない），または
  - ・1 項目以上の大基準と 3 項目以上の小基準，または
  - ・4 項目以上の小基準
- 親族が臨床的に Cowden 症候群/PHTS か Bannayan-Riley-Ruvalcaba 症候群と診断されているが，遺伝子検査未施行で，大基準 1 項目または小基準 2 項目を満たす
- 遺伝子検査は未施行だが，がんゲノムプロファイリング検査で *PTEN* 病的バリアントあるいは病的疑いバリアントが検出された場合

大基準
- 乳癌
- 子宮内膜癌
- 甲状腺濾胞癌
- 多発する消化管過誤腫あるいは神経節細胞腫
- 巨頭症（97 パーセンタイル以上，女性で 58 cm，男性で 60 cm）
- 陰茎亀頭の斑状色素沈着
- 多発性皮膚粘膜病変（以下のいずれか）
  - ・多発性外毛根鞘腫（生検で確診されたもの，1 個あればよい）
  - ・多発性肢端角化症
  - ・多発性あるいは広汎な口腔粘膜乳頭腫
  - ・多発する皮膚顔面丘疹（しばしば疣状）

小基準
- 自閉スペクトラム症
- 大腸癌
- 食道グリコーゲンアカントーシス（3 個以上）
- 脂肪腫
- 知的障害（IQ75 以下）
- 甲状腺癌（乳頭癌または濾胞型乳頭癌）
- 甲状腺の構造的病変（腺腫，結節，腺腫様甲状腺腫など）
- 腎細胞癌
- 1 個の消化管過誤腫あるいは神経節細胞腫
- 精巣脂肪腫症
- 血管異常（多発性脳静脈奇形など）

PHTS：PTEN hamartoma tumor syndrome（PTEN 過誤腫症候群）

年 4 月からは，リスク低減卵管卵巣摘出術 risk-reducing salpingo-oophorectomy（RRSO）とともに保険適応となった．ただし，2022 年 6 月時点では，乳癌・卵巣癌未発症の *BRCA* 病的バリアント保持者に対する RRM，RRSO には保険適応がない．

乳癌・卵巣癌未発症の *BRCA* 病的バリアント保持者への対策を[10] **表 6** として示す．なお，最近では，乳房自己検診という言葉に替わってブレストアウェアネス breast awareness が推奨されるようになってきた．これは「乳房の意識化」とも訳され，女性自身が自分の乳房の状態に日頃から関心をもち，乳房の変化を自覚したら速やかに医療機関へ受診するといった行動を含めた概念であり，乳房・乳癌に関する知識や理解を深める健康教育である．

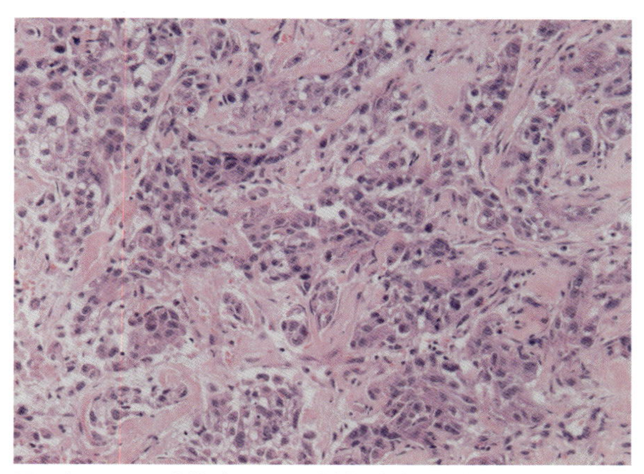

図 2 ｜ *BRCA 1* 病的バリアント症例の乳癌組織像
乳腺針生検検体．30 歳代，女性．浸潤性乳管癌で，ER 陰性（<1%，PS 1＋IS 1＝TS 2），PgR 陰性（0％，PS 0＋IS 0＝TS 0），HER 2 陰性（score 0），Ki67 ラベリングインデックス 77.8％であった．
IS：intensity score．PS：proportion score．TS：total score．

3．Li-Fraumeni 症候群

TP53 病的バリアントによるものが大半を占めるが，*CHEK2* によるものもある（LFS 2）．常染色体顕性遺伝疾患である．日本の一般人口における *TP53* 病的バリアント保持者の頻度は，500～20,000 人に 1 人と報告されている．一方，小児がん患者では 1.6％（中央値，0～6.7％），成人がん患者では 0.2％とされている[11]．種々の臓器での悪性疾患リスクが高い症候群であるが，最も多いのは乳癌である[12,13]（**図 3**）．

TP53 は非常に重要な癌抑制遺伝子の一つで，染色体 17p13 に位置している．p53 蛋白は転写因子として働き，損傷を受けた DNA の修復蛋白の活性化，細胞周期の制御，DNA が修復不可能な損傷を受けた場合にアポトーシスを誘導，などの作用がある．

LFS の古典的診断基準を満たさない症例を，Li-Fraumeni 様症候群 Li-Fraumeni-like（LFL）syndrome と呼ぶこともある．*TP53* では多彩な病的バリアント（少なくとも 1,200 以上）が報告されているが，*CHEK2* は，c.1100 delC と p.Ile 157 Thr 以外の報告は乏しい．

LFS での乳癌組織型は，浸潤性乳管癌 invasive ductal carcinoma（IDC）［非特殊型浸潤性乳癌 inva-

表 6 | *BRCA* 病的バリアント保持者への対策（文献 10 より改変）

＜女性＞

- 18 歳から自己乳房検診を開始する
- 25 歳から，6～12ヵ月毎の医師による乳房視触診を開始する
- 乳癌検診
  - 25～29 歳，年に一度の造影乳房 MRI 検査（あるいは，MRI 検査が利用できない場合にはトモシンセシスを考慮したマンモグラフィ），30 歳前に乳癌と診断されている家族歴があれば，家族歴に基づいて個別化して対応する
  - 30～75 歳，年に一度のトモシンセシスを考慮したマンモグラフィと造影乳房 MRI を実施する
  - 75 歳以上，検診対応は個々の状況に応じて実施する
  - 乳癌の治療を受けており，かつ両側乳房全切除術を受けていない *BRCA* 病的バリアント保持者に対しては，年に一度のトモシンセシスを考慮したマンモグラフィと造影乳房 MRI によるスクリーニングを継続する
- リスク低減乳房切除術（RRM）について話し合う
  - 乳癌発症予防効果，乳房再建も可能であること，ならびに乳癌のリスクに関するカウンセリングを行う．さらに家族歴や年齢や余命に伴う残存する乳癌リスクはカウンセリングのときに考慮される
- 理想的には 35～40 歳の間に，出産の完了に伴って，リスク低減卵管卵巣摘出術（RRSO）を推奨する．*BRCA2* 病的バリアント保持者の卵巣癌の発症年齢は *BRCA1* 病的バリアント保持者に比べると，平均して 8～10 年ほど遅いので，家系内の診断時年齢で予防手術を考慮するのに，より若い年齢で発症することが確実でない限り，*BRCA2* 病的バリアント保持者については，RRSO を 40～50 歳に遅らせることは妥当である．RRSO プロトコール（NCCN 卵巣癌ガイドライン—手術の原則）を参照
  - 挙児希望についての話し合いや，がんリスクの程度，乳癌および卵巣癌の期待できる予防効果，更年期症状の対応策，ホルモン補充療法（HRT）を行うか，その他関連する医学的事項に関してカウンセリングを行う
  - 現在，臨床試験が進行中であるが，卵管切除術単独はリスク低減目的のための標準的治療法ではない．リスク低減卵管切除術単独の問題点は，卵巣癌の発症リスクは依然として残ることである．それに加えて，閉経前女性の場合，卵巣切除術は乳癌罹患リスクを低減させるようであるが，その程度は不明であり，遺伝子特異的であるかもしれない
- 限られたデータから，子宮の漿液性腺癌のリスクが *BRCA1* 病的バリアントを有する女性でやや高い可能性が示唆されている（以下略）
- RRM および/または RRSO の心理社会的，社会的側面および生活の質の側面に取り組む
- RRSO を選択しなかった患者に対しては，卵巣癌に対する経腟超音波検査は，積極的に推奨を裏付けるほどの十分な感受性も特異性も示されていないが，臨床医の判断で 30～35 歳から考慮の対象となるであろう
- 乳癌と卵巣癌の化学予防の選択肢について，そのリスクと利益を含めて考慮する（乳癌リスクの低減については，NCCN ガイドラインを参照）

＜男性＞

- 35 歳から自己乳房検診の訓練と教育を開始する
- 35 歳から 12ヵ月毎の診察を開始する
- 女性化乳房症をもつ男性には 50 歳から，あるいは家系内で最も早く男性乳癌を発症した年齢よりも 5～10 歳早い年齢から，年 1 回のマンモグラフィを考慮する
- 40 歳から前立腺癌検診を開始
  - *BRCA2* 病的バリアント保持者には前立腺癌スクリーニングを推奨する
  - *BRCA1* 病的バリアント保持者には前立腺癌スクリーニングを考慮する

＜男性・女性＞

- 新規画像診断やスクリーニング，臨床試験への参加を考慮する
- がんの徴候や症状に関する教育を行う．特に，*BRCA1*，*BRCA2* に関連したがんについて教育する
- 悪性黒色腫についてはスクリーニングのための特別なガイドラインは存在しないが，全身の皮膚の診察や紫外線の曝露を最小限にする等，通常の悪性黒色腫のリスクアセスメントは適切である
- 膵癌スクリーニング

＜血縁者へのリスク＞

- 血縁者に乳癌発症リスクが遺伝している可能性，リスク評価の選択肢，対応策についての助言を行う
- 遺伝的リスクが考えられる血縁者には，遺伝カウンセリングを受けること，また遺伝学的検査を考慮することを勧める

sive breast carcinoma of no special type（IBC-NST）と同義］（**図 4**），混合型浸潤性小葉癌，非浸潤性乳管癌 ductal carcinoma *in situ*（DCIS）が報告されている．浸潤癌では ER，PgR，HER2 は各々，72％，55％，62％で陽性，最も多いサブタイプは ER 陽性/HER2 陽性である[14]．

LFS では，治療レベルでの被曝は，二次発癌の誘発に関連するため避ける必要がある[15,16]．診断レベルの放射線照射に関しては本当に二次発癌を誘発するかどうかは判断が難しい．このため海外では，マンモグラフィによるスクリーニングが推奨される場合もあるが，日本では，マンモグラフィや胸部 X 線撮影なしで，MRI・超音波主体のサーベイランスを行う施設もある．

TP53 病的バリアント保持者に対するサーベイランス指針例を[17]**表 7** に示す．

図3 | Li-Fraumeni 症候群での疾患頻度（文献12より作成）

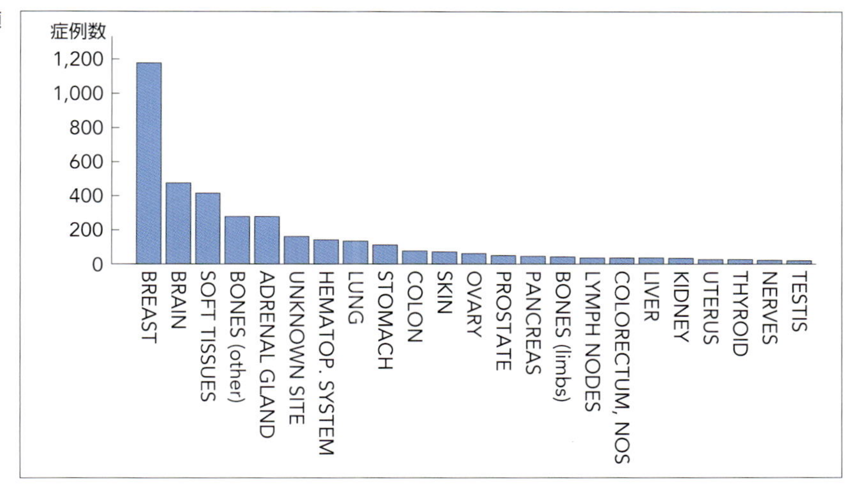

4．Cowden 症候群/PTEN 過誤腫症候群

PTEN 病的バリアントにより生じる常染色体顕性遺伝性疾患である．Bannayan-Reiley-Ruvalcaba 症候群 Bannayan-Riley-Ruvalcaba syndrome（BRRS），Proteus 症候群 Proteus syndrome（PS），Proteus 様症候群などが含まれる．最近の遺伝学的検査の進歩により PHTS と総称する傾向にある．ヨーロッパでは，人口20〜25万人に1人の頻度とされている[1]．

PTEN（phosphatase and tensine homolog deleted from chromosome 10）は染色体10q23.31に存在する．PTEN はイノシトールリン脂質であるホスファチジルイノシトール-3,4,5-三リン酸［PtdIns（3,4,5）P3］の脱リン酸化反応を触媒する酵素である．活性型のイノシトールリン脂質である脱リン酸化反応を担い，PtdIns（4,5）P2 へと変換する．PTEN が阻害されることにより細胞内には PtdIns（3,4,5）P3 が蓄積し，発がんに関与するとされている．しかし，PHTS における発癌機序はいまだ不明な点が多く，two-hit による *PTEN* 遺伝子の両アレルの不活化，*PTEN* 遺伝子のハプロ不全，変異体によるドミナントネガティブ効果，プロモーター領域の DNA メチル化，*PTEN* を制御する miRNA や lncRNA の発現異常などが関与している可能性がある[18]．

皮膚，乳房，甲状腺，子宮内膜，消化管，脳などの様々な臓器に過誤腫性病変を多発する症候群である．乳癌，甲状腺癌，子宮内膜癌，大腸癌，腎細胞癌などの悪性腫瘍を合併するリスクが高い．乳癌の生涯発生率は25〜85％とされている．乳癌の平均発症年齢は38〜50歳であり，30歳頃からリスクが上昇する．一方，本症候群における男性乳癌はこれまで2例報告されているのみであり，極めてまれである．

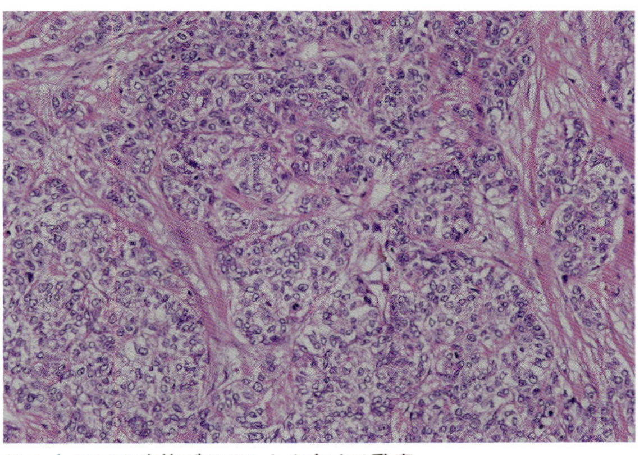

図4 | *TP53* 病的バリアントを有する乳癌
30歳代，女性．乳腺の非腫瘍部と腫瘍部から各々，*TP53* p.P36fs*7 が検出された．VAF は非腫瘍部41.7％，腫瘍部67.2％．腫瘍は，ER 陰性（0％，PS0+IS0=TS0），PgR 陰性（0％，PS0+IS0=TS0），HER2 陰性（score 0），Ki67 ラベリングインデックス55.4％であった．
IS：intensity score. PS：proportion score. TS：total score.
VAF：variant allele frequency（バリアントアレル頻度）

PHTS では様々な乳腺疾患を合併することが知られており，Cowden 症候群の女性は，75％で何らかの疾患を合併することが報告されている．線維性硝子化結節を高頻度に認め，乳管過形成，乳管内乳頭腫，腺症，小葉萎縮，線維腺腫，乳腺症などもみられる．ただし，一般集団に比べて良性病変の罹患率が高いというエビデンスは不十分とされる[19]．乳癌の多くは IDC であるが，アポクリン分化を有する乳癌が多いという報告もある[20]．

表7 | Li-Fraumeni 症候群でのサーベイランス（文献 17 より改変）

オーストラリア	NCCN	トロント
・18 歳～：乳房自己検診 ・20～25 歳：6～12ヵ月ごとの問診・視触診 ・20/25～50 歳：毎年の乳房 MRI（できなければ，毎年のマンモグラフィ±超音波を考慮） ・予防的乳房切除について話し合う	・18 歳～：ブレストアウェアネス ・20～25 歳：6～12ヵ月ごとの問診・視触診 ・20～29 歳：毎年の乳房造影 MRI（できなければマンモグラフィ） ・30～75 歳：毎年の乳房造影 MRI とマンモグラフィ ・75 歳～：個別対応 ・乳癌サバイバーのマンモグラフィと MRI を継続 ・予防的乳房切除について話し合う	・18 歳～：毎月の乳房自己検診 ・20～25 歳（または家系内で最も低い乳癌発症年齢より 5～10 歳若い時点から）：6ヵ月ごとの問診・視触診 ・20～75 歳（または家系内で最も低い乳癌発症年齢より 5～10 歳若い時点から）：毎年のマンモグラフィと乳房 MRI ・乳房 MRI と全身 MRI を交互に ・乳腺密度によっては超音波とマンモグラフィ ・予防的乳房切除について話し合う

表8 | NCCN の PHTS に対する乳房サーベイランス（文献 6 より改変）

・18 歳からのブレストアウェアネス ・25 歳または家系内で最も低い乳癌発症年齢より 5～10 歳若い時点（いずれか早いほう）から，6～12ヵ月毎の問診・視触診 ・30～35 歳または家系内で最も低い乳癌発症年齢より 5～10 歳若い時点（いずれか早いほう）から年 1 回のトモシンセシスを考慮したマンモグラフィまたは造影 MRI 検査によるスクリーニング ・75 歳以上は個別対応 ・リスク低減乳房切除は家族歴を踏まえて相談

NCCN の PHTS に対する乳房サーベイランスを**表 8** に示す[6]．

5．リスク低減乳房切除

RRM が，乳癌リスクの高い遺伝子バリアント保持者や乳癌家族歴を有する非浸潤性小葉癌 lobular carcinoma *in situ*（LCIS）症例で施行されることがある．RRM 検体では，術前の画像検査において癌を疑う病変が検索されない乳房においても，一定数のオカルト癌（甲状腺癌や前立腺癌の取扱い規約に準ずると，偶発癌という語句が適切と思われるが，英文論文の大半は occult carcinoma となっている）が存在することが知られている．非浸潤癌（DCIS，LCIS）を含むと 0.5～11.3％，浸潤癌は 0～2.6％などと報告されているが[21～24]，RRM 術前の検索は，マンモグラフィのみのものから，身体所見，マンモグラフィ，超音波，MRI の全てを行う研究まであり，ばらつきが多く，頻度については不明な点が多い．まれながら，こういったオカルト癌（偶発癌）がその後の治療方針に影響を及ぼしうる可能性があることも報告されている[24]（**図 5**）．

RRM 検体の病理学的検索では，検体マンモグラフィを行う報告が比較的少数ながらあり，検体切り出しの厚みは記載のあるものでは 4～5 mm から 10 mm までとばらつきがある．サンプリングは，最も少ない研究で各領域と乳頭部から各々1 個ずつであり，最も多い研究では，10 mm ごとに全てをサンプリングする[24]，というものであった．また，経験のある病理医による肉眼的観察を行い，異常がみられた部位を追加サンプリングすることを明記した報告もあった．いずれにせよ，検索方法についてのコンセンサスはない．

日本乳癌学会 将来検討委員会 HBOC 診療ワーキンググループ 規約委員会では，リスク低減乳房切除標本の病理学的検索を奨励しており，サンプリング法として，「切除乳房の乳腺領域全域を 5～10 mm 毎にスライスし，割面を検索したのち，所見のある部分があればその部分の標本を作製します．そのほか，A, B, C, D 区域（各区域 1～4 ブロック，できるだけ脂肪ではなく線維性組織から切り出します），及び乳頭・乳輪部（1～2 ブロック）からサンプリングを行い，ブロックを作製します」と紹介している[25]．

日本では，今回提示した 1 例しか浸潤癌の報告がなく[24]，割面肉眼像で十分に認識可能であったことも考慮すると，RRM の術後検索は病理医の肉眼観察だけでも十分な可能性がある．

（鹿股直樹）

文　献

1）WHO Classification of Tumours Editorial Board（ed）：WHO Classification of Tumours, Breast Tumours（5th ed.）, IARC, Lyon, 2019
2）日本遺伝性乳癌卵巣癌総合診療制度機構（編）：遺伝性乳癌卵巣癌（HBOC）診療ガイドライン，2021 年版，金原出版，2021
3）Daly MB, Pal T, Berry MP, et al：Genetic/familial high-risk assessment：breast, ovarian, and pancreatic, version 2.2021, NCCN Clinical Practice Guidelines in Oncology. J Natl Compr Canc Netw 19：77-102, 2021
4）Li FP, Fraumeni JF Jr, Mulvihill JJ, et al：A cancer family syndrome in twenty-four kindreds. Cancer Res 48：5358-5362, 1988
5）Bougeard G, Renaux-Petel M, Flaman JM, et al：Revisiting Li-Fraumeni syndrome from TP53 mutation carriers. J Clin Oncol 33：2345-2352, 2015
6）National Comprehensive Cancer Network：NCCN Clinical

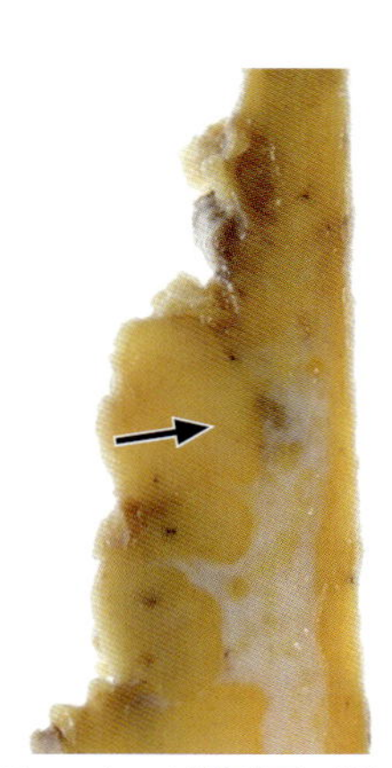

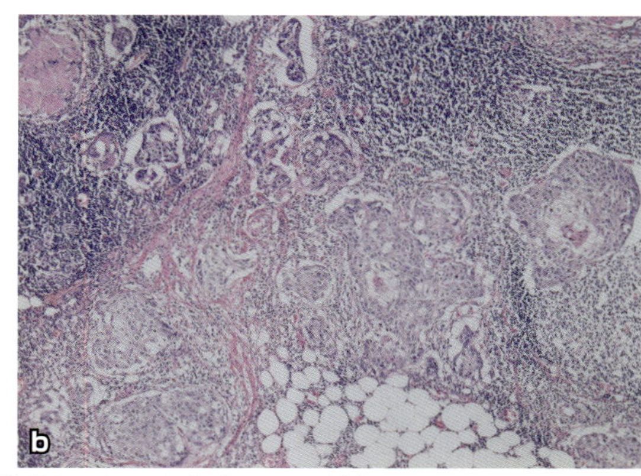

図 5 | *BRCA* 病的バリアントで対側乳房に対してリスク低減乳房切除術が施行されオカルト癌がみられた症例
a：割面の肉眼像．何らかの病変がありそうなことは容易に認識可能である（矢印）．b：リンパ球浸潤を背景に，細胞異型が強い細胞が不規則胞巣状にみられる．5×5 mm の病変であり，ER 陰性（0％，PS0＋IS0＝TS0），PgR 陰性（0％，PS0＋IS0＝TS0），HER2 score 2＋（FISH 陰性），Ki67 ラベリングインデックス 55.4％であった．*BRCA2* c.1506delA が検出されている．臨床癌である対側の腫瘍は浸潤径 18 mm，ER 陽性（100％，PS5＋IS3＝TS8），PgR 陽性（<1％，PS1＋IS2＝TS3），HER2 score 2＋（FISH 陰性）．pT1c N0M0 であった．
FISH：fluorescent *in situ* hybridization. IS：intensity score. PS：proportion score. TS：total score.

Practice Guidelines in Oncology（NCCN Guidelines®），Genetic/Familial High-Risk Assessment：Breast, Ovarian, and Pancreatic, Version 2,2022. https://www.nccn.org/professionals/physician_gls/pdf/genetics_bop.pdf.（2022 年 8 月閲覧）

7）Zhang X, Chiang HC, Wang Y, et al：Attenuation of RNA polymerase II pausing mitigates BRCA1-associated R-loop accumulation and tumorigenesis. Nat Commun 8：15908, 2017

8）Noguchi S, Kasugai T, Miki Y, et al：Clinicopathologic analysis of BRCA1-or BRCA2-associated hereditary breast carcinoma in Japanese women. Cancer 85：2200-2205, 1999

9）Yoshida R, Watanabe C, Yokoyama S, et al：Analysis of clinical characteristics of breast cancer patients with the Japanese founder mutation BRCA1 L63X. Oncotarget 10：3276-3284, 2019

10）National Comprehensive Cancer Network：NCCN Clinical Practice Guidelines in Oncology（NCCN Guidelines®），Genetic/Familial High-Risk Assessment：Breast, Ovarian, and Pancreatic. Ver.2. 2021, 2020.

11）小児期に発症する遺伝性腫瘍に対するがんゲノム医療体制実装のための研究：リー・フラウメニ症候群の診療ガイドライン，2019 年度版，ver.1.1. https://mhlw-grants.niph.go.jp/system/files/2019/192021/201908002B_upload/201908002B0007.pdf（2022 年 8 月閲覧）

12）Bouaoun L, Sonkin D, Ardin M, et al：TP53 variations in human cancers：new lessons from the IARC TP53 database and genomics data. Hum Mutat 37：865-876, 2016

13）National Cancer Institute：*TP53* Database. https://tp53.isb-cgc.org/（2022 年 8 月閲覧）

14）Masciari S, Dillon DA, Rath M, et al：Breast cancer phenotype in women with TP53 germline mutations：a Li-Fraumeni syndrome consortium effort. Breast Cancer Res Treat 133：1125-1130, 2012

15）Limacher JM, Frebourg T, Natarajan-Ame S, et al：Two metachronous tumors in the radiotherapy fields of a patient with Li-Fraumeni syndrome. Int J Cancer 96：238-242, 2001

16）Heymann S, Delaloge S, Rahal A, et al：Radio-induced malignancies after breast cancer postoperative radiotherapy in patients with Li-Fraumeni syndrome. Radiat Oncol 5：104, 2010

17）Kratz CP, Achatz MI, Brugiéres L, et al：Cancer screening recommendations for individuals with Li-Fraumeni syndrome. Clin Cancer Res 23：e38-e45, 2017

18）Lee YR, Chen M, Pandolfi PP：The functions and regulation of the PTEN tumour suppressor：new modes and prospects. Nat Rev Mol Cell Biol 19：547-562, 2018

19）高山哲治，五十嵐正広，大住省三，他：小児・成人のための Cowden 症候群/PTEN 過誤腫症候群診療ガイドライン（2020 年版）．遺伝性腫瘍 20：93-114, 2020

20）Banneau G, Guedj M, MacGrogan G, et al：Molecular apocrine differentiation is a common feature of breast cancer in patients with germline PTEN mutations. Breast Cancer Res 12：R63, 2010

21）Hermsen BB, von Mensdorff-Pouilly S, Fabry HF, et al：Lobulitis is a frequent finding in prophylactically removed breast tissue from women at hereditary high risk of breast cancer. J Pathol 206：220-223, 2005

22）Isern AE, Loman N, Malina J, et al：Histopathological findings and follow-up after prophylactic mastectomy and immediate breast reconstruction in 100 women from families with hereditary breast cancer. Eur J Surg Oncol 34：1148-1154, 2008

23）Kaas R, Verhoef S, Wesseling J, et al：Prophylactic mastectomy in BRCA1 and BRCA2 mutation carriers：very low risk for subsequent breast cancer. Ann Surg 251：488-492, 2010

24）Yamauchi H, Okawa M, Yokoyama S, et al：High rate of occult cancer found in prophylactic mastectomy specimens despite thorough presurgical assessment with MRI and ultrasound：findings from the Hereditary Breast and Ovarian Cancer Registration 2016 in Japan. Breast Cancer Res Treat 172：679-687, 2018

25）日本乳癌学会：遺伝性乳がん卵巣がん症候群の保険診療に関する手引き．http://jbcs.gr.jp/member/wp-content/uploads/2016/06/bcde8174b665e011063d9f97a22cd19c.pdf（2022 年 8 月閲覧）

Ⅱ．乳癌の悪性度評価

1．乳癌の悪性度の指標

原発性乳癌の患者予後を推定する因子，乳癌の悪性度の指標の一つとして，hematoxylin-eosin（HE）染色標本による汎用性の高い病理学的グレード分類がある．病理学的グレード分類の判定には組織学的グレード分類 histological grading と核グレード分類 nuclear grading がよく用いられるが，これまでに，乳癌症例の多くを占める浸潤性乳管癌（非特殊型浸潤性乳癌）において，組織学的グレード分類や核グレード分類の有用性が報告され[1~5]，現在に至っている．病理学的グレード分類は，リンパ節転移や腫瘍浸潤径とは独立した乳癌の予後因子である．

2．乳癌の病理学的グレード分類

組織学的グレード分類は，Bloom と Richardson による分類[1]が最も知られており，WHO 分類 初版（1968 年）に記載された．続いて Elston と Ellis らによって，より定量的な方向に改良された Nottingham 分類[3]が，WHO 分類 第 3 版（2003 年）から記載され，第 5 版（2019 年）でも踏襲されている．これは，浸潤性乳癌の浸潤部を対象に HE 染色標本を用いて判定し，腺管形成，核異型，核分裂像（各 1〜3 点）の 3 項目のスコアで判定する（合計 3〜9 点）．腺管形成については腫瘍の全体を観察して評価し，明らかな腺管形成が腫瘍の 75％超にみられるものを 1 点，腫瘍の 10〜75％にみられるものを 2 点，腫瘍の 10％未満のものを 3 点とする（**図 1**）．

一方，核異型は最も程度の高い部位で評価し，核分裂像も最も増殖が盛んな部位で評価する．核異型の評価は，正常上皮細胞の核の大きさ，形態と比較して行う．核形不整，核小体の数と大きさの増大は核異型の増大を意味する．目安として，スコア 1 の核は正常の 1.5 倍までの大きさであり，形態やクロマチンが均一である．スコア 2 の核は正常の 1.5〜2 倍の大きさであり，軽度から中等度の異型，小型ないし不明瞭な核小体を示す．スコア 3 の核は正常の 2 倍以上の大きさであり，核の大小不同，形態不整，核クロマチンの増量，不均等分布が目立ち，大型の核小体が目立つことがある（**図 2**）．

核分裂像スコアは，高倍（対物レンズ 40×）10 視野あたりの核分裂像の数で分類する．カットオフ値は視野面積に依存するために，40 倍対物レンズの視野径を測り，顕微鏡接眼レンズの特性に基づく核分裂像算定基準で補正（対物レンズ 40×）を行う．核分裂像の評価において，最適な固定と質の高い組織標本の作製が必要である．また，濃染しピクノーシスに陥った核は除外し，明らかな核分裂像のみを計測する．

組織学的グレードの合計スコア 3〜5 点は Grade Ⅰ，合計スコア 6，7 点は Grade Ⅱ，合計スコア 8，9 点は Grade Ⅲとなる．組織学的グレード分類は，近年では組織型にかかわらず，浸潤癌の全てに適用している報告が多い．

核グレード分類には，Cutler らの分類[4]や Le Doussal らの分類[5]，および Tsuda らの分類[6]がある．乳癌取扱い規約 第 18 版の核グレード分類では，核異型 nuclear atypia，核分裂像の数 mitotic counts の 2 項目をそれぞれ 1〜3 点にスコア化し，両者を足

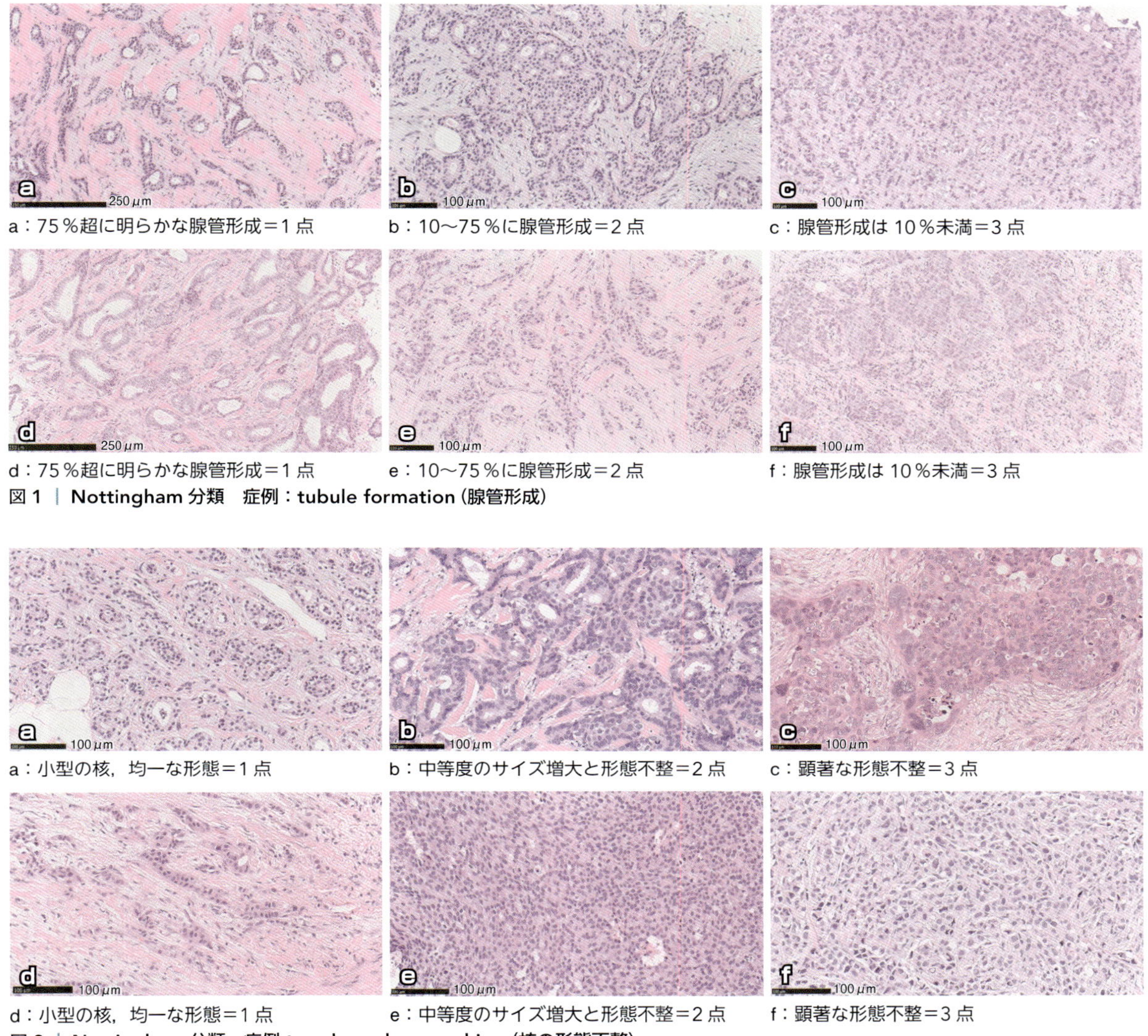

a：75％超に明らかな腺管形成＝1点
b：10〜75％に腺管形成＝2点
c：腺管形成は10％未満＝3点
d：75％超に明らかな腺管形成＝1点
e：10〜75％に腺管形成＝2点
f：腺管形成は10％未満＝3点

図1｜Nottingham分類　症例：tubule formation（腺管形成）

a：小型の核，均一な形態＝1点
b：中等度のサイズ増大と形態不整＝2点
c：顕著な形態不整＝3点
d：小型の核，均一な形態＝1点
e：中等度のサイズ増大と形態不整＝2点
f：顕著な形態不整＝3点

図2｜Nottingham分類　症例：nuclear pleomorphism（核の形態不整）

して判定している（合計2〜6点）．スコア2，3点はGrade 1，スコア4点はGrade 2，スコア5，6点はGrade 3となる．

組織学的グレード，核グレードはともに最終的に3段階に分けられており，低異型度のGrade 1の乳癌は予後良好で，Grade 2は中間，高異型度のGrade 3の乳癌は予後不良である[1〜4,7〜9]．

3．非浸潤性乳管癌における悪性度評価

非浸潤癌の病理学的グレード分類については，Consensus Conferenceで推奨された3段階の核グレード分類[10]が広く知られ，非浸潤性乳管癌ductal carcinoma *in situ*（DCIS）の悪性度評価において，核グレード，壊死，極性，組織構築の4つの記載が推奨されている．また，DCISの部分切除術後の同側乳房内再発リスクの評価法として，グレード，コメド壊死，病理組織学的広がり，年齢，断端からの距離などを組み合わせて評価する，Silversteinらのvan Nuys Prognostic Index[11]も広く知られ，Consensus Conferenceの核グレード分類が取り入れられている．筆者らの施設では浸潤癌と同様に，組織学的グレード，核グレードをコメド壊死とともに病理診断報告書に記載している．現在，低異型度DCISを病理で評価して，非切除療法の安全性，有用性をみる

臨床試験がわが国を含め国際的に複数行われており，DCIS における悪性度の評価は今後ますます重要になると考えられる．

4．針生検標本による乳癌の悪性度評価

病期が進行した乳癌や悪性度の高い乳癌の術前化学療法の選択の際には，針生検標本における組織学的グレード分類や核グレード分類が重要である．針生検組織の腫瘍量も考慮しながら，客観性をもって的確な判定を行う必要がある．

5．これからの乳癌の悪性度評価

病理学的グレード分類，estrogen receptor（ER），progesterone receptor（PgR），HER2（ErbB2），Ki67 などのバイオマーカーの免疫組織化学的評価，*in situ* hybridization（ISH）による *HER2*（*ErbB2*）遺伝子増幅の検討が標準となり，2019 年から遺伝性乳癌卵巣癌 hereditary breast and ovarian cancer（HBOC）症候群の遺伝子検査や，多数のがん関連遺伝子の解析が可能ながん遺伝子パネル検査が保険収載となった．乳癌においても遺伝性疾患の鑑別を含めた悪性度の指標が求められる時代になると考えられる．

（南條　博，廣嶋優子）

文　献

1）Bloom HJG, Richardson WW：Histological grading and prognosis in breast cancer；a study of 1409 cases of which 359 have been followed for 15 years. Br J Cancer 11：359-377, 1957
2）Freedman LS, Edwards DN, McConnell EM, et al：Histological grade and other prognostic factors in relation to survival of patients with breast cancer. Br J Cancer 40：44-55, 1979
3）Elston CW, Ellis IO：Pathological prognostic factors in breast cancer. I. The value of histological grade in breast cancer：experience from a large study with long-term follow-up. Histopathology 19：403-410, 1991
4）Cutler SJ, Black MM, Friedell GH, et al：Prognostic factors in cancer of the female breast. II. Reproducibility of histopathologic classification. Cancer 19：75-82, 1966
5）Le Doussal V, Tubiana-Hulin M, Friedman S, et al：Prognostic value of histologic grade nuclear components of Scarff-Bloom-Richardson（SBR）. An improved score modification based on a multivariate analysis of 1262 invasive ductal breast carcinomas. Cancer 64：1914-1921, 1989
6）Tsuda H, Akiyama F, Kurosumi M, et al：Establishment of histological criteria for high-risk node-negative breast carcinoma for a multi-institutional randomized clinical trial of adjuvant therapy. Japan National Surgical Adjuvant Study of Breast Cancer（NSAS-BC）Pathology Section. Jpn J Clin Oncol 28：486-491, 1998
7）Bult P, Manders P, Straatman HM, et al：In primary breast cancer the mitotic activity yields similar prognostic information as the histological grade：a study with long-term follow-up. Breast Cancer Res Treat 122：77-86, 2010
8）Ono M, Tsuda H, Yunokawa M, et al：Prognostic impact of Ki-67 labeling indices with 3 different cutoff values, histological grade, and nuclear grade in hormone-receptor-positive, HER2-negative, node-negative invasive breast cancers. Breast Cancer 22：141-152, 2015
9）Schwartz AM, Henson DE, Chen D, et al：Histologic grade remains a prognostic factor for breast cancer regardless of the number of positive lymph nodes and tumor size：a study of 161708 cases of breast cancer from the SEER Program. Arch Pathol Lab Med 138：1048-1052, 2014
10）Consensus Conference on the classification of ductal carcinoma in situ.The Consensus Conference Committee. Cancer 80：1798-1802, 1997
11）Silverstein MJ, Lagios MD：Choosing treatment for patients with ductal carcinoma in situ：fine tuning the University of Southern California/Van Nuys prognostis index. J Natl Cancer Inst Monogr 2010：193-196, 2010

Ⅲ．乳癌のバイオマーカー検索

はじめに

乳癌診療においては，ホルモン療法や抗 human epidermal growth factor receptor-2（HER2）療法など，標的を定めた薬物療法が早くから確立し個別化医療が進んでいる．治療効果予測・予後予測の観点から，ホルモン受容体（ER，PgR）や HER2 をはじめとしたバイオマーカーの検索が，診療上極めて重要である．近年，実臨床で頻用されるようになっている用語「サブタイプ」についての概略をオリエンテーションに代えて，Ki67，腫瘍浸潤リンパ球 tumor-infiltrating lymphocyte（TIL），programmed cell death ligand 1（PD-L1），多遺伝子アッセイ multi-gene expression assay（MGEA）も含めた各種バイオマーカーについて概説する．

1．内因性サブタイプと病理学的バイオマーカー

近年，乳癌診療の現場では，「内因性サブタイプ intrinsic subtype」あるいは単に「サブタイプ」という用語が頻用されている．「内因性サブタイプ」は元来，分子生物学的に定義され，薬物感受性や予後の異なる群（luminal A，luminal B，HER2-enriched，basal-like，normal breast-like など）に乳癌を分類するものである[1,2]．“luminal”は管腔内側の分化した腺上皮細胞，“basal-like”は管腔基底側のより未分化な基底細胞に各々類似した分子生物学的性質をもつ癌であることを意味する．一方，臨床実地で用いられている「サブタイプ」が意味するのは「病理学的サブタイプ」，すなわちホルモン受容体，HER2，Ki67 など病理学的バイオマーカーに基づく，内因性サブタイプの代替的なものである（**図 1a**）．

病理学的サブタイプの定義は時代により変遷があるが[3〜5]，現在，日常診療では一般的に，ホルモン受容体陽性の癌を“luminal”（代替なので，正しくは luminal-like）と呼ぶ．“luminal”かつ HER2 陰性のうち，生物学的悪性度の低いものを“luminal A”（同 luminal A-like），高いものを“luminal B”（同 luminal B-like）とし，化学療法追加の判断材料とすることがある[5]．luminal A-like か luminal B-like かの判別に用いられる病理学的項目には，病理学的異型度（核ないし組織学的異型度），ER 発現率，PgR 発現率，Ki67 発現率などがある[5]（**図 1b**）．さらに近年，特に欧米で MGEA によるリスク分類が重視され，MGEA も luminal A-like/luminal B-like の判別項目とされている[6]（**図 1b**）．しかし，luminal A-like/luminal B-like の判別に，どの項目を用い，どこに閾値を置くかなど，定義は明確でない．日常診療で用いられている「サブタイプ」はあくまでも便宜的・概念的なものであり，各サブタイプの意味するところは相手と理解を共有しておかねばならず，場合によっては文脈での判断が必要となる．

ER，PgR，HER2 がいずれも陰性のいわゆる「トリプルネガティブ乳癌 triple negative breast cancer（TNBC）」は，一般的には，ホルモン療法も抗 HER2 療法も適用できず化学療法を選択せざるをえない予後不良の癌とされるが，腺様嚢胞癌や髄様癌のように，予後が極めてよいものも存在するなど多様性に富む群である．分子生物学的には，basal-like 1（BL1），

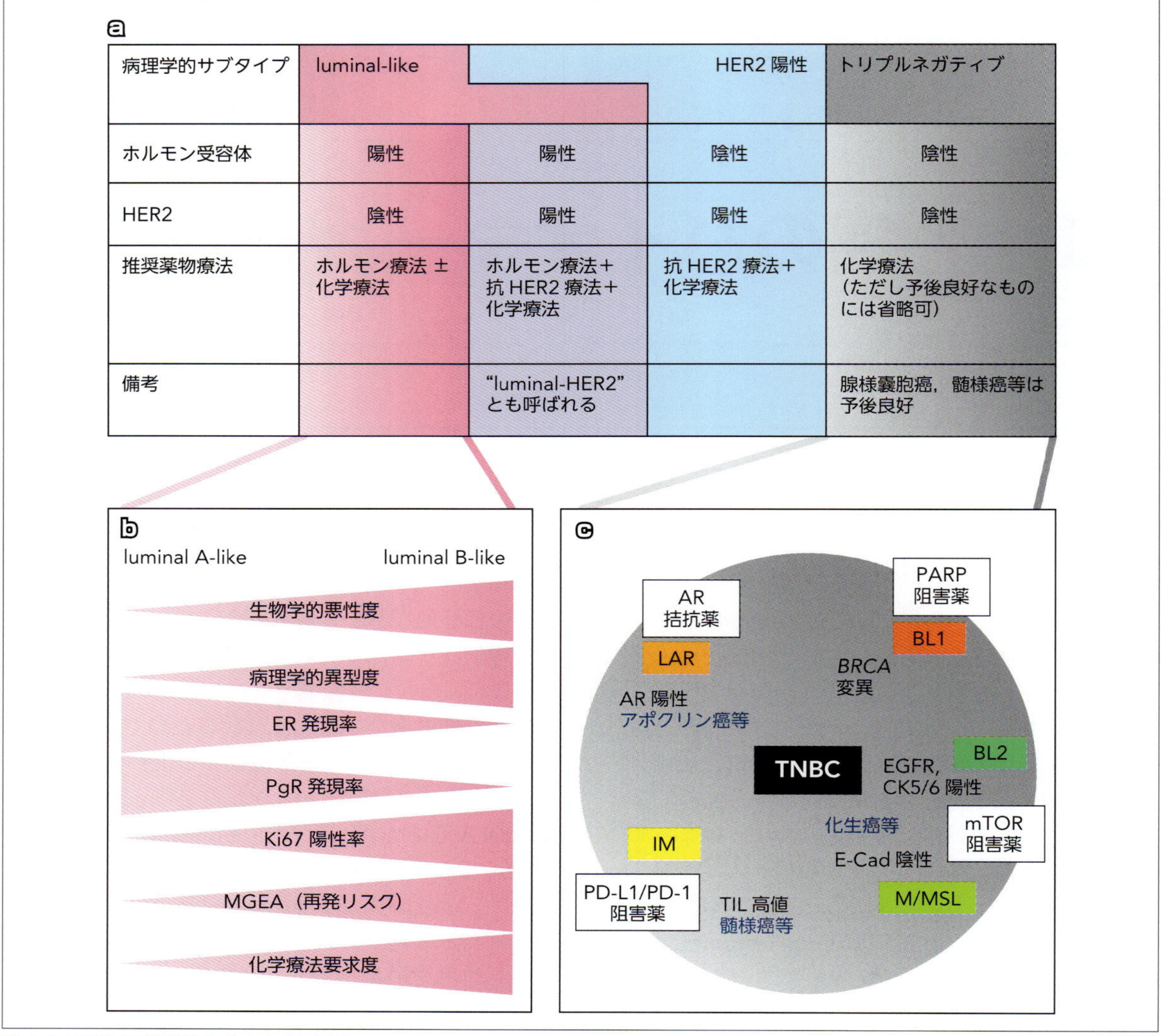

図 1 ｜内因性/病理学的サブタイプの概要

a：病理学的サブタイプの定義の一例と推奨薬物療法など．b：luminal A-like と luminal B-like の判別イメージ．c：TNBC の分子生物学的細分化と病理学的バイオマーカー/組織型，および効果が期待される薬物療法．

BL1：basal-like 1．BL2：basal-like 2．E-Cad：E-cadherin．HER2：human epidermal growth factor receptor 2．IM：immunomodulatory．LAR：luminal androgen receptor．M/MSL：mesenchymal/mesenchymal stem-like．MGEA：multigene expression assay（多遺伝子アッセイ）．mTOR：mammalian target of rapamycin．PARP：poly（ADP-ribose）polymerase［ポリ（ADP リボース）ポリメラーゼ］．PD-1：programmed cell death 1．PD-L1：programmed cell death ligand 1．TIL：tumor-infiltrating lymphocytes（腫瘍浸潤リンパ球）．TNBC：triple negative breast cancer（トリプルネガティブ乳癌）．

basal-like 2（BL2），luminal androgen receptor（LAR），immunomodulatory（IM），mesenchymal/mesenchymal stem-like（M/MSL）など生物学的性質の異なる群に細分化されるが[7]，これらを EGFR，CK5/6，AR，E-cadherin 等の発現状況，および TIL などの病理学的情報に基づき代替的に分類し，治療に役立てようとする試みもなされている（**図 1c**）．TNBC について PD-L1 発現検索と，その結果に基づく PD-L1/PD-1（programmed cell death 1）阻害薬（免疫チェックポイント阻害薬）の適用が保険承認されたのは記憶に新しい．

2．ホルモン受容体（ER，PgR）

1）概要

内分泌療法は乳癌薬物療法の主要な柱の一つであ

るが，ホルモン受容体発現は内分泌療法の治療効果予測因子であるとともに，予後予測因子でもあり（陽性：治療効果高，予後良），その検索は乳癌診療上，必須である．乳癌におけるホルモン受容体とは，具体的にはERとPgRであり，現在は免疫組織化学immunohistochemistry（IHC）的に検索されている．

ERの内分泌療法効果予測因子としての有用性は，患者背景，癌の進行状況，治療状況によらず確認されており，ER検索は一貫して乳癌診療上の必須項目である[8]．一方，PgRはERを介し発現誘導されるため，ERの機能正常性の指標とされる．PgRの検索意義についてはERほどのコンセンサスはないが，特にER陽性癌における予後予測因子としての有用性が認められているため，PgR検索も乳癌診療上必須の項目となっている[9]．

2）評価の対象

ホルモン受容体検索の最も大きな臨床的意義は，浸潤癌の内分泌療法適応可否決定にあるが，非浸潤癌に内分泌療法が考慮されることもあり，非浸潤癌もホルモン受容体検索の対象となる[10,11]．転移・再発乳癌では，原発巣とホルモン受容体発現状況が異なる症例が少なからず存在するため，転移・再発巣組織が入手可能な場合には，再度，検索することが望ましい[12]．

3）評価の実際

標本作製の実際についてはここでは割愛するが，強調すべきは内因性・外因性コントロールが正しく染色されていることであり，それなしに正しい評価はありえない．

染色の評価は核について行う．全体を観察し染色されている腫瘍細胞の占有率（%）と強度を評価する．浸潤癌では浸潤成分の評価を基本とするが，非浸潤成分との間に明らかな染色性の差がある場合はその旨を付記する．

判定方法には，陽性細胞の占有率で判定する方法と，占有率と染色強度を組み合わせる方法がある．乳癌取扱い規約 第18版（2018年）に記載のあるJ-Scoreは前者に，世界的に広く用いられているAllred scoreは後者に該当する．ASCO/CAP（American Society of Clinical Oncology/College of American Pathologists）ガイドライン2019年版，WHO分類 第5版（2019年）では，陽性細胞の占有率とともに染色強度も考慮しての判定法が推奨されている[11,13]．

ASCO/CAPガイドライン2010年版は，内分泌療法適応可否決定のためのER陽性細胞占有率カットオフ値に1%（強度にかかわらず）を推奨していた[14]．これは同2019年版でも基本的に踏襲されているが，ER陽性細胞占有率10%以上の症例と1〜9%の症例では内分泌療法の奏効性が異なるため[15]，10%以上の症例は「陽性」，10%未満の症例については再度標本を確認し，1〜9%の症例については「低発現」，1%未満および0%の症例は「陰性」とし，占有率・染色強度等，詳細な情報を付記することが推奨されている[11]．PgRについては，1%以上を陽性，1%未満または0%を陰性とし，占有率・染色強度を記載する[11]．組織型とホルモン受容体発現状況に乖離があるなど，予想外の結果が得られた場合は再検査を行う．

ER/PgR発現の多寡は，近年，いわゆるluminal A-likeとluminal B-likeの判別指標としても注目されている（**図1b**）．カットオフ値1%（luminal-likeに相当）には，予後改善に有用で重篤な副作用もまれな内分泌療法の適応範囲を広くする意味合いもある．一方，1〜9%の症例（luminal B-likeに相当）はheterogeneityが大きいため，リスクとベネフィットのバランスに基づき内分泌療法あるいはその他の治療法の可否を決定するのが適切である[11]．

ホルモン受容体の判定については，今後もカットオフ値の変遷がありうるので，陰陽判定だけでなく詳細な記録を残す必要がある．

3．HER2

1）概要

HER2蛋白は*HER2*遺伝子にコードされ，細胞の増殖・分化に関わる細胞膜受容体型チロシンキナーゼで，浸潤性乳癌の15〜25%でHER2の遺伝子増幅または蛋白過剰発現が認められる（HER2陽性）．HER2陽性浸潤性乳癌患者の予後はかつては不良であったが，抗HER2療法が奏効するため，同療法の出現により予後が劇的に改善した[16,17]．したがって，HER2は浸潤性乳癌の予後予測因子であると同時に抗HER2療法の効果予測因子で，浸潤性乳癌の診療における検索必須項目である．

2）評価の対象

抗HER2療法は原発乳癌，転移乳癌の両方に有効であり，HER2検査には，原発巣浸潤成分，または，

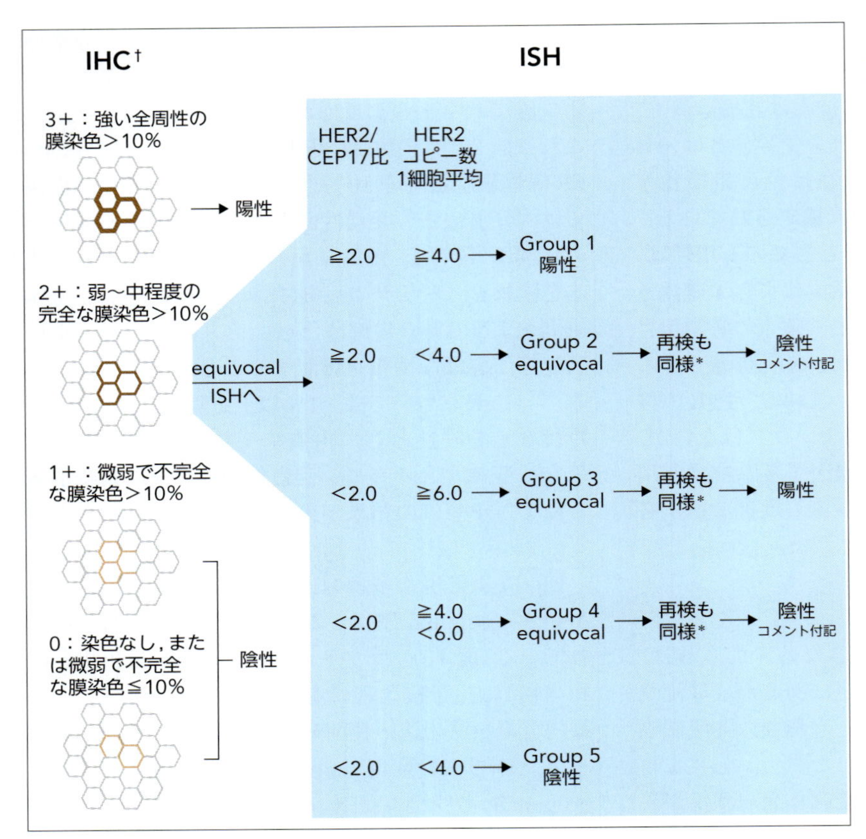

図２｜HER2評価アルゴリズム
免疫組織化学（IHC）法先行にて dual probe *in situ* hybridization（ISH）法併用の場合.
†ここに含まれないものは2＋と評価.
*初回判定をブラインドにして，少なくとも20個の細胞をカウント．異なる判定結果となった場合は経過中の各検査結果を合わせ，最終的に判定.

転移巣の組織を用いる．以前は，再発乳癌においても原発巣での検索で代用可能と考えられていたが，近年，原発巣と転移巣でHER2発現状況が異なる症例が少なからず存在することが報告され，転移・再発巣でも可能な限りHER2検査を行うことが推奨されている[12,18]．

3）評価の実際

日常診療で用いられているHER2検査法としては，蛋白過剰発現をみるIHC法と遺伝子増幅をみる *in situ* hybridization 法（ISH法，わが国で承認されているものの多くはdual probe法）がある．ISH法は精度・再現性・治療効果予測性の点で優れているが，IHC法よりも厳密な精度管理や高度な備品・設備を要する．わが国では両者とも保険収載されているが，簡便かつ安価なIHC法を第一選択とするのが一般的である．

IHC法先行の場合のASCO/CAPガイドライン2018年版に基づく評価法の概略を**図２**に示す[19]．IHC法では癌浸潤巣の細胞膜を評価する．全周性の強い膜染色＞10％を3＋，弱〜中等度の完全な膜染色＞10％を2＋，微弱で不完全な膜染色＞10％を1＋，染色がみられない，または微弱で不完全な膜染色≦10％を0，と評価する．IHC 3＋を陽性，IHC 0〜1＋を陰性とする．IHC 2＋は“equivocal”としてさらにISH法を施行する．ISH法にて，HER2/CEP17比2.0以上かつ1細胞あたりの *HER2* 遺伝子平均コピー数4.0以上の場合を陽性，HER2/CEP17比2.0未満かつ1細胞あたりの *HER2* 遺伝子平均コピー数4.0未満の場合を陰性と判定する．それ以外の場合はブラインドで再度腫瘍細胞20個を評価し，アルゴリズムに沿って陰陽判定を行う．HER2陽性の場合に抗HER2療法の適応となる．

判定基準とされるASCO/CAPガイドラインは，研究報告の積み重ねにより変遷してきた[20]．情報のアップデートとともに，将来の判定基準の変化にも対応できるような記録の残し方をしておくのが望ましい．

4．Ki67

1）概要

G0 期以外の細胞周期において核に発現する Ki67 は，細胞増殖能を示し，腫瘍悪性度の指標として重要である．乳癌においても，Ki67 の免疫組織化学的発現が予後予測因子であることについては，ほぼコンセンサスが得られている[21]．薬物療法効果予測性（術前/術後，内分泌療法/化学療法）についてのエビデンスは不十分だが，Ki67 はその予後予測性ゆえ，サブタイプ分類，特に luminal A-like か luminal B-like かの判別に用いられ，内分泌療法に化学療法を追加するか否かの判断の指標とされている[5]（**図 1b**）．現在，多くの施設で Ki67 が日常診療の範囲で調べられているが，評価方法もカットオフ値も定まっていないという現状がある．そのため，ASCO ガイドライン 2016 年版は，早期乳癌の術後薬物療法決定のためのバイオマーカーとして Ki67 を用いるべきではないとしている[22]．2021 年の St. Gallen コンセンサス会議では，ER 陽性早期癌に化学療法を追加するか否かの判定には MGEA が推奨されるが，MGEA が世界的に普及しているとはいえない現在，その代用として，Ki67 に頼らざるをえないとしている[6]．

2）評価の対象と実際

Ki67 検索の対象となるのは浸潤癌であり，特に，ホルモン受容体陽性/HER2 陰性乳癌における臨床的意義が大きい．

評価は浸潤成分の癌細胞の核について行い，染色されていれば強度によらず陽性細胞と判定する．一般的にはまず，評価部位に含まれる全浸潤癌細胞のうち Ki67 陽性細胞の割合（%）をラベリングインデックス labeling index（LI）として記録する．しかし，Ki67 の染色性は同一腫瘍組織切片の中でも部位により異なることが多く，どのような部位を，どれくらいの個数，評価するかにより結果は大きく異なる．International Ki67 in Breast Cancer Working Group（IKWG）2011 年版では，予後予測には浸潤巣辺縁部とホットスポットの評価が推奨されていた[23]．一方，2020 年版は再現性や観察者間一致の観点から，IKWG 提唱の「全体評価」を推奨しているが[24]，同法の通常診断業務での適用は時間・労力の面で課題が大きく，評価方法はいまだ標準化されているとはいえない状況にある．

評価方法が定まらない以上，Ki67 LI の高低を判断するカットオフ値設定は困難である．ホルモン受容体陽性/HER2 陰性乳癌では，多くの研究が 5〜30％の間にカットオフ値を置いているが，この範囲は病理医間の判定の一致率や再現性が低い．IKWG は，標準化がされない状態で確実に低値/高値と判定しうるのは，各々5％以下/30％以上の症例に限られるとし[24]，この点は 2021 年の St. Gallen コンセンサス会議でも概ね支持されている[6]．

5．腫瘍浸潤リンパ球（TIL）

1）概要

TIL は腫瘍組織に浸潤・集簇するリンパ球/形質細胞で，宿主の抗腫瘍免疫反応の表れである．TIL は従来，種々の腫瘍で予後予測因子であることが知られていたが，近年，化学療法や新しい免疫療法の効果予測因子となる可能性も指摘され，関心が高まっている．乳腺領域でも，髄様癌に代表される高度の TIL を伴う浸潤癌が存在し，それらが高異型度あるいはトリプルネガティブであるにもかかわらず予後良好であることが知られており，TIL の乳癌病態における意義が注目されていた．

TIL の評価法は研究によりまちまちで単純な比較は難しいが，総じて，TNBC や HER2 陽性乳癌のような高異型度の癌に高度（TIL 高値），ホルモン受容体陽性/HER2 陰性乳癌のような低異型度の癌に軽度である（TIL 低値）[25]．また，複数の大規模な臨床研究で，TIL 高値は化学療法を受けた TNBC，および HER2 陽性乳癌（トラスツズマブの投与の有無にかかわらず）の予後良好因子であることが示されている[26,27]．さらに，TNBC と HER2 陽性乳癌において，TIL が術前化学療法の効果予測因子となる可能性も示されつつある．一方，ER 陽性乳癌における TIL の臨床的意義は，現在のところ不明である．

2）評価の対象と実際

以上のように TIL は，一定の治療条件のもとでの TNBC または HER2 陽性乳癌の予後予測因子であることはほぼ確実で，臨床応用への期待が高いが，最近まで TIL の評価法は標準化されていなかった．TIL には，腫瘍間質 TIL（stromal TIL）と腫瘍内 TIL（intratumoral TIL）があるが（**図 3**），前者に臨床的意義が高いとされる．現在，International immuno-oncology biomarker working group（旧称 International TILs Working Group）が提唱した，浸潤癌領域内間質面積

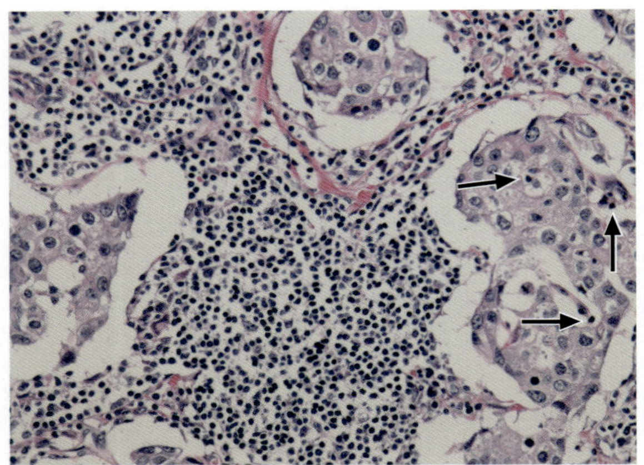

図3 | 腫瘍浸潤リンパ球（TIL）高値の一例
高度な腫瘍間質 TIL に加え、腫瘍内 TIL（矢印）もみられるが，腫瘍間質 TIL の臨床的価値が高いとされる．TIL 50～60％超の場合，LPBC とも呼ばれる．

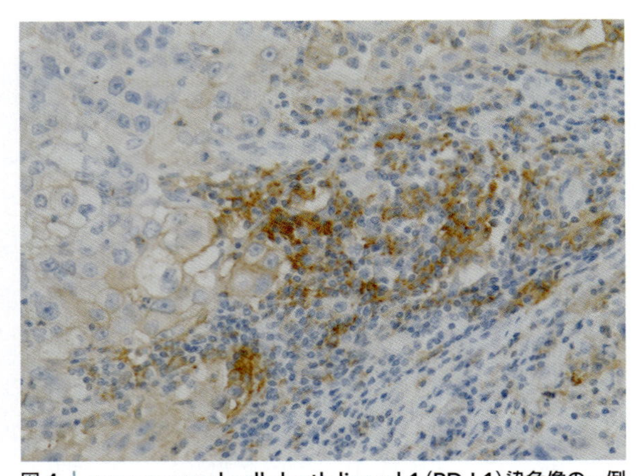

図4 | programmed cell death ligand 1（PD-L1）染色像の一例（一次抗体 SP142）
腫瘍浸潤炎症細胞に加え，腫瘍細胞の細胞膜にも陽性像がみられる．検査法により染色判定の対象にするべき細胞種が異なるので注意を要する．

における単核球（リンパ球と形質細胞）の占有面積（ホットスポットでなく平均）を5ないし10％刻みで評価する方法が広く用いられ，WHO 分類 第5版でも推奨されている[13,28]．しかしこの方法の再現性・客観性については是非が分かれており，実用化にあたっては試行段階であることを認識しておくべきである．

腫瘍間質 TIL が 50～60％を超えるような癌は，“lymphocyte-predominant breast cancer（LPBC）”と表現されることがあり（**図3**），髄様癌あるいは髄様癌様の形態を示す癌は LPBC の典型ともいえる．WHO 分類 第5版では，髄様癌の予後良好性は TIL によるものとの考えから，特殊型ではなく，TIL の豊富な通常型癌の一つのスペクトラム“IBC-NST（invasive breast carcinoma of no special type）with medullary pattern”とすることを提唱している[13]．TIL 高値の癌は，分子生物学的には“immunomodulatory（IM）”に近いものと推察され，免疫チェックポイント阻害薬の有効性に関心が高まっている[7]（**図1c**）．

6. programmed cell death ligand 1（PD-L1）

1）概要

PD-L1/PD-1 系は代表的な免疫チェックポイントである．免疫チェックポイントは，自己免疫寛容や過剰な免疫反応の抑制において重要な働きをするが，腫瘍免疫においては，腫瘍が宿主の免疫反応から逃れる手段として利用される．この腫瘍による免疫抑制機構を抑制し，抗腫瘍免疫を再活性化するのが免疫チェックポイント阻害薬であり，種々の悪性腫瘍に対する治療薬として実用化されている．

乳腺領域でも，これまで有効な標的療法がなかった TNBC の一部において免疫チェックポイント阻害薬の有効性が確認され実用化されたことから，大きな注目が集まっている．乳癌治療で保険承認されている免疫チェックポイント阻害薬は，アテゾリズマブとペムブロリズマブの2種類である（2022年6月現在）．いずれも PD-L1/PD-1 免疫チェックポイントで作用する薬剤で，適応は，「PD-L1 陽性」と判定された，手術不能または再発 TNBC である．

PD-L1 は膜貫通型蛋白で，活性化T細胞に発現している PD-1 や B7.1 などの受容体に結合して活性化T細胞を不活化し，免疫反応を抑制する．乳癌組織内で PD-L1 陽性となりうる細胞は，乳癌細胞とリンパ球・マクロファージ・樹状細胞・顆粒球などの免疫細胞である（**図4**）．TNBC 症例でのアテゾリズマブおよびペムブロリズマブの有効性は，ランダム化比較試験 IMpassion130 および KEYNOTE-355 で各々調べられたが，いずれにおいても有効性が確認されたのは「PD-L1 陽性」と判定された群であり，PD-L1 の免疫組織化学的検索がコンパニオン診断として必須となった[29,30]．各薬剤において，コンパニオン診断に用いられる体外診断用医薬品が，染色装置・判定方法とともに厳密に定められているが，これらは互いに独立した検査であり，診断結果の読み替えはできない．同じ薬剤・同じコン

表１｜アテゾリズマブおよびペムブロリズマブ，各々のコンパニオン診断薬と評価基準

薬剤	アテゾリズマブ（抗 PD-L1 ヒト化 mAb）	ペムブロリズマブ（抗 PD-1 ヒト化 mAb）
コンパニオン診断薬商品名	ベンタナ OptiView PD-L1（SP142）	PD-L1 IHC 22C3 pharmDx「ダコ」（Autostainer Link 48 用）
一次抗体	SP142（抗 PD-L1 ウサギ mAb）	22C3（抗 PD-L1 マウス mAb）
染色装置	ベンタナベンチマーク（ULTRA/XT/GX）	ダコ Autostainer Link 48
標本適格基準	TNBC：原発巣，転移巣，手術検体，生検検体	
	少なくとも 50 個の腫瘍細胞と周囲の間質組織	腫瘍細胞 100 個以上
陰陽判定対象細胞	リンパ球，マクロファージ，樹状細胞，顆粒球	浸潤癌細胞，リンパ球，マクロファージ
判定方法	IC% $\frac{\text{PD-L1 陽性の上記判定対象細胞の存在する領域}}{\text{腫瘍領域}} \times 100$	CPS $\frac{\text{PD-L1 陽性の上記判定対象細胞の総数}}{\text{浸潤癌細胞の総数}} \times 100$（CPS は上限値 100 とする）
薬剤適応基準	IC≧1％	CPS≧10

CPS：combined positive score．IC：tumor-infiltrating immune cells（腫瘍浸潤免疫細胞）．mAb：monoclonal antibody（モノクローナル抗体）．PD-1：programmed cell death 1．PD-L1：programmed cell death ligand 1．TNBC：triple negative breast cancer（トリプルネガティブ乳癌）．

パニオン診断薬でも，適用するがん種により，どの細胞を評価するかなど評価方法が異なるので細心の注意を要する．本項では乳癌についてのみ言及する．

2）アテゾリズマブのコンパニオン診断

アテゾリズマブは抗 PD-L1 ヒト化モノクローナル抗体であり，コンパニオン診断には，抗 PD-L1 ウサギモノクローナル抗体 SP142 を一次抗体とするベンタナ OptiView PD-L1（SP142）と指定の染色装置を用いなければならない（**表 1**）．

乳癌に対する SP142 を用いた PD-L1 の IHC 法では，腫瘍浸潤免疫細胞 tumor-infiltrating immune cell（IC）（リンパ球・マクロファージ・樹状細胞・顆粒球）のみを評価し，腫瘍細胞は評価しない．腫瘍領域（腫瘍細胞，腫瘍内間質，腫瘍周囲間質により占められている領域）に対して，PD-L1 陽性 IC が存在する領域の割合が 1％以上の症例（染色強度は問わない）がアテゾリズマブの適応となる（**表 1**）．IMpassion130 試験での TNBC における PD-L1 陽性率（IC≧1％）は約 4 割であった[29]．なお，ランダム化比較試験 IMpassion131 では，PD-L1 陽性群におけるアテゾリズマブの有効性が確認されず，併用薬剤の影響など理由が議論されている[31]．

3）ペムブロリズマブのコンパニオン診断

ペムブロリズマブは抗 PD-1 ヒト化モノクローナル抗体であり，コンパニオン診断には，抗 PD-L1 マウスモノクローナル抗体 22C3 を一次抗体とする PD-L1 IHC 22C3 pharmDx「ダコ」を用いる．PD-L1 IHC 22C3 pharmDx「ダコ」には，適用される自動染色装置が異なる 2 種類のキットがあるが，乳癌で検査を行う場合はダコ Autostainer Link48 とそれに適したキットを用いなければならない（**表 1**）．

乳癌に対する 22C3 を用いた PD-L1 の IHC 法では，combined positive score（CPS）を算出する．CPS の分母は総浸潤癌細胞数，分子は PD-L1 陽性像を示す浸潤癌細胞とリンパ球およびマクロファージの総細胞数で，これを 100 倍する．100 を超える場合も上限値は 100 とする．CPS が 10 以上の症例がペムブロリズマブの適応となる（**表 1**）．なお，KEYNOTE-355 試験での TNBC における PD-L1 陽性率（CPS≧10）は約 4 割であった[30]．

その他，PD-L1 検査について留意すべき点を**表 1** にまとめた．診断にあたっては視覚教材によるトレーニングが有用である．

7．多遺伝子アッセイ

近年，オンコタイプ DX，MammaPrint などの MGEA が再発リスク予測ツールとして実用化され，欧米を中心に普及が進んでいる．それぞれ，解析する遺伝子数・種類・手法，対象となる症例の適格基準は異なるが，リスク予測の正確性が高く，St. Gallen コンセンサス会議はサブタイプ分類（luminal A-like/luminal B-like 判別）のための指標として重視している[6]（**図 1**）．MGEA は RT-PCR 法やマイクロアレイを用

いた高額な検査で，これまでわが国での普及は限定的だったが，オンコタイプDXが2021年8月に薬事承認されたことにより，今後普及が急速に進むと予想される．検体としてホルマリン固定パラフィン包埋組織が用いられるため，病理医も間接的に関与する機会が増えると考えられる．

8．検体取り扱い上の注意

バイオマーカー検索では精度管理が重要である．検体は，採取後1時間以内に10％緩衝ホルマリンに浸漬し，6～72時間固定を行うのが望ましい[11,19]．遺伝子検索まで視野に入れた場合の固定は48時間以内が理想的である．適切な固定には，腫瘍部組織の別取りや割入など，工夫が必要である．染色は薄切後6週間以内に行うことが望ましい．

おわりに

乳癌の薬物療法は日進月歩であり，病理学的バイオマーカーについての情報も常にアップデートしていく必要がある．さらなる治療の適正化・開発という将来的展望からも，詳細かつ確実に情報を記録し伝えていくことが重要である．

（本間尚子）

文　献

1）Perou CM, Sørlie T, Eisen MB, et al：Molecular portraits of human breast tumours. Nature 406：747-752, 2000
2）Sørlie T, Perou CM, Tibshirani R, et al：Gene expression patterns of breast carcinomas distinguish tumor subclasses with clinical implications. Proc Natl Acad Sci U S A 98：10869-10874, 2001
3）Goldhirsch A, Winer EP, Coates AS, et al：Personalizing the treatment of women with early breast cancer：highlights of the St Gallen International Expert Consensus on the Primary Therapy of Early Breast Cancer 2013. Ann Oncol 24：2206-2223, 2013
4）Coates AS, Winer EP, Goldhirsch A, et al：Tailoring therapies--improving the management of early breast cancer：St Gallen International Expert Consensus on the Primary Therapy of Early Breast Cancer 2015. Ann Oncol 26：1533-1546, 2015
5）Curigliano G, Burstein HJ, Winer EP, et al：De-escalating and escalating treatments for early-stage breast cancer：the St. Gallen International Expert Consensus Conference on the Primary Therapy of Early Breast Cancer 2017. Ann Oncol 28：1700-1712, 2017
6）Burstein HJ, Curigliano G, Thürlimann B, et al：Customizing local and systemic therapies for women with early breast cancer：the St. Gallen International Consensus Guidelines for Treatment of Early Breast Cancer 2021. Ann Oncol 32：1216-1235, 2021
7）Lehmann BD, Bauer JA, Chen X, et al：Identification of human triple-negative breast cancer subtypes and preclinical models for selection of targeted therapies. J Clin Invest 121：2750-2767, 2011
8）Early Breast Cancer Trialists' Collaborative Group（EBCTCG）, Davies C, Godwin J, et al：Relevance of breast cancer hormone receptors and other factors to the efficacy of adjuvant tamoxifen：patient-level meta-analysis of randomised trials. Lancet 378：771-784, 2011
9）Prat A, Cheang MC, Martín M, et al：Prognostic significance of progesterone receptor-positive tumor cells within immunohistochemically defined luminal a breast cancer. J Clin Oncol 31：203-209, 2013
10）DeCensi A, Puntoni M, Guerrieri-Gonzaga A, et al：Randomized placebo controlled trial of low-dose tamoxifen to prevent local and contralateral recurrence in breast intraepithelial neoplasia. J Clin Oncol 37：1629-1637, 2019
11）Allison KH, Hammond MEH, Dowsett M, et al：Estrogen and progesterone receptor testing in breast cancer：ASCO/CAP guideline update. J Clin Oncol 38：1346-1366, 2020
12）Liedtke C, Broglio K, Moulder S, et al：Prognostic impact of discordance between triple-receptor measurements in primary and recurrent breast cancer. Ann Oncol 20：1953-1958, 2009
13）WHO classification of tumours Editorial Board（ed）：WHO Classification of Tumours, Breast Tumours（5th ed.）, IARC, Lyon, 2019
14）Hammond MEH, Hayes DF, Dowsett M, et al：American Society of Clinical Oncology/College of American Pathologists guideline recommendations for immunohistochemical testing of estrogen and progesterone receptors in breast cancer. J Clin Oncol 28：2784-2795, 2010
15）Dowsett M, Allred C, Knox J, et al：Relationship between quantitative estrogen and progesterone receptor expression and human epidermal growth factor receptor 2（HER-2）status with recurrence in the arimidex, tamoxifen, alone or in combination trial. J Clin Oncol 26：1059-1065, 2008
16）Cobleigh MA, Vogel CL, Tripathy D, et al：Multinational study of the efficacy and safety of humanized anti-HER2 monoclonal antibody in women who have HER2-overexpressing metastatic breast cancer that has progressed after chemotherapy for metastatic disease. J Clin Oncol 17：2639-2648, 1999
17）Slamon DJ, Clark GM, Wong SG, et al：Human breast cancer：correlation of relapse and survival with amplification of the HER-2/neu oncogene. Science 235：177-182, 1987
18）Niikura N, Liu J, Hayashi N, et al：Loss of human epidermal growth factor receptor 2（HER2）expression in metastatic sites of HER2-overexpressing primary breast tumors. J Clin Oncol 30：593-599, 2012
19）Wolff AC, Hammond MEH, Allison KH, et al：Human epidermal growth factor receptor 2 testing in breast cancer：American Society of Clinical Oncology/College of American Pathologists clinical practice guideline focused update. J Clin Oncol 36：2105-2122, 2018
20）Press MF, Sauter G, Buyse M, et al：HER2 gene amplification testing by fluorescent in situ hybridization（FISH）：comparison of the ASCO-College of American Pathologists guidelines with FISH scores used for enrollment in breast cancer international research group clinical trials. J Clin Oncol 34：3518-3528, 2016
21）Petrelli F, Viale G, Cabiddu M, et al：Prognostic value of

different cut-off levels of ki-67 in breast cancer：a systematic review and meta-analysis of 64,196 patients. Breast Cancer Res Treat 153：477-491, 2015

22) Harris LN, Ismaila N, McShane LM, et al：Use of biomarkers to guide decisions on adjuvant systemic therapy for women with early-stage invasive breast cancer：American Society of Clinical Oncology clinical practice guideline. J Clin Oncol 34：1134-1150, 2016

23) Dowsett M, Nielsen TO, A'Hern R, et al：Assessment of Ki67 in breast cancer：recommendations from the International Ki67 in Breast Cancer Working Group. J Natl Cancer Inst 103：1656-1664, 2011

24) Nielsen TO, Leung SCY, Rimm DL, et al：Assessment of Ki67 in breast cancer：updated recommendations from the International Ki67 in Breast Cancer Working Group. J Natl Cancer Inst 113：808-819, 2021

25) Stanton SE, Adams S, Disis ML：Variation in the incidence and magnitude of tumor-infiltrating lymphocytes in breast cancer subtypes：a systematic review. JAMA Oncol 2：1354-1360, 2016

26) Loi S, Drubay D, Adams S, et al：Tumor-infiltrating lymphocytes and prognosis：a pooled individual patient analysis of early-stage triple-negative breast cancers. J Clin Oncol 37：559-569, 2019

27) Luen SJ, Salgado R, Fox S, et al：Tumour-infiltrating lymphocytes in advanced HER2-positive breast cancer treated with pertuzumab or placebo in addition to trastuzumab and docetaxel：a retrospective analysis of the CLEOPATRA study. Lancet Oncol 18：52-62, 2017

28) Adams S, Gray RJ, Demaria S, et al：Prognostic value of tumor-infiltrating lymphocytes in triple-negative breast cancers from two phase III randomized adjuvant breast cancer trials：ECOG 2197 and ECOG 1199. J Clin Oncol 32：2959-2966, 2014

29) Schmid P, Adams S, Rugo HS, et al：Atezolizumab and nab-paclitaxel in advanced triple-negative breast cancer. N Engl J Med 379：2108-2121, 2018

30) Cortes J, Cescon DW, Rugo HS, et al：Pembrolizumab plus chemotherapy versus placebo plus chemotherapy for previously untreated locally recurrent inoperable or metastatic triple-negative breast cancer (KEYNOTE-355)：a randomised, placebo-controlled, double-blind, phase 3 clinical trial. Lancet 396：1817-1828, 2020

31) Miles D, Gligorov J, André F, et al：Primary results from IMpassion131, a double-blind, placebo-controlled, randomised phase III trial of first-line paclitaxel with or without atezolizumab for unresectable locally advanced/metastatic triple-negative breast cancer. Ann Oncol 32：994-1004, 2021

Ⅳ．病理診断をふまえた乳癌の治療

はじめに

乳癌は，女性に発生する癌の中で最も発生頻度が高く，最近の統計によると，一生涯のうちで乳癌を発症する日本人女性の割合は9人に1人とされている．また，乳癌の好発年齢は40～60歳代にピークがあり，他の癌に比べ発症年齢が若く，社会的な影響は大きい[1]．乳癌の一次予防として，米国では内分泌療法薬（タモキシフェンなど）が用いられているが[2]，わが国では臨床試験すら行われていないのが現状である．二次予防として，マンモグラフィを用いた乳癌検診が行われ，非浸潤性乳癌を含む多くの早期乳癌が見つかっているが，過剰診断が問題視されており[3]，乳癌による死亡数に顕著な減少がみられるとはいい難い．

乳癌に対する治療は，ここ四半世紀の間に様々な進歩がみられる．外科治療においては，乳房温存術，センチネルリンパ節生検による腋窩リンパ節郭清の省略，術後の整容性を高める同時乳房再建術やオンコプラスティックサージャリーの普及などが挙げられる．薬物療法においては，乳癌の生物学的特徴（免疫組織化学的手法や分子生物学的手法）に基づいて行われる術前・術後の補助薬物療法や転移・再発乳癌に対する薬物療法が挙げられる．これらの新たな治療法の開発や有用性の検証には，正確な病理診断が必須である．

本項では，HE染色病理標本から得られる形態学的診断，免疫組織化学的手法や分子生物学的手法により得られる生物学的特徴などの情報が乳癌の治療法にいかに貢献しているかを整理したい．

表1｜生物学的悪性度や予後を推測する因子

HE染色標本から得られる情報
組織型，浸潤径，乳管内進展，リンパ節転移，切除断端，脈管侵襲，組織学的波及度，核グレード，組織学的グレード，術前療法の治療効果判定
免疫組織化学的検査から得られる情報
ER，PgR，HER2の発現状況，Ki67ラベリングインデックス
遺伝子検査から得られる情報
オンコタイプDX，MammaPrint，Curebestを用いた再発リスク予測

下線：筆者が重視する因子．

1．生物学的悪性度や予後を推測する因子（表1）

生物学的悪性度としては，腫瘍の増殖能，浸潤能，転移能が挙げられ，HE染色標本の検鏡により多くの情報が得られるが，免疫組織化学的手法は生物学的悪性度の精度を高めている．また，多くの場合，生物学的悪性度を指標とすることで患者のより正確な予後が推測できる．

1）HE染色標本から得られる情報

一般臨床の場で報告される病理診断報告書の記載は，多くの施設で日本乳癌学会が編集した乳癌取扱い規約 第18版（2018年）に従っている[4]．これらの記載事項を基に，生物学的悪性度や予後を推測する因子に関し概説する．

a）組織型

非浸潤癌［非浸潤性乳管癌 ductal carcinoma *in situ*（DCIS），非浸潤性小葉癌 lobular carcinoma *in situ*（LCIS）］は極めて予後が良好である．van Nuys分類

（腫瘍径，断端距離，核グレード，コメド壊死，年齢が評価因子）はvan Nuys Prognostic Index（VNPI）とも呼ばれており，DCISの局所再発リスクを予測する病理組織学的分類として利用されている[5]．また，間質浸潤が1 mm以下の微小浸潤癌も非浸潤癌に近い良好な予後が期待できる．乳房Paget病は，乳頭表皮に腺癌成分が認められる非浸潤癌または微小浸潤癌と定義されており，予後は良好である．

一方，浸潤癌は浸潤性乳管癌と特殊型に分類される．一部の組織型は予後に直結するが，多くの浸潤癌は，後述する予後因子により予後が規定される．概して予後が良好な組織型としては，管状癌，粘液癌，アポクリン癌が挙げられる．概して予後が不良な組織型としては，化生癌（扁平上皮癌，間葉系分化を伴う癌，混合型），浸潤性微小乳頭癌が挙げられる．

b）浸潤径

乳癌発生からの時間経過および腫瘍増殖速度を反映する因子であり，予後因子としては重要である．TNM分類のT因子として定義されるように，浸潤径はもともと連続変数であるが，予後との兼ね合いで1 mm，5 mm，10 mm，20 mm，50 mmで区切られている．

c）乳管内進展

浸潤癌に含まれる非浸潤癌成分は，乳管内進展と解釈されており，その大きさ（広さ）は乳房温存術を行う際の切除範囲の設定や乳房温存療法の可否の決定において必須の情報である．後述する切除断端陽性の癌は，ほとんどが乳管内進展である．乳管内進展の強い乳癌は，局所再発のリスクが高い．

d）リンパ節転移

解剖学的には，乳癌はまず腋窩リンパ節に最初の転移を起こし，さらに進展すると，鎖骨下，内胸，鎖骨上リンパ節に広がると考えられている．TNM分類のN因子では，転移が認められないN0，腋窩リンパ節にとどまるN1，節外浸潤を伴う腋窩リンパ節転移あるいは内胸リンパ節転移のあるN2，鎖骨下・鎖骨上リンパ節転移のあるN3に分類されており，N因子が大きくなるほど予後は不良となる．さらにpTNM分類では，リンパ節転移のサイズ，個数により詳しく細分類されている．

センチネルリンパ節生検が乳癌患者の大多数で行われている現在では，センチネルリンパ節内のリンパ節転移のサイズが重要視されている．サイズが0.2 mm以下はisolated tumor cell（ITC）とされpN0，すなわち転移なしと同等の扱いとされている．>0.2～2.0 mmまでは微小転移とされpN1 miと記載される．2.0 mmを超える転移巣が肉眼的転移とされている．当然，サイズの増大に伴い予後は悪くなる．肉眼的なリンパ節転移個数に関しては0，1～3，4～9，10個以上に区分され，転移個数の増加に伴い予後は悪くなる．

e）切除断端

前述のように，臨床の場において手術の切除断端で最も問題となるのは，乳管内進展の部分である．切除断端の陽性の定義としては，癌の露出あり，5 mm以内，10 mm以内に癌が認められるなど様々な見解があるが，術後の放射線療法の有用性を考慮し，癌の露出が認められなければ断端陰性とし，追加的な外科的切除は必要ないとの考え方が主流となってきている[6]．浸潤癌や乳管内進展の切除断端での露出は，局所再発の重要な予測因子である．

f）脈管侵襲

腫瘍細胞の脈管への浸潤能を表しており，予後の指標として長年利用されている．リンパ管侵襲（Ly）と静脈侵襲（V）に分けられ，評価不能，あり，なしに分類されている．以前から予後因子としての数多くの研究が行われており，Ly，Vともに侵襲の程度により0～3に分けられ，脈管侵襲の増加に伴い予後も不良となる．しかし，HE染色標本でLy，Vを区別して，再現性をもって評価することは困難であり，乳癌取扱い規約 第18版では，あり，なしに分類されている．探索的には，Ly，V因子の精度を上げるためLyではリンパ管内皮特異的マーカーであるD2-40モノクローナル抗体，VではElastica van Gieson染色やfactor Ⅷ抗体を用いた免疫染色が利用されている[7]．

g）組織学的波及度

腫瘍細胞の周囲組織への浸潤能を表している．乳腺組織・乳腺外脂肪を乗り越え皮膚・筋肉・胸壁に浸潤している症例の予後は不良である．

h）核グレード

乳癌の悪性度を病理学的に評価するため病理学的グレード分類が用いられている．その中で，腫瘍細胞の核に重点を置いたのが核グレードである．核異型スコア＋核分裂像スコアの合計点で評価され，Grade1～3に分類される．本グレード分類は，日本で頻用されている．本グレードと予後との関連は多くの研究により検証されている．

i）組織学的グレード

もう一つの病理学的グレード分類である組織学的グレードは広く世界的に用いられている．腺管形成スコア＋核異型スコア＋核分裂像スコアの合計点で評価され，Grade 1〜3 に分類される．やはり，本グレードと予後との関連も多くの研究により検証されている．

j）術前療法の治療効果判定

かつて術前療法は，局所進行乳癌に限って行われていたが，近年，乳房温存療法の適応拡大や術前療法で用いた薬剤の治療効果を指標とした術後療法の選択（response-guided therapy）の導入により比較的早期の乳癌でも施行されるようになってきた[8]．そこで，乳癌取扱い規約 第18版においても組織学的治療効果の判定基準が定められている．治療による変化がほとんど認められない Grade 0 から，すべての浸潤癌細胞が壊死に陥っているか，または消失した場合の Grade 3 に分類されている．特に Grade 3 は，病理学的完全奏効 pathological complete response（pCR）とされ，術前療法施行後の良好な予後が報告されている．しかし，pCR 評価の予後予測因子としての有用性に関しては，いくつかの問題が残されている．1つは，乳管内成分や腋窩リンパ節転移の遺残をどう評価するか，2つ目は，near pCR の症例の予後をどう評価するか，3つ目は，乳癌のサブタイプにより pCR の予後因子としての意義が異なることである．さらに，遺残腫瘍における細胞増殖能（Ki67 ラベリングインデックスなど）や腫瘍浸潤リンパ球 tumor-infiltrating lymphocyte（TIL）が予後因子として有用性なことが検証されている[9]．

2）免疫組織化学的検査から得られる情報

ホルモン療法を含む分子標的治療の臨床導入と各種ガイドラインの推奨に後押しされて，治療の標的となる因子の発現量の定量化や腫瘍細胞の増殖能を客観的に評価するための検査法が一般臨床の場に取り入れられてきている．これらの因子は，後述する治療選択に直結する検査であるが，乳癌の生物学的悪性度や予後とも関連している．これらの検査結果は，すでに病理検査レポートの中に組み入れられている[4]．

a）estrogen receptor（ER）

ER が乳癌の発生や進展に寄与することは，多くの疫学研究や細胞学的・分子生物学的研究により検証されている．正常乳腺上皮の ER 発現量はわずかであるが，非浸潤性乳癌の発生段階で発現量は亢進し，浸潤癌になるとむしろ低下してくる．すなわち，ER は乳癌の発生には重要であるが，その後の悪性度の進展には直接寄与していない．術後の内分泌療法の治療効果の影響もあるが，概して ER 陽性乳癌の予後は陰性乳癌に比べ良好なことが示されている．

b）progesterone receptor（PgR）

PgR は ER シグナル伝達の標的遺伝子の一つであり，PgR の発現は腫瘍細胞の ER が正常に機能していることを表している．したがって，PgR 陽性乳癌は陰性乳癌に比べ予後が良好なことが知られている．

c）human epidermal growth factor receptor-2（HER 2）

癌遺伝子である *HER2* 遺伝子は，乳癌の約 20％で発現が亢進しており，乳癌発生のドライバー遺伝子の一つである．多くの HER2 陽性乳癌では，*HER2* 遺伝子の増幅がみられている．かつて HER2 陽性乳癌は，生物学的悪性度が高く，予後不良な癌として恐れられていた．しかし，抗 HER2 療法［モノクローナル抗体，小分子化合物，antibody-drug conjugate（ADC）］の開発・導入に伴い，HER2 陽性乳癌の予後は顕著に改善してきている[10]．したがって，今や HER2 発現量は予後因子とはいえない．

d）Ki 67 ラベリングインデックス

Ki 67 ラベリングインデックス Ki 67 labeling index（Ki67 LI）は，腫瘍細胞の増殖能，腫瘍の増大スピードを定量化する重要な指標である．核グレードや組織学的グレードで評価される細胞分裂能と相関しており，概して Ki67 LI の高い乳癌は予後不良である．

3）遺伝子検査から得られる情報

分子生物学的研究手法の進歩に伴い，乳癌患者の予後をより正確に予測するため乳癌組織における遺伝子発現プロファイル検査が数多く開発されてきた．その一つオンコタイプ DX が近く一般臨床に導入されようとしている．本検査は，後述するように予後予測ばかりでなくホルモン受容体陽性，HER2 陰性乳癌患者に対する抗癌化学療法の適応を決める，すなわち治療法を選択する目的で利用されようとしている．

a）オンコタイプ DX

本検査は，ホルモン受容体陽性，HER2 陰性乳癌患者がタモキシフェン tamoxifen（TAM）単独療法を受けたときの再発予測を可能とするために開発された遺伝子発現プロファイル検査である[11]．選別された21の遺伝子（5つのreference genes，16の標的遺伝子）の発現プロファイルにより，再発のリスクが数値としてスコア化されている［Recurrence score（RS），0～100］．本検査は，ホルマリン固定，パラフィン包埋した通常の病理サンプルから抽出されたtotal RNAを用い，高感度のreal-time reverse transcriptase-polymerase chain reaction（RT-PCR）を用いて，比較的容易かつ再現性の高いデータが得られる．RSの数値と再発リスクは強く相関しており，精度の高い予後予測ツールである[12]．

b）その他の多遺伝子アッセイ

欧州では，選別された70遺伝子の発現プロファイルから乳癌の再発リスクを予測するMammaPrint検査が開発され，オンコタイプDXと同様に抗癌化学療法の治療効果予測因子として臨床応用されようとしている[13]．そのほかに，わが国でCurebest[14]などが予後予測因子として開発されているが，保険適用とはなっていない．

2．治療効果や治療の必要性を予測する因子（表2）

1）HE染色標本から得られる情報

HE染色標本から得られる多くの形態学的情報は予後予測因子としては有用であるが，特定の治療の効果予測因子としては有用とはいえない．しかし，近年の研究により，術前療法の治療効果判定は，その後の患者の予後を予測するだけではなく，術後の追加治療の必要性を判断するために利用されている．とりわけ，pCR，残存腫瘍のサイズ，核異型度，脈管侵襲，TILなどは，術前療法後の予後予測に有用であり，術後の追加治療の要不要の判断に役立つ[9]．

2）免疫組織化学的検査から得られる情報

前述したように，ER，PgR，HER2は予後因子としても重要であるが，むしろ各々が治療の標的であり，治療効果の予測因子としての役割が大きい．また，Ki67 LIと抗癌化学療法の効果には相関が示されており，抗癌化学療法の治療効果の予測因子としても役立つ．

a）ER

乳癌細胞で発現しているER（ERにはER-αとER-βがあるが，乳癌の発生・進展に関わっているのは主にER-αである）は，乳癌の内分泌療法の主要な標的であり，その発現の有無は，内分泌療法の治療効果に直結している．

表2　治療効果や必要性を予測する因子

HE染色標本から得られる情報
術前療法の治療効果判定
免疫組織化学的検査から得られる情報
ER，PgR，HER2の発現状況，Ki67ラベリングインデックス，サブタイプ分類
遺伝子検査から得られる情報
オンコタイプDX，MammaPrintを用いた治療法選択

下線：筆者が重視する因子．

浸潤部腫瘍細胞の核における染色性を評価し，陽性細胞割合で評価するJ-scoreや陽性細胞割合に染色強度を加味して評価するAllred scoreが頻用されている．これらのスコアの程度により内分泌療法の効果に差異がみられる．St. Gallenコンセンサス会議の推奨[15]，米国臨床腫瘍学会American Society of Clinical Oncology（ASCO）のガイドライン[16]では，1％以上陽性細胞があれば，ER陽性と判断し，術後補助内分泌療法の適応とされている．しかし，再発・転移性乳癌においては，1～10％陽性例では，内分泌療法の有効性が低いことが知られており，単独内分泌療法の適応は慎重に行うべきである．

b）PgR

ERと同様に，J-scoreやAllred scoreで評価される．また，陽性・陰性の判断も1％ルールが用いられることが多い．ERとPgRがともに陽性の症例は，どちらか一方が陽性の症例に比べ，内分泌療法の効果がより優れていることが知られている．

c）HER2

癌遺伝子産物HER2は，免疫染色により浸潤部腫瘍細胞の細胞膜での染色強度や陽性細胞割合によりスコア0～3+に評価される．スコア3+は陽性であるが，スコア2+は評価保留とされ，*in situ* hybridization（ISH）法による追加検査が行われ，原則*HER2/CEP17*（centromeric probe for chromosome 17）比2.0以上が陽性と判定される．抗HER2療法の適応のコンパニオン診断であるため，ASCO/CAP（College of American Pathologists）ガイドライン[17]に従った厳密な評価が必要となる．

d）Ki67ラベリングインデックス

細胞増殖能を判断する簡易的検査法として頻用されている．浸潤部腫瘍細胞の核の染色性を評価し，陽性率をラベリングインデックスとして表す．染色法や評価法が標準化されておらず，各施設によりカットオフ値を設定する必要がある．主に，抗癌化学療法の治療効果を予測するために用いられている．

表3｜サブタイプ分類

サブタイプ分類	ホルモン受容体（ER，PgR）	HER2	Ki67 ラベリングインデックス
luminal A 型	ER and/or PgR 陽性	陰性	低値
luminal B 型	ER and/or PgR 陽性	陰性	高値
luminal-HER2	ER and/or PgR 陽性	陽性	低～高値
HER2	ER，PgR 陰性	陽性	低～高値
トリプルネガティブ	ER，PgR 陰性	陰性	低～高値

e）サブタイプ分類

St. Gallen コンセンサス会議におけるサブタイプ分類に合わせた術後補助療法の選択の流れに乗って，乳癌の免疫組織化学的サブタイプ分類が世界的に用いられるようになってきた．基本的には，ER，PgR，HER2，Ki67 LI で評価されるが，オンコタイプ DX などの多遺伝子アッセイが行われた場合，その検査結果も加味される[15]．しかし，一般臨床の場では，**表3**のように分類されることが多い．luminal A 型には主に内分泌療法単独，luminal B 型には内分泌療法＋抗癌化学療法，luminal-HER2 には内分泌療法＋抗癌化学療法＋抗 HER2 療法，HER2 には抗癌化学療法＋抗 HER2 療法，トリプルネガティブには抗癌化学療法が選択される[15]．

3）遺伝子検査から得られる情報

近年行われた大規模前向き臨床試験である TAILORx 試験や RxPONDER 試験の結果，抗癌化学療法の治療効果予測因子としてオンコタイプ DX 検査が有用なことが示され，近く保険収載され，検査体制が整い次第，一般臨床に導入される予定である．

a）オンコタイプ DX

TAILORx 試験において，ER and/or PgR 陽性，HER2 陰性のリンパ節転移陰性乳癌患者に対して，オンコタイプ DX の RS が 11～25 の場合，術後の内分泌療法単独は，内分泌療法＋抗癌化学療法と遜色ない無再発生存をもたらすことが示され，抗癌化学療法の上乗せが必要ないことが検証されている[18]．さらに，RxPONDER 試験では，ER and/or PgR 陽性，HER2 陰性のリンパ節転移 1～3 個陽性の乳癌患者に対して，閉経後症例では RS 0～25 の場合，抗癌化学療法の上乗せが必要ないこと，閉経前症例では RS 0～25 の場合，抗癌化学療法の上乗せ効果があることが示されている[19]．

本検査は，米国では数年前から比較的早期の ER and/or PgR 陽性，HER2 陰性乳癌患者に対して広く日常診療で用いられ，多くの患者の抗癌化学療法の回避に貢献してきている．

b）その他の多遺伝子アッセイ

MammaPrint 検査に関しては，オンコタイプ DX 検査の前向き臨床試験に類似した MINDACT 試験が行われ，初発乳癌患者 7,000 人近くを組み入れ，中央値 8.7 年の長期追跡で，臨床的に高リスクかつ本検査で低リスクの患者の 46％が，治療成績に悪影響を及ぼすことなく化学療法を回避できたと報告されている[20]．今後，オンコタイプ DX と同様に，術後の抗癌化学療法の回避に役立つ検査として臨床応用される可能性がある．

そのほかの多遺伝子アッセイに関しては，大規模な前向き臨床試験の報告はなく，オンコタイプ DX 検査や MammaPrint 検査のような日常的な臨床検査としての立場に追いつくことはかなり難しいと思われる．

3．乳癌の治療に関わる病理診断の将来展望

乳癌の予後予測因子や治療効果予測因子として検索されている検査は，枚挙にいとまがないが，日常の病理診断として臨床応用が期待されている検査をまとめる．

1）腫瘍浸潤リンパ球を代表とする腫瘍内の免疫微小環境

TIL，特に間質における stromal TIL の半定量的な評価は，トリプルネガティブや HER2 サブタイプ乳癌において，術前薬物療法の治療効果や術前療法後の予後に相関することが示されている．しかし，TIL の評価の標準化は行われておらず，St. Gallen コンセンサス会議における検討でも，一般臨床の場で抗癌化学療法などの治療効果予測因子として応用されるには検証が不十分であるとされている[15]．TIL 評価の標準化と前向き臨床試験によるさらなる検証が必要である．さらに，TIL を構成する免疫担当細胞の

詳細なプロファイルを検討する必要があり，様々な研究が進行中である[21]．

2）再発・転移部位からの生検

一般臨床の場では，再発・転移性乳癌の治療方針は，原発性腫瘍の生物学的特徴（ホルモン受容体やHER2の発現の有無）に基づいて決定されてきている．しかし，再発・転移を起こした部位では，少なからず生物学的特徴に変化が起こっている可能性がある．したがって，再発・転移部位の生検（second biopsyと称されている）の生物学的特徴を調べ直す必要があり，それが可能であれば再発・転移性乳癌の治療効果をより正確に予測できると考え，second biopsyを積極的に行うことが推奨されている[22]．ところが，second biopsyに伴う合併症のリスクや，転移部位により生物学的特徴の不均一性や遺伝子変異の相違があることが多くの研究により示されており，second biopsyの有用性は疑問視されている．

3）liquid biopsy

再発・転移部位からのsecond biopsyには限界があり，容易に繰り返し採取可能な乳癌患者の血液を利用した検査法が注目を集めている．血液中にはcirculating tumor cells，circulating tumor DNAなどが流れており，これらを利用して，予後や治療効果の予測，さらに治療法の選択にも役立つことが検証されてきている[23]．この分野は，患者に対する侵襲性が少ない点で，今後，最も注目すべき研究分野である．

4）artificial intelligence（AI）

ヒトが行う知識や経験に基づく診断には限界があり，今後，高性能コンピュータを用いたAIによる診断は，多忙な診断医，特に病理医や画像診断医の労力を減らし，さらには，ヒトではなしえなかった，より高い精度の治療効果予測や予後の推測を可能とするかもしれない[24]．

おわりに

診療に直結する病理診断の現状と将来展望に関して概説した．理想とされる「診療の個別化」を目指すには，正確で有用性が検証された病理診断が不可欠である．そのためには，病理診断の標準化が必要であり，日本病理学会を中心とした各種学会の協力体制の整備が望まれる．さらに，病理診断能の進歩のためには，HE標本を用いた形態学的な検査だけでなく，免疫組織化学，分子生物学，bioinformatics，AIなどを統合した「癌の総合診断」が必要となってくる．病理診断の今後の発展が楽しみである．

（紅林淳一）

文　献

1）国立がん研究センター：がん統計．https://ganjoho.jp/reg_stat/index.html（2022年9月閲覧）
2）Visvanathan K, Hurley P, Bantug E, et al：Use of pharmacologic interventions for breast cancer risk reduction：American Society of Clinical Oncology clinical practice guideline. J Clin Oncol 31：2942-2962, 2013
3）Welch HG, Prorok PC, O'Malley AJ, et al：Breast-cancer tumor size, overdiagnosis, and mammography screening effectiveness. N Engl J Med 375：1438-1447, 2016
4）日本乳癌学会（編）：臨床・病理 乳癌取扱い規約．第18版，金原出版，2018，pp24-109
5）Silverstein MJ, Lagios MD, Craig PH, et al：A prognostic index for ductal carcinoma in situ of the breast. Cancer 77：2267-2274, 1996
6）Buchholz TA, Somerfield MR, Griggs JJ, et al：Margins for breast-conserving surgery with whole-breast irradiation in stage I and II invasive breast cancer：American Society of Clinical Oncology endorsement of the Society of Surgical Oncology/American Society for Radiation Oncology consensus guideline. J Clin Oncol 32：1502-1506, 2014
7）Gujam FJ, Going JJ, Mohammed ZM, et al：Immunohistochemical detection improves the prognostic value of lymphatic and blood vessel invasion in primary ductal breast cancer. BMC Cancer 14：676, 2014
8）Korde LA, Somerfield MR, Carey LA, et al：Neoadjuvant chemotherapy, endocrine therapy, and targeted therapy for breast cancer：ASCO guideline. J Clin Oncol 39：1485-1505, 2021
9）Allison KH：Prognostic and predictive parameters in breast pathology：a pathologist's primer. Mod Pathol 34：94-106, 2021
10）Giordano SH, Temin S, Chandarlapaty S, et al：Systemic therapy for patients with advanced human epidermal growth factor receptor 2-positive breast cancer：ASCO clinical practice guideline update. J Clin Oncol 36：2736-2740, 2018
11）Paik S, Shak S, Tang G, et al：A multigene assay to predict recurrence of tamoxifen-treated, node-negative breast cancer. N Engl J Med 351：2817-2826, 2004
12）Sparano JA, Gray RJ, Makower DF, et al：Prospective validation of a 21-gene expression assay in breast Cancer. N Engl J Med 373：2005-2014, 2015
13）van de Vijver MJ, He YD, van't Veer LJ, et al：A gene-expression signature as a predictor of survival in breast cancer. N Engl J Med 347：1999-2009, 2002
14）Naoi Y, Noguchi S：Multi-gene classifiers for prediction of recurrence in breast cancer patients. Breast Cancer 23：12-18, 2016
15）Burstein HJ, Curigliano G, Thürlimann B, et al：Customizing local and systemic therapies for women with early breast cancer：the St. Gallen International Consensus Guidelines for treatment of early breast cancer 2021. Ann Oncol 32：1216-1235, 2021

16) Krop I, Ismaila N, Andre F, et al：Use of biomarkers to guide decisions on adjuvant systemic therapy for women with early-stage invasive breast cancer：American Society of Clinical Oncology clinical practice guideline focused update. J Clin Oncol 35：2838-2847, 2017
17) Wolff AC, Hammond MEH, Allison KH, et al：Human epidermal growth factor receptor 2 testing in breast cancer：American Society of Clinical Oncology/College of American Pathologists clinical practice guideline focused update. J Clin Oncol 36：2105-2122, 2018
18) Sparano JA, Gray RJ, Ravdin PM, et al：Clinical and genomic risk to guide the use of adjuvant therapy for breast cancer. N Engl J Med 380：2395-2405, 2019
19) Albain KS, Barlow WE, Shak S, et al：Prognostic and predictive value of the 21-gene recurrence score assay in postmenopausal women with node-positive, oestrogen-receptor-positive breast cancer on chemotherapy：a retrospective analysis of a randomised trial. Lancet Oncol 11：55-65, 2010
20) Cardoso F, van't Veer LJ, Bogaerts J, et al：70-gene signature as an aid to treatment decisions in early-stage breast cancer. N Engl J Med 375：717-729, 2016
21) Park YH, Lal S, Lee JE, et al：Chemotherapy induces dynamic immune responses in breast cancers that impact treatment outcome. Nat Commun 11：6175, 2020
22) Van Poznak C, Somerfield MR, Bast RC, et al：Use of biomarkers to guide decisions on systemic therapy for women with metastatic breast cancer：American Society of Clinical Oncology clinical practice guideline. J Clin Oncol 33：2695-2704, 2015
23) Rossi G, Mu Z, Rademaker AW, et al：Cell-free DNA and circulating tumor cells：comprehensive liquid biopsy analysis in advanced breast cancer. Clin Cancer Res 24：560-568, 2018
24) Luchini C, Pea A, Scarpa A：Artificial intelligence in oncology：current applications and future perspectives. Br J Cancer 126：4-9, 2022

V. 術中・術後の乳癌の広がり診断

はじめに

乳癌の治療戦略を構築するうえで，腫瘍の広がりを把握することは重要である．最終的な病理組織学的な広がり診断は，ホルマリン固定後の永久標本によって行われる．一方で，今世紀の乳癌治療は，避けられる侵襲を低減する方向で変遷してきた．乳房の局所療法では，乳房部分切除術 partial mastectomy/lumpectomy が標準的に行われるようになったが，術前の画像ではとらえきれない腫瘍の進展を評価する目的で術中迅速診断による断端評価が適宜行われている．また近年，乳頭温存乳房全切除術 nipple sparing mastectomy が積極的に行われるようになり，乳頭直下断端の評価も求められるようになった．さらに，不要な腋窩郭清を省略する目的でセンチネルリンパ節生検が開発され，術中に腋窩郭清適応の判断が日常的に行われている．

このように乳癌においては，①腫瘍の切除範囲やリンパ節郭清の必要性を判断するための術中広がり診断，②浸潤径，腫瘍径の正確な計測や断端診断，リンパ節転移個数の把握などを目的とした術後の広がり診断がある．両者は，その目的や検査に配分可能な時間が異なっており，目的に応じて適切な検索，評価を行う必要がある．本項では，乳癌の局所での進展と，腋窩リンパ節の評価について，術中・術後の観点から記述する．

1．乳癌の局所進展

乳癌の広がり診断の目的は，腫瘍の局所での広がりを正確に評価し病期分類を行い，患者に適切な治療を行うための情報を提供することである．乳癌は他がん種と同様，Union for International Cancer Control（UICC）の TNM 分類[1]に基づいた病期分類がなされ，病変の広がりに応じて乳癌の術式が選択される．現在，乳腺全体を切除する術式は，乳房全切除術 total mastectomy を基本とし，乳房再建を前提とした乳頭温存乳房全切除術や皮膚温存乳房全切除術 skin sparing mastectomy がある[2]．また，腫瘍部と周囲乳腺組織を限局性に切除する乳房部分切除術も，積極的に行われている．Stage Ⅰ，Ⅱの浸潤性乳癌や非浸潤性乳管癌 ductal carcinoma *in situ*（DCIS）では，乳房温存療法（乳房部分切除術＋局所放射線照射）により，乳房全切除術と同等の生存率が得られる[3]．一方で，乳房温存療法後，局所再発をきたしやすい条件の一つに，乳房部分切除術における病理組織学的断端陽性が知られており，断端評価は重要な検索項目である．ホルマリン固定後の乳房部分切除術検体の断端診断は必須であるが，術中に断端診断を行うか否か，またその手法も施設によって対応が異なっているのが現状である．

1）術中迅速診断による断端評価

断端評価を術中に行う目的は，切除断端への腫瘍の進展を評価し，断端陽性であれば適宜追加切除を行い，最終的な断端陰性を担保することで，追加切除のための再手術を可能な限り避けることにある．乳房部分切除術における術中の切除断端検索は，統一された標準的手法はなく，それぞれの施設での臨床側の要請と病理側の人的資源に差があることから，

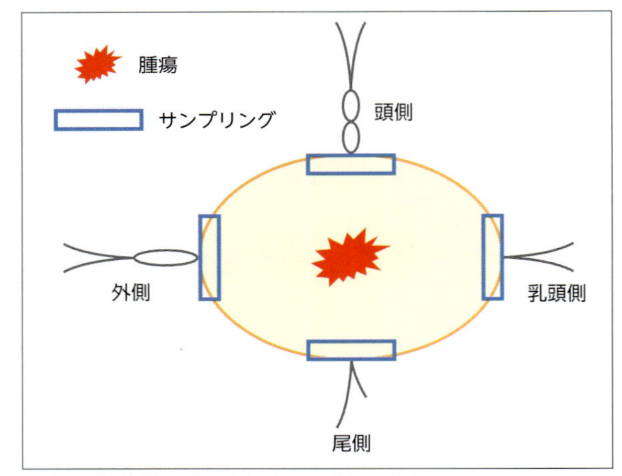

図１｜術中迅速診断におけるサンプリング例
摘出された乳房部分切除検体はオリエンテーションを明確にするため，糸やインクなどで体内での方向を指定する．筆者の施設では，必ず乳頭側から２本の長い糸（長長）で指定を行い，引き続き時計回りに，糸（長短），糸（結紮１ヵ所），糸（結紮２ヵ所）の順に指定する．皮膚がついていない検体は，皮膚側にも標識を行うとよい（糸：短短など）．peeling 法でサンプリングを行う場合には，臨床医が術中迅速診断を依頼した方向の糸を含む領域を，５ mm 程度の厚さで削ぎ取り，凍結切片作製に供する．すべての糸を切り取ってしまうとオリエンテーションが不明となるため，最初のサンプリング部位には，インク等を塗布して，本来の方向を見失うことがないよう注意する．

様々な工夫を加え施行されている．術中迅速診断による断端検索法として，凍結切片を用いた病理組織診断や捺印細胞診が行われている．術中迅速診断では乳房温存切除標本の側方断端の検索が主であり，切除標本の側方表面を薄く削ぎ取る方法（peeling）が代表的で，乳頭側断端と腫瘤に近接する側方断端の数ヵ所をサンプリングする方法がしばしば用いられている（**図１**）．ほかには，乳腺組織が切除された後の空洞の側壁と底部を薄く削ぎ取る方法（cavity shaving）も用いられることがある．peeling 法では，断端部分から削ぎ落とされた検体内に腫瘍が存在するか否か判断可能となるが，ホルマリン固定後の本体の検索では，術中迅速診断でのサンプリング部位において真の断端と腫瘍との正確な距離を測れないことに留意する必要がある．真の断端面での評価を優先し，術前の画像診断を詳細に行ったうえで，術中迅速診断を行わない施設も増えてきている．

術中迅速診断の精度は，永久標本における断端診断との比較により評価される．いずれも単施設からの後ろ向き研究ではあるが，凍結切片を用いた組織診断の精度は，正診率 83.8～98.0％，感度 73～96％，特異度 84～100％，陽性適中度 81.4～100％，陰性適中度 81～100％であり，捺印細胞診の精度は，正診率 86.8～97.3％，感度 75～100％，特異度 66.7～96.6％と報告されている[3]．また，術中に断端診断を行った症例群では，乳房部分切除術後の再切除率と温存乳房内再発率が低く抑えられるとの報告もある[4]．一方でこれらの報告は，術中迅速診断を積極的に実施している施設からの報告とも考えられ，同等の結果が一般的な施設で得られるとは限らない．

凍結切片による術中迅速診断では，正診に至ることが困難な場合があることは，常に意識しておく必要がある．凍結切片による断端診断で正診に至らない最大の要因は，断端陽性部位の適切なサンプリングがなされないことである．術中迅速診断にかけられる時間は限られており，必然的にすべての断端を評価することはできない．そのため，摘出検体の放射線画像的な検索を術中に行い，最も断端近接が疑われる部位を中心にサンプリングするなど，工夫が必要である．次に，病変部位が標本化されていても，凍結操作による氷晶などのアーチファクトによって，組織構築や核異型の評価が困難になる場合がある[5]．通常の固定後標本でも鑑別が難しい，①増生の強い通常型乳管過形成，乳管内乳頭腫，異型乳管過形成と DCIS，②腺症や放射状硬化性病変/放射状瘢痕と浸潤性乳管癌，③炎症細胞浸潤と浸潤性小葉癌などは，術中迅速診断ではさらに鑑別が困難である．これらの病変が断端にみられた場合には，臨床医にその旨を伝え，術中の断定的な診断は避ける必要がある．なお，術前薬物療法後の部分切除標本において，断端に腫瘍消失後の瘢痕組織がみられた場合には，体内に残存腫瘍を含む腫瘍床が残存している可能性があり，追加切除が望ましい（**図２**）．

2）ホルマリン固定後の乳房部分切除検体に対するパラフィン包埋切片を用いた断端評価

わが国で行われている乳房部分切除術の病理組織学的な断端検索方法は，①切除検体をホルマリン固定後に全割し，すべてのブロックのパラフィン切片を作製して診断する方法（**図３**），②切除検体の側方を型枠により囲んだ後にホルマリン固定し，側方断端を切り出してパラフィン切片を作製し診断する方法（ポリゴン法）[6]などがある．前者は乳癌取扱い規約 第 18 版（2018 年）にも記載された手法であり，一般的に用いられている．いずれの手法においても，切除断端への腫瘍の露出の有無，露出がない場合は断端と腫瘍との最近接距離の測定が目的となる．

浸潤性乳癌においては，2014 年，Society of Surgi-

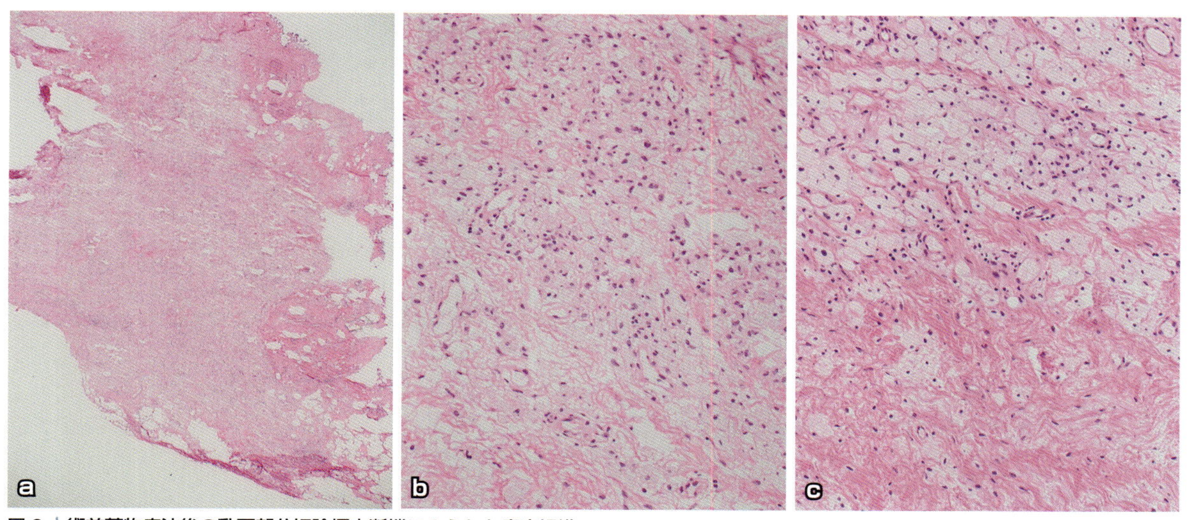

図 2 ｜術前薬物療法後の乳房部分切除標本断端にみられた瘢痕組織
a：凍結切片では，断端組織に広範な線維性瘢痕を認める（弱拡大像）．b：同切片の拡大像．泡沫状組織球の集簇と線維化を認めるが，腫瘍はみられない．c：凍結戻し標本．凍結切片と同様の所見である．

cal Oncology（SSO）と American Society for Radiation Oncology（ASTRO）が共同で，Stage Ⅰ，Ⅱの浸潤性乳癌に照射併用乳房部分切除術を行う場合，再切除の適応となる断端陽性を切除断端に癌巣が露出することと定義するよう推奨し，現在に至っている[7]．ただし，この断端陽性基準は，術前薬物療法施行例，加速乳房部分照射施行例，非照射乳房温存療法施行例には適用されない．浸潤性乳癌の乳房部分切除検体で断端陽性となる癌巣は，乳管内癌巣，間質浸潤巣，脈管侵襲のいずれも考えられる．癌巣の種類や量が局所再発率と関連すると報告されており[8]，乳房部分切除術で断端陽性の場合には，その癌巣の種類や量を記載することが望ましい．

DCIS の乳房温存療法でも浸潤性乳癌と同様，照射併用乳房部分切除術が推奨されており，再切除適応断端陽性基準は 2 mm 未満とすることが推奨されている[9]．一方で，非照射乳房部分切除術症例では，より広いマージンをとった様々な基準が提唱されており，一定の見解は得られていない．

以上より，乳房部分切除術の断端陽性基準は，対象とする乳癌病変の進行度（浸潤の有無），術後放射線照射の有無などにより，複数の基準がある．そのため，乳房部分切除術の病理診断報告書には，断端診断（腫瘍の露出の有無），断端と癌巣との最短距離，断端陽性の方向とその量，断端陽性の癌巣の種別を記載する．これらは，癌の組織型と大きさ，核グレード，コメド壊死の有無などとともに，追加治療を検討する際の重要な情報となる．

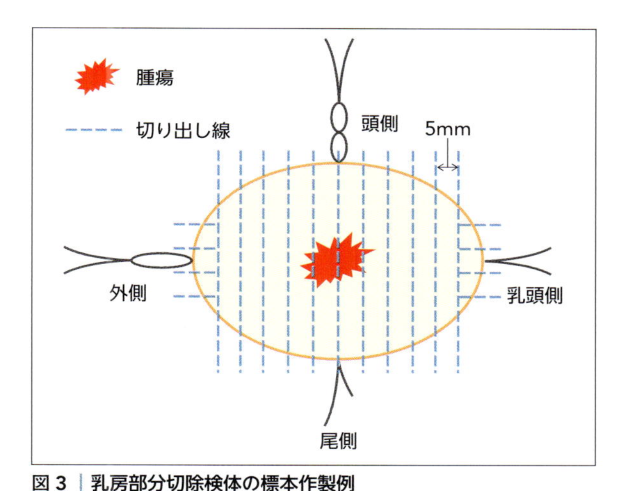

図 3 ｜乳房部分切除検体の標本作製例
乳頭側と腫瘍とを結んだ線に直交するように割をいれ，5 mm 幅で割面を作製する．最も端の組織は，断端との距離を計測できるよう，それまで作製した割面と直交する方向でさらに割を入れる．

3）乳房全切除術の組織学的検索

乳房全切除標本および皮膚温存乳房全切除標本は，断端診断を目的とした術中迅速診断の対象とはならない．乳頭温存乳房全切除標本では，乳頭直下断端が術中迅速診断の対象となりうる．乳頭直下断端は，術者によってサンプリングされ，その真の断端面の凍結切片を作製し診断が行われることが多い．腫瘍の進展を認めた場合は乳頭を追加切除すること

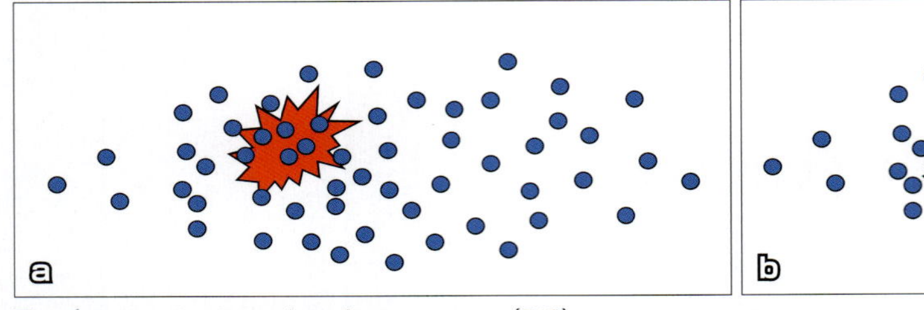

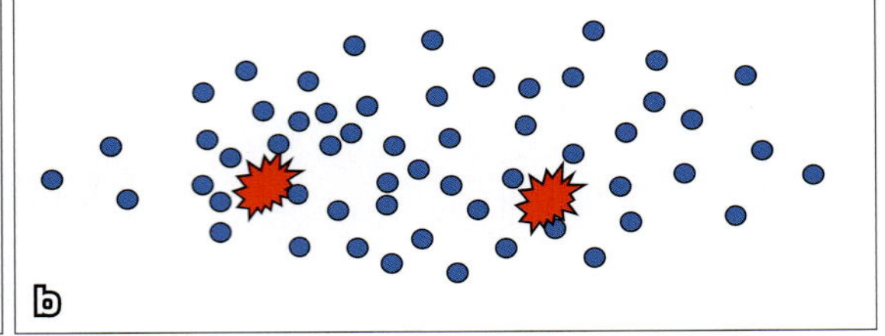

図4 | extensive intraductal component（EIC）
a：古典的な定義を満たすEIC．①乳管内進展巣（青丸）が浸潤巣（赤）の25％以上を占め，しかも②主腫瘍から周囲に向かって広く伸びているもの．b：別定義のEIC．広範囲のDCIS成分（青丸）の中に概ね10 mm程度までの浸潤癌（赤）（多発浸潤も許容する）が認められる．

になるため，術中迅速診断では，確実な腫瘍の進展を認めない限り陽性の判定を避け，切除検体の所見も併せ総合的な判断を行うことが望ましい．

ホルマリン固定後の乳房全切除標本の切り出しは，乳癌取扱い規約 第18版では，乳頭と腫瘍とを結ぶ線に平行で，腫瘍の中心を通る線に割を入れ，適宜その割線と平行に割を加え，必要なブロックを作製する．病変の広がりによっては，乳房部分切除標本と同様，乳頭と腫瘍とを結ぶ線に直交して割を入れることも考慮する．乳頭温存乳房全切除標本では，乳頭直下断端に相当する部分に固定前にインクを塗布し，腫瘍の進展の有無を評価する．

4）pT因子の決定

pT因子は浸潤径に基づいて決定されるため，切片上での正確な計測が求められる．浸潤巣は，最大径とそれに直交する径を計測し，mm単位で評価する．複数の浸潤巣が同一病変内に認められる場合は，最大浸潤巣の大きさを測定する．これはTNM分類の総則に則っており，乳癌取扱い規約 第18版も同様の記載である．病理学的腫瘍径，すなわち病変全体の広がりは，浸潤径と乳管内進展巣を含めた径を記載する．病変全体の広がりや，浸潤巣の分布をみるためには，切除検体割面の切り出し図上でマッピングを行い，再構築することも有効である．

5）特殊な進展様式や脈管侵襲

a）乳管内成分優位の浸潤癌とextensive intraductal component（EIC）

乳癌細胞が既存の乳管上皮を置換して乳管内に広がる進展様式は乳管内進展と呼ばれる．浸潤癌においても多くの例では乳管内進展を伴っており，一般的に乳管内癌成分，あるいは乳管内進展巣と表現される．術前の乳管内進展巣の正確な広がり診断は，外科的な乳癌の局所コントロールと，乳房温存切除術の成否に重要なポイントとなる．

乳管内成分と浸潤癌成分の両者を有し，かつ乳管内成分が偏りをもって優勢な病変を示す概念が二つ知られている[10]．一つ目は乳管内成分優位の浸潤癌（invasive carcinoma with a predominant intraductal component）であり，かつてWHO分類の中に存在していたinvasive ductal carcinoma with a predominant intraductal componentsに由来する．浸潤巣（管外浸潤巣）の範囲が乳管内癌の範囲の1/4以下のものを指す．乳癌取扱い規約 第18版では，「乳管内癌巣が主病変の大部分を占めるものは，診断名に“乳管内成分優位の”を付記し，組織型は浸潤癌胞巣の形態に基づいて判定する」旨が記載されている．

二つ目はEIC（＋）であり，元来の定義は①乳管内進展巣が浸潤巣の25％以上を占め，しかも②主腫瘍から周囲に向かって広く伸びているものをいう（**図4a**）．一つ目の「乳管内成分優位の浸潤癌」とは定義が異なる．浸潤癌の周囲に広く進展する乳管内進展巣を有する乳癌を表すために有用な概念である．一方で，浸潤癌巣内に含まれる非浸潤癌成分の割合の評価は主観的であり，また病変全体の広がりがどの程度あったらEIC（＋）としてよいか，明確な定義もない．またCollege of American Pathologists（CAP）の診断プロトコール内の説明書きでは，2021年version4.5.0.0より浸潤巣内のDCISの割合の記載が削除されている[11]．さらに，広範囲のDCIS成分の中に概ね10 mm程度までの浸潤癌（多発浸潤も許容する）がみられる場合もEIC（＋）と説明されている（**図4b**）．どのような広がりを有する症例にEIC（＋）と表記するかに関しては，臨床サイドとともに検討を行い，コンセンサスを得ておく必要がある．

b）炎症性乳癌

臨床病期T4dと分類される特徴的な病態に，炎症

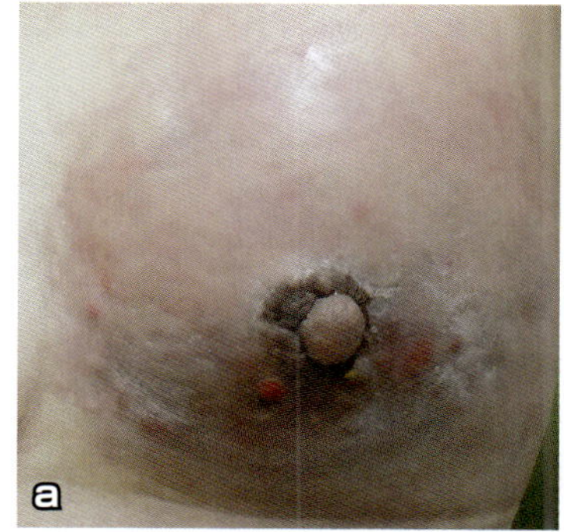
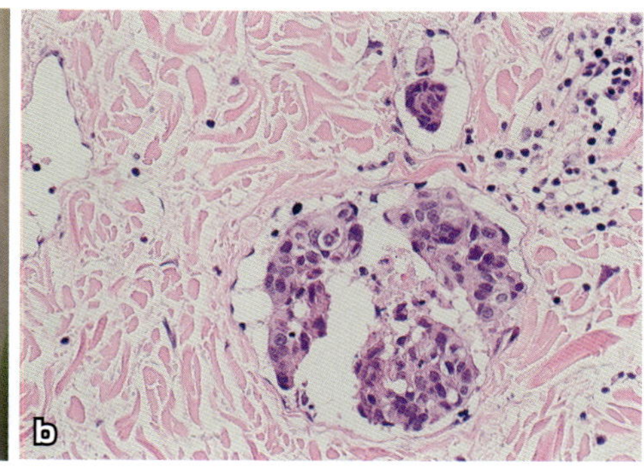

図 5｜炎症性乳癌症例
a：肉眼的に発赤調を示す乳腺皮膚組織を認める．（国立がん研究センター中央病院乳腺外科 神保健二郎先生ご提供）b：真皮内のリンパ管内に腫瘍栓を認める．

性乳癌がある[12]．炎症性乳癌は，臨床的に炎症性病変と同様に，乳房に発赤・硬結・熱感・腫脹などの炎症性徴候を示す乳癌のまれな病態である（**図 5a**）．皮膚は橙皮様（peau d'orange）と呼ばれる独特の所見を呈することがある．背景の乳腺実質内に腫瘤を認めない場合や，腋窩リンパ節転移を伴う潜在性乳癌の病態を示す場合など，多彩な病態を示す．炎症性乳癌は臨床的な用語であり，その際の病理組織像は，乳房皮膚真皮内のリンパ管内に腫瘍栓が存在することに特徴づけられる（**図 5b**）．これらの腫瘍栓によりリンパ管流が停滞し，皮膚のリンパ流に障害が生じて，炎症性病変に類似する病像を呈するとされる．真皮内のリンパ管内腫瘍栓の量には多寡があり，1ヵ所のパンチ生検のみでは検出できないこともある．そのため臨床的に炎症性乳癌が強く疑われている場合は，複数回・複数個の生検を考慮する．背景の乳癌の病理組織像として，高異型度の浸潤性乳管癌 invasive ductal carcinoma（IDC）［非特殊型浸潤性乳癌 invasive breast carcinoma of no special type（IBC-NST）と同義］が多く，また脈管侵襲が目立つ例に合併しやすい．主病巣，皮膚成分を含めて炎症細胞浸潤は目立たない．鑑別の対象は，真の炎症性疾患（化膿性乳腺炎や肉芽腫性乳腺炎など）であり，慎重かつ迅速な診断が必要である．

c）脈管侵襲

脈管侵襲は，腫瘍細胞のリンパ管内，血管内，あるいは両者への進展がみられる状態であり，腫瘍が転移する際の重要なステップの一つである．欧米では両者を区別せず記載するが，乳癌取扱い規約 第 18 版では，リンパ管侵襲は Ly，静脈侵襲は V として表記され，侵襲ありの場合は 1，侵襲なしの場合は 0，評価不能の場合は X をつけて記載する．侵襲量の区別は求められていないが，著しい侵襲があった場合は，付記することが望ましい．脈管侵襲は病期分類には組み込まれていないものの，独立した予後予測因子であることが示されている[13]．また診断者間の一致は，リンパ管侵襲がない場合，あるいは高度なリンパ管侵襲を認める場合に高いと報告されている[14]．

2．リンパ節の病理組織学的検索

リンパ節転移は TNM 分類における N 因子である．乳癌においてリンパ節転移の有無および個数は予後予測因子であり，治療方針決定において極めて重要である[15]．センチネルリンパ節における転移巣は，TNM 分類あるいは American Joint Committee on Cancers（AJCC）病期分類[16]に従い亜分類されている．転移巣の腫瘍塊の大きさによって遊離腫瘍細胞 isolated tumor cell（ITC）（腫瘍径 0.2 mm 以下，または腫瘍細胞 200 個未満），微小転移（micrometastasis）（腫瘍径 0.2 mm を超える，および/または腫瘍細胞 200 個を超えるが 2.0 mm 以下），およびマクロ転移（macrometastasis）（腫瘍径が 2 mm を超える）に分類される．病理診断報告書には，pN 分類と，検索したリンパ節総数，転移陽性リンパ節数，最大の転移性腫瘍細胞塊の腫瘍径（カテゴリー）を記載する．

乳癌細胞は，最初に転移するリンパ節（センチネルリンパ節）に転移してから，その他のリンパ節に転移するため，センチネルリンパ節に腫瘍の転移がなければ，腋窩リンパ節郭清を回避できるというセンチネルリンパ節生検の概念が導入され，大規模臨床試験においてもその安全性が確かめられた[17]．現在では cN0 の乳癌症例にセンチネルリンパ節生検を行って転移陰性であれば，腋窩リンパ節郭清を省略することが標準となっている．さらに近年では，センチネルリンパ節転移が陽性（マクロ転移1～2個）であったとしても，術後の適切な薬物療法および放射線療法が行われる条件下で，腋窩郭清を省略することが一般的になりつつある[18]．またcN0の術前薬物療法施行症例においても，センチネルリンパ節生検が行われている．リンパ節における広がり診断は，①腋窩郭清の必要性を判断するためのセンチネルリンパ節生検と，②郭清リンパ節における転移の評価に大きく分けられる．

1）センチネルリンパ節の評価

センチネルリンパ節は色素やRIなどのトレーサーが最初に到達するリンパ節として摘出される．概念的には1個であるが，摘出後の標本整理で複数個のリンパ節として分離される場合があり，その際はいずれも評価対象となる．センチネルリンパ節の評価は，術中迅速診断を行うか，永久標本のみで行うか，また術中迅速診断時の評価方法として，組織診断を行うか，捺印細胞診を行うか，OSNA（one-step nucleic acid amplification）法[19]などの分子生物学的手法を用いるかなど，様々なバリエーションがある．

センチネルリンパ節の病理学的検索は，術中迅速診断，永久標本診断のいずれにおいても，通常のHE診断が基本である．組織学的にこれらのリンパ節を検索し，前述の転移径カテゴリーを評価するためには，2 mm幅を目途に分割し，すべて標本化し，顕微鏡下で観察する必要がある．分割の方向は，CAPの浸潤性乳癌検体の検索プロトコールの記載では，長軸方向に入割すると記載されており，最大割面を評価することを目的にしたものと考えられる[11]．しかしセンチネルリンパ節においては，形状によっては長軸方向での割入れが難しいことも想定され，短軸方向での分割も許容される．作製された標本について，転移の有無と，転移があった場合はそのカテゴリーを評価する．

CAPプロトコールでは，これらに加え節外浸潤extra nodal/capsular extension（ENE/ECE）の有無について記載されている[11]．顕微鏡的ECEが非センチネルリンパ節転移の予測因子であるという報告はみられるものの[20]，予後や再発率との関連に関する検討結果は様々であり，乳癌取扱い規約 第18版でも記載は求められていない．

術中迅速診断では，凍結切片での観察となることから，切片の折り返りによりリンパ節被膜直下の転移巣の評価が難しくなる場合があるが，複数枚の切片を作製することにより対処が可能となる．また浸潤性小葉癌の場合は，腫瘍細胞がびまん性にリンパ節内に転移していても，転移の判定が難しい場合がある．cytokeratin（CK）に対する抗体（CK AE1/AE3など）を用いた免疫組織化学は，ITCや微小転移の検出が容易となる[21]．一方で，HE診断では認識不可能で，免疫組織化学のみで検出される微細なセンチネルリンパ節転移は，臨床的意義が乏しいとされる[22]．日常診療では，HEで判断に迷う例に実施することが現実的である．

近年では，組織学的手法以外に，非形態学的所見によるセンチネルリンパ節の評価方法が開発されてきた．OSNA法は分子生物学的手法の一つであり，わが国で開発された．リンパ節を可溶化液内で破砕・溶化することにより，RNAを抽出することなく，そのまま標的のmRNAをRT-LAMP法により増幅し，転移の有無を判定する．標的分子としてCK19が選択され，CK19 mRNAを特異的に増幅する．特異度が高く，偽陽性例が少ないことが報告されており，またCK19 mRNAの定量化により微小転移とマクロ転移の判別も可能である[19]．ITCはカットオフ値以下となり，判定の対象外である．

センチネルリンパ節では，腫瘍の転移以外に，非腫瘍性病変が含まれることがある．特に上皮性組織としては異所性乳腺組織や卵管内膜症などが，癌腫の転移との鑑別を要する場合がある[23]（**図6**）．量的に少ない病変であることが多いことから，鑑別としてこれらの病変を考慮した場合には，術中迅速診断による断定は避け，永久標本において免疫組織化学も加えて，確定診断をすることが望ましい．

以上の評価方法によって評価したセンチネルリンパ節については，以下の規則に従う．センチネルリンパ節を組織学的に評価した場合は後ろに（sn）を付記する．組織学的所見および非形態学的所見の併用により診断した場合には，後ろに（mol）を，非形態学的所見のみの検索の場合は，後ろに（Omol）を付記する．

早期乳癌における腋窩リンパ節郭清省略の流れから，術中迅速診断の割合は今後減少する可能性があるものの，全摘症例におけるセンチネルリンパ節検索等，その需要はいまだ少なくないと考えられる．

2）郭清腋窩リンパ節の評価

郭清リンパ節については，ホルマリン固定後の永

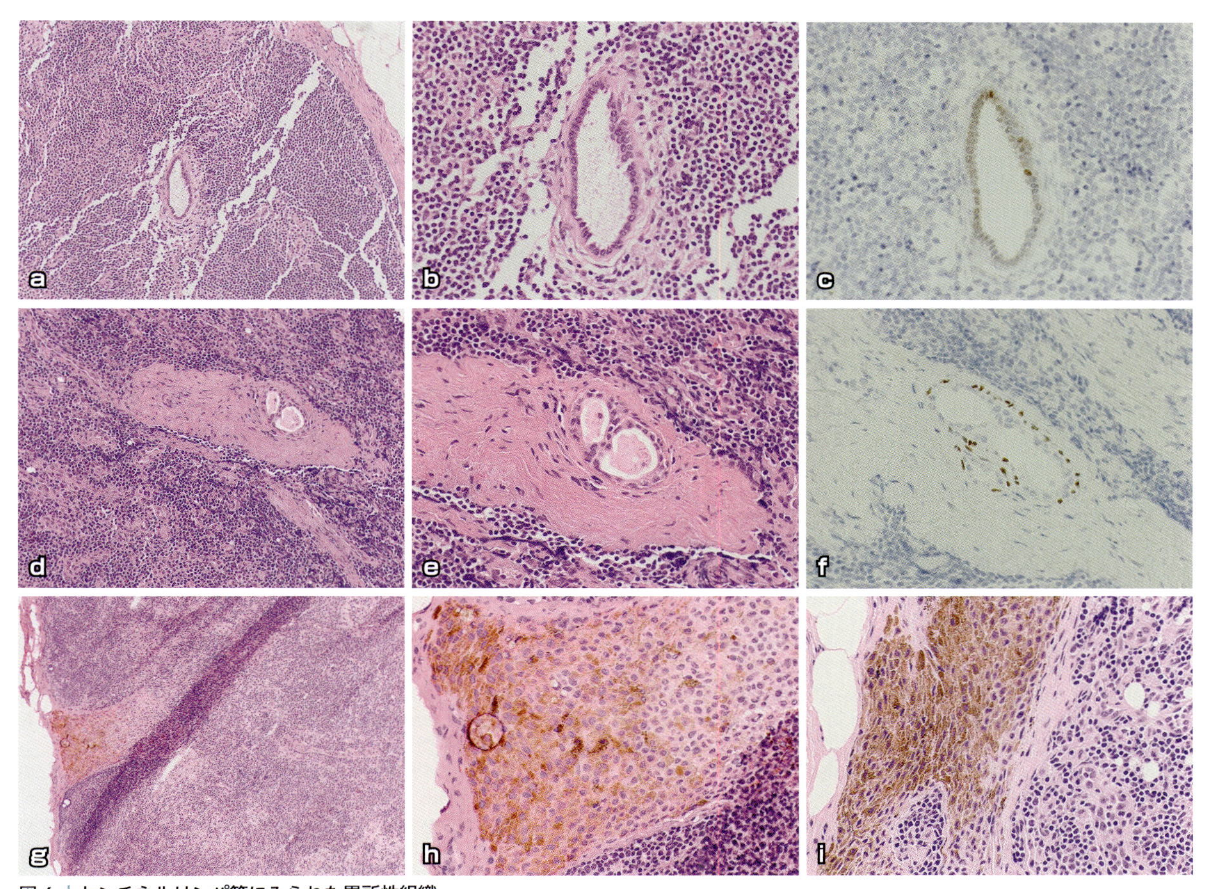

図６｜センチネルリンパ節にみられた異所性組織

a～c：異所性卵管内膜症．リンパ節内に卵管上皮に似た良性上皮細胞からなる腺管組織を認める（a，b）．PAX８陽性細胞が混在する（c）．d～f：異所性乳腺組織．二相性を示す上皮細胞からなる腺管構造を認める（d，e）．p63 陽性を示す筋上皮細胞が確認される（f）．g～i：リンパ節内の母斑細胞集簇巣．術中迅速診断時の凍結切片に茶色色素を有する母斑細胞様細胞の集簇を認める（g，h）．凍結戻し標本においても同様の所見である（i）．

久標本で評価が行われる．センチネルリンパ節においてマクロ転移が証明された後の追加郭清や，cN1以上の症例で術前薬物療法後（症例によっては，術前薬物療法未施行）の場合などが想定される．これらのリンパ節については，リンパ節を長軸方向に切り出した最大割面での評価が一般的である．薬物療法後での記載方法に関しては，第４部-Ⅵ「病理学的治療効果判定」を参照されたい．

おわりに

乳癌の広がり診断は，術中・術後に適切に実施することにより，過剰な侵襲を避け，正確な病期診断を行うことが可能となる．本項がその一助となれば幸いである．

（吉田正行）

文　献

1）Brierley JD, Gospodarowicz MK, Wittekind C (eds)：TNM Classification of Malignant Tumours (8th ed.), John Wiley & Sons, Hoboken, 2017
2）日本乳癌学会（編）：臨床・病理 乳癌取扱い規約，第 18 版，金原出版，2018
3）日本乳癌学会（編）：病理診断，BQ6 乳房温存手術の病理組織学的断端診断はどのように行うか？ 乳癌診療ガイドライン 2 疫学・診断編 2018 年版，金原出版，2018，pp269-272
4）Osako T, Nishimura R, Nishiyama Y, et al：Efficacy of intraoperative entire-circumferential frozen section analysis of lumpectomy margins during breast-conserving surgery for breast cancer. Int J Clin Oncol 20：1093-1101, 2015
5）Cheng L, Al-Kaisi NK, Liu AY, et al：The results of intraoperative consultations in 181 ductal carcinomas in situ of the breast. Cancer 80：75-79, 1997
6）Ichihara S, Suzuki H, Kasami M, et al：A new method of margin evaluation in breast conservation surgery using an adjustable mould during fixation. Histopathology 39：85-92, 2001

7）Moran MS, Schnitt SJ, Giuliano AE, et al：Society of Surgical Oncology-American Society for Radiation Oncology consensus guideline on margins for breast-conserving surgery with whole-breast irradiation in stages Ⅰ and Ⅱ invasive breast cancer. J Clin Oncol 32：1507-1515, 2014
8）Jobsen JJ, Van Der Palen J, Ong F, et al：Differences in outcome for positive margins in a large cohort of breast cancer patients treated with breast-conserving therapy. Acta Oncol 46：172-180, 2007
9）Morrow M, Van Zee KJ, Solin LJ, et al：Society of Surgical Oncology-American Society for Radiation Oncology-American Society of Clinical Oncology Consensus Guideline on margins for breast-conserving surgery with whole-breast irradiation in ductal carcinoma in situ. Pract Radiat Oncol 6：287-295, 2016
10）森谷卓也：乳腺．深山正久，森永正二郎（編集主幹）：外科病理学 II，第５版，文光堂，2020，pp1219-1263
11）College of American Pathologists：Protocol for the examination of resection specimens from patients with invasive carcinoma of the breast. version：4.5.0.0, protocol posting date：June 2021. https://documents.cap.org/protocols/Breast.Invasive_4.5.0.0.REL_CAPCP.pdf（2022 年９月閲覧）
12）Rea D, Francis A, Hanby AM, et al：Inflammatory breast cancer：time to standardise diagnosis assessment and management, and for the joining of forces to facilitate effective research. Br J Cancer 112：1613-1615, 2015
13）Rakha EA, Martin S, Lee AH, et al：The prognostic significance of lymphovascular invasion in invasive breast carcinoma. Cancer 118：3670-3680, 2012
14）Rakha EA, Abbas A, Pinto Ahumada P, et al：Diagnostic concordance of reporting lymphovascular invasion in breast cancer. J Clin Pathol 71：802-805, 2018
15）日本乳癌学会（編）：病理診断，BQ7 センチネルリンパ節の病理学的検索はどのように行うか？ 乳癌診療ガイドライン２疫学・診断編 2018 年版，金原出版，2018，pp273-274
16）Hortobagyi GN, Connolly JL, D'Orsi CJ, et al：Breast. in Amin MB, Edge SB, Greene FL, et al (eds)："AJCC Cancer Staging Manual"（8th ed.), Springer, Berlin, 2017, pp589-628
17）Krag DN, Anderson SJ, Julian TB, et al：Sentinel-lymph-node resection compared with conventional axillary-lymph-node dissection in clinically node-negative patients with breast cancer：overall survival findings from the NSABP B-32 randomised phase 3 trial. Lancet Oncol 11：927-933, 2010
18）Giuliano AE, Hunt KK, Ballman KV, et al：Axillary dissection vs no axillary dissection in women with invasive breast cancer and sentinel node metastasis：a randomized clinical trial. JAMA 305：569-575, 2011
19）Tsujimoto M, Nakabayashi K, Yoshidome K, et al：One-step nucleic acid amplification for intraoperative detection of lymph node metastasis in breast cancer patients. Clin Cancer Res 13：4807-4816, 2007
20）Maguire A, Brogi E：Sentinel lymph nodes for breast carcinoma：a paradigm shift. Arch Pathol Lab Med 140：791-798, 2016
21）van Diest PJ, Peterse HL, Borgstein PJ, et al：Pathological investigation of sentinel lymph nodes. Eur J Nucl Med 26（4 Suppl）：S43-49, 1999
22）Weaver DL, Ashikaga T, Krag DN, et al：Effect of occult metastases on survival in node-negative breast cancer. N Engl J Med 364：412-421, 2011
23）Shiino S, Yoshida M, Jimbo K, et al：Two rare cases of endosalpingiosis in the axillary sentinel lymph nodes：evaluation of immunohistochemical staining and one-step nucleic acid amplification（OSNA）assay in patients with breast cancer. Virchows Arch 474：633-638, 2019

Ⅵ．病理学的治療効果判定

はじめに

手術可能な浸潤性乳癌症例に対する術前薬物療法は，現在の標準的な治療選択肢であり，化学療法または化学療法と抗HER2療法の併用が広く行われている．術前化学療法は術後化学療法と同等の再発抑制効果を示す．さらに，腫瘍が大きいため乳房部分切除術が困難な症例では術前化学療法により乳房温存率が向上することから，比較的大きな浸潤性乳癌症例で患者が乳房部分切除術を希望する場合は，術前化学療法の相対的適応である．HER2陽性乳癌の術前薬物療法では，化学療法単独に比較して化学療法と抗HER2療法の併用のほうが，乳房温存率，病理学的完全奏効 pathological complete response (pCR) 率，生存率いずれも向上が期待できる[1,2]．

さらに近年，術前薬物療法の治療効果を指標として術後薬物療法のレジメンを選択するレスポンスガイド治療が注目されている．術前薬物療法でpCRが得られなかった症例では，術後に標準治療よりも高い抗腫瘍効果が期待できる治療を行うことで予後が改善する可能性がある[3]．

術前薬物療法の病理学的治療効果判定結果は，ER陰性乳癌やHER2陽性乳癌症例における予後因子であり[4]，このことは，現在でも後治療選択の参考とされている．加えて，今後，レスポンスガイド治療が普及した場合には，病理医による治療効果判定結果が治療方針決定に直結することとなる．その意味で，術前薬物療法の病理学的治療効果判定の重要性は高まりつつある．

本項では，上記の背景を踏まえて，乳癌取扱い規約 第18版（2018年）（以下，乳癌取扱い規約とする）に記載されている組織学的治療効果の判定基準を中心に解説する．

1．病理学的治療効果の判定方法

乳癌の日常診療で使用される薬物療法の病理学的治療効果の判定方法は，遺残癌による病期分類と治療効果を直接評価するものとに分けられる[1]．遺残癌による病期分類としては，ほとんどの場合，国際対がん連合 Union for International Cancer Control (UICC) の ypTNM 分類が用いられる．ypTNM 分類の接頭語の y は治療中・治療後の評価，p は病理学的分類であることを示している[5]．治療効果を直接評価する方法には様々なものがあるが，いずれも，pCR と病理学的無効 pathological no response (pNR) のカテゴリーを有し，その間が1～4段階に亜分類されている．治療効果の評価対象は，「乳房の浸潤巣のみ」，「乳房の浸潤巣と非浸潤巣」，「乳房の浸潤巣と非浸潤巣およびリンパ節」の3つのパターンがある．また，治療効果は，癌消失量の割合で評価する場合と，癌消失量の割合と癌組織の変化の程度を組み合わせて評価する場合とがある．pCR の定義も判定方法により様々である（**表1**）．「乳房の浸潤巣と非浸潤巣が完全消失しリンパ節転移陰性」の状況を ypTNM 分類に沿って表現すると ypT0 ypN0 となり，これが最も厳しい pCR の定義である．一方，最も緩い定義は，「乳房の浸潤巣が遺残していても少量ならば pCR に含め，非浸潤巣やリンパ節転移の有無は問わない」もので，ypT0/is/1 mic yp any N と表現される．そ

表1 | 病理学的完全奏効のさまざまな定義

病理学的完全奏効(pCR)の定義	ypTNM 分類による表記
浸潤巣と非浸潤巣が完全消失し，リンパ節転移陰性	ypT0 ypN0
浸潤巣が完全消失しリンパ節転移陰性で，非浸潤巣の有無は問わない	ypT0/is ypN0
浸潤巣と非浸潤巣が完全消失し，リンパ節転移の有無は問わない	ypT0 yp any N
浸潤巣が完全消失し，非浸潤巣とリンパ節転移の有無は問わない	ypT0/is yp any N
浸潤巣が完全消失または少量遺残で，非浸潤巣とリンパ節転移の有無は問わない	ypT0/is/1 mic yp any N

のほかのpCRの定義としては,「乳房の浸潤巣が完全消失しリンパ節転移陰性で，非浸潤巣の有無は問わない(ypT0/is ypN0)」,「乳房の浸潤巣と非浸潤巣が完全消失し，リンパ節転移の有無は問わない(ypT0 yp any N)」,「乳房の浸潤巣が完全消失し，非浸潤巣とリンパ節転移の有無は問わない(ypT0/is yp any N)」などがある.

2. 乳癌取扱い規約の組織学的治療効果の判定基準[6)]

乳癌取扱い規約に記載されている組織学的治療効果の判定基準では，乳房の浸潤巣を対象に，治療で変化した癌組織の面積と変化の程度を組み合わせて，Grade 0(無効)からGrade 3(完全奏効)までの6段階で治療効果が評価される[6)]. Grade 0は，浸潤癌組織に治療による変化がほとんど認められない場合である. Grade 3はすべての浸潤癌細胞が壊死に陥っているか，または，消失した場合で，非浸潤巣やリンパ節転移がみられても浸潤巣が消失していればGrade 3と判定される(**図1**). すなわち，乳癌取扱い規約の基準のGrade 3をypTNM分類で表現するとypT0/is yp any Nとなる. 非浸潤巣やリンパ節転移の有無は，別途，病理診断報告書に記載する. 筆者は，リンパ節転移が消失したと思われる所見がみられた場合は，その個数や確からしさも報告している(**図2**). これは，治療前のリンパ節転移個数やリンパ節転移巣での治療効果を推測するのに有用で，後治療の選択に役立つ. Grade 0とGrade 3の間は，癌組織の変化の程度(軽度，高度)と治療で変化した癌組織の面積比(1/3未満，1/3以上2/3未満，2/3以上で遺残癌の認識が容易，2/3以上で遺残癌はごく少量)を組み合わせて，Grade 1a～2bの4段階に分けられている.

3. 乳癌取扱い規約の組織学的治療効果の判定基準の問題点

1) Grade 1, 2の鑑別

乳癌取扱い規約の基準で，Grade 0とGrade 3の判定は比較的容易であるが，Grade 1a～Grade 2bまでの4段階の鑑別は難しく，観察者による診断不一致が生じやすい[7)]. これは，癌組織の変化の程度と治療で変化した癌組織の面積比を評価するのが難しいことに起因する.

乳癌取扱い規約の基準で，癌組織の変化の程度は軽度と高度に分けられる. 軽度の変化とは，癌組織に癌細胞の密度の減少はみられず，残存している癌細胞の変性も生存しうると判断される程度のものである. 細胞質の好酸性変化や空胞形成，核の膨化像や軽度の濃縮は生存しうると判断され，軽度の変化に含まれる(**図3**). 高度の変化とは，癌細胞が高度に変性し，ほとんど生存しえない程度の崩壊に傾いた変化を指し，癌細胞の消失もこれに含まれる(**図1c, d**). 核の高度な濃縮や崩壊，融解をきたした場合は，ほとんど生存しえないと考えられるので，高度の変化である. 乳癌取扱い規約の基準では，軽度と高度の違いが生存しうるか否かであるため，癌細胞と認識できる細胞にみられる変化の多くが軽度となる. また，変化の程度を適切に評価するためには，治療前後の組織像を比較するとよい. このため，術前薬物療法を行う症例では，治療前に必ず生検を行い，その組織像を治療効果判定時にも参照できる環境を整えておく必要がある.

高度に変化した癌組織の面積比は，治療前に癌が存在していたと推測される腫瘍床の大きさと遺残癌の大きさを比較することで算出される. 腫瘍床の大きさは，薬物療法後の乳房切除標本にみられる線維組織の大きさと治療前の画像診断にみられる腫瘍の大きさ，両方を参考に判断される. 線維組織が治療前の腫瘍よりかなり小さい場合は，薬物療法により癌組織のみならず腫瘍床全体が縮小したと考えられ，もともとの腫瘍床の大きさを判断するのが難しくなる. 浸潤性乳癌に対する薬物療法の腫瘍縮小パターンは，同心円状に癌全体が縮小する場合とそうでない場合がある[8)]. 後者では，癌細胞が間引きされるように消失し，癌細胞が存在する範囲は治療前と同様であることが多く，その場合は，癌消失量の推測

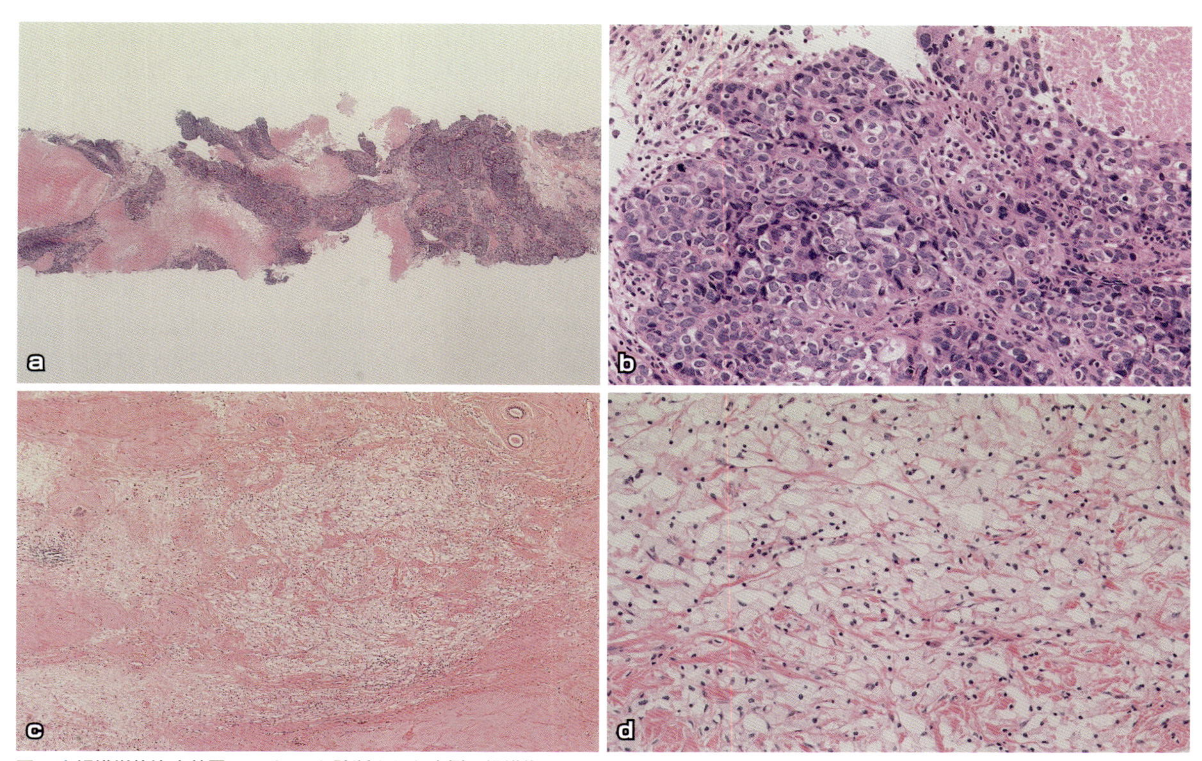

図１｜組織学的治療効果 Grade 3 と診断された症例の組織像

a：治療前針生検，弱拡大像．b：治療前針生検，強拡大像．c：治療後手術標本，弱拡大像．d：治療後手術標本，強拡大像．40 歳代前半の閉経前女性．T2（腫瘍径 42 mm）N1M0 Stage ⅡB の右乳癌の診断で術前化学療法後，乳房部分切除術と腋窩リンパ節郭清術が行われた．治療前針生検標本では，充実型の浸潤性乳管癌の組織像で，中心壊死を伴っていた（a）．癌細胞の異型は強く，核分裂像が目立ち，組織学的グレードⅢであった（b）．ER：Allred score TS4＝PS2＋IS2，PgR：Allred score TS0＝PS0＋IS0，HER2：1＋であった．化学療法後の手術標本では，乳管・小葉構造を欠く線維組織の中に組織球の集簇巣と小血管の増生がみられ，腫瘍床と考えられた（c，d）．乳房，リンパ節いずれにも癌の遺残は認められず，組織学的治療効果は Grade 3 と診断された．

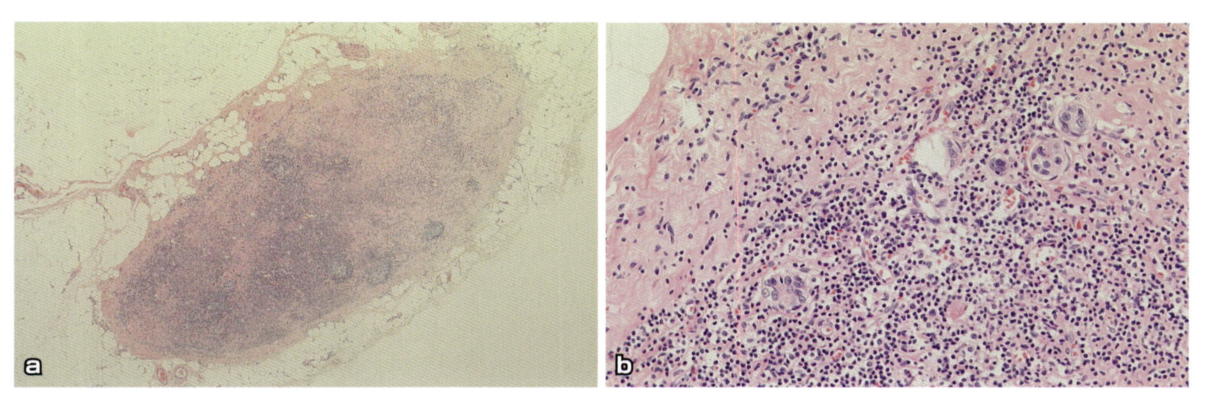

図２｜薬物療法後のリンパ節転移巣

a：弱拡大像．リンパ節の半分以上を線維化巣が占め，被膜がやや肥厚し，濾胞構造がはっきりせず，正常リンパ節の構築が失われている．
b：強拡大像．転移巣消失部と考えられる線維化巣の中を注意深く観察すると，遺残した癌細胞からなる小胞巣が複数認められる．

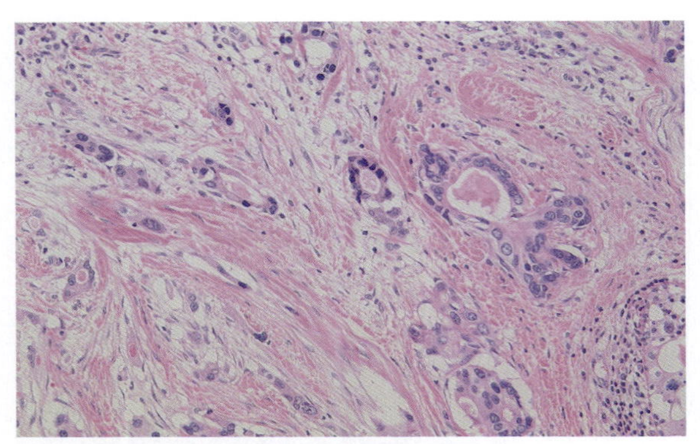

図3｜薬物療法による軽度の変化を伴う乳癌細胞
強拡大像．遺残している癌細胞の一部に軽度の核濃縮がみられるが，生存しうると判断される程度の軽度の変性である．

が難しい（**図4**）．また，遺残している癌細胞が散在し，まとまりを欠いている場合，どこからどこまでを遺残癌の最大径として計測すべきか迷うことが多い．腫瘍床の大きさ，癌消失量，遺残癌の大きさ，いずれも推測することが難しい場合があり，その結果，治療効果判定が難しくなる．それらは，治療前後の画像や病理所見をよく観察し，症例ごとに判断するしかないが，乳癌取扱い規約には，判定に苦慮する場合には効果の低いほうを選択すると記載されている．

2）Grade 2bの診断と取扱い

乳癌取扱い規約の判定基準のGrade 2b（かなり有効・極めて高度の変化）は，完全奏効（Grade 3）に非常に近い効果があるが，ごく少量の浸潤癌細胞が残存している場合と定義されている[6]（**図5**）．Grade 2bは2008年に出版された乳癌取扱い規約 第16版の組織学的治療効果の判定基準で初めて定義された．当初，見落としてしまいそうなほどの，あるいは，観察者によってはGrade 3と診断してしまいそうなほどのごく少量の浸潤癌細胞遺残をイメージしてGrade 2bが定義されたと聞いている．しかし，遺残量に関する明確な基準が示されていないため，どれくらいまでをGrade 2bとすべきなのかの正解がなく，Grade 2bの判定は観察者間で異なる可能性がある．

Grade 2b症例の予後については，以下の研究報告が参考となる．Minckwitzらは，術前薬物療法に関する7つのランダム化比較試験に登録された6,377例を対象に，組織学的に評価された遺残癌について所見別に予後を算出し報告している[4]．遺残浸潤巣の最大径が1 mm以下でリンパ節転移の有無を問わない症例群（ypT1 mic yp any N）は，浸潤巣が完全に消失しリンパ節転移陰性の症例群（ypT0/is ypN0）に比較して予後不良であり，最大径5 mm未満の浸潤巣遺残群は，腫瘍の残存なし，あるいは，非浸潤巣のみ残存群に比較して予後不良であった．Minckwitzらの報告からは，浸潤巣の残存があれば，それが少量であっても，浸潤巣完全消失例に比較して予後不良と考えられる．しかし，Minckwitzらの浸潤巣少量残存は，Grade 2bより広い基準の可能性がある．Kuroiらは術前薬物療法に関する3つの前向き試験に登録された353例を対象に研究を行い，Grade 2b症例の割合は7.4％で，予後はGrade 3症例と同様に良好であったと報告している[9]．Mukaiらは6施設で薬物療法後に手術が行われた635例を解析し，Grade 2b症例の割合は3.1％で，予後良好であったと報告している[10]．一方，Kobayashiらの単施設からの報告では，薬物療法後に手術が行われた258例中Grade 2b症例の割合は4.3％で，Grade 3症例に比較して予後不良であった[11]．以上のように，Grade 2b症例の予後は報告により様々で，Grade 2b症例をGrade 3症例と同様に扱ってよいのか否かについては結論が出ていない．

4．pCRを指標としたレスポンスガイド治療における注意点

pCRを指標に術後治療のレジメンを選択するレスポンスガイド治療として，2022年6月時点で保険承認されているのは，術前薬物療法によりpCRが認められなかったHER2陽性乳癌症例に対するトラスツズマブ エムタンシン（T-DM1）の術後治療である．この承認の根拠となった第Ⅲ相臨床試験（KATHERINE試験）では，標準的な術前薬物療法後に手術が施行されたHER2陽性乳癌症例（初診時cT1-4/N0-3/M0でcT1a-b/N0は除外）で，乳房または腋窩リンパ節に浸潤性の病変が残存していた1,486例を対象としている．術後にトラスツズマブを投与する群とT-DM1を投与する群にランダム化され，両群の予後が比較された．追跡期間の中央値41.1ヵ月の時点で，浸潤性疾患のない生存期間invasive disease-free survival（IDFS）がT-DM1投与群で有意に良好であった（HR 0.50，95％ CI 0.39-0.64，$p<0.001$）[12]．T-DM1を術後に投与する場合は，KATHERINE試験に沿った基準で適応症例を選択することとなって

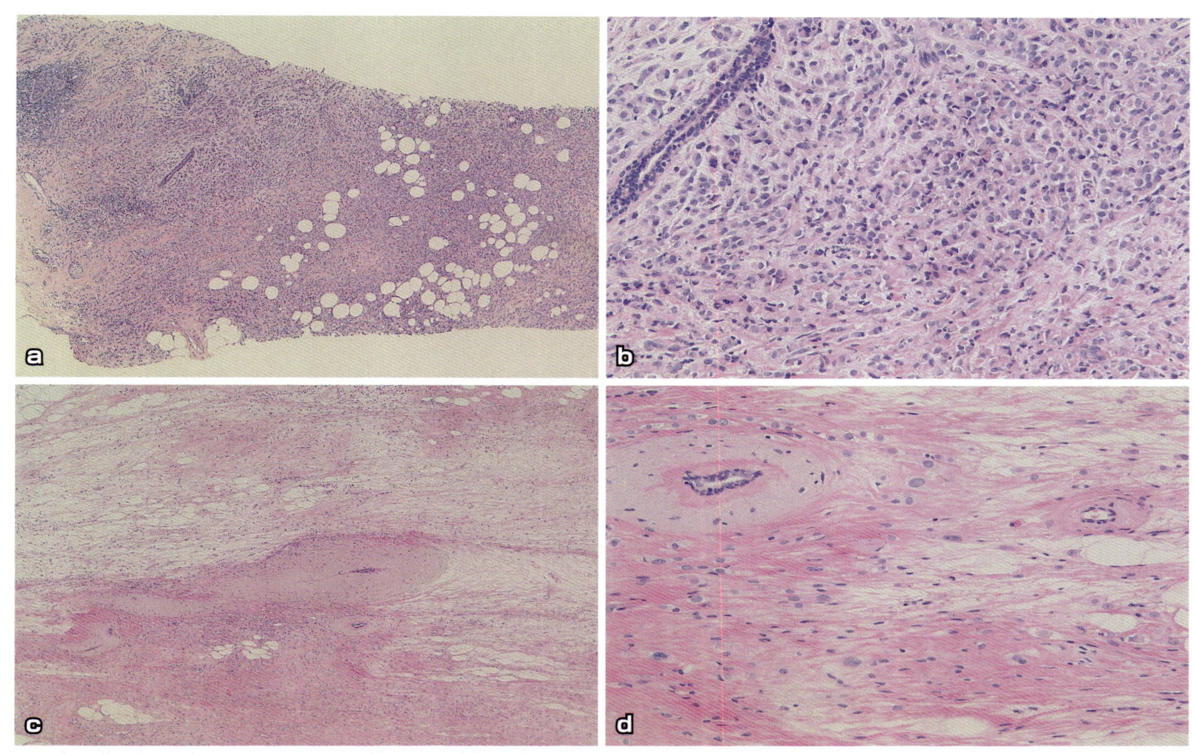

図4 | 組織学的治療効果 Grade 2a と診断された症例の組織像
a：治療前針生検，弱拡大像．b：治療前針生検，強拡大像．c：治療後手術標本，弱拡大像．d：治療後手術標本，強拡大像．50 歳代後半の閉経後女性．T2（腫瘍径 40 mm）N1M0 Stage ⅡB の左乳癌の診断で術前化学療法後，乳房全切除術と腋窩リンパ節郭清術が行われた．治療前針生検標本では，比較的小型の癌細胞が索状構造を呈して乳腺間質に浸潤しており，癌細胞同士の接合性は乏しく，古典型の浸潤性小葉癌と診断された（a，b）．化学療法後の手術標本では，癌細胞が間引きされるように消失しており，癌細胞の密度が高い部分と低い部分が認められた．前者の背景は硝子化した乳腺間質，後者の背景は浮腫状の間質であった（c）．癌細胞の密度が比較的高い部分（d）でも，治療前針生検（a，b）に比較すると密度が低く，癌細胞が間引きされるように消失したことがわかる．組織学的治療効果は Grade 2a と診断された．

いる．すなわち，この場合の pCR は乳房の浸潤巣が完全消失しリンパ節転移陰性で，非浸潤巣の有無は問わない（ypT0/is ypN0）と定義され，乳癌取扱い規約の判定基準の Grade 3 とは異なることに注意が必要である．

おわりに

乳癌取扱い規約の基準を用いた病理学的治療効果判定を，全ての症例で適切に行うことは難しい．しかし，予後予測やそれに基づくレスポンスガイド治療では浸潤巣完全消失か否かが要点であり，まずは小さな浸潤巣を見落とさないことを肝に銘じて診断すべきであろう．さらに，治療前画像所見，手術標本の割面肉眼所見，乳腺間質の顕微鏡所見を総合して腫瘍床を同定し，効率的に検索することの重要性も強調したい．

（堀井理絵）

文　献

1）堀井理絵：乳癌における組織学的治療効果判定の意義と問題点．病理と臨床 35：1015-1019，2017
2）日本乳癌学会（編）：乳癌診療ガイドライン 1 治療編 2018 年版，金原出版，2018，pp12-17
3）日本乳癌学会（編）：乳癌診療ガイドライン 2018 年版，追補 2019，金原出版，2019，pp32-33
4）von Minckwitz G, Untch M, Blohmer JU, et al：Definition and impact of pathologic complete response on prognosis after neoadjuvant chemotherapy in various intrinsic breast cancer subtypes. J Clin Oncol 30：1796-1804, 2012
5）Van Eckyen E：Breast Tumours. in Brierley JD, Gospodarowicz MK, Wittekind C（eds）：“TNM Classification of Malignant Tumours”（8th ed）, John Wiley & Sons, Hoboken, 2017, pp151-158
6）日本乳癌学会（編）：臨床・病理 乳癌取扱い規約，第 18 版，金原出版，2018，pp94-100
7）Yamaguchi T, Mukai H, Akiyama F, et al：Inter-observer agreement among pathologists in grading the pathological response to neoadjuvant chemotherapy in breast cancer. Breast Cancer 25：118-125, 2018
8）Fukada I, Araki K, Kobayashi K, et al：Pattern of tumor shrinkage during neoadjuvant chemotherapy is associated with prognosis in low grade luminal early breast cancer.

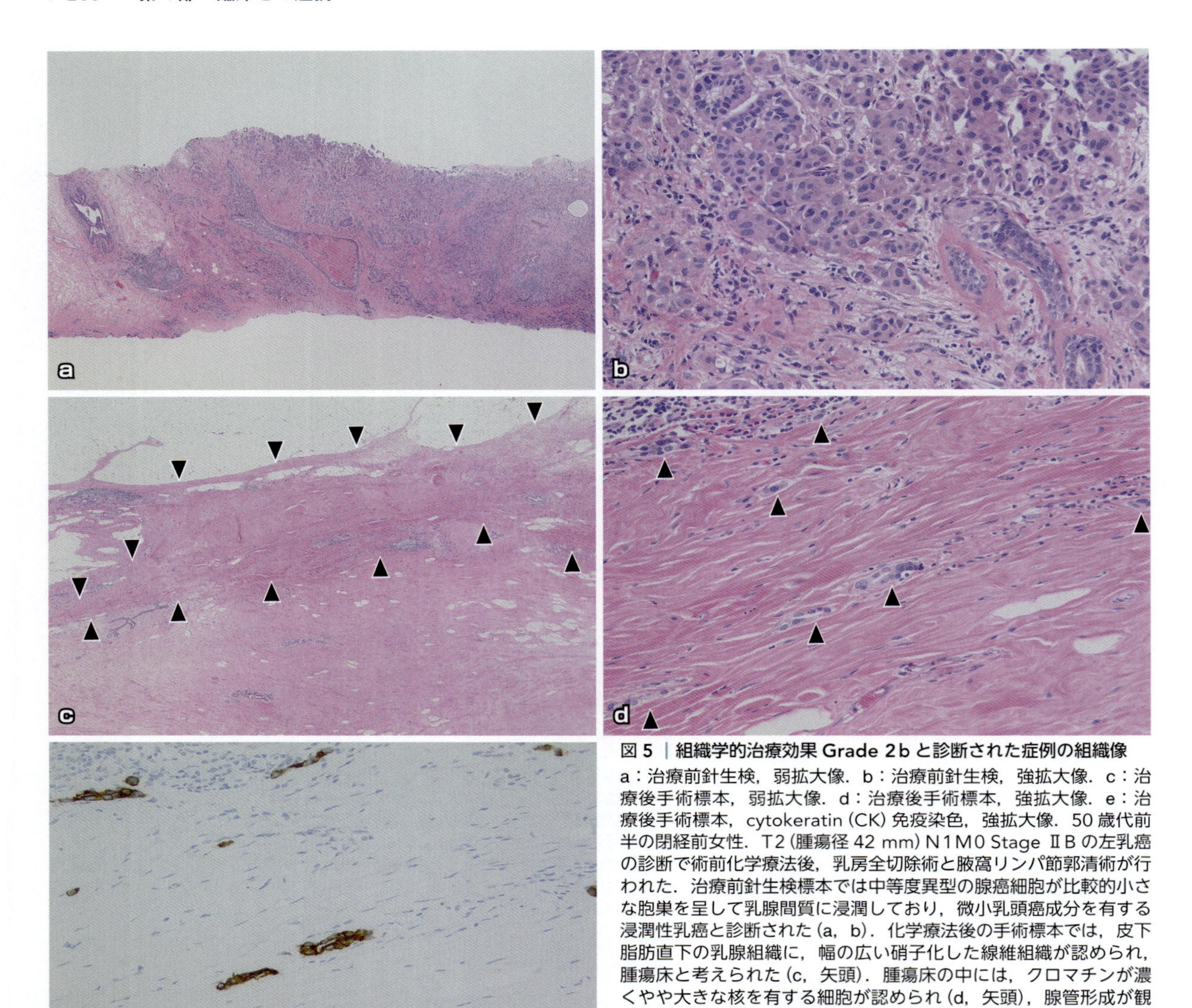

図５｜組織学的治療効果 Grade 2b と診断された症例の組織像

a：治療前針生検，弱拡大像．b：治療前針生検，強拡大像．c：治療後手術標本，弱拡大像．d：治療後手術標本，強拡大像．e：治療後手術標本，cytokeratin（CK）免疫染色，強拡大像．50歳代前半の閉経前女性．T2（腫瘍径 42 mm）N1M0 Stage ⅡB の左乳癌の診断で術前化学療法後，乳房全切除術と腋窩リンパ節郭清術が行われた．治療前針生検標本では中等度異型の腺癌細胞が比較的小さな胞巣を呈して乳腺間質に浸潤しており，微小乳頭癌成分を有する浸潤性乳癌と診断された（a，b）．化学療法後の手術標本では，皮下脂肪直下の乳腺組織に，幅の広い硝子化した線維組織が認められ，腫瘍床と考えられた（c，矢頭）．腫瘍床の中には，クロマチンが濃くやや大きな核を有する細胞が認められ（d，矢頭），腺管形成が観察できること，CK 免疫染色で陽性所見を示す（e）ことから，浸潤癌細胞と判断された．遺残している癌細胞は図に示すのみで，組織学的治療効果は Grade 2b と診断された．

Radiology 286：49-57, 2018

9）Kuroi K, Toi M, Ohno S, et al：Comparison of different definitions of pathologic complete response in operable breast cancer：a pooled analysis of three prospective neoadjuvant studies of JBCRG. Breast Cancer 22：586-595, 2015

10）Mukai H, Arihiro K, Shimizu C, et al：Stratifying the outcome after neoadjuvant treatment using pathological response classification by the Japanese Breast Cancer Society. Breast Cancer 23：73-77, 2016

11）Kobayashi K, Horii R, Ito Y, et al：Prognostic significance of histological therapeutic effect in preoperative chemotherapy for breast cancer. Pathology Int 66：8-14, 2016

12）von Minckwitz G, Huang CS, Mano MS, et al：Trastuzumab emtansine for residual invasive HER2-positive breast cancer. N Engl J Med 380：617-628, 2019

Ⅶ. 手術標本における病理診断報告書の記載法

はじめに

本項では，病理診断報告書に記載すべき項目について概説するが，他項で解説されている内容との重複は極力避けて，落穂拾い的な解説を加える．近年，病理診断に要求される診断項目数は増加しており，もれなく報告するために箇条書きあるいはチェック形式の報告書のフォーマットが使用される頻度が高くなっているが，短所もある．それぞれについて説明する．

1．依頼書，オーダー時の情報の確認

1）臨床情報

患者の取り違えを起こさないために，検体に貼付されるシールの記載内容は，提出する側も受け取る病理検査部門も丁寧な確認が必須である．ことに，左右および腫瘤の存在する部位に関する記載は正確性が求められる．

現病歴として，初発か再発か，術前治療の有無，治療方法の内容と期間を確認する．

2）画像所見

画像検査により主腫瘤以外の娘結節あるいは境界明瞭な良性病変が指摘されている場合には，これらについてももれなく切り出す．小型病変の場合には，可及的に薄く切割し，注意深く肉眼観察して，見落とさないよう心がける．

表1 乳房の術式

腫瘍摘出術	tumorectomy (Tm)
乳房部分切除術	partial mastectomy/lumpectomy (Bp)
乳房全切除術	total mastectomy (Bt)
乳管腺葉区域切除術	microdochectomy (Md)
皮膚温存乳房全切除術	skin sparing mastectomy [Bt (SSM)]
乳頭温存乳房全切除術	nipple sparing mastectomy [Bt (NSM)]

3）術式

術式により検体のチェックポイントが異なるので，**表1**の術式を確認し，病理診断報告書に記載する．

4）切除標本のオリエンテーション

乳房部分切除標本の場合には，乳頭側，乳頭対側（末梢側），腫瘍直上皮膚側を示す縫合糸によるマーキング，あるいは6種類のインクで前後・上下・内外側を明示することが望ましい．乳頭対側のマーキングは，腫瘍の広がり方によって切除範囲のバリエーションがあるため，乳房内での切除組織の位置関係がわかりにくい場合があり，腫瘍直上皮膚側は，脂肪の豊富な乳房の場合，皮膚側がわかりにくい例があるからである．これらを怠ると，断端に腫瘍が露出していて追加切除や放射線照射を加える場合に，露出部位のオリエンテーションが不正確になる．

乳頭温存乳房全切除標本では，乳頭直下のマーキングが重要である．

5）腫瘤のオリエンテーション

ハイドロマーク HydroMARK は超音波で視認される 2〜3 mm 大のチタン製のコイル状金属で，術前薬物療法を行う症例あるいは微小病変や非触知乳癌

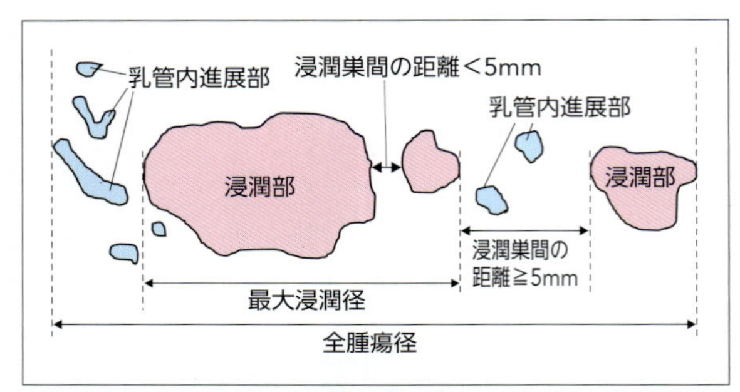

図1 | **多巣性浸潤を示す浸潤癌の浸潤径と全腫瘍径の計測方法**
複数の浸潤巣が存在して，それぞれの浸潤巣が互いに 5 mm 以上離れている場合，別個の浸潤巣と見なされる．

症例において，生検時に留置される場合がある．術前薬物療法が有効で切り出し時に腫瘤の同定が困難な例においても，腫瘤の存在したはずの部位（腫瘍床 tumor bed）の見当をつけやすい．

2．適切な病理診断報告書の記載（浸潤癌）

1）組織型

原則的には乳癌取扱い規約 第 18 版（2018 年）に従うが，WHO 分類 第 5 版（2019 年）の組織型を併記する場合もある．両者の分類の互換性について議論のある組織型については，文献を引用するなどして詳細に説明する．

2）乳管内進展

癌腫の乳管内進展は組織構築別に，面疱型，充実型，篩状型，乳頭型，微小乳頭型，平坦型について記載する．

3）病変の大きさ・広がり

組織学的浸潤径は浸潤巣の最大径とそれに直交する径を記載する．複数の浸潤巣が存在して，それぞれの浸潤巣が互いに 5 mm 以上離れている場合，別個の浸潤巣と見なす（**図 1**）．複数の浸潤巣の中で最大の浸潤巣の大きさを pT として記載する．腫瘍全体の大きさは浸潤径と乳管内進展を合わせた最大径とそれに直交する径を計測する．1 つの割面での最大径だけではなく，連続的に切り出された標本の再構築によって組織学的浸潤径あるいは腫瘍全体の大きさを算出しなければならない例もある（**図 2**）．病期分類のためには組織学的浸潤径のみの評価で十分であるが，臨床的あるいは画像検査との対比のためには浸潤部と乳管内進展部を合わせた大きさの計測が必要である．

マンモトーム生検後の切除標本で，浸潤径あるいは腫瘍全体の大きさを正確に評価することが困難な例では，画像検査によって計測された病変の大きさで代用せざるをえない．

4）波及度

皮膚あるいは皮下脂肪組織には，ときに穿刺経路に乳癌細胞の播種をみることがあるので，肉眼的に皮下あるいは皮膚に癌腫の浸潤がみられなくても腫瘤近傍皮膚の切り出しは必須である．しかし Bt 症例の皮膚を全て切り出すことは無駄が多いので，外科医や穿刺の補助をする超音波検査技師に穿刺部位を確認することで，必要かつ十分な切り出しに努めたい．

5）脈管侵襲

基本的にリンパ管侵襲あるいは静脈侵襲の診断は，HE 染色標本で行う．腫瘍辺縁ないし腫瘍外で並走する細動静脈のペアにまとわりつくリンパ管を同定し，その中に癌腫をみつける．

免疫組織化学的に podoplanin（D2-40）陽性リンパ管内皮を同定することで，より感度の高い検索が可能である．静脈侵襲の診断は大腸癌などとは異なり，組織化学的に Elastica van Gieson（EVG）染色や Victoria blue 染色などで静脈壁の弾性線維を同定することは必ずしも有効ではない．なぜなら乳癌組織では，乳管周囲，血管周囲および腫瘍間質に様々な量の弾性線維の凝集よりなる elastosis がみられるからである[1]（**図 3**）．

リンパ管侵襲あるいは静脈侵襲の有無が治療方針の決定に直結しない現行の乳癌診療では，免疫組織化学あるいは組織化学的検索は積極的には推奨されない．

6）乳頭・乳輪下

乳頭と乳輪下の切り出し方法は**図 4** に示す通りである．筆者らの施設では乳頭と乳輪下を切り離し，乳輪下は水平面で，乳頭は 2 mm 間隔の矢状断で全割して観察する[2]．乳頭と乳輪下の乳管洞ないし表皮内への癌腫の進展，乳頭間質への浸潤，リンパ管侵襲像の有無について記載する（**図 5**）．乳頭・乳輪下の癌腫の存在自体は予後因子ではないが，Bt（NSM）のシミュレーションとして，自施設での評価基準の設定のためのデータとして有用であろう．

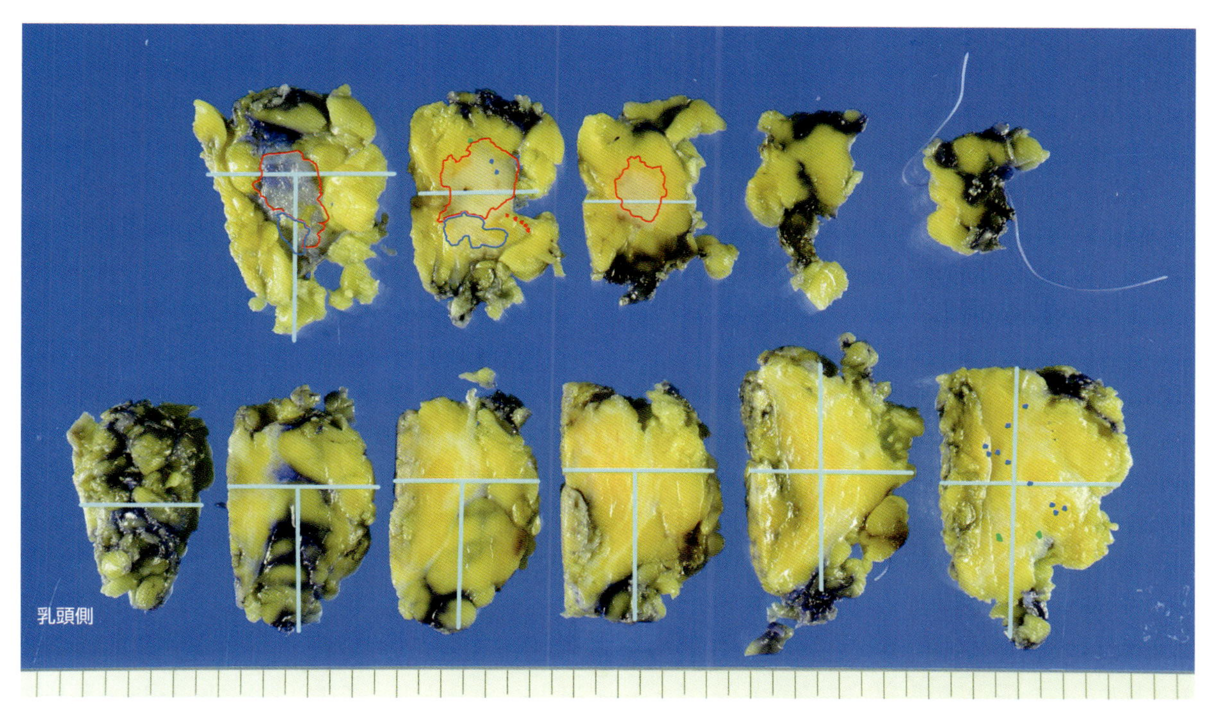

図 2 ｜癌腫の再構築図（割面）
乳管内進展部（青），間質浸潤部（赤），リンパ管侵襲部（緑）を区別して，癌腫の広がり，断端からの距離を評価する．浸潤癌が 3 枚の切片に連続的に存在するので，スライスに直交する方向の浸潤径は 6〜8 mm 大と評価される．水色は切割線.

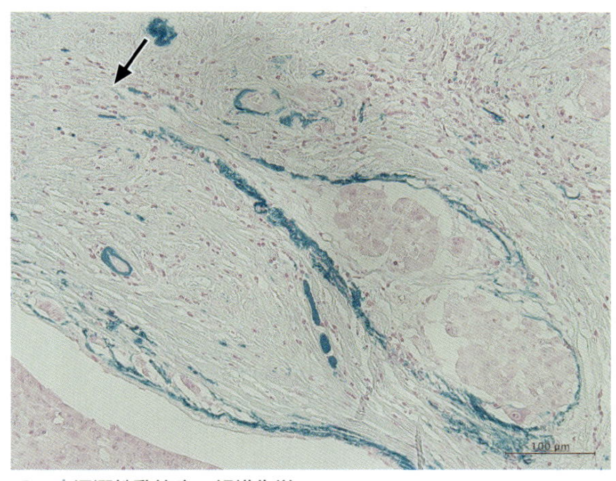

図 3 ｜浸潤性乳管癌の組織化学
Victoria blue 染色．弾性線維は浸潤癌胞巣を非連続的に取り囲んでおり（矢印），静脈侵襲像とは見なせない.

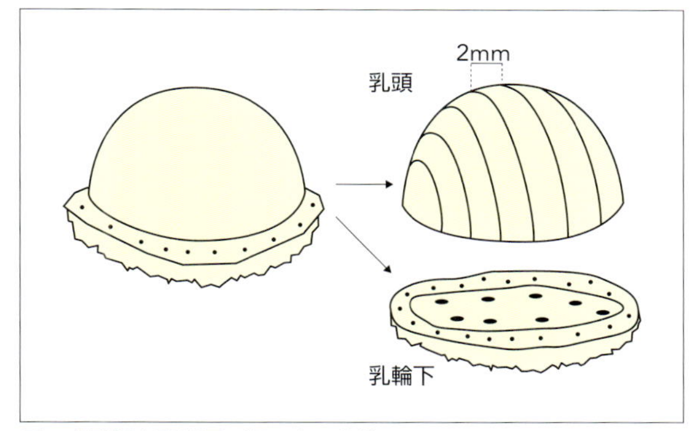

図 4 ｜乳頭と乳輪下の切り出し方法
乳頭と乳輪下を切り離し，乳頭は 2 mm 間隔の矢状断で全割する．乳輪下は水平面を観察する.

7）断端の評価

断端から最短の距離にある乳管内進展，浸潤巣あるいはリンパ管侵襲を観察し，切片上の断端からの距離を記載する．癌腫の露出がある場合，乳房部分切除標本における乳頭側，腫瘍の頭側（上側），尾側（下側），内側，外側，皮膚側，深部（大胸筋側）などの部位を明示する．乳頭温存乳房全切除標本では，乳頭・乳輪直下の断端の評価を行う．組織学的に乳頭・乳輪ないし周囲の皮膚に癌腫の表皮内進展，皮膚浸潤あるいは皮膚リンパ管内侵襲を示す症例では，皮膚腫瘍に準じて皮膚断端の切り出しを行い，断端評価を行う.

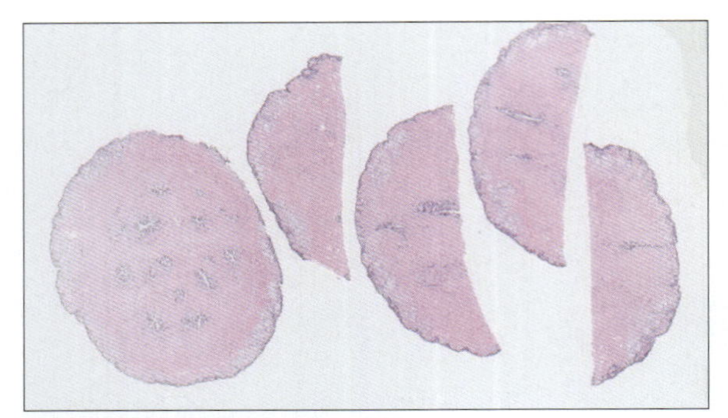

図５｜乳頭と乳輪下標本のルーペ像
乳頭と乳輪下の乳管洞ないし表皮内への癌腫の進展，乳頭間質への浸潤，リンパ管侵襲像を観察する．

8）バイオマーカー

ホルモン受容体やHER2の評価については，スコアだけではなく染色強度（intensity score）と陽性細胞割合（proportion score, %）を必ず記載したい．ガイドラインによる陽性判定基準は，治療法の適応に対する考え方によって変更される場合があるので[3,4]，バイオマーカーの再評価や判定基準間の互換が容易にできるようにするためである．

免疫組織化学的検討によるARについては，予後因子としての意義は報告されていないが[5]，今後ホルモン受容体陰性，HER2陰性乳癌，すなわちトリプルネガティブ乳癌 triple negative breast cancer（TNBC）かつAR陽性例に対してAR阻害薬の投与が検討されている[6]．したがって現時点でARの評価は，全ての乳癌症例での標準検査としては行われないが，今後必要になるかもしれない．

TNBCは様々な組織型の集合よりなり，予後や術前化学療法に対する感受性はそれぞれ異なる[7]．免疫染色による代替マーカーを用いるとbasal-like 1（BL1）typeはcytokeratin（CK）5/6陽性，CK4/14陽性，EGFR陰性，basal-like 2（BL2）typeはEGFR陽性，mesenchymal typeはvimentin陽性，E-cadherin陰性，claudin 3陰性，claudin 7陰性，luminal androgen typeはAR陽性，さらにmixed typeおよびunclassified typeと亜分類が可能であり[8]，病理診断報告書に記載したい．

9）programmed cell death ligand 1（PD-L1）

TNBC症例へのアテゾリズマブ投与のためのコンパニオン診断として，ベンタナ OptiView PD-L1（SP142）を用いてPD-L1陽性の腫瘍内のリンパ球，組織球，樹状細胞および顆粒球が1％以上の場合，PD-L1陽性と評価する．ペムブロリズマブ投与のためのコンパニオン診断としては，PD-L1 IHC 22C3 pharmDx「ダコ」を用いてcombined positive score（CPS）が1以上の場合，PD-L1陽性として評価する．どちらか一方だけが陽性を示す症例があることや[9]，CPSの観察内および観察者間一致率が高くないことなど[10]，PD-L1の評価については解決されるべき問題がある．

10）腫瘍浸潤リンパ球

腫瘍浸潤リンパ球 tumor infiltrating lymphocyte（TIL）の評価については，TIL working groupの評価基準に従って行うが[11]，現状では全例で行うわけではない．

11）リンパ節転移

リンパ節の部位ごとに提出されたリンパ節の個数と転移のみられたリンパ節の個数を記載する．乳腺内リンパ節も見落とさないように切り出す．転移性腫瘍がリンパ節周囲の脂肪組織に直接浸潤する場合には，その所見も記載する．リンパ節転移巣として提出された標本で，浸潤癌巣のみでリンパ節構造を同定できない場合には，軟部組織への転移巣と診断する．

12）術前補助療法の効果判定

筆者らの施設では，術前補助療法が開始された当初から変わらず間質浸潤部，乳管内進展部，リンパ節転移巣での評価を記載し続けている．詳しくは第4部-Ⅵ「病理学的治療効果判定」を参照のこと．

13）多中心性発生と局所再発

１つの乳腺組織に同時に複数の癌巣がみられる場合，それぞれ別個に発生した多中心性発生癌か，一方が他方の乳腺内転移巣かの鑑別が必要である．それぞれの腫瘍が連続切割標本による検索で連続性がなく，かつそれぞれの癌巣が癌腫の乳管内進展部を伴う場合，多中心性発生癌と診断する．それぞれの腫瘍の組織型が異なる場合には，さらにその確度は高い．一方，どちらかの癌巣が癌腫の乳管内進展部を伴わない場合，乳腺内転移巣と見なされる．

異時性に複数の浸潤癌がみられる場合も同様で，臨床的には乳腺部分切除後局所再発であっても，後発腫瘍が乳管内進展部を伴う場合には異時性多中心性発生癌と診断する[12]．

14）画像所見との対比

筆者らの施設では，画像検査所見を裏づける，あるいは画像所見に相当する組織所見を記載するよう心がけている．例えば，造影乳房 MRI 検査で rim enhancement を示す腫瘍組織型としては，基質産生癌 matrix-producing carcinoma や fibrous focus あるいは中心部に凝固壊死を伴う浸潤癌などが挙げられるので，画像所見を踏まえた組織所見を記載すると，乳腺外科医のみならず，放射線診断医，臨床放射線技師あるいは超音波検査技士を含めた乳癌診療チーム全体に有用である．

15）再構築図の作成

筆者らの施設では，乳房部分切除標本は可及的に 3 mm 厚で全割する（**図 2**）．tissue loss をできるだけ少なくしてより多くの組織を観察するためである．**図 2** の再構築図（マッピング）では乳管内進展部（青），間質浸潤部（赤），リンパ管侵襲部（緑）を区別して示している．

16）非癌病変，良性腫瘍，石灰化

非癌部乳腺組織にみられる良性腫瘍や乳腺症はそれぞれ記載する．ことに画像検査上指摘された病変に該当する組織学的診断を対比して記載するとよい．石灰化の有無と部位についても記載したい．

17）穿刺経路への播種

穿刺針による医原性変化として，穿刺経路に乳癌細胞を播種させる場合があり，その臨床病理学的意義の評価が困難な例もある．なぜなら，播種した乳癌細胞は必ずしも生着するとは限らず，癌腫の広がりや病期を過剰評価する可能性が高いからである[13]．いずれにしても穿刺経路に播種した乳癌細胞がみられる場合には，部位や生存可能性を記載することが望ましい（**図 6**）．

良性病変でも穿刺経路に播種する例があるので，間質浸潤と診断しないように，周囲の異物反応や肉芽組織形成を慎重に観察することが肝要である．

18）腫瘍細胞割合

がんゲノムプロファイリング検査用に提出されるホルマリン固定パラフィン包埋 formalin fixed paraffin embedded（FFPE）腫瘍組織検体では，切片中の腫瘍細胞の含有割合を評価しなければならない．OncoGuide™ NCC オンコパネル システムでは 20％以上，FoundationOne® CDx がんゲノムプロファイルでは，最適：30％以上，最低：20％以上であり，これらの解析に適応可能か否かの評価を行い記載する．筆者らの施設では，がんゲノムプロファイリング検査に供与する際に全標本を再検することを避けるために，初回診断時にがんゲノムプロファイリング検査用のブロックを指定して，病理診断報告書に記載している．

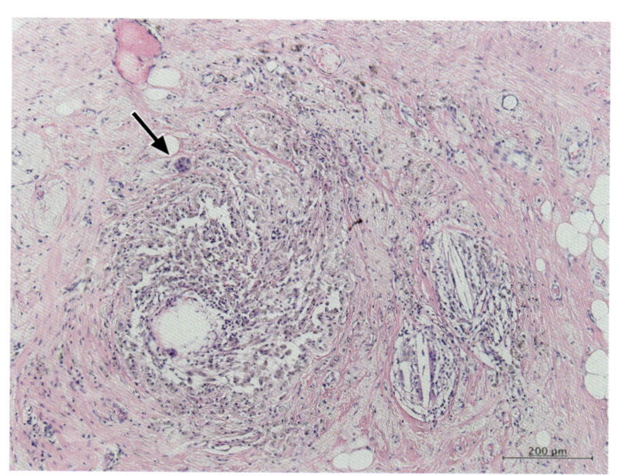

図 6 | **穿刺経路への播種像**
穿刺経路には，異物型多核巨細胞の出現を伴う組織球の集簇と少量の乳癌細胞を認めるが（矢印），生存困難と考える．

これらをまとめた病理診断報告書の一例を**図 7** に示す．

3．適切な病理診断報告書の記載（非浸潤癌）

浸潤癌と比較すると，非浸潤癌では病理診断報告書に記載されるべき項目は少ない．これらに加えて 40 歳未満の若年症例は，40 歳以上の症例よりも浸潤癌が再発するリスクが高いことが知られるが，現状では確立された予後因子はいまだない[14]．

1）病変の大きさ・広がり

組織学的最大径とそれに直交する径を計測する．1 枚のスライスでの最大径よりも，複数枚のスライスの重なる方向の径のほうが大きい場合には，そちらを最大径とする．一方，針生検あるいはマンモトーム生検後の切除標本で，2 mm 未満の病変の場合，生検標本の組織学的最大径と併せて評価する例もある．

一般的に高異型度非浸潤性乳管癌は，連続性に増

病理組織診断

Invasive ductal carcinoma of left breast (C region)*, nipple-sparing mastectomy
*Scirrhous type with lymphoid stroma, g, Ly0, V0, Nuclear grade：3, Histological grade Ⅲ, pT1c：浸潤径 14×12 mm（浸潤径＋乳管内進展の広がり：24×18 mm), pSM (－)：15 mm（乳頭断端）

Biomarkers status：
ER J-score：3b, Allred's total score：7, Proportion score：5, Intensity score：2
PgR J-score：3a, Allred's total score：6, Proportion score：4, Intensity score：2
HER-2 Score 1：＋
Ki-67 labeling index：14％

免疫組織化学的に乳癌細胞の約99％はエストロゲンレセプターの中等度の発現を示す．乳癌細胞の約40％はプロゲステロンレセプターの中等度の発現を示す．
約30％の乳癌細胞の細胞膜にはHER-2の軽度の発現を認める．
約14％の乳癌細胞の核ではKi-67陽性像を認める．

組織学的治療効果判定　Grade 2a [1b (d) ＋3 (n)]
浸潤部の約80％，乳管内進展部の約50％は消失した．リンパ節転移巣は泡沫状組織球と瘢痕形成を伴って100％の乳癌細胞が消失した．

Combined Positive Score (CPS)：10 on 22C3

免疫組織化学的に腫瘍細胞と免疫細胞の細胞膜にはPD-L1の発現を認める．

PD-L1 (＋) immune cells (IC)：≧1％ on SP142

免疫組織化学的に腫瘍内間質に浸潤するリンパ球あるいは好中球（腫瘍浸潤免疫細胞）の1％以上にPD-L1の中等度の発現を認めた．

腫瘍の代表的ブロック：#9

図7 | 病理診断報告書の例
主診断には臓器名と術式を記載する．筆者らの施設では臓器名に冠詞をつけない．

殖進展するが，低異型度非浸潤性乳管癌は10 mmも離れたskip lesionがみられるという報告があり[15)]，多中心性発生癌か否か，腫瘍径の計測，断端の評価などが困難な例もある．このような場合，複数の乳管内癌腫の異型度や組織構造の異同，腫瘍間距離などから判断せざるをえない．

2) 乳頭・乳輪

乳頭ないし乳輪の表皮内に腺癌細胞が進展する場合，乳房Paget病と診断される．一般的には，乳腺内に非浸潤性乳管癌が存在する．乳癌取扱い規約 第18版では，乳腺内浸潤径が1 mmより大きい場合には浸潤癌に分類されるが，WHO分類 第5版では，浸潤径の大きさによる分類の記載はない．予後は浸潤性乳管癌の性状によって規定されるので，現行の定義で乳房Paget病を疾患単位として独立させる意義については議論がある．

3) 核異型度

核の大きさ，核分裂像，形状，クロマチンパターン，核小体を総合的に評価する．low，intermediate，high nuclear gradeはそれぞれ，核の大きさが赤血球の1.5〜2倍，2〜2.5倍，2.5倍より大，とされる[16)]．

4) 組織構築と細胞所見

面疱型，充実型，篩状型，乳頭型，微小乳頭型，平坦型などについて記載する．さらにアポクリン化生と見なされる場合には免疫染色でARを評価する．充実乳頭型あるいは紡錘形腫瘍細胞の場合には神経内分泌分化を示す場合があるので，免疫染色でchromogranin Aとsynaptophysinを評価する．

5) 壊死

コメド壊死comedo necrosisか点状壊死punctate necrosisかについて記載する．

6) 断端の評価

切片上切除断端から最短の部位に存在する癌腫までの距離を記載する．乳房Paget病の場合，皮膚腫瘍に準じた断端の切り出しを行い，皮膚切除断端から最短の部位に存在する癌腫までの距離を記載する．

7) 微細石灰化

微細石灰化の有無と良悪性別に，どの病変の中にあるかを記載すると画像検査所見との対比において有用である．

8) バイオマーカー

筆者らは，非浸潤癌のサブタイプを検索し，ホルモン療法の適応を判断するために全例バイオマーカーを検索しているが，HER2 と Ki67 は必須ではない．

4．国際的な報告様式の統一

International Collaboration on Cancer Reporting（ICCR）は，世界共通で国際的に検証された証拠に基づく病理診断のデータセットを作成することの意義を強調している．全世界のがんの報告を使用するために，病理協会，様々ながんの学会，主要ながん組織の国際的で広範な協力が望まれる．病理の情報だけではなく，腫瘍分類，病期，予後，治療効果予測に関する情報の世界的な標準化を図り，患者に対する最善の治療を実践し，その治療効果を適切に評価するために，疫学研究とがんの取扱いにおける基準策定が国内的および国際的に必須である[17,18]．

このような報告様式の利点は，施設間でのデータ比較が容易になることである．今後，国内のみならず国外も含めての多施設共同研究がさらに増えることが予想されるので，共通のデータベースに基づいた症例群が設定しやすいであろう（**表 2, 3**）．短所としては，診断困難例や希少例について，その難しさに関する病理医の見解を一定のフォーマットでは十二分には伝えにくいことである．このような症例では，文献を引用するなどして，言葉を尽くして説明する必要がある．

おわりに

乳癌診療は病理診断による様々な情報に基づいて行われるので，新規の治療薬が開発されるに従って，病理診断報告書に記載されるべき事項が増加する一方である．そのため診療の根拠となる所見が記載された報告書が必須であるが，臨床病理学的諸因子や様々な因子の判定基準は，研究が蓄積されるにつれて変更されることがあるので，乳癌取扱い規約のみならず，ASCO/CAP（American Society of Clinical Oncology/College of American Pathologists）のガイドラインや St.Gallen コンセンサス会議で推奨されるリスク分類などを参考にして最新の情報を積極的に収集し，診断に反映させる姿勢が肝要である．

また近年，がんゲノム医療が軌道に乗り，ゲノム解析症例が増えている．この場合，病理診断報告書は単一施設の主治医がみるだけではなく，他施設の医師も参照する機会が多いことを意識して報告書を作成したい．例えば，がんが存在する切片番号や枝番号を報告書に記載して，検索に関与する医療者の負担を少しでも減らす配慮があってもよい．

病理診断報告書には様々な情報が記載されるが，病理医の伝えたい事項が必ずしも主治医に十分に伝わるとは限らない．したがって病理医，外科医，腫瘍内科医，放射線診断医，放射線治療医のみならず，臨床放射線技師，超音波検査技師および細胞検査士も含めた合同カンファレンスを術前および術後に開催することで「顔のみえる関係」を構築し，互いに疑問点を残さず確認と議論を行うことで，質の高い医療を提供できるだけではなく，大小のインシデントを未然に防止することも可能である．

いずれにしても正しい病理所見を記載し，組織型分類あるいは判定基準が変わっても互換性を保てるような記載法を心がけることが望まれる．

（有廣光司，森　馨一，藤本有香，岡澤佳未）

文　献

1）Khatun N, Arihiro K, Inai K：Elastosis in breast-correlation with epithelial proliferation in benign disease and carcinomatous growth. Hiroshima J Med Sci 41：87-100, 1992

2）Suehiro S, Inai K, Tokuoka S, et al：Involvement of the nipple in early carcinoma of the breast. Surg Gynecol Obstet 168：244-248, 1989

3）Allison KH, Hammond MEH, Dowsett M, et al：Estrogen and progesterone receptor testing in breast cancer：ASCO/CAP guideline update. J Clin Oncol 38：1346-1366, 2020

4）Wolff AC, Hammond MEH, Allison KH, et al：Human epidermal growth factor receptor 2 testing in breast cancer：American Society of Clinical Oncology/College of American Pathologists clinical practice guideline focused update. J Clin Oncol 36：2105-2122, 2018

5）Kensler KH, Regan MM, Heng YJ, et al：Prognostic and predictive value of androgen receptor expression in postmenopausal women with estrogen receptor-positive breast cancer：results from The Breast International Group Trial 1-98. Breast Cancer Res 21：30, 2019

6）Traina TA, Miller K, Yardley DA, et al：Enzalutamide for the treatment of androgen receptor-expressing triple-negative breast cancer. J Clin Oncol 36：884-890, 2018

7）Lehmann BD, Jovanović B, Chen X, et al：Refinement of triple-negative breast cancer molecular subtypes：implications for neoadjuvant chemotherapy selection. PLoS One 11：e0157368, 2016

8）Kumar S, Bal A, Das A, et al：Molecular subtyping of triple negative breast cancer by surrogate immunohistochemis-

表2 | ICCR Invasive Carcinoma of the Breast Histopathology Reporting Guide (Version 2.1, 2022)

□indicates multi-select values ○indicates single select values

OPERATIVE PROCEDURE
○Not specified
○Excision (less than total mastectomy)
○Diagnostic excision/excision biopsy/localisation biopsy
○Therapeutic wide local excision
○Duct excision/microdochectomy
○Re-excision
○Total mastectomy
○Simple mastectomy
○Nipple-sparing mastectomy
○Skin-sparing mastectomy
○Modified radical mastectomy
○Radical mastectomy
○Additional specimens, *specify*
____

SPECIMEN LATERALITY
○Left
○Right
○Not specified
Specimen dimensions
____ mm × ____ mm × ____ mm
Specimen weight
____ g

SPECIMEN DETAILS
Depth of tissue excised
Skin to deep fascia
○Yes
○No
Specimen includes (select all that apply)
□Skin
□Nipple
□Skeletal muscle

TUMOUR SITE (select all that apply)
○Not specified
Distance from nipple ____ mm
AND
Position, *specify* ____ o'clock
OR
□Upper outer quadrant
□Lower outer quadrant
□Upper inner quadrant
□Lower inner quadrant
□Central
□Nipple
□Other, *specify*
____

TUMOUR FOCALITY
○Cannot be assessed
○Single focus of invasive carcinoma
○Multiple foci of invasive carcinoma
Number of foci
○Cannot be assessed
______
Is at least ______
Sizes of individual foci
____

TUMOUR DIMENSIONS
○No residual invasive carcinoma
○Only microinvasion present (≤1 mm)
Maximum dimension of largest invasive focus >1 mm (*specify exact measurement rounded to nearest mm*)
____ mm
Additional dimensions of largest invasive focus
____ mm × ____ mm
Maximum dimension of whole tumour field (invasive + DCIS)/total extent of disease
____ mm
○Cannot be assessed, *specify*
____

HISTOLOGICAL TUMOUR TYPE
(*Value list based on the World Health Organization Classification of Breast Tumours (2019)*)
○No residual invasive carcinoma
○Invasive breast carcinoma of no special type (invasive ductal carcinoma, not otherwise specified)
○Invasive lobular carcinoma
○Tubular carcinoma
○Cribriform carcinoma
○Mucinous carcinoma
○Invasive micropapillary carcinoma
○Carcinoma with apocrine differentiation
○Metaplastic carcinoma
○Mixed, *specify subtypes present*
____
○Other, *specify*
____

HISTOLOGICAL TUMOUR GRADE
○No residual invasive carcinoma
○Grade 1 (scores of 3, 4, or 5)
○Grade 2 (scores of 6 or 7)
○Grade 3 (scores of 8 or 9)
↓
Tubule score 1, 2, 3 ______
Nuclear pleomorphism 1, 2, 3 ______
Mitotic count
______ per mm²
OR
____ per 10 HPF (field diameter ____ mm)
Score 1, 2, 3 ______
Total score ______
○Only microinvasion present (not graded)
○Score cannot be determined, *specify*
____

CARCINOMA IN SITU
○Not identified
○Present (select all that apply)
□DCIS
○Negative for extensive intraductal component (EIC)
○Positive for EIC
□Paget disease of the nipple
□Encapsulated papillary carcinoma
□Solid papillary carcinoma in situ
□LCIS

CLASSIFICATION OF CARCINOMA IN SITU (if present)
Histological nuclear grade
(*Applicable to DCIS, encapsulated papillary carcinoma and solid papillary carcinoma in situ*)
○Grade 1 (Low)
○Grade 2 (Intermediate)
○Grade 3 (High)
Histological architectural pattern (select all that apply)
(*Applicable to DCIS only*)
□Cribriform
□Micropapillary
□Papillary
□Solid
□Other (e.g., clinging/flat), *specify*
____

Necrosis
○Not identified
○Present
○Central (Comedo) necrosis
○Focal (Punctate) necrosis (<10% duct diameter)
Classification of LCIS (select all that apply)
(*Applicable if LCIS is present in specimen*)
□Classical LCIS
□Pleomorphic LCIS
□Florid LCIS
□Other, *specify*
____

TUMOUR EXTENSION
Skin
○Skin is not present
○Skin is present and uninvolved
○Invasive carcinoma directly invades into the dermis or epidermis without skin ulceration
○Invasive carcinoma directly invades into the dermis or epidermis with skin ulceration (classified as pT4b)
○Satellite skin foci of invasive carcinoma are present (i.e., not contiguous with the invasive carcinoma in the breast) (classified as pT4b)
Nipple (including areola complex)
○Nipple tissue is not present
○DCIS does not involve the nipple epidermis
○DCIS involves nipple epidermis (Paget disease of the nipple)
Skeletal muscle
○Skeletal muscle is not present
○Skeletal muscle is free of carcinoma
○Tumour involves skeletal muscle
○Tumour involves both skeletal muscle and chest wall (classified as pT4a)

MARGIN STATUS
(*For wide local excision specimens and similar non-complete mastectomy specimens*)
○Cannot be assessed, *specify*

The source of this material is the International Collaboration on Cancer Reporting. 2022. Invasive Carcinoma of the Breast Histopathology Reporting Guide. 2nd edition. ISBN: 978-1-922324-35-1

表 3 | ICCR Surgically Removed Lymph Nodes for Breast Tumours Histopathology Reporting Guide (Version 1.1, 2021)

□indicates multi-select values ○indicates single select values

CLINICAL INFORMATION (select all that apply)
○Information not provided

Clinical and/or imaging findings that prompted current lymph node evaluation
○Information not provided
□Ipsilateral breast carcinoma
□Enlarged/palpable axillary lymph node (s) in a patient with prior history of breast carcinoma
□Axillary lymph node (s) suspicious on imaging
　□Imaging findings, *specify if available*
　______
　□Prior biopsy of the suspicious lymph node (s)
　　□Prior fine needle aspiration (FNA)
　　□Prior core needle biopsy (CNB)
　　□Prior CNB/FNA diagnosis
　　　○Positive for carcinoma
　　　○Negative for carcinoma
　　　○Atypical cells present/suspicious for malignancy
　　　○Non-diagnostic specimen
□Other relevant clinical/imaging findings, *specify*
______

Prior neoadjuvant treatment
○Information not provided
○No
○Yes
　□Neoadjuvant chemotherapy
　□Neoadjuvant hormonal therapy
Other clinical information, *specify*
______

OPERATIVE PROCEDURE (select all that apply)
□Sentinel lymph node biopsy
□Non-sentinel lymph node biopsy
□Axillary lymph node dissection
　○Level I
　○Levels I and II
　○Levels I to III
□Axillary lymph node level III, excision
□Other regional lymph node (s) biopsy
　□Internal mammary
　□Infraclavicular (subclavicular)
　□Supraclavicular
□Other, *specify*
______

SPECIMEN LATERALITY
　○Left
　○Right
　○Not specified

NUMBER OF LYMPH NODES EXAMINED
Total number of sentinel lymph nodes examined ______
Total number of non-sentinel lymph nodes examined ______
Total number of lymph nodes examined
______

NUMBER OF LYMPH NODES WITH METASTATIC CARCINOMA

NUMBER OF LYMPH NODES WITH MACROMETASTASES
Sentinel lymph nodes ______
Non-sentinel lymph nodes ______
Total lymph nodes ______

LYMPH NODES CONTAIN ONLY ISOLATED TUMOUR CELLS (ITCs)
○No
○Yes
　Number of lymph nodes with ITCs when ONLY ITC involvement is presenth
　Sentinel lymph nodes ______
　Non-sentinel lymph nodes ______
　Total lymph nodes ______

SIZE OF LARGEST METASTASIS
○Not assessable
○Size of largest metastatic deposit
　______ mm
○At least ______ mm

EXTRANODAL EXTENSION
○Not identified
○Present
○Cannot be determined

ANCILLARY STUDIES
○Not performed
○Performed (select all that apply)
　□Immunohistochemistry, *specify test (s) and result (s)*
　______
　□One-step nucleic acid amplification, *record results*
　______
　□Other, *specify test (s) and result (s)*
　______

Representative blocks for ancillary studies, *specify those blocks best representing tumour and/or normal tissue for further study*
______

REGIONAL LYMPH NODE CATEGORISATION (UICC TNM 8th edition)
TNM Descriptors (only if applicable)
□r - recurrent
□y - post-therapy
□p - histopathologic examination was performed; and the primary tumour was removed – the latter being a requisite for "p" classification
□c - based on clinical or imaging studies, no histopathologic examination was performed – or lymph node assessment was done without the primary breast tumour being removed

Regional lymph nodes (pN)
○NX　Regional lymph nodes cannot be assessed (e.g., previously removed, or not removed for pathological study)
○N0　No regional lymph node metastasis
○N1　Micrometastasis; or metastasis in 1 to 3 axillary ipsilateral lymph nodes; and/or in internal mammary nodes with metastases detected by sentinel lymph node biopsy but not clinically detected
　○N1 mi　Micrometastasis (larger than 0.2 mm and/or more than 200 cells, but none larger than 2.0 mm)
　○N1 mi (mol+)　Using molecular methods
　○N1a　Metastasis in 1～3 axillary lymph node (s), including at least one larger than 2 mm in greatest dimension
　○N1a (mol+)　Using molecular methods
　○N1b　Metastasis in internal mammary lymph nodes not clinically detected
　○N1c　Metastasis in 1～3 axillary lymph nodes and internal mammary lymph nodes not clinically detected
○N2　Metastasis in 4～9 ipsilateral axillary lymph nodes, or in clinically detected ipsilateral internal mammary lymph node (s) in the absence of axillary lymph node metastasis
　○N2a　Metastasis in 4～9 axillary lymph nodes, including at least one that is larger than 2 mm
　○N2b　Metastasis in clinically detected internal mammary lymph node (s), in the absence of axillary lymph node metastasis
○N3　Metastasis as described below:
　○N3a　Metastasis in 10 or more ipsilateral axillary lymph nodes (at least one larger than 2 mm) or metastasis in infraclavicular lymph nodes/level III lymph nodes
　○N3b　Metastasis in clinically detected internal ipsilateral mammary lymph node (s) in the presence of positive axillary lymph node (s); or metastasis in more than 3 axillary lymph nodes and in internal mammary lymph nodes with microscopic or macroscopic metastasis detected by sentinel lymph node biopsy but not clinically detected
　○N3c　Metastasis in ipsilateral supraclavicular lymph node (s)

The source of this material is the International Collaboration on Cancer Reporting. 2021. Surgically Removed Lymph Nodes for Breast Tumours Histopathology Reporting Guide. 1st edition. ISBN: 978-1-922324-11-5 try markers. Appl Immunohistochem Mol Morphol 29：251-257, 2021

9) Cha YJ, Kim D, Bae SJ, et al：PD-L1 expression evaluated by 22C3 antibody is a better prognostic marker than SP142/SP263 antibodies in breast cancer patients after resection. Sci Rep 11：19555, 2021

10) Pang JB, Castles B, Byrne DJ, et al：SP142 PD-L1 scoring shows high interobserver and intraobserver agreement in triple-negative breast carcinoma but overall low percentage agreement with other PD-L1 clones SP263 and 22C3. Am J Surg Pathol 45：1108-1117, 2021

11) Salgado R, Denkert C, Demaria S, et al：The evaluation of tumor-infiltrating lymphocytes（TILs）in breast cancer：recommendations by an International TILs Working Group 2014. Ann Oncol 26：259-271, 2015

12) Arihiro K, Kaneko M, Suehiro S, et al：Multicentric breast carcinoma：evaluation of clinicopathological and immunohistochemical characteristics. Breast Cancer 3：181-198, 1996

13) Diaz LK, Wiley EL, Venta LA：Are malignant cells displaced by large-gauge needle core biopsy of the breast? AJR Am J Roentgenol 173：1303-1313, 1999

14) Hoda SA：Ductal carcinoma in situ. in Hoda SA, Brogi E, Koerner FC, et al（eds）："Rosen's Breast Pathology"（5th ed.）, Wolters Kluwer, Philadelphia, 2021, pp363-450

15) Faverly DR, Burgers L, Bult P, et al：Three dimensional imaging of mammary ductal carcinoma in situ：clinical implications. Semin Diagn Pathol 11：193-198, 1994

16) Lester SC, Bose S, Chen YY, et al：Protocol for the examination of specimens from patients with ductal carcinoma in situ of the breast. Arch Pathol Lab Med 133：15-25, 2009

17) Ellis I, Allison KH, Dang C, et al：Invasive Carcinoma of the Breast Histopathology Reporting Guide（2nd ed. V2.1）, International Collaboration on Cancer Reporting, Sydney, 2022

18) Cserni G, Brogi E, Cody HS III, et al：Surgically Removed Lymph Nodes for Breast Tumours Histopathology Reporting Guide（1st ed. v1.1）, International Collaboration on Cancer Reporting, Sydney, 2021

欧文索引

D

E

F

G

H

I

J, K

L

M

N

O

P

R

S

T

U，V，W，Y

日本語索引

あ

い

う，え，お

か

き

け

こ

さ

し

す, せ

そ

た

ち, つ

て

と, な

に

ね

は

ひ

ふ

へ

ほ

み, む

め

ゆ, よ, ら

り

れ, ろ

検印省略

腫瘍病理鑑別診断アトラス
乳癌
定価（本体16,000円＋税）

2010年6月24日　第1版　第1刷発行
2016年5月3日　第2版　第1刷発行
2022年11月7日　第3版　第1刷発行

編集者　森谷（もりや） 卓也（たくや）・津田（つだ） 均（ひとし）
発行者　浅井 麻紀
発行所　株式会社 文光堂
〒113-0033　東京都文京区本郷7-2-7
TEL（03）3813－5478（営業）
（03）3813－5411（編集）

印刷・製本：広研印刷

ISBN978-4-8306-2262-5　Printed in Japan